LA FRANCE DANS SES RÉGIONS

Tome 2

Ouvrage dirigé par André Gamblin
   Université des Sciences et
   Technologies de Lille I
Samuel Arlaud
   Université de Poitiers
Olivier Balabanian
   Université de Limoges
Marcel Bazin
   Université de Reims Champagne-
   Ardenne
Jacqueline Beaujeu-Garnier
   Université de Paris I
Jean-Claude Bonnefont
   Université de Nancy
Guy Bouet
   Université de Limoges
Pierre Brunet
   Université de Caen
Robert Chapuis
   Université de Bourgogne
Jean-Pierre Chardon
   Recteur de l'Académie
   de la Guadeloupe
Emile Flament
   Université de Picardie Jules Verne
Guy Fontaine
   Université de la Réunion
François-J. Gay
   Université de Rouen
René Lebeau
   Université Lumière Lyon II
Daniel Lefèvre
   Université de la Réunion
Gilbert Le Guen
   Université de Rennes

Serge Lerat
   Université de Bordeaux
Robert Marconis
   Université de Toulouse – Le Mirail
Daniel Mathieu
   Université de Franche-Comté
Christian Mignon
   Université de Clermont-Ferrand Blaise
   Pascal
Jean-Pierre Nardy
   Université de Franche-Comté
Henri Nonn
   Université de Strasbourg
François Reitel
   Université de Metz
Janine Renucci
   Université Lumière Lyon II
André Robert
   Université de Franche-Comté
Jean Robert
   Université de Paris IV
Christian Verlaque
   Université Paul Valéry (Montpellier
   III)
Jacques Verrière
   Classes préparatoires, Lycée
   Descartes, Tours
André Vigarié
   Université de Nantes
Emmanuel Vigneron
   Université de Montpellier
Maurice Wolkowitsch
   Université d'Aix-Marseille

SOMMAIRE

		FRANCE	ILE-DE-FRANCE	CENTRE	BASSE-NORMANDIE	HAUTE-NORMANDIE
1	**Superficie** (en km^2)	543 965,4	12 012,3	39 150,9	17 589,3	12 317,4
2	% France	100	2,21	7,20	3,23	2,26
	Population (1 000 hab.)					
3	• Recensement 1975	52 591,6	9 878,6	2 152,5	1 306,2	1 595,7
4	• Recensement 1990	56 615,2	10 660,6	2 371,0	1 391,3	1 737,2
5	• Estimation 1-1-1995	58 020,1	10 977,7	2 433,0	1 412,5	1 776,9
6	% France 1-1-1995	100	18,9	4,2	2,4	3,1
7	**Densité** 1-1-1995	106,7	913,6	62,1	80,3	144,3
	Evolution 1975-1990					
8	• Valeur absolue	+ 4 023,6	+ 782,0	+ 218,5	+ 85,2	+ 141,6
9	• En %	+ 7,7	+ 7,9	+ 10,2	+ 6,5	+ 8,9
10	– part du bilan naturel en %	+ 6,3	+ 11,2	+ 4,2	+ 7,6	+ 5,7
11	– part du bilan migratoire en %	+ 1,3	– 3,3	+ 6,1	– 1	– 0,8
12	Moins de 25 ans (1994)	34,2	34,9	33,2	34,9	36,4
13	60 ans ou plus (1994)	19,6	15,3	21,7	20,7	17,7
14	% d'étrangers (1990)	6,3	12,9	5,0	1,6	3,3
15	**Urbanisation** [1] (1990) en %	74	96,2	64,8	53,2	68,8
16	Ville la plus importante		Paris	Tours	Caen	Rouen
17	et sa population		9 318 821	282 152	191 490	380 161
18	Nombre de villes > 100 000 hab.			2	1	2
19	**Actifs** en 1975, total (milliers)	20 945	4 602	871	535	651
20	**Occupés** au 1-1-1995, total (milliers)	22 028,9	4 925,7	901,6	542,2	651,1
21	dans l'agriculture	10,1/4,8	0,9/0,4	13,4/6,1	22,4/9,5	8,2/3,8
22	dans l'industrie $\}$ 1er chiffre (%) : 1975	29,4 / 19,7	28,2 / 15,2	30,4 / 23,6	25,8 / 21,7	35,2 / 24,8
23	dans la construction $\}$ 2e chiffre (%) : 1994	9,1 / 6,5	8,0 / 6,1	9,7 / 6,9	8,2 / 6,8	8,5 / 6,8
24	dans le tertiaire	51,4/69,0	62,9/78,3	46,4/63,4	43,6/62,1	48,2/64,5
25	**Taux de chômage** BIT [3], (31-12-1996)	12,7	11,1	12,0	12,3	15,1
26	Nombre de **créations d'entreprises** 1993/1996	263 594/ 275 577	65 753/ 66 618	8 248/ 8 024	5 037/ 4 957	5 565/ 5 354
27	Dépenses intérieures **R et D** [3] des entreprises en 1994 (millions de francs)	108 568	56 717	3 053	678	2 493
28	et % par région)	100	52,2	2,8	0,6	2,3
29	**Salaire net annuel moyen** en 1994 (francs)	122 200	150 800	109 400	104 300	114 300
30	Total (milliards de francs)	6 735,7	1 968,4	257,1	144,6	202,5
31	**VAB** [4] liée à l'agriculture (%)	2,9	0,2	4,9	5,4	2,5
32	1992 liée à l'industrie (%)	23,8	21,4	27,2	25,1	34,0
33	liée à BGCA [5] (%)	5,4	4,8	6,1	5,8	5,5
34	liée au tertiaire (%)	67,9	73,5	61,8	63,7	58,0
35	**Part** dans le total français		29,2	3,8	2,1	3,0
36	**de** " l'agriculture franç.		2,3	6,5	3,7	2,6
37	**la** " l'industrie franç. (sans BGCA)		26,3	4,4	2,3	4,3
38	**VAB** " services marchands et commerce		34,6	3,3	1,9	2,5
39	" services non marchands		22,7	4,0	2,4	2,8
40	**VAB par habitant** en 1992 (francs)	117 700	182 200	107 200	103 300	115 300
41	**Livraisons agricoles** 1995 (millions de francs)	285 416	5 550	15 579	11 962	6 498
42	% du total français	100	1,9	5,5	4,2	2,3
43	dont livraisons végétales (%)	50,5	91,5	73,5	17,3	47,2
44	dont livraisons animales (%)	49,5	8,5	26,5	82,7	52,8
45	Livraison par ha de S.A.U. [6] en 1995 (francs)	10 133	9 429	6 518	9 032	8 061
46	S.A.U. moyenne par exploitation en 1995 (ha)	37,4	82,5	61,5	31,5	45,7
47	**Tourisme.** Nuitées [7] 1995 (1 000)	242 674	42 143	5 876	6 403	2 531
48	% de l'ensemble français		17,4	2,4	2,6	1,0
49	**Autoroutes** 1-1-1997 - 1er chiffre : total en km ; 2e chiffre : km pour 1 000 km^2)	8 973/15,5	314/48,8	563/14,4	57,3/3,3	268,6/21,2
50	**Importations** 1996 (millions francs et %)	418 747 (30,03 %)	54 745 (3,93 %)	18 504 (1,33 %)	75 774 (5,43 %)	
51	**Exportations** " "	302 055 (20,74 %)	61 728 (4,24 %)	20 593 (1,41 %)	86 288 (5,92 %)	

Source : INSEE. Etudes régionales. Douanes françaises. Ministère de l'Agriculture, de la Pêche et de l'Alimentation. Ministère de l'Equipement, du Logement, des Transports et du Tourisme, Direction des Routes et Direction du Tourisme.

Notes : 1. Urbanisation : taux de population vivant dans des unités urbaines (plus de 2 000 habitants)

2. Chômeurs au sens du B.I.T. (Bureau international du travail) ; personnes recherchant effectivement un emploi salarié ou non salarié et n'ayant pas d'occupation au cours de la période de référence. Le taux de chômage est le rapport du nombre de chômeurs à la population active occupée plus les chômeurs.

La France dans ses régions

PICARDIE	CHAMPAGNE ARDENNE	NORD-PAS DE-CALAIS	LORRAINE	ALSACE	FRANCHE-COMTÉ	BOUR-GOGNE	RHÔNE-ALPES	
19 399,5	25 605,8	12 414,1	23 547,4	8 280,2	16 202,3	31 582,0	43 698,2	1
3,57	4,71	2,28	4,33	1,52	2,98	5,81	8,03	2
1 678,6	1 336,8	3 913,8	2 330,8	1 517,3	1 060,3	1 570,9	4 780,7	3
1 810,7	1 347,8	3 965,1	2 305,7	1 624,4	1 097,3	1 609,7	5 350,7	4
1 855,2	1 352,5	3 994,8	2 311,5	1 689,8	1 113,3	1 623,8	5 569,2	5
3,2	2,3	6,9	4,0	2,9	1,9	2,8	9,6	6
95,6	52,8	321,8	98,2	198,0	68,7	51,4	127,4	7
+ 132,0	+ 11,0	+ 51,3	− 25,1	+ 107,0	+ 37,0	+ 38,7	+ 570,0	8
+ 7,9	+ 0,8	+ 1,3	− 1,1	+ 7,1	+ 3,5	+ 2,5	+ 11,9	9
+ 8,0	+ 7,5	+ 9,4	+ 7,6	+ 6,5	+ 8,1	+ 2,2	+ 8,1	10
− 0,03	− 6,6	− 8,1	− 8,6	+ 0,6	− 4,5	+ 0,3	+ 3,9	11
36,8	35,3	38,5	34,9	34,5	34,9	32,3	34,8	12
17,5	19,1	17,5	18,9	17,6	19,6	23,1	18,4	13
4,2	4,8	4,2	6,6	7,8	6,3	5,1	7,9	14
60,9	62,2	86,2	72	74	58,1	57,4	76,4	15
Amiens	Reims	Lille/Rx/Tg	Nancy	Strasbourg	Besançon	Dijon	Lyon	16
156 120	206 437	959 234	329 447	388 483	122 623	230 451	1 262 223	17
1	2	8	4	4	2	1	5	18
650	531	1 373	879	596	427	607	1 968	19
625,7	503,0	1 276,0	790,9	645,5	405,4	598,0	2 134,4	20
10,4/5,8	11,7/8,8	5,6/3,1	5,2/3,2	4,8/2,5	9,1/4,9	13,3/7,3	7,4/3,4	21
37,5/26,4	35,3/23,7	40,6/22,8	39,7/24,6	37,6/26,9	44,0/30,6	30,4/22,4	35,8/23,4	22
7,1/6,1	7,8/5,6	7,7/6,1	8,7/6,6	9,0/6,1	7,6/5,7	8,8/6,5	9,2/6,7	23
44,9/61,6	45,2/62,0	46,1/68,0	46,4/65,7	48,6/64,5	39,4/58,8	47,5/63,8	47,6/66,5	24
13,5	13,3	16,6	11,5	8,0	10,2	11,8	11,5	25
5 522/	3 973/	10 473/	6 707/	5 653/	3 593/	5 382/	27 045/	26
5 218	3 930	10 499	6 795	5 851	3 305	5 320	26 776	
								27
1 674	592	1 568	1 314	1 532	2 306	1 434	11 327	28
1,5	0,6	1,4	1,2	1,4	2,1	1,3	10,5	
								29
109 200	108 100	110 000	109 000	115 700	106 300	106 100	117 500	
179,9	148,0	373,5	225,8	196,4	115,7	162,3	630,7	30
5,1	9,8	1,6	2,4	2,7	3,5	5,5	1,9	31
29,3	27,7	26,2	27,0	31,0	35,5	24,6	28,9	32
5,0	4,9	5,7	5,6	5,8	4,3	5,3	5,9	33
60,6	57,6	66,6	65,0	60,5	56,8	64,5	63,4	34
2,7	2,2	5,5	3,4	2,9	1,7	2,4	9,4	35
4,6	7,3	3,0	2,7	2,7	2,0	4,5	6,1	36
3,3	2,6	6,1	3,8	3,8	2,6	2,5	11,4	37
2,3	1,7	5,2	2,9	2,5	1,3	2,2	8,8	38
2,7	2,3	6,3	4,2	2,8	1,8	2,7	8,6	39
98 300	109 700	94 000	97 900	119 100	104 900	100 400	115 700	40
13 720	16 991	11 141	6 600	5 681	4 699	12 534	17 008	41
4,8	6,0	3,9	2,3	2,0	1,6	4,4	6,0	42
72,5	84,6	51,8	33,4	74,9	18,5	62,2	48,8	43
27,5	15,4	48,2	66,6	29,1	81,5	37,8	51,2	44
10 199	10 902	13 092	5 881	17 062	7 059	7 142	10 793	45
71,0	54,0	41,1	57,7	20,4	46,5	62,5	24,5	46
2 397	2 674	4 758	3 874	5 910	3 198	5 442	21 875	47
1,0	1,1	2,0	1,6	2,4	1,3	2,2	9,0	48
								49
372,1/19,2	506,4/19,8	548,6/44,2	458,8/19,5	282,7/34,1	160,9/9,9	550,3/44,7	1 064,5/24,4	
52 326	23 242	129 874	61 069	89 267	15 841	23 334	129 392	50
(3,75 %)	(1,67 %)	(9,31 %)	(4,38 %)	(6,4 %)	(1,11 %)	(1,67 %)	(9,28 %)	
54 875	35 345	131 997	75 869	91 827	27 204	38 055	170 066	51
(3,77 %)	(2,43 %)	(9,06 %)	(5,21 %)	(6,3 %)	(1,87 %)	(2,61 %)	(11,68 %)	

3. R et D : Recherche et développement.
4. V.A.B. : Valeur ajoutée brute, c'est la valeur de la production diminuée de la valeur des consommations intermédiaires.
5. B.G.C.A. : Bâtiment et génie civil agricole.
6. S.A.U. : Surface agricole utilisée.
7. Nuitées dans l'hôtellerie homologuée et dans l'hôtellerie de plein air (camps).

		FRANCE	PROVENCE-ALPES CÔTE D'AZUR	LANGUEDOC-ROUSSILLON	CORSE
1	**Superficie** (en km^2)	543 965,4	31 399,6	27 375,8	8 679,8
2	% France	100	5,77	5,03	1,60
	Population (1 000 hab.)				
3	• Recensement 1975	52 591,6	3 675,7	1 789,5	289,8
4	• Recensement 1990	56 615,2	4 257,9	2 115,0	250,4
5	• Estimation 1-1-1995	58 020,1	4 428,2	2 221,4	259,7
6	% France 1-1-1995	100	7,6	3,8	0,4
7	**Densité** 1-1-1995	106,7	141,0	81,1	29,9
	Evolution 1975-1990				
8	• Valeur absolue (1 000 hab.)	+ 4 023,6	+ 582,2	+ 325,5	− 39,5
9	• En %	+ 7,7	+ 15,8	+ 18,2	− 13,6
10	− part du bilan naturel en %	+ 6,3	+ 2,9	+ 0,5	+ 0,5
11	− part du bilan migratoire en %	+ 1,3	+ 13,0	+ 17,6	− 14,1
12	Moins de 25 ans (1994)	34,2	31,2	31,2	29,8
13	60 ans ou plus (1994)	19,6	22,9	24,1	23,0
14	% d'étrangers (1990)	6,3	7,0	6,3	9,9
15	**Urbanisation** [1] (1990) en %	74	89,8	73,1	58,6
16	Ville la plus importante		Marseille-Aix	Montpellier	Ajaccio
17	et sa population		1 230 936	248 303	58 949
18	Nombre de villes > 100 000 habitants		5	3	0
19	**Actifs** en 1975, total (milliers)	20 945	1 332	593	77,5
20	**Occupés** au 1-1-1995, total (milliers)	22 028,9	1 505,1	726,8	85,9
21	dans l'agriculture	10,1/4,8	6,7/3,0	16,4/6,6	20,3/6,7
22	dt industriel ⎫ 1er chiffre (%) : 1975	29,4 / 19,7	19,2 / 12,2	16,3 / 11,0	6,4 / 7,0
23	dans la construction ⎬ 2e chiffre (%) : 1994	9,1 / 6,5	12,5 / 7,1	11,8 / 7,2	19,4 / 9,7
24	dans le tertiaire ⎭	51,4/69,0	61,6/77,6	55,5/75,2	53,9/76,6
25	**Taux de chômage** BIT [2], (31-12-1996)	12,7	16,1	17,4	13,0
26	Nombre de **créations d'entreprises**	263 594/	31 590/	15 804/	2 177/
	1992 et 1996	275 577	31 201	16 613	1 912
27	Dépenses intérieures **R et D** [3] des entreprises en 1994 (millions de francs)	108 568	6 077	955	
28	et % par région	100	5,6	0,9	
29	**Salaire net annuel moyen** en 1994 (francs)	122 200	118 300	108 200	103 500
30	⎧ Total 1992 (milliards de francs)	6 735,7	458,0	194,2	20,5
31	**VAB** [4] ⎪ liée à l'agriculture (%)	2,9	2,2	4,8	2,0
32	1990 ⎨ liée à l'industrie (%)	23,8	16,5	14,6	11,0
33	⎪ liée à BGCA [5] (%)	5,4	5,8	5,9	11,4
34	⎩ liée au tertiaire (%)	67,9	79,5	74,7	75,5
35	**Part** dans le total français		6,8	2,9	0,3
36	**de** " l'agriculture franç.		5,1	4,7	0,2
37	**la** " l'industrie franç. (sans BGCA)		4,7	1,8	0,1
38	**VAB** ⎧ " services marchands et commerce		7,4	3,1	0,3
39	⎩ " services non marchands		8,0	3,5	0,4
40	**VAB par habitant** en 1992 (francs)	117 700	105 600	90 000	81 200
41	**Livraisons agricoles** 1995 (millions de francs)	285 416	13 458	11 746	829
42	% du total français	100	4,7	4,1	0,3
43	dont livraisons végétales (%)	50,5	93,2	84,4	66,1
44	dont livraisons animales (%)	49,5	6,8	11,6	33,9
45	Livraison par ha de S.A.U. [6] en 1995 (francs)	10 133	19 995	12 049	6 920
46	S.A.U. moyenne par exploitation en 1995 (ha)	37,4	21,2	19,9	29,3
47	**Tourisme**. Nuitées [7] 1995 (1 000)	242 674	28 299	20 808	3 926
48	% de l'ensemble français		11,7	8,6	1,6
49	**Autoroutes** 1-1-1997 - 1er chiffre : total en km ; 2e chiffre : km pour 1 000 km^2)	8 973/15,5	726,5/23,1	487,1/17,8	0
50	**Importations** 1996 (millions francs et %)		73 279 (5,25 %)	30 752 (2,21 %)	431 (0,03 %)
51	**Exportations** " "		70 089 (4,81 %)	20 694 (1,42 %)	80 (0,01 %)

Source : INSEE. Etudes régionales. Douanes françaises. Ministère de l'Agriculture, de la Pêche et de l'Alimentation. Ministère de l'Equipement, du Logement, des Transports et du Tourisme, Direction des Routes et Direction du Tourisme.

Notes :
1. Urbanisation : taux de population vivant dans des unités urbaines (plus de 2 000 habitants)
2. Chômeurs au sens du B.I.T. (Bureau international du travail) ; personnes recherchant effectivement un emploi salarié ou non salarié et n'ayant pas d'occupation au cours de la période de référence. Le taux de chômage est le rapport du nombre de chômeurs à la population active occupée plus les chômeurs.

AUVERGNE	LIMOUSIN	MIDI-PYRÉNÉES	AQUITAINE	POITOU CHARENTES	PAYS DE LA LOIRE	BRETAGNE	
26 012,9	16 942,3	45 347,9	41 408,4	25 809,5	32 081,8	27 207,9	1
4,78	3,11	8,34	7,61	4,74	5,90	5,00	2
1 330,5	738,7	2 268,3	2 550,3	1 528,1	2 767,2	2 595,4	3
1 321,2	722,9	2 430,7	2 795,8	1 595,1	3 059,1	2 795,6	4
1 315,4	718,9	2 494,2	2 866,3	1 619,1	3 139,7	2 846,9	5
2,3	1,2	4,3	4,9	2,8	5,4	4,9	6
50,6	42,4	55,0	69,1	62,7	97,9	104,6	7
– 9,3	– 15,9	+ 162,4	+ 245,5	+ 67,0	+ 291,9	+ 200,2	8
– 0,7	– 2,1	+ 7,2	+ 9,6	+ 4,4	+ 10,6	+ 7,7	9
– 0,6	– 5,6	–	+ 0,7	+ 2,5	+ 8,8	+ 3,9	10
– 0,05	+ 3,5	+ 7,1	+ 9,0	+ 1,9	+ 1,8	+ 3,8	11
30,6	27,7	30,4	31,1	31,2	35,4	33,6	12
23,8	28,3	23,9	23,4	24,4	20,1	22,1	13
4,0	2,9	4,3	4,1	1,6	1,4	0,9	14
58,6	51,4	60,9	65,5	50,8	62,5	57,3	15
Clermont-Ferrand	Limoges	Toulouse	Bordeaux	Poitiers	Nantes	Rennes	16
254 416	170 072	650 336	696 364	108 000	496 078	245 068	17
1	1	1	1	3	1	4	3	18
580	292	825	971	564	1 087	986	19
479,1	266,6	937,5	1 054,0	561,8	1 170,1	1 036,7	20
17,6/8,8	22,4/9,6	18,9/8,6	17,3/9,2	19,8/10,1	18,7/8,3	23,2/10,1	21
29,5/22,3	23,9/19,0	22,5/16,4	22,0/15,8	23,8/19,0	27,9/23,1	18,6/18,3	22
8,8/6,4	9,4/6,7	9,5/6,6	9,8/6,6	9,9/6,7	9,5/7,0	10,5/6,6	23
44,1/62,5	44,3/64,7	49,1/68,4	50,9/68,5	46,4/64,2	43,8/61,5	47,7/65,1	24
11,5	9,8	12,4	13,7	13,2	12,8	11,6	25
4 596/	2 344/	11 888/	6 320/	10 745/	10 269/	14 910/	26
4 618	2 277	12 168	14 677	6 342	11 126	10 644	
							27
1 552	309	4 978	3 598	751	2 173	3 487	
1,4	0,3	4,6	3,3	0,7	2,0	3,2	28
							29
105 800	105 300	110 700	110 300	106 600	107 500	105 500	
123,6	66,5	241,4	291,2	153,2	313,2	269,2	30
3,8	3,1	3,7	7,5	6,6	5,4	6,7	31
25,9	23,1	20,8	19,8	22,4	25,5	19,5	32
5,0	5,3	6,1	5,2	5,0	5,9	5,5	33
65,3	68,4	69,4	67,5	66,1	63,2	68,2	34
1,8	1,0	3,6	4,3	2,3	4,6	4,0	35
2,4	1,0	4,6	11,0	5,1	8,5	9,2	36
2,0	1,0	3,2	3,6	2,1	5,0	3,3	37
1,6	0,9	3,5	4,1	2,1	4,2	3,7	38
2,3	1,2	4,2	4,9	2,7	4,6	5,1	39
93 700	92 100	98 100	103 000	95 400	101 400	95 700	40
							41
7 307	3 419	16 085	24 035	13 674	28 195	38 706	
2,6	1,2	5,6	8,4	4,8	9,9	13,6	42
18,3	9,2	46,9	71,2	54,4	24,6	12,7	43
81,6	90,8	53,1	28,8	45,6	75,4	87,3	44
4 755	3 914	6 750	15 698	7 654	12 689	22 125	45
45,3	40,4	34,9	24,8	44,8	35,5	27,2	46
5 468	2 215	13 916	19 573	11 114	14 439	15 836	47
2,3	0,9	5,7	8,1	4,6	5,9	6,5	48
							49
290,3/11,2	133/7,9	352,8/7,8	493/11,9	235/9,1	436,2/13,6	0	
13 763	3 828	36 524	36 541	14 519	63 388	29 706	50
(0,99 %)	(0,27 %)	(2,62 %)	(2,62 %)	(1,04 %)	(4,55 %)	(2,13 %)	
20 206	6 017	71 515	49 031	25 413	63 915	33 544	51
(1,39 %)	(0,41 %)	(4,91 %)	(3,37 %)	(1,74 %)	(4,39 %)	(2,30 %)	

3. R et D : Recherche et développement.
4. V.A.B. : Valeur ajoutée brute, c'est la valeur de la production diminuée de la valeur des consommations intermédiaires.
5. B.G.C.A. : Bâtiment et génie civil agricole.
6. S.A.U. : Surface agricole utilisée.
7. Nuitées dans l'hôtellerie homologuée et dans l'hôtellerie de plein air (camps).

LA FRANCE MÉDITERRANÉENNE

Christian Verlaque

Les trois régions qui constituent la France méditerranéenne, **Languedoc-Roussillon**, **Provence-Alpes-Côte d'Azur** et **Corse** ont pu, un temps, recouvrir une Zone d'Etudes et d'Aménagement du Territoire. Elles tirent leur originalité d'un certain nombre de caractéristiques communes, et d'abord se partagent une façade maritime sur une Méditerranée, certes berceau de civilisations, mais qui, jusqu'à l'ouverture du canal de Suez en 1869, a longtemps été une mer quasi fermée.

■ **Le climat** tout d'abord est facteur d'unité, même s'il est dégradé sur ses marges occidentale (Lauragais) et septentrionale et fortement nuancé par l'altitude et l'exposition. Une sécheresse estivale liée aux pérégrinations de l'anticyclone des Açores, de fortes averses de printemps et d'automne, ces vents violents que sont le mistral ou la tramontane, des températures d'autant plus clémentes que l'on est proche du rivage, en sont les marques essentielles.

Sauf le Rhône, fleuve allogène, les **rivières** sont courtes, offrent des débits contrastés entre étiage et crue. Quand elles ne sont pas stockées dans un sous-sol calcaire qui donne toute leur valeur aux alignements de sources, les **réserves d'eau** sont limitées.

La **végétation naturelle**, comme les cultures, sont l'expression du climat dans le paysage. Chêne vert, chêne kermès, pin d'Alep constituent des boisements spécifiques, maquis et garrigues des associations végétales particulières. Plus que la vigne, pourtant omniprésente, l'olivier délimite les basses terres méditerranéennes tandis que la Camargue offre le seul cas de riziculture française.

Il existe certes des **nuances**. L'insularité corse accentue les influences maritimes, introduit même une identité floristique qu'elle partage avec la Sardaigne, tandis que le compartimentage du relief y multiplie les microclimats. L'exposition aux vents de terre accentue les contrastes thermiques en Languedoc-Roussillon et dans la basse vallée du Rhône, tandis qu'une situation d'abri offre une douceur sans pareille à la Côte d'Azur et y favorise les cultures florales.

■ **La mer** a tôt provoqué le commerce, présidé à la naissance de villes sur des acropoles. Ses équilibres biologiques sont fragiles, ses richesses animales sont plus diverses qu'abondantes, ses littoraux enfin sont sources de diversité. Ainsi les côtes basses à lagunes du Bas-Languedoc, de la plaine d'Aleria en Corse orientale, comme celle, deltaïque, de la Camargue, contrastent avec les côtes accores, découpées en baies et en calanques de la Côte Vermeille, de la Provence, et de la Corse occidentale. La plate-forme continentale du Golfe du Lion offre à la pêche des conditions d'exploitation privilégiées qui ne se retrouvent pas dans le reste de la Méditerranée française.

■ **Le relief** est fait de constrastes. Le Languedoc-Roussillon oppose un amphithéâtre de hautes terres, où cependant la montagne élevée n'apparaît qu'avec les Pyrénées, à des plaines, terrasses, collines, qui ont toujours favorisé le passage. La Provence est beaucoup plus compartimentée tant par les Alpes du Sud que par les chaînons calcaires sublittoraux, les Maures ou l'Esterel, au profit d'une économie de bassins et au détriment de la circulation régionale. La Corse s'embellit et tout à la fois pâtit de la vigueur de son relief, organisé à partir d'un axe méridien qui l'a traditionnellement divisée en En Deçà et Au-Delà des Monts.

■ **La mise en valeur de la terre** s'est inscrite dans cette confrontation entre des montagnes et des collines d'une part, des bassins et des plaines de l'autre. Une tradition, héritée de la Grèce puis de Rome, y a opposé l'ager et le saltus, proposé la trilogie du blé, de la vigne et de l'olivier. Les hommes ont tôt tiré parti d'une terre souvent ingrate, moyennant de longs travaux d'aménagement de terrasses et de canaux d'irrigation. Les cultures spéculatives ont fini par remplacer une polyculture vivrière dont l'argument essentiel était le blé et qui tirait une part de sa fumure de la transhumance du mouton. A la suite de la crise du phylloxéra, la mise en place dans le Bas-Languedoc d'un vignoble de masse l'a pour un temps péjorativement opposé aux vignobles de coteaux de la vallée du Rhône, de la Provence ou de la Corse, même si l'évolution récente tend à gommer ces différences. Une irrigation ancienne a concentré une production fruitière et légumière dans le Roussillon et le Comtat Venaissin, une irrigation plus récente en a élargi l'espace, avec aujourd'hui une plus grande diffusion géographique. Ces productions largement favorisées par le climat subissent toutefois aujourd'hui la concurrence de régions « plus méditerranéennes », et au-delà, des pays du Maghreb.

■ **La révolution industrielle du siècle dernier** a été proscrite de la plus grande partie de l'aire méditerranéenne française par l'attraction des revenus de la terre et la médiocrité des ressources charbonnières, limitées à la houille cévenole et au lignite provençal. Elle héritait pourtant du savoir-faire d'une tradition artisanale vivace en matière de productions alimentaires et textiles. Plus localement, la façade méditerranéenne a disposé de façon ancienne et importante (Marseille), ou plus récente et beaucoup plus modeste (Sète), de ports où les profits du négoce joints aux avantages du transport maritime ont suscité l'industrialisation. **Aujourd'hui**, les industries navales et les industries portuaires lourdes sont frappées par une crise liée bien davantage à de nouvelles concurrences internationales qu'à un essoufflement de l'économie mondiale. Dans ce contexte d'ère post-industrielle, la France méditerranéenne peut espérer miser sur son cadre de vie exceptionnel et sur son rayonnement universitaire pour attirer une néo-industrie de haute technologie fondée sur la recherche scientifique. Mais, toujours dans un cadre de concurrence européenne, et malgré le pouvoir d'imagination de telle ou telle cité, combien de Sophia-Antipolis peuvent-elles naître entre Barcelone et Gênes ?

■ Dans une ère où **l'urbanisation**, avec d'ailleurs de nouvelles formes, ne cesse de progresser, la réponse à cette question dépend, en partie, de l'évolution d'une organisation urbaine en constante mutation. Marseille a traditionnellement émergé, par son importance démographique et économique, du lot des villes méditerranéennes françaises. Elle l'a dû à un port d'importance nationale, mais elle reste très excentrée par rapport à une Provence cloisonnée, ce dont profite, à l'autre extrémité, l'agglomération niçoise. Elle ne bénéficie plus de l'inexistence d'une métropole bas-languedocienne, l'original réseau de villes égalitaires ayant fait place à un axe d'urbanisation de Sète au Rhône dominé par Montpellier. Et, débouché du Rhône, elle se montre moins dynamique qu'une métropole lyonnaise au sommet du Grand Delta.

Quant à la Corse, elle connaît, à son échelle, une bi-polarisation accrue sur Ajaccio et Bastia, dans un contexte à la fois de sous-peuplement général et de désertification de l'intérieur.

■ Enfin, la conjonction du soleil et de la mer a suscité une **montée ancienne et puissante du tourisme balnéaire**. Là encore, cependant, la nuance est de rigueur. Si l'attraction de la Côte d'Azur est ancienne et sans rivale, elle a été fondée au départ sur un tourisme climatique plus que sur un tourisme balnéaire. Le Var et les Bouches-du-Rhône commencent à ressentir aujourd'hui les effets de la saturation touristique. Le littoral du Bas-Languedoc et du Roussillon, très localement et très modestement marqué par le tourisme au siècle dernier, a été totalement transformé depuis trente ans par l'une des plus vastes opérations d'aménagement du littoral en Europe, au point qu'il faille aujourd'hui donner la priorité à la défense de l'environnement. Enfin l'Ile-de-Beauté, avec son potentiel touristique incomparable, est de plus en plus déchirée entre partisans et adversaires du développement du tourisme.

■ Urbanisation et tertiarisation sont de plus en plus la marque de trois régions qui doivent avant tout fonder leur développement sur **la communication et l'économie de relations**. La Corse doit tirer parti de sa situation insulaire pour s'ouvrir au monde et non se replier sur son passé. Dans sa partie continentale, la France méditerranéenne ne doit jamais oublier qu'elle est, par l'axe rhodanien, la porte méditerranéenne naturelle de l'Europe du Nord et, par sa façade littorale, le trait d'union entre les péninsules ibérique et italienne. C'est par une valorisation constante de cette situation qu'elle pourra espérer enrayer le fort taux de chômage que lui vaut peut-être sa trop belle image de marque. Et pourtant qu'il fait bon vivre dans cette France méditerranéenne où la tradition est riche, où le verbe chante et où le forum est de rigueur.

CHAPITRE

1

PROVENCE-ALPES-CÔTE D'AZUR

Maurice Wolkowitsch

Créée en 1956, la région prend sa dénomination en 1976, six ans après que la Corse en fût détachée. La Méditerranée, le Rhône, la limite avec Rhône-Alpes, différente du tracé entre Provence et Dauphiné, la frontière en dessinent les contours. Les vicissitudes de l'histoire assurent à la région un territoire plus vaste que la Belgique : le Comtat Venaissin, possession pontificale, y a été annexé en 1790 ; le Comté de Nice puis Brigue et Tende ont été rattachés respectivement en 1860 et 1947 après référendums ; des rectifications de frontières ont eu lieu dans le Briançonnais. Monaco, enclave littorale de 148 ha, est une principauté souveraine.

La région est méditerranéenne : les colonisateurs grecs venus de Phocée viennent par la mer ; l'intérêt pour la vie maritime entretient l'habitude des relations lointaines (Levant) ; l'aventure coloniale fait de Marseille le port principal des liaisons impériales ; la décolonisation est ressentie plus que dans les ports de l'Atlantique, mettant en difficulté les industries nées du commerce colonial. La région devient terre d'accueil pour les Français d'Indochine et du Maghreb. Un climat original, dont les caractéristiques sont sensibles jusqu'à l'intérieur des terres, crée des paysages inconnus dans le reste de la France ; il permet la substitution d'activités intensives à la trilogie culturale méditerranéenne traditionnelle (blé, vigne, olivier) associée à l'élevage ovin transhumant. L'ensoleillement qui avait attiré les premiers visiteurs anglais hivernant est le facteur premier de l'afflux des actifs, des skieurs et des estivants.

La région souffre d'un déséquilibre structurel caractérisé : faiblesse des secteurs agricole (3,0 % des actifs) et industriels (12,2 %), importance du B.G.C.A. cependant en déclin (7,1 %), hypertrophie du tertiaire en progrès (77,6 %).

La région souffre d'un déséquilibre spatial profond. Les marges littorales et rhodaniennes offrent de fortes densités de population (Bouches-du-Rhône 354 hab./km^2), de forts taux d'urbanisation, de grandes agglomérations, une économie diversifiée, un système de transport très développé. Les étendues de l'intérieur offrent une densité de l'ordre de 20 hab./km^2, populations citadines et rurales (47 %) s'équilibrent presque ; l'agriculture est soumise à un milieu naturel peu favorable ; le tourisme a des effets contrastés. Cette dualité n'exclut pas les oppositions propres à chaque ensemble : la zone industrialo-portuaire de Fos, les plaines du Comtat, la Côte d'Azur pour les marges ; les Plans de Provence, les bassins de Provence, les hautes montagnes du Briançonnais pour l'intérieur...

La région a attiré les hommes des pays pauvres du monde méditerranéen à la recherche de travail (Italiens au XIXe siècle, récemment Maghrébins), les réfugiés politiques (Arméniens, Italiens et Espagnols au XXe siècle), les retraités aisés et les actifs attirés par le dynamisme régional pendant les « 30 Glorieuses ». La population a doublé entre 1946 et 1994 passant de 2,2 à 4,4 M d'habitants, croissance affectant les déséquilibres régionaux. Parallèlement, l'exode rural et montagnard a entretenu une migration permanente vers le Rhône et la Côte : les départements Bas et Haut-Alpins perdent 45 et 30 % de leurs habitants entre 1870 et 1946 ; la part des départements littoraux passe de 50 % de la population régionale en 1821, à 75 % en 1901, 83,2 % en 1994 malgré la reprise démographique dans les Alpes du Sud, + 20 % depuis 1975.

1.   LA POPULATION

■ **La croissance démographique exceptionnelle** suppose une économie créatrice d'emplois, des équipements et des logements ; la concurrence est vive entre les utilisateurs de l'espace avec des dommages causés aux équilibres naturels. Une politique réfléchie d'aménagement du territoire s'impose, elle n'est pas toujours conduite avec la rigueur voulue. Les diverses parties de la région ne sont pas également confrontées à ces problèmes.

Le rythme moyen annuel de la croissance démographique s'essouffle au cours des 3 dernières périodes intercensitaires : 1,63 %, 1,12 %, 0,9 %. L'héliotropisme semble l'explication d'une attraction qui se joue de l'atonie du marché du travail. Jusqu'en 1990, la région gagnait 36 500 hab./an, en 1994, seulement 23 000 dont 2/3, grâce au solde migratoire positif. Les Bouches-du-Rhône font exception, un mouvement naturel positif face à un solde migratoire négatif maintient la croissance ; le pourcentage des plus de 65 ans dépasse la moyenne nationale (15 %) dans tous les départements avec un maximum de 21,1 % dans les Alpes Maritimes.

■ **380 000 étrangers (**8,6 % de la population) résident pour 37 % dans les Bouches du Rhône, 31 % dans les Alpes Maritimes, 3 % seulement dans les deux départements alpins. Les Maghrébins forment 43 % de l'effectif (Algériens 22 %), les ressortissants de l'Union européenne (25 %). Les autres étrangers sont originaires de l'Europe non méditerranéenne, d'Amérique, d'Asie ou de l'Afrique subsaharienne : étudiants, retraités, cadres actifs de haut niveau, tous ne s'identifient pas à l'image du travailleur immigré. Marseille, port méditerranéen cosmopolite par tradition, hébergeait plusieurs dizaines de milliers d'Italiens avant 1914, d'autres cultivaient les terres libérées par l'exode rural. Les Maghrébins ont fourni la main-d'œuvre du B.G.C.A. dont la prospérité est contemporaine des grands travaux et de la construction de logements liée à la croissance démographique.

■ **Le nombre de demandeurs d'emplois** est de 315 000 fin 1994, + 4 % en 1 an. En 5 ans, les pertes d'emplois dépassent 10 000 dans l'agriculture, 14 000 dans les industries, 16 000 dans B.G.C.A. face à 22 000 créations dans le tertiaire dont les branches dynamiques s'essoufflent : les services marchands aux entreprises et l'hôtellerie avaient gagné 50 000 et 14 000 emplois entre 1980 et 1990, elles en ont perdu quelques milliers depuis. Les demandeurs d'emplois sont pour 47 % des femmes, 36 % des chômeurs de longue durée, 19,6 % des jeunes, 13,3 % des étrangers. Le taux de chômage passe en un an de 14,4 à 15,6, celui des Bouches du Rhône atteint 17,4 %. Les contrats à durée déterminée (72 %) soulignent la situation défavorable du marché de l'emploi.

■ **Le taux régional d'urbanisation** (89,8 %) s'étale entre 96,4 Bouches-du-Rhône, 52 départements alpins. 63 % de la population vivent dans des villes de plus de 100 000 hab. 5 grandes agglomérations multicommunales dominent la région avec en 1995, 1 240 025 hab. Marseille-Aix, 525 423 Nice, 452 303 Toulon, 351 953 Cannes-Grasse-Antibes, 166 929 Avignon : entre 1990 et 1995, leur taux de croissance annuelle se situe à 0,15, 0,33, 0,67, 0,95, 0,41. Entre 1982 et 1990, les villes maîtresses perdent des habitants (Marseille – 8,4 %, Toulon – 6,6, Cannes – 5) face à leur banlieue (+ 21,5, + 6,6, + 33) ou certaines communes offrent des croissances de plus de 50 % (Vitrolles, Solliès-Pont, Valbonne). Les communes attteintes dans leur activité dominante déclinent (Château Arnoux – 8,4 %, La Ciotat – 3,5 %), même évolution pour celles submergées par le tourisme (Orcières – 6 %, Beaulieu-sur-mer – 6,7 %, St-Tropez – 0,9 %).

■ **Aucune région française ne présente une répartition de la population aussi contrastée.** Des foules se pressent dans une bande de quelques kilomètres de large au départ du rivage ; la largeur dépend du relief. La côte des Maures offre des densités acceptables pour des communes touristiques : 75 à 120 hab./km^2. La Côte d'Azur traditionnelle est saturée d'hommes et de constructions ; les densités dépassent 900 et atteignent 2 382 au Cap-d'Ail. La part de la population de la bande littorale dans la population départementale régresse faiblement : entre 1975 et 1990, 92 à 90 % dans les Alpes-Maritimes, 80 à 76 % dans le Var : la croissance a été de 78 % dans le Var moyen, 36 dans la bande littorale. Face à ces multitudes, de vastes solitudes s'étendent à travers les Alpes et la Provence intérieure. La densité moyenne des communes rurales des 2 départements alpins s'établit à 10 ; 191 communes de la région, offrent des densités de 1 à 5, celles des montagnes de l'Ouest des Etats-Unis ! Certaines accueillent cependant des stations de ski (Pra-Loup à Uvernet Fours). Malgré le déclin entre 1982 et 1990 frappant de nombreuses communes rurales leur population globale s'est accrue de 0,9 % par an, grâce aux progrès (+ 3 %) des communes incluses dans la zone d'attraction des principales agglomérations. Ce phénomène traduit le désir des citadins de vivre à la campagne ou de trouver un logement à meilleur prix. Les plaines et les vallées du Vaucluse et des Bouches-du-Rhône bénéficient de cette tendance, qui, jointe à l'exercice d'une agriculture exigeant encore des bras, conduit à des densités rurales respectivement de 46 et 56 hab./km^2. La répartition géographique des hommes reflète fidèlement le milieu naturel. Les hommes ont envahi et transformé profondément la nature sur les marges ; la nature s'est davantage imposée à eux dans le reste de la région.

2. LE MILIEU NATUREL

Plus que dans d'autres régions, le milieu naturel détermine le développement et la localisation des activités ; il impose aux flux l'emprunt des rares axes de circulation aisée. Les montagnes constituaient un réservoir d'hommes avant d'être la source d'un approvisionnement en eau qui a permis la croissance économique et démographique du littoral et des plaines.

1. Alpes et Provence intérieure

■ Les Alpes du Sud

La chaîne des Alpes est épanouie au nord, les Préalpes en forment les 2/3 ; elle se réduit au sud à quelques dizaines de kilomètres de largeur. Cet ensemble a été mis en place par une poussée venue de l'est – sud-est au milieu du Tertiaire, s'exerçant sur des matériaux soumis préalablement au plissement pyrénéo-provençal venu du sud. Ce double mouvement entraîne l'indécision dans les lignes directrices ; les plis dessinent des genoux dans les Baronnies ou près de Castellane, d'où le désordre dans l'orientation des crêtes et des vallées ne facilitant pas la pénétration de la montagne ; on est loin du bel ordonnancement perçu dans les Alpes du Nord.

Les Préalpes entre Rhône et Durance offrent des directions est-ouest : chaînes (Ventoux 1 909 m, Montagne de Lure), dépressions qui les bordent, barres calcaires surplombant les Plans de Provence. Les directions confuses dans le Gapençais et le Dignois sont méridiennes dans les Préalpes niçoises où les crêtes plongent littéralement dans la mer, d'où des altitudes de 500 m à moins de 1 km du rivage (Eze village) et la beauté des sites des moyenne et grande corniches. Les Préalpes du Sud offrent un des plus grands bassins d'affaissement de la chaîne par l'étendue et la puissance de l'accumulation ; il y correspond un plateau entaillé en lanières par la Durance et ses affluents (Valensole) : un milieu de vie favorable s'est développé sur le plateau et dans les vallées, paysages teintés d'allures méridionales.

Le sillon durantien est l'axe de vie et de communication essentiel ; il ne sépare pas, comme le Grésivaudan, Préalpes et Hautes-Alpes ; il offre le seul ensemble de plaines d'une telle ampleur, malgré les gorges qui l'accidentent. A l'amont, la vallée en auge glaciaire n'autorise que des bassins restreints (Briançon) ; dès Embrun, la plaine alluviale s'étend. Le sillon fixe une grande part de la population sud-alpine.

L'alignement des massifs anciens incorporés dans les Alpes du Nord **ne se retrouve pas ici**. La région doit au morceau de Pelvoux qu'elle intègre d'offrir les paysages typiques de la haute montagne, crêtes acérées dominant les cirques et les glaciers : la Meije et les Ecrins, objectifs des alpinistes, jalonnent la limite avec l'Isère. Vers le sud, on retrouve un massif ancien le Mercantour ; la position méridionale et de moindres altitudes excluent les glaciers ; les cirques hérités d'une phase glaciaire sont encombrés de pierrailles.

Le domaine des nappes de charriage s'interpose entre les massifs ; l'inégale résistance des matériaux (flysch) permet à l'érosion de sculpter des reliefs discontinus : les grès donnent des crêtes, les calcaires ruiniformes dessinent des massifs pittoresques (Trois Evêchés), les schistes offrent le spectacle des terres noires intensément ravinées. Les rivières ont dégagé des bassins (Embrun, Barcelonnette), d'amples vallées accidentées de cônes de déjection : les hommes y ont pratiqué la culture à côté d'une vie pastorale encore conservée.

Une série de cols à moins de 2 000 m d'altitude permet une circulation vers l'Italie subissant des interruptions hivernales brèves (Montgenèvre). Le compartimentage du relief favorise la naissance de cellules de vies isolées les unes des autres (Queyras, Ubaye), trait qu'on retrouve dans la Provence intérieure.

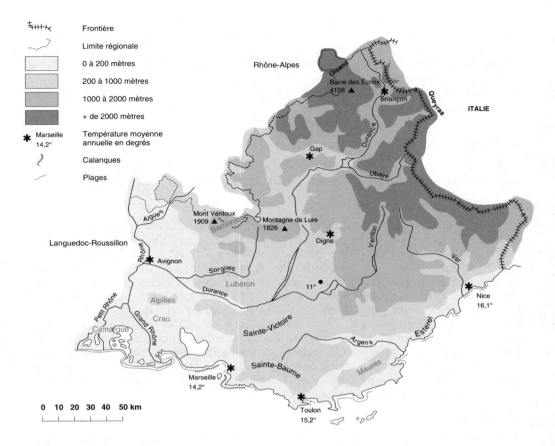

Figure 1. Le milieu naturel

Légende :
- Frontière
- Limite régionale
- 0 à 200 mètres
- 200 à 1000 mètres
- 1000 à 2000 mètres
- + de 2000 mètres
- Marseille 14,2° : Température moyenne annuelle en degrés
- Calanques
- Plages

■ La Provence intérieure

La Provence intérieure s'étend à l'ouest et au sud de l'arc alpin offrant une mosaïque de paysages ; sous un désordre apparent, ce puzzle est ordonné en fonction des conditions de sa mise en place lors du plissement pyrénéo-provençal. Le relief dépassant rarement 1 000 m (Sainte-Beaume) offre des chaînons alignés, trapus (Lubéron, Etoile) ou ciselés de crêtes sculptées dans des calcaires résistants (Sainte-Victoire). Sur le calcaire se dégagent des plateaux dénudés : de 200 à 500 m d'altitude près de la mer, ils sont coupés de vallons secs ; portés à 1 000 m près des Alpes (Plans de Provence), ils offrent des gorges grandioses (Corniche sublime du Verdon). Des bassins apparaissent entre les parties surélevées, chaînons ou plateaux ; ils offrent des étendues de terres rouges cultivées, accidentées de collines aux teintes sombres. Le plissement a soulevé des morceaux de massifs anciens : presqu'île du Cap Sicié, Maures aux lourdes croupes et vallons couverts de forêts, si le feu et les lotissements de vacances les ont épargnées, Esterel produit d'une intense activité volcanique avec ses pyramides hardies ciselées dans les porphyres rouges faisant du Trayas un des sites prestigieux de la Côte. Entre ces massifs et les Plans de Provence, s'allonge de Toulon à Draguignan la dépression bordière des Maures faite d'une succession de bassins ; les hommes tirent parti de cet alignement de zones basses et peu tourmentées en y établissant à travers l'histoire leurs voies de communication.

Le peuplement est absent ou lacunaire dans les zones calcaires, qu'elles soient plates ou en pente, à faible ou forte altitude ; il n'est guère mieux représenté dans les massifs où il se rassemble dans quelques villages (La Garde Freinet). Les hommes préfèrent les bassins et la dépression bordière des Maures où l'agriculture peut être prospère. En fonction des surfaces cultivables et de l'accessibilité, chaque bassin accueille une population plus ou moins nombreuse concentrée dans un bourg ou une ville (Aix-en-Provence, Brignoles) ou, au moins à l'origine, dans des villages perchés.

2. Marges

Les seules fortes concentrations humaines, traduisant le dynamisme des activités, se rencontrent dans les marges dont l'homme a su faire un milieu favorable.

■ La Provence rhodanienne

La Provence rhodanienne est faite d'un ensemble de plaines dont l'origine entraîne la diversité. Les affluents du Rhône (Durance, Sorgue, Aygues) ont édifié des plaines alluviales (plaines du Vaucluse) séparées par des collines ou des plateaux ; grâce à l'irrigation, les plaines basses ont connu une transformation de la production agricole ; les parties plus élevées et les collines ont conservé longtemps une économie traditionnelle. La Crau est un ancien cône d'alluvions torrentielles construit par la Durance, lorsqu'elle suivait un tracé que l'E.D.F. a imposé à une partie de ses eaux pour alimenter les centrales de Salon et Saint-Chamas ; véritable steppe, avec ses cailloux, l'irrigation en a permis la mise en valeur progressive ; le paysage a été transformé. La Camargue est la plaine deltaïque édifiée par le Rhône ; la faiblesse de la pression démographique n'a jamais justifié la réalisation de polders ; les hommes se sont satisfaits d'une conquête partielle, surtout sensible à l'amont ; en s'approchant du rivage, les pâturages coupés d'étangs (Vaccarès) envahissent l'espace où la terre et l'eau sont étroitement associées.

■ La Côte

Le delta du Rhône occupe l'espace à l'ouest de Port-de-Bouc ; vivant, il a été marqué par le déplacement de sa bouche principale, actuellement le Grand-Rhône. Les hommes en ont discipliné l'évolution : protection du site des Saintes-Maries-de-la-Mer contre le recul du rivage, détournement vers le sud de la masse des alluvions amenées par le fleuve enrichissant depuis Port-Saint-Louis la flèche littorale du They de la Gracieuse ; sa progression menaçait de fermeture le golfe de Fos, donc l'accès à l'Etang de Berre à l'activité maritime importante autrefois.

De Martigues à Sanary, des chaînons ou des plateaux calcaires de 200 à 600 mètres dominent la mer, tantôt avec des formes complexes (Marseilleveyre), tantôt par des falaises aux abrupts impressionnants (route des Crêtes de Cassis à La Ciotat) ; ce littoral est accidenté de gorges étroites noyées par la mer, les calanques, aux versants appréciés des amateurs d'escalades ; elles sont plus caractéristiques à l'est (Morgiou, Sormiou) qu'à l'ouest de Marseille. Les massifs du Cap Sicié et des Maures descendent vers la mer en formant de plus modestes falaises. Entre Nice et Menton, la côte se limite à une bande étroite dominée par la montagne, le tracé est compliqué d'une série de promontoires rocheux s'avançant dans la mer (Cap-Ferrat, Cap-Martin).

La Côte offre des baies et des rades dont les caractéristiques dépendent de leur origine et du relief de l'arrière-pays : les plages qui s'y forment, plus faites de matériaux grossiers que de sables, sont discontinues. Les baies en Provence calcaire correspondent aux bassins (rades de Marseille, Toulon et Hyères). Dans les massifs, correspondant à des accidents tectoniques, elles sont étroites et moins nombreuses (golfe de Saint-Tropez). Entre Cannes et Nice, l'arrière-pays est fait de collines laissant place à une plaine littorale, la côte dessine d'amples rentrants aux courbes harmonieuses (Golfe de la Napoule, Baie des Anges). Trois grandes agglomérations se sont établies sur ce littoral, choisissant un site favorable, chacune avec une vocation originelle : touristique à Nice, militaire à Toulon, commerciale à Marseille. Les hommes ont conquis tout le littoral laissant à la nature sauvage peu de chances de se traduire dans le paysage.

Que de sites célèbres recèle cette région. Les paysages divers réapparaissent sans jamais couvrir une grande étendue ; toute monotonie est exclue. Cependant, hors le Pelvoux, la pénétration des influences méditerranéennes confère à l'ensemble une tonalité commune.

3. Le climat

L'extension du climat méditerranéen est déterminée par la position de la montagne par rapport au rivage : proche, ce climat règne sur un étroit liséré littoral ; si elle s'en écarte, elle en permet l'épanouissement vers l'intérieur, le passage aux climats de la France de l'Est s'opérant par une lente transition ; les couloirs favorisent la pénétration des influences méditerranéennes vers le nord (Rhône, Durance), mais les Alpes ne sont pas épargnées.

L'attention de l'homme du Nord est attirée par la **luminosité**. Qui oublie la Sainte-Victoire se découpant sur un ciel bleu par une lumière éclatante ou les sommets enneigés dans un lointain horizon au-dessus de Nice, embrassés du même regard que les eaux calmes ou tumultueuses de la Baie des Anges ? La durée annuelle de l'ensoleillement dépasse 3 000 heures dans les meilleurs sites littoraux à l'est d'Hyères, 2 500 heures dans une grande partie de la région. **La douceur des hiver**s, surtout sur la Côte d'Azur (8° à Nice, 4 à Orange en janvier) n'exclut pas le gel : moins de 20 jours par an sur la Côte d'Azur, 20 à 40 sur le reste du littoral, 40 à 80 en Provence intérieure ; − 5 à − 7° sont familiers par mistral hivernal dans les plaines du Vaucluse ; des coups de froid plus rigoureux peuvent se produire entraînant des désastres pour l'arboriculture. **Les étés ardents** étaient un facteur de rejet pour le touriste ; les mentalités évoluent dès l'entre deux guerres ; après 1945 s'instaure le culte du soleil ; la Provence offre des températures estivales de 23 à 25° (moyennes de juillet) avec des journées torrides (35° et plus) dans les bassins intérieurs ; le littoral souffre moins de ces excès grâce à la brise de mer. **Les précipitations annuelles** sont de même ordre à Marseille et à Paris, dans les Maures et le Finistère ; elles tombent sous forme de puissantes et brèves averses en moins de 50 jours par an entre le delta du Rhône et Marseille, entre 50 et 100 dans le reste de la Provence. De juin à août tombent moins de 15 % des pluies (9 % à Avignon) ; **la sécheresse estivale**, coupée de brefs orages, assure aux estivants des périodes de 6 à 8 semaines de beau temps. Il neige de 1 à 3 jours par an sur le littoral, 3 à 10 en Provence intérieure, 10 à 20 sur quelques chaînons élevés (Lubéron).

Les Alpes du Sud se reconnaissent aussi par la lumière observée en franchissant les cols du Rousset, ou de Lus-la-Croix-Haute. Les températures sont décalées en altitude de 200 à 400 m par rapport aux Alpes du Nord ; 15 à 17° représentent une moyenne de juillet courante jusqu'à 1 000 à 1 200 m. Le rôle de l'insolation est capital : les « endroits » en Ubaye peuvent bénéficier d'un gain de près de 2° en fin d'hiver par rapport aux ubacs ; tel village reçoit 6 heures d'insolation quotidienne en moyenne hivernale, son vis-à-vis peut en être privé plusieurs dizaines de jours. L'insolation permet la céréaliculture et l'habitat permanent à haute altitude (Saint-Véran). La température moyenne en janvier s'établit entre 0 et − 10° sur la majeure partie de la montagne qui enregistre plus de 100 jours de gel par an ; la bise contribue au refroidissement. L'air marin sensible jusqu'à Sisteron amène de fortes précipitations sur les Alpes niçoises et les montagnes proches des sources du Verdon ; la neige tombe plus de 50 jours par an sur le Ventoux et les montagnes à l'est de la Durance. L'enneigement dans les Alpes du Sud est irrégulier. La sécheresse estivale, caractéristique du climat méditerranéen, sensible à travers toute la chaîne, a permis la culture de l'olivier jusqu'à Sisteron.

4. La végétation

La végétation est source de dépaysement : les arbres à feuilles persistantes évitent la tristesse commune aux forêts et jardins des terres septentrionales. La forêt claire à dominante de pins d'Alep sur sols calcaires, chênes vert ou liège sur sols siliceux, n'offre pas de belles futaies ; dès 350 m, le chêne pubescent à feuilles caduques se mêle aux autres espèces. Le taux de boisement 38 % est élevé et a progressé de 4 % depuis 10 ans, malgré les incendies détruisant une moyenne de 13 456 ha par an depuis 6 ans : 39 237 en 1990, 529 en 1992. Cette forêt fragile a été menacée de tous temps. 20 % des surfaces boisées, dont la moitié propriété des domaines, sont soumis au régime forestier ; 80 % ont un entretien insuffisant. La dégradation de la forêt conduit sur sols siliceux au maquis, formation dense de buissons et d'arbustes odorants (lentisque, arbousier), sur sols calcaires à la garrigue faite de touffes de chênes kermès, de genêts épineux et de térébinthes entre lesquelles perce le sol à nu, paysage d'allure steppique.

L'homme a transformé cette végétation en acclimatant pour le plaisir des yeux des plantes du Sud de la Méditerranée, voire des tropiques ; une végétation somptueuse se développe : palmiers en pleine terre résistant au mistral adouci à Toulon ou Hyères ; à l'est de Saint-Raphaël, et surtout de Cannes : mimosas, orangers, citronniers, bougainvilliers. Dans le reste de la Provence, les vignobles, les vergers, les oliveraies, les amandiers, le maraîchage créent des paysages où les terroirs cultivés sont souvent entrecoupés d'espaces naturels.

Les espèces méditerranéennes progressent en latitude à travers les Alpes : chêne pubescent près de Château Arnoux, lavande à 1 300 m dans le Briançonnais, garrigue sur les grèves des torrents. L'étagement de la végétation se relève en altitude : chêne pubescent à 1 000 m, forêt de mélèzes à 2 400 m avec quelques individus isolés à 2 600 m dans les hautes vallées lumineuses de l'Ubaye et du Queyras. Dans les Alpes niçoises, les étages se superposent rapidement avec de fréquentes interpénétrations : pin d'Alep, chêne pubescent, châtaignier, mélèze, épicéa ; la pluviosité permet de belles forêts (Turini).

Les influences méditerranéennes permettent aux vallées des Alpes du Sud des aptitudes culturales diverses ; en altitude, associant le soleil, la neige, la lumière, elles sont un atout pour le tourisme et les loisirs.

3. LES ACTIVITÉS

1. Le tourisme

Le tourisme contribue à la domination du secteur tertiaire : au-delà des emplois directs, la présence de millions de voyageurs exige dans beaucoup d'activités des effectifs dépassant les besoins des seuls résidants. La Région publie les études du service régional d'observation et d'analyse du tourisme : entrées de touristes, mouvements intra-régionaux pour les sports d'hiver. Le touriste est celui qui passe au moins une nuit hors de son domicile. Le tourisme est une activité dynamique, + 3 % de nuitées entre 1990 et 1991 : 24 millions de touristes ont pénétré dans la région et y ont dépensé 39 milliards de francs. Le nombre de nuitées enregistrées dans la région, incluant les touristes français et étrangers était 231 millions en 1994, 236 M en 1993 ; ce repli épargne la montagne et affecte surtout la Côte d'Azur, victime de sa trop forte fréquentation. PACA après Ile-de-France est la région la plus visitée du pays.

Ces flux reposent sur une conjonction de facteurs d'attraction. La trilogie « sun, sea, sex » n'explique pas tout. La montagne a toujours accueilli des estivants, notamment les citadins des villes côtières ; elle s'est convertie aux sports d'hiver. Les parcs naturels nationaux (Ecrins, Mercantour, Port Cros) et régionaux (Camargue, Lubéron) favorisent la protection

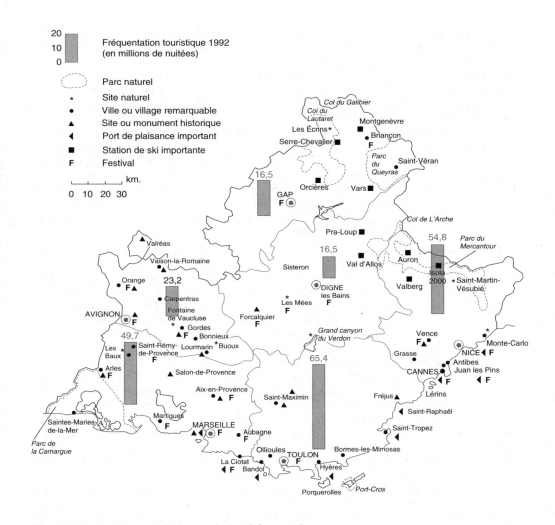

Figure 2. Le tourisme : principaux sites et fréquentation

et la découverte de la nature. Chaque époque a légué un héritage monumental sans comparaison avec les cathédrales de Bourges ou Strasbourg ou avec les châteaux d'Ile-de-France ou de Touraine ; on découvre cependant des vestiges grecs ou romains (Marseille, Glanum, Arles), des abbayes cisterciennes médiévales (Sénanque, Sylvacane), les châteaux du Lubéron, des hôtels particuliers des Temps Modernes (Aix, Avignon). Notre siècle a multiplié les musées : Annonciade à Saint-Tropez, Chagall à Nice, Matisse à Biot, Fondation Maeght à Saint-Paul-de-Vence, Mode à Marseille. La Provence se dit la terre des festivals : les Chorégies d'Orange sont le plus ancien d'entre eux (1869). Ils se sont multipliés : festival de prestige (cinéma à Cannes 1946) dont certains se sont popularisés (Art lyrique à Aix 1947, théâtre à Avignon 1951), innombrables festivals moins médiatisés ; la prolifération nuit à ces manifestations insuffisamment fréquentées et d'inégale qualité. Enfin l'exode rural et le vieillissement de la population agricole ont libéré des patrimoines foncier et immobilier à la recherche d'acquéreurs.

La région dans son intégralité est devenue terre de villégiature. Les premiers lords hivernent à Nice dans les années 1760 ; un siècle plus tard, plusieurs milliers d'étrangers séjournent entre Nice et Menton, le mouvement s'étend jusqu'à Cannes. Les premiers palaces sont construits à Hyères en 1850, à Saint-Raphaël en 1865. Marseillais et Toulonnais font de Carry-le-Rouet, Cassis, Bandol les lieux de leurs repos dominical et estival. La saison d'été lancée à Juan-les-Pins en 1928 ne l'emportera qu'après 1945 et conduira à la conquête complète du littoral. Les premières stations de ski sont antérieures à 1939 : Auron (1936), La Foux d'Allos (1938), Serre-Chevalier ; les Alpes du Sud comptaient alors 500 chambres d'hôtels, 12 000 en 1988 ; en 1953, les Alpes-de-Haute-Provence offraient 5 remontées mécaniques, les Alpes-Maritimes 7, 710 pour les Alpes du Sud en 1990 ; l'équipement systématique commence en 1960 avec le lancement de Vars, Pra-Loup, Orcières, Super Dévoluy… Campagnes et moyennes montagnes sont conquises : certaines communes voient se multiplier les résidences secondaires des citadins du littoral envisageant d'en faire leur maison de retraite. Hors les communes ceinturant l'Etang de Berre, rares sont celles qui ne se sentent pas une vocation pour la villégiature.

L'équipement. La région dispose de plus de 2 millions de lits touristiques répartis entre toutes les formes d'hébergement : chacune accroît sa capacité entre 1990 et 1994 ; leur part dans le parc national se situe entre 7 % (chambres d'hôtes), 12 % (places de camping), 14 % (résidences secondaires), 29 % (hôtellerie 4 étoiles). En 1994 40 % des 74 036 chambres d'hôtel (70 000 en 1990) sont dans les Alpes Maritimes ; 50 % des 324 621 places de camping (310 000 en 1990) sont dans le Var, 8 % seulement dans les Alpes-Maritimes où l'espace disponible est rare ; les responsables n'y ont jamais souhaité l'extension d'un hébergement populaire craignant de porter ombrage au tourisme de luxe, particulièrement à Cannes et dans les presqu'îles. 400 000 résidences secondaires offrent plus de 1 200 000 lits ; elles constituent 46 % du parc total de logements des Hautes-Alpes, 35 % Alpes-de-Haute-Provence, 27 % Var ; ce pourcentage atteint des sommets dans les stations : Vars 83 %, Le Lavandou 73 % ; il s'abaisse entre 2 et 5 % dans les grandes villes sauf Nice 10 %, Menton 30 %, Cannes 39 %. Les résidences secondaires peuvent être de modestes maisons occupées par les héritiers de l'exode rural travaillant sur le littoral, des maisons rénovées au sein des villages perchés, des mas ou des bastides que se disputent financiers, vedettes ou politiques, des studios et appartements près des plages ou des pistes, des maisons récentes, faute d'anciennes, de « pur style provençal », construites par des particuliers ou par des promoteurs, dans des lotissements monotones ou luxueux au sein d'un parc paysager. La libération d'un patrimoine foncier au gré des volontés d'agriculteurs vieillissant soucieux d'améliorer leurs revenus ou leur retraite, la délivrance de permis de construire avec libéralité par les maires ont seules permis aux citadins de multiplier les constructions aux risques de détruire l'harmonie du paysage. Les modes d'hébergement varient suivant les saisons et les lieux : le camping est limité en hiver, 1,5 % des nuitées dans les stations de ski, 18 % l'été pour la région. Plus de la moitié des Français logent dans leur résidence secondaire ou dans la résidence principale ou secondaire de parents ou d'amis ; les étrangers font beaucoup plus appel à l'hôtellerie (39 %).

Le tourisme est une activité saisonnière : 79 % des nuitées régionales ont lieu entre mai et octobre ; cette période domine même en montagne (Hautes-Alpes 68 %) malgré la saison de ski ; elle assure 88 % des nuitées du Var, 83 % Alpes-Maritimes où sur les 17 % restant de novembre à avril, les stations de ski retiennent 4,5 %, laissant 12,5 % des nuitées à la Côte d'Azur où la saison d'hiver est plus fréquentée qu'en 1938 mais dont la part s'est fortement réduite. 71 % des nuitées ont aussi lieu de mai à octobre dans les Bouches-du-Rhône ; ce département bénéficie du transit lié aux trafics portuaires et aéroportuaires. Les voyages d'affaires s'y développent malgré la réduction des frais de déplacements dans les entreprises et une conjoncture morose pour les congrès, même médicaux nombreux ici ; l'avenir semble prometteur avec l'essor des voyages de stimulation (incentives). A côté de ces motifs de déplacements et des visites familiales, les vacances sont la première raison d'attraction de PACA. La diversité des motifs de déplacements et des conditions géographiques détermine la complexité des flux.

Les flux sont sensibles à la situation économique et politique en France et à l'étranger, au change, à l'enneigement. 70 à 75 % des nuitées sont dus aux Français : les diverses régions alimentent différemment les flux suivant les saisons : Ile-de-France 30 à 36 %, Rhône-Alpes 11 à 24, Est 15. La clientèle des stations de ski est pour moitié régionale, 24 % d'Ile-de-France, Rhône-Alpes 7 %, Languedoc-Roussillon 5 %. 25 à 30 % des nuitées sont accomplis par des étrangers au nombre de 6 millions. Leur part s'abaisse à 6 % dans les stations de ski : ces hivernants proviennent d'Italie 32 %, Grande-Bretagne 29 %, Belgique 15 %. Le reste de l'année, quatre pays fournissent 60 à 65 % des nuitées : trois se retrouvent avec des pourcentages variant de 12 à 26 % (Italie, Allemagne, Grande-Bretagne), la Belgique en été, la Suisse aux demi-saisons assurent le complément.

La répartition géographique des activités touristiques omniprésentes souligne la puissance d'attraction du littoral. Les Hautes-Alpes recueillent 11 % des nuitées annuelles, les 3 départements côtiers près de 75 %. Dans le Var et les Alpes-Maritimes, une étroite zone littorale bénéficie suivant les saisons de 80 à 90 % des nuitées. Dans les Bouches-du-Rhône, la présence de Marseille (40 % des nuitées) engendre une demande non motivée par les loisirs ; l'intérieur (pays d'Aix et Arles) exerce son propre attrait ; le tourisme littoral (Saintes-Maries-de-la-Mer, Côte Bleue, Cassis, La Ciotat) contribue seulement pour 25 % des nuitées.

Les touristes exigent toujours plus d'équipements et de services. La navigation de plaisance poursuit son développement : 210 091 bateaux immatriculés en 1990, 231 545 en 1994, + 10 % en 4 ans. Des résidants ont leur embarcation, mais la répartition par quartier des affaires maritimes souligne l'importance du fait touristique : Martigues 6 %, Marseille 24 %, Toulon 41 %, Nice 29 % ; la part des bateaux de plus de 2 tonneaux s'élève à 21, 24, 31 et 39 % indiquant la richesse croissante des propriétaires en progressant vers la Côte d'Azur. Le nombre des ports est passé de 106 à 119 ; le nombre de postes croît moins vite que la flotte. Peut-on poursuivre sans limite la construction de ports ? Les problèmes du libre accès à la mer sont posés par la multiplication des plages privées de particuliers, d'hôtels, de résidences ou de plagistes répondant à une demande des baigneurs (rafraîchissements, locations de sièges, équipements sportifs) et bénéficiant d'une concession municipale prévoyant l'entretien de leur plage. Les maires jugent onéreux le nettoyage quotidien nocturne des plages publiques jonchées de déchets. Les plages deviennent des constructions artificielles qu'il faut engraisser par des apports de sables. En montagne, la fréquentation exige de multiplier les remontés mécaniques, les pistes et les canons à neige ; ces équipements induisent des dépenses dépassant souvent les retombées économiques escomptées.

2. Les transports

L'importance du tourisme exige des liaisons extérieures et un système régional de transport performants ; la présence de Marseille, 1er port du bassin méditerranéen, plus de 90 M t en 1996, 3e d'Europe et des 2 premiers aéroports de province, font du transport un domaine caractéristique des activités tertiaires régionales.

■ **La Provence a souffert d'un double enclavement interne et vis-à-vis de l'extérieur**, corrigé progressivement à partir de 1950. Loin de Paris et des régions vitales de l'Europe industrielle, la distance coût limitait l'extension de l'arrière-pays portuaire de Marseille, jointe à la distance temps, elle compromettait l'élargissement des marchés ouverts aux denrées périssables produites dans la région et pesait sur les relations pour les voyageurs : les trains de luxe mettaient Marseille à 11 heures de Paris en 1930. Le Rhône indompté, mal relié aux bassins du port de Marseille, était peu utilisé. Les dessertes régionales étaient déficientes sauf entre Orange et Menton. Le réseau ferré était de faible densité, sauf dans les plaines proches du Rhône ; les trains étaient rares et lents ; les autocars circulaient à 30 km/h. Se rendre pour la journée au chef-lieu d'un département ou à Marseille ou Nice était souvent irréalisable.

■ **L'automobile** a résolu les problèmes d'enclavement dans l'intérieur aux densités de population trop faibles pour assurer la rentabilité de services publics. La dispersion et l'isolement des lieux de travail, incomplètement desservis par les transports publics, au sein de l'A.M.M. (Aire Métropolitaine Marseillaise) conduisent les usagers à l'emploi de la voiture individuelle. Le parc régional en 1993 approche 2,7 M véhicules, 45 % dans les Bouches-du-Rhône. 88 % sont des voitures de tourisme assurant un taux d'équipement des ménages de 78,2 %, 28,4 % ont 2 voitures. L'amélioration de la voirie s'imposait. Entre 1969 et 1975, la consommation d'espace du réseau routier s'élève de 30 %, recouvrant 47 909 ha. Ensuite les réalisations de tous ordres sont nombreuses, même si le rythme des mises en service se réduit. L'autoroute nord littoral (Marseille-Martigues) ouvre en 1988 un 2e accès à l'Etang de Berre, soulageant l'autoroute nord (Marseille à Lyon ou à Aix), saturée avec 120 000 véhicules jour. En 1990, l'autoroute Val de Durance arrive à Sisteron, le prolongement vers La Saulce est prévu pour 1998 ; le tracé vers Grenoble par l'est de Gap est retenu. De nouvelles sections d'autoroutes ont permis des liaisons de Toulon à Nice et Hyères (1991), d'Arles à Salon (1996) assurent la liaison directe Espagne-Italie, tunnel à péage Prado-Carénage prolongeant le tunnel sous le Vieux Port reliant les autoroutes ; des voies rapides sont en construction (Aix-Marignane, rocade de Marseille). Des sections d'autoroutes (Bollène-Berre, Lançon-Aix, Le Luc-Cannes) ont été portées à 2 x 3 voies. Le budget régional pour le réseau classique a été multiplié par 4 entre les 9e et 11e Plans. Les projets autoroutiers portent sur des liaisons dont les tracés sont contestés et en discussion (doublement de l'autoroute entre l'Italie et Le Muy, liaison au nord ou au sud d'Avignon entre la Languedocienne et l'autoroute du soleil). Un nouveau tunnel de 4 km doit équiper le Col de Tende ; des études prévoient une liaison transalpine par la vallée de la Tinée à partir d'Isola.

■ **L'amélioration du réseau ferré** a été un second volet de la lutte contre l'enclavement. L'électrification atteint Tarascon (1960), Menton (1968). Les menaces de saturation conduisent à créer un second itinéraire électrifié de Dijon à Fos par Bourg-en-Bresse, la rive droite du Rhône, Avignon et Cavaillon. Le prolongement de la L.G.V. de Valence prévu pour 2000 jusqu'à Marseille exige un investissement de 500 MF pour supprimer le goulot d'étranglement de la Gare St-Charles, la création de 2 gares, Avignon et Arbois entre Aix et Etang de Berre. La pénétration de la L.G.V. au cœur du bassin de Marseille allégera le trafic sur la voie classique favorisant le développement du trafic de banlieue entre Marseille et Miramas et celui des conteneurs dans la vallée du Rhône où les tunnels ont été portés à un gabarit favorable aux transports combinés. Face à l'emploi massif de la voiture individuelle, même pour les migrations pendulaires, face à la saturation du réseau routier dans les périphéries urbaines et sur la Côte d'Azur, une prise de conscience s'est récemment opérée : la multiplication des services de cars sur autoroute, les investissements toujours plus élevés sur le réseau routier ne semblent plus capables de répondre seuls aux exigences d'une mobilité croissante ; le souci de préserver le cadre de vie et l'environnement aidant, un regain d'intérêt se manifeste pour les solutions ferroviaires. Les décisions sont lentes à cause des financements croisés imposant l'accord entre Etat, Région, Département, Ville, S.N.C.F. Des projets ont été réalisés, d'autres sont au stade de l'étude sur le terrain. L'installation permanente du contresens permet une utilisation plus intense des deux voies autorisant à étoffer le service Métrazur entre Cannes et Menton. Mettre à 2 voies une partie de la ligne Marseille-Aix conditionne la multiplication des circulations ; au terme de plus de 20 ans, les études ont commencé. 72 trains régionaux ont été créés entre Toulon et Miramas, Cannes et Menton.

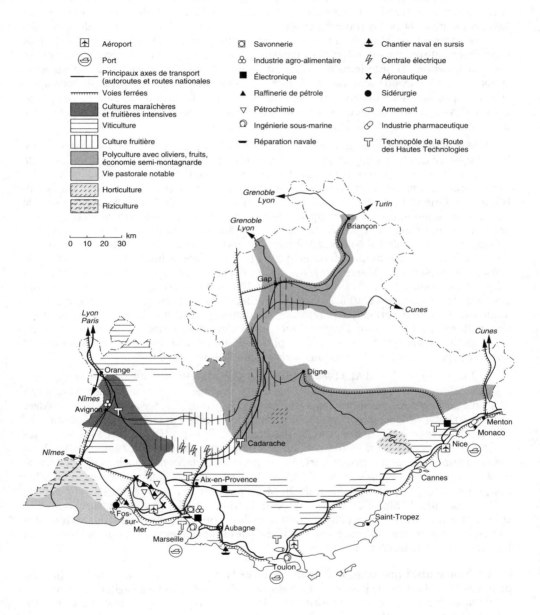

Légende

- ✈ Aéroport
- ⊖ Port
- —— Principaux axes de transport (autoroutes et routes nationales
- ╥╥╥ Voies ferrées
- Cultures maraîchères et fruitières intensives
- Viticulture
- Culture fruitière
- Polyculture avec oliviers, fruits, économie semi-montagnarde
- Vie pastorale notable
- Horticulture
- Riziculture

```
        km
0  10  20  30
```

- ▢ Savonnerie
- ஃ Industrie agro-alimentaire
- ■ Électronique
- ▲ Raffinerie de pétrole
- ▽ Pétrochimie
- Ω Ingénierie sous-marine
- ▬ Réparation navale
- ⚓ Chantier naval en sursis
- ⚡ Centrale électrique
- ✗ Aéronautique
- ● Sidérurgie
- ⬭ Armement
- ⌀ Industrie pharmaceutique
- ⊤ Technopôle de la Route des Hautes Technologies

Grenoble Lyon
Turin
Briançon
Grenoble Lyon
Gap
Cunes
Lyon Paris
Cunes
Orange
Digne
Nîmes
Avignon
Menton
Monaco
Nîmes
Nice
Cadarache
Cannes
Aix-en-Provence
Fos-sur-Mer
Saint-Tropez
Marseille
Aubagne
Toulon

Figure 3. Agriculture, transport et industrie

Provence-Alpes-Côte d'Azur

■ **Le transport aérien** de fret atteint 69 000 t pour les 6 aéroports régionaux, dont 61 % pour Marseille. Ces aéroports assurent 13,4 % du trafic aéroportuaire français de passagers : 6,4 M à Nice, 5,2 à Marseille, 2e et 3e après Paris. Toulon 736 000 et Avignon 156 000 sont reliés à Paris. La mise en place d'un service cadencé, les navettes d'Air Inter, et l'ouverture à la concurrence portent l'offre de Nice et Marseille vers Paris à 40 départs, quotidiens. Ces liaisons assurent 44 % du trafic de chacun de ces aéroports. Nice bénéficie de nouvelles relations domestiqes (Périgueux, Perpignan) et européennes (Varsovie, Dublin) et de l'accroissement des capacités vers les Etats-Unis. L'aéroport, à 8 km du centre, est entouré par l'urbanisation ; la piste initiale conduisant au survol de la promenade des Anglais a été doublée par une seconde conquise sur la mer ; une extension de ce côté paraît difficile après la catastrophe survenue lors des travaux portuaires (1979). Trouver de nouveaux espaces sur la Côte d'Azur semble utopique. Comment cet aéroport menacé par la saturation pourra-t-il faire face dans l'avenir au développement du trafic aérien ?

A Marseille-Provence, le trafic avec l'Europe 13,5 % pèse peu ; 15 villes sont desservies, beaucoup avec des fréquences et horaires inadaptés au voyage d'affaires ; hors les lignes de Londres (125 000 voyageurs), Bruxelles et Rome plus de 40 000, le trafic est faible. Bien des lignes sont éphêmères tout comme les liaisons disparues avec l'Amérique du Nord. L'Extrême-Orient n'est pas desservi. Les relations d'affaires de Marseille avec ce monde industriel n'induisent pas un trafic capable de soutenir une ligne ; cette situation est aggravée par la politique française du transport aérien conduisant à la multiplication d'aéroports voisins. Avignon, Toulon et Nîmes sont à moins de 100 km : la clientèle cherche à Roissy, à la rigueur à Nice, les liaisons que Marseille n'offre pas. 13 relations intérieures, hors Paris et la Corse, sont exploitées à Marseille : les lignes de Lyon, Bordeaux et Lille sont valablement fréquentées, beaucoup d'autres n'atteignent pas 10 000 passagers par an, même si elles ont des taux de croissance de 10 à 20 %. (Marseille, Rennes, Limoges, Metz-Nancy, Bâle-Mulhouse, Clermont-Ferrand) : on retrouve la situation précédente, le système reposant sur un rabattement sur Satolas ou Orly où s'opèrent les correspondances. L'acheminement direct par les petits appareils adaptés au trafic est plus cher que celui par Paris. Ces échanges avec la province représentent 8 % du trafic auxquels s'ajoute le trafic corse 12 %.

Le Livre blanc de l'A.M.M. (1969) prévoyait 8 M de passagers en 1980 ! Le trafic en 1994 a été de 5,2 M après la baisse de 1991. L'instabilité africaine est particulièrement ressentie à Marseille : en 1992, les variations annuelles ont été : Tunis + 12 %, Casablanca + 16 %, Alger – 10 %, Annaba – 14 % ; d'autres variations sont enregistrées : Bruxelles + 22 %, Milan – 21, Clermont-Ferrand – 68, Limoges + 18. Prédire le trafic est difficile. Aussi les Autorités anticipent l'événement en se fondant sur une tendance positive constante. En 1992, un nouveau terminal pour les liaisons domestiques porte les surfaces de planchers disponibles de 6 000 à 21 000 m^2 avec une capacité de 6,5 M de passagers, soit pour tout l'aéroport 8,5 M ; des projets tablent sur le traitement de 10 M de passagers en 2000, 2 fois le trafic actuel ; l'idée est de faire de Marseille le hub européen du trafic africain, 13 villes maghrébines et 12 subsahariennes desservies, cela soutiendrait les lignes européennes ; les extensions nécessaires, notamment une piste serait conquise sur l'Etang de Berre. C'est peut-être oublier les riverains et défenseurs de la nature.

■ **La façade maritime compte 3 ports : Nice et Toulon** cumulant moins de 1 % du trafic de fret et 41 % du trafic de passagers. **Le trafic marseillais** est sensible à l'agitation en Algérie, à l'embargo irakien, à la décomposition de l'Union soviétique, aux attentats en Corse. En 1996, le trafic dépasse 90 Mt (+ 4,8 % 1995) : un repli lié aux importations de pétrole touchées par une moindre demande des raffineries suisse et allemande est compensé par la bonne tenue des trafics de marchandises diverses (+ 12 %), qui dépassent ceux de Basse-Seine, et de conteneurs (+ 11,6 %). Cela traduit la reconquête des échanges due à la fiabilité retrouvée après l'accord entre aconiers et dockers suivant des années de grèves à répétition. En 1994, les hydrocarbures venus du Maghreb, de mer Noire et Proche-Orient apportent 71 % du tonnage, 45 % du chiffre d'affaires ; le trafic vraquier 15 % du tonnage, 16 % du chiffre d'affaires alimente en pondéreux la métallurgie de l'A.M.M. Le trafic des marchandises diverses conteneurisé à 50 %, 11 % du tonnage, 25 % du chiffre d'affaires porte sur 3 postes : les produits semi-finis et les produits finis pour lesquels les exportations l'emportent, les produits agricoles et alimentaires pour lesquels les entrées et les sorties s'équilibrent. Le trafic marseillais est avant tout méditerranéen et africain, les minerais et houilles introduisent une certaine diversité dans les échanges. 211 lignes régulières atteignent 300 ports dans 120 pays, la répartition géographique des touchées, souligne l'aire privilégiée des relations marseillaises. Le nombre des escales est de 1 557 pour les porte-conteneurs, de 1 777 pour les rouliers, de 659 pour les navires conventionnels.

Le trafic marseillais des passagers, 905 000 en 1995, décline encore : − 11,8 % 1994/93, − 5,3 % 1995/ 94 en fonction des événements en Algérie et en Corse ; ces voyageurs sont accompagnés de plus de 300 000 voitures. Les trafics maritime et aérien vers la Corse s'équilibrent. La traversée Nice-Bastia accomplie en 6 heures permet une rotation rapide des navires, appréciée en été, le port traite 419 000 passagers, Toulon, 319 000, a des lignes vers la Corse et la Sardaigne. Corsica Ferries exploite depuis 1996 un service Monaco-Calvi en 2 h 45 ou Bastia (3 h 30) par monocoque rapide ; cette société espère 100 000 voyageurs, nouvelle concurrence dans un climat difficile.

Le Port Autonome exploite toutes les installations sur 70 km : Vieux Port, bassins de Marseille, Terminal à conteneurs de Mourepiane, bassins de Lavéra, Fos et Port-Saint-Louis-du-Rhône. Un centre de régulation intégré gère les mouvements des navires dans le golfe de Fos. L'informatisation du suivi administratif, douanier, documentaire et physique des marchandises est établie en 1991 grâce au système Protis auquel tous les professionnels du port se sont raccordés ; relié à un centre de gestion des entrepôts c'est une étape dans la modernisation de l'exploitation. Les engagements financiers du Port Autonome pour de nouvelles opérations atteignent 215 MF en 1991, 183 en 1994. Les principales opérations sont réparties sur l'ensemble des bassins et concernent tous les trafics et activités du port : terminaux pétroliers et à conteneurs, gare maritime en liaison avec l'aménagement d'un quartier d'affaires à La Joliette, avec la volonté de développer les croisières, 22 000 passagers en 1994 ; ce projet est établi en concertation avec la ville.

3. **Les autres activités tertiaires** dans leur diversité se développent pour répondre à la demande des touristes et d'une population double de celle de 1946 dont les exigences sont grandes : le salaire moyen annuel et le taux de scolarisation 2 ans après le baccalauréat sont parmi les plus élevés avec Ile-de-France et Rhône-Alpes. Le renforcement de tous les services privés et publics aux particuliers et aux entreprises s'est imposé : services financiers, recherche (8 000 chercheurs à égalité entre secteurs privés et publics), enseignement (création des Universités de Nice, Avignon et Toulon réunissant 110 000 étudiants en 1994, de 100 000 places dans les enseignements secondaire et primaire entre 1970 et 1980). Les effectifs des professions judiciaires et médicales ont connu une croissance constante : le nombre de médecins passe de 10 000 à 16 800 entre 1980 et 1994 conduisant au plus fort taux d'encadrement du pays : 380 pour 100 000 hab. contre 366 en Ile-de-France et 289 en moyenne nationale. Le commerce sous toutes ses formes n'est pas en reste. Le secteur tertiaire offre 1 163 700 emplois en 1994 en progression de 4 % en 4 ans.

4. **Industries**

■ **L'industrie et le B.G.C.A.**, sont en crise : la moyenne annuelle des créations d'entreprises a fléchi de 6 336 entre 1985 et 1990 à 4 372 en 1994, cela représente 11 % de la dynamique nationale. L'emploi poursuit cependant sa courbe descendante : 167 000 emplois industriels en 1994, – 8 % en 2 ans, 85 000, 25 % pour le B.G.C.A. très développé régionalement : la demande publique et privée a fléchi, compte-tenu d'une croissance démographique ralentie et de la masse des équipements déjà réalisés.

La région génère 4,7 % de la valeur ajoutée brute nationale d'origine industrielle, se situant au 5e rang des régions françaises. Sa part dans la production des marchandises les plus variées est significative : fruits confits 90 %, butadiène, chlore gazeux 50 %, pâtes alimentaires, semoule 46 %, aciers 25 %, charbon 17 %… Cette liste incomplète fait apparaître 3 branches dominantes : industries chimiques, énergétiques et agro-alimentaires. 5 branches se partagent les 5 premières places pour le chiffre d'affaires, la valeur ajoutée totale, les investissements, les rémunérations et les effectifs, les 3 précédentes auxquelles s'ajoutent la construction aéronautique et le matériel électrique et électronique.

■ **La répartition des investissements** souligne une des faiblesses de la structure industrielle qui se corrige lentement : insuffisance pour les industries de biens de consommation 10 % (France 18 %) et d'équipements 28,6 (41), abondance pour les industries intermédiaires 61,4 (41) ; cette politique perpétue les filières incomplètes dans la chimie, la métallurgie, l'électronique ou la parfumerie. En 1995 les établissements de plus de 50 salariés, sont moins représentés 1,2 % qu'au niveau national 2,7 % ; 35 établissements ont de 500 à 1 000 salariés, 10 entre 1 000 et 2 000, 3 plus de 2 000 (Sollac à Fos, Eurocopter à Marignane et l'Arsenal à Toulon).

■ **Le département des Bouches-du-Rhône dispose de plus du tiers des établissements,** hors B.G.C.A., et de 48 % des actifs ; cette prééminence régionale varie suivant les branches : 98 % des emplois pour la sidérurgie, chimie 52 %, électronique 35 %. Il y a 50 ans, l'industrie était présente à La Ciotat et dans quelques localités des rives de l'Etang de Berre, de la vallée de l'Huveaune et du bassin de Gardanne, sous la forme d'un ou deux grands établissements faisant régner parfois une mono-activité ; Marseille offrait une industrie diversifiée ; les entreprises y étaient de toutes tailles. Cette distribution géographique est en partie dépassée : le manque d'espace dans le bassin de Marseille a conduit au choix d'autres sites ; 210 sites industriels couvrant 13 592 ha, traduisent l'ampleur du desserrement des industries urbaines et les créations d'établissements dans tout le département.

Marseille a vu s'affaiblir les industries nées du commerce colonial (savonnerie, huilerie), disparaître les usines d'alumine de La Barasse (1988) et de matériel ferroviaire (St Marcel). Elle a connu les crises dans la réparation navale (1977). Le bilan n'est pas que négatif : les industries agro-alimentaires et la confection se maintiennent ; la ville a fixé 19 des 49 établissements de construction de matériel électronique du département ; les nouvelles industries liées au domaine marin sont pleines d'avenir, matériel de plongée professionnel et sportif, travail en piscine nucléaire ; la COMEX livre 90 % de ses activités, matériel et services, à l'exportation. L'abaissement des coûts d'extraction du pétrole offshore réalisé en 1996 devrait favoriser un nouvel essor de l'ingénierie sousmarine liée à sa recherche, freinée depuis plusieurs années.

Le bassin de lignites de Gardanne (1,5 Mt an) est maintenu en exploitation pour approvisionner une centrale thermique qui absorbe plus de 90 % de la production. Cette association s'est manifestée dans la réalisation du « Grand Ensemble de Provence » entre 1981 et 1987 : mise en service d'un groupe de 650 MW se substituant à des installations obsolètes, extension de l'extraction houillère vers l'ouest exigeant le forage de 2 puits d'environ 1 000 m et 18 km de galeries ; c'est un des plus grands chantiers récents en Provence généralement méconnu. Malgré une productivité exceptionnelle, seules des aides publiques assurent la compétitivité du charbon extrait. Au terme de 20 ans, l'avenir est incertain, les réserves étant limitées. La proximité des gisements de bauxite du Var avait conduit à construire en 1893 une usine pour produire de l'alumine. Péchiney y a concentré sa production d'alumine en France. Le site de Gardanne avec l'épuisement des gisements du Var et le coût du charbon local a perdu sa valeur originelle : la production d'alumine métallurgique a cessé ; celle des alumines techniques a un marché étroit. La cimenterie Lafarge de La Malle (700 000 t/an) a profité d'une forte demande régionale dont la réduction a été compensée par un développement des exportations de clinker vers l'Afrique ; émancipée de l'approvisionnement énergétique local depuis 30 ans, cet établissement doit maintenir son activité. Sur les friches minières, Charbonnages de France a créé en 1960 la première zone industrielle du département (Rousset-Peynier) : après divers déboires, l'ouverture par Thomson (1980) d'une usine de fabrication de semi-conducteurs a entraîné la venue d'usines de matériel électronique et de branches industrielles à haute technologie. La zone est en développement : Thomson réalise un investissement de 4 MdF et créera 800 emplois d'ici 1998 ; la société américaine A.M.T.E.L. invertit 2,8 MdF et procédera entre 1995 et 1998 à 800 embauches. La micro-électronique emploie ici plus de 2 500 personnes.

Les rives de l'Etang de Berre ont accueilli dans les années trente 3 raffineries auxquelles s'en est ajoutée une à Fos en 1965, elles disposent de près du tiers de la capacité de la France ; la surcapacité en Europe conduit à envisager la fermeture d'une raffinerie ; les conditions du marché français, où les grandes surfaces assurent 50 % de la distribution, orientent vers une raffinerie française ; celle de La Mède semble menacée. Deux plates-formes pétrochimiques spécialisées dans la production des grands intermédiaires ont été créées à Berre et Lavéra ; en 1988, Fos a bénéficié de l'implantation d'un établissement totalement automatisé d'Atlantic Richfield Company destiné, entre autres, à produire les additifs nécessaires à l'essence sans plomb avec la volonté de conquérir tout le marché de l'Europe méridionale. La construction aéronautique est présente : Eurocopter à Marignane fabrique des hélicoptères civils et militaires vendus dans 121 pays ; à Istres sont localisés une base d'essais en vol, une usine Dassault de fabrication de cellules d'avions et un établissement de la Société européenne de propulsion alliée à Boeing pour livrer des moteurs. La construction aéronautique souffre du ralentissement des commandes militaires et des difficultés des compagnies aériennes qui retardent le renouvellement de leur flotte.

Une sidérurgie sur l'eau est née à Fos : le charbon arrive à égalité d'Australie et des Etats-Unis, les minerais de fer d'Australie (1/2), du Canada (1/4), d'Amérique du Sud (1/4). Sollac livre 4,5 Mt de produits laminés à chaud, acier doux et inoxydable dont plus de la moitié exportée. Ascométal est un établissement du 5e groupe mondial usinant des aciers pour roulement ; la production est à 45 % vendue à l'étranger ; cette installation avait été condamnée à la fermeture en 1987 par le Conseil des Ministres du 24 mars 1984. Un redressement spectaculaire fondé sur d'énormes efforts de productivité a été entrepris comme chez Sollac : le nombre d'emplois a diminué de 41 % en 15 ans. Ces deux établissements mis en service en 1973 et 1974, contemporains de la première crise pétrolière, étaient à la base du développement de la zone industrialo-portuaire de Fos. Le temps était révolu de la création dans les pays développés de zones de ce type pour accueillir des industries de biens intermédiaires ; les industries de biens d'équipement et de consommation souhaitaient un autre type d'environnement. Hors les établissements prévus à l'origine, les industries d'aval ne sont pas venues.

Fos est considéré par beaucoup comme un échec. Pour ceux qui ont cru aux discours sur la Californie française, l'Europort du Sud, les 80 000 emplois sur le site et induits, cela se conçoit. Cependant 10 000 actifs travaillent à Fos ; les usines donnent des commandes à des sous traitants du secondaire et du tertiaire employant 15 000 personnes. Sans Fos, quel serait le taux de chômage dans l'A.M.M. ? Une exceptionnelle disponibilité en espaces, dont Barcelone et Gênes souhaiteraient sans doute disposer, est un atout pour l'avenir ; dans une conjoncture économique plus favorable, cela permettra à Marseille d'affirmer son rôle dans la pétrochimie et peut-être d'autres industries.

La construction navale a employé régionalement près de 20 000 personnes ; dès 1966, les chantiers de Port-de-Bouc ferment. Construction Industrielle de la Méditerranée diversifie ses productions dans les chantiers aujourd'hui condamnés de La Seyne, escaliers mécaniques, incinérateurs de déchets ménagers. Normed, grâce aux aides publiques, persiste à La Ciotat jusqu'à la liquidation judiciaire (1989). L'occupation du chantier par une centaine d'ouvriers, les contradictions politiques paralysent les projets. En 1996, un chantier de construction de « grande plaisance » employant 75 salariés est le seul souvenir de la construction navale ciotadine. La réparation navale marseillaise n'est plus que l'ombre vacillante d'elle-même.

La crise de l'emploi née de la fermeture des chantiers exigeait des mesures. Le décret du 15 octobre 1986 prévoyait 10 ans d'exonération de l'impôt sur les sociétés pour les entreprises de plus de 10 salariés s'installant sur les zones d'entreprises créées : 350 ha prévus à La Ciotat, Gémenos et Aubagne, 5 000 emplois ont été créés dont 1 000 à Gemplus Card International, autant à PLM, fabricant suédois de boîtes, en aluminium ; ces créations ne compensent que partiellement les emplois supprimés. Quatre zones sont établies dans le bassin d'emploi Toulon-La Seyne ; près de 200 entreprises employant 4 000 personnes y sont installées. Le département a acquis le site des chantiers de La Seyne remis à la commune qui y envisage l'urbanisation après l'échec de divers projets industriels.

■ **L'emploi est un problème permanent dans le Var.** Plus de 10 entreprises et près de 1 000 emplois ont été créés sur le plateau de Signes : les établissements se développent (plus 100 emplois en 1995), mais il n'y a pas de nouvelles implantations ; à côté d'Orangina et Coca Cola Midi, se sont fixés des établissements tournés vers l'innovation : aéromécanique du groupe Bertin, usine ultramoderne de Pharma Biotech ; International mycoplasma spécialisée en diagnostic mycoplasmes et de microbiologie, associant recherche et développement et production ; ces dernières entreprises sont de grandes exportatrices.

L'agglomération toulonnaise cherchant une vocation pouvait légitimement penser aux nouvelles activités maritimes. Outre le site favorable, les atouts étaient multiples : la présence de la Direction des constructions et armes navales entraîne celle de nombreux ingénieurs hautement qualifiés, de centres d'études et d'installations réparties entre l'arsenal, les usines de La Londe et Saint-Tropez (torpilles) ; une politique d'ouverture vers les entreprises permet à la Direction de jouer un rôle dans l'activité économique. La Fondation industrielle pour la recherche sous-marine et sa technologie installe à l'entrée de la zone portuaire un bassin de 1 630 m^2 profond de 6 m, avec un puits central de 10 m de fond : les études d'hydrologie marine peuvent être conduites soit par modélisation grâce à de puissants moyens de calculs, soit par essais dans le bassin où on simule houle et courants, soit par le centre d'essai en mer ; l'étude de l'ancrage des plates-formes pétrolières est un des objets de recherche. L'IFREMER, établissement public spécialisé dans l'ingénierie et la technologie sous-marines, livre des outils pour le travail dans les profondeurs jusqu'à 6 000 m, soit 97 % des surfaces océaniques : robot, sonar, projet de véhicule téléguidé pour cartographier les fonds marins. Ces implantations en entraînent d'autres telle Océanide offrant trois domaines d'activités : génie industriel maritime (robot dépollueur de port, ramassage de déchets en mer, maquettes d'études scientifiques), génie côtier (aménagement portuaire, érosion des plages avec système de modélisation), génie océanique (hydrodynamique des eaux profondes, actions sur les carènes et plate-formes pétrolières).

■ **La Côte d'Azur** a sélectionné des activités ne compromettant pas l'image touristique recherchée. Chacun pense vacances, cependant comme Saint-Tropez, Cannes a une usine d'armement de plus de 1 000 salariés (engins, missiles, lanceurs spatiaux), Monaco offre un secteur industriel diversifié (confection, pharmacie...). La production des huiles essentielles est née à Grasse en s'appuyant sur la floriculture locale (roses de mai, jasmin, fleurs d'oranger, feuilles de violettes) et en encourageant la production régionale de lavande et lavandin. Les importations de fleurs et l'appel aux produits de synthèse détachent l'industrie de la parfumerie de l'agriculture voisine. Les entreprises familiales plus que centenaires passent sous le contrôle de groupes étrangers ou français de la parachimie (Sanofi) ou de la pharmacie (Hoffmann Laroche) ; la localisation grassoise pourrait être mise en cause. Des industries électriques puis électroniques s'installent entre 1937 et 1950 dans le secteur niçois, créant un environnement favorable à de nouvelles implantations : en 1995, plus de 1 000 emplois (I.B.M., Thomson), plus de 500 (Texas Instrument), tous établissements installés entre 1960 et 1965. Seules 220 entreprises de construction (0,6 %) comptent plus de 50 salariés ; 46 % n'emploient pas de salarié et se limitent à l'artisanat d'entretien. Les autres travaillent à l'entretien, à la construction de maisons individuelles ou par sous-traitance à des chantiers importants. Cette industrie a entraîné l'essor de la production des matériaux de construction et de décoration (carrelage, revêtement des sols…).

A l'est de l'Esterel, la difficulté de trouver des terrains pour implanter des usines et ateliers, le prix d'achat et de location des appartements entraînent les entreprises et les particuliers à rechercher, à l'ouest, notamment à Fréjus-Saint-Raphaël des conditions plus favorables : avec une forte progression démographique, l'arrivée de résidants travaillant à Cannes ou Sophia-Antipolis, la création de plusieurs centaines d'entreprises en 4 ans, l'agglomération bénéficie de ce phénomène de rejet.

5. L'agriculture

■ En valeur, face aux productions animales, les productions végétales (93 %) tiennent une place inégalée en France (50 % en moyenne) ; la part des principales d'entre elles traduit l'originalité de l'agriculture régionale : vin 29 %, fruits 22, légumes 19, fleurs et plantes à parfum 12. La valeur des livraisons à l'ha de S.A.U. végétale est triple de la moyenne nationale ; le revenu brut d'exploitation par actif familial, dépasse de 6,5 % la moyenne nationale contre 20 % en 1990 ; les contrastes sont considérables (en 1994, Var 258 203 F., Bouches-du-Rhône 113 571) variables annuellement en fonction des marchés et de la météorologie. Cependant les fruits sont déversés dans les centres des impôts, les camions étrangers sont vidés de leur contenu. Ces gestes traduisent le refus d'une concurrence fondée sur l'inégalité des charges et des niveaux de vie (Espagne), l'incompréhension des directives européennes subventionnant successivement plantation et arrachage de vignobles ou vergers, le malaise né de l'inorganisation des marchés de fruits et légumes soumis à de spectaculaires variations des cours, malgré la création des marchés d'intérêt national ; parallèlement les prix du matériel, des engrais et pesticides, dont cette agriculture intensive est forte consommatrice, s'élèvent déterminant un endettement insupportable pour les producteurs. La réforme de la P.A.C. ne vise pas les productions caractéristiques de la Provence ; mais le risque est réel de voir les terres céréalières soumises à la jachère livrées aux cultures légumières de plein champ compromettant l'équilibre des exploitations spécialisées déjà fragilisées par la concurrence étrangère. La situation du monde viticole est plus favorable, grâce à l'ancienneté et la puissance du mouvement coopératif, et à l'évolution vers la qualité, 50 % du vin produit classé en A.O.C., facilitant la commercialisation.

Les espaces occupés par l'urbanisation, les infrastructures et zones industrielles (22,7 %), les forêts (38,2 %) et les friches (9,6 %) laissent une faible extension à la S.A.U. (29,5 %) répartie entre les cultures spécifiques, exceptionnellement étendues : vignoble 14 %, vergers 7,5 %, maraîchage et floriculture 5 %, céréales, oléagineux et légumes de plein champ 15,5 %, surfaces toujours en herbe 56,5 ; pourcentage surprenant vu le rôle effacé de l'élevage, mais s'expliquant par la prise en compte des terrains de parcours et pâturages de montagne. La région fournit une part importante de la production nationale : œillets 94 %, lavande 74 %, roses, courgettes, tomates 40 à 50 %, pommes, cerises 25 à 30 %, vin 9,7 %, mais 11,6 % des A.O.C.

■ Les exploitations agricoles en recul

Les surfaces affermées progressent : 46,6 % en 1994, 34 % en 1980 ; le faire valoir direct domine encore : 47,6 contre 62 en 1980, le métayage stagne. Le nombre d'exploitations chute de 57 000 à 34 000, 42 % sont tenues par des exploitants à temps partiel. 5, 4 % du total des exploitations mais 9 % des exploitations à temps complet dépassent 50 ha : exploitations familiales incluant des pâturages en montagne, exploitations sur les terroirs favorables de Provence intérieure associant le vignoble à la production céréalière et oléagineuse, mas camarguais produisant au gré des terroirs et des spéculations du riz, du vin, des fruits et élevant des chevaux et taureaux, fermes cravènes où l'irrigation permet la production de fourrages, légumes en plein champ, melons à côté des espaces pour l'élevage ovin transhumant. La monoculture ou au moins la suprématie du vignoble sont fréquentes dans les exploitations de 20 à 50 ha surtout pour la production des A.O.C. (Châteauneuf-du-Pape, Gigondas, Sainte-Roseline). 54 % des exploitations, seulement 36 % des exploitations à temps complet, ont moins de 5 ha : ces microfundia correspondent parfois à un carré de vignes conservé par un citadin au modeste emploi pour assurer sa consommation, d'autres s'adonnent aux cultures spécialisées, légumes, parfois même sur moins de 1 ha pour la floriculture. La culture sous serres occupe 2 214 ha pour les légumes, 780 pour les fleurs, 40 % de la superficie de la France. Cette agriculture méridionale dépend pour certaines productions de l'irrigation pratiquée sur 117 000 ha en repli de 5 % depuis 10 ans. Les travaux entrepris à l'initiative du Canal de Provence sur la Durance et le Verdon ont seuls permis d'attribuer aux principaux consommateurs d'eau les quantités nécessaires.

■ Entre 1979 et 1988, le nombre des chefs d'exploitation et des salariés permanents décline de 22 %.
Les chefs d'exploitation ont pour 63 % dépassé 50 ans tandis que 17 % ont moins de 40 ans, 18 % sont des femmes. Beaucoup n'ont pas d'héritiers soucieux de rester à la terre. Les meilleures parcelles seront affermées par les exploitants en place ; le risque est grand de voir des hectares retourner à la friche, de voir s'opérer une vente par parcelle conduisant au « mitage » du paysage, de voir les banques constituer des réserves foncières pour créer des lotissements dans l'arrière-pays proche de la côte. Une politique foncière régionale semble indispensable si on veut protéger les campagnes provençales des objectifs contradictoires de municipalités voisines ou successives.

6. Le développement par les technopôles

La conjoncture s'est raffermie en 1994 avec une progression de l'emploi dans toutes les villes sauf à Marseille, Toulon et La Seyne. Entre 1984 et 1990, le dynamisme se traduit dans les créations d'entreprises : 44 pour 1 000 habitants à Fréjus, 35 à Aix, Avignon et Nice, seulement 25 à Marseille. Les entreprises de l'industrie et du tertiaire supérieur, significatives du développement, représentent 61 % des créations à Aix, 50 à Avignon, Cannes et Nice, 47 à Fréjus ; au contraire les commerces et services aux particuliers, les entreprises du B.G.C.A. dominent à Marseille, Martigues et Menton.

■ Le dynamisme se manifeste par le succès du **technopôle de Sophia Antipolis**. L'image de la Côte d'Azur permet d'attirer des centres de recherche confirmés et des industries de haute technologie : les échanges multiples entre chercheurs et ingénieurs favorisent la « fertilisation croisée » et les transferts de technologie entre le laboratoire et l'usine. L'aménagement du plateau de Valbonne est entrepris en 1969 à l'initiative du directeur de l'Ecole des Mines ; l'opération est soutenue par les milieux financiers. 2 300 ha sont concernés ; 2/3 réservés aux espaces naturels protégés, 27,5 % aux secteurs de pointe, 6,5 % à l'amorce d'une ville, future technopole ; ce secteur résidentiel n'abrite que 4 000 personnes, beaucoup travaillant hors le site. 3 ZAC achèvent l'occupation du site ; chacune a une vocation précise (accueil des grandes unités de recherche et développement, petits laboratoires et enseignement de 3e

cycle, zone urbaine et pôle de loisirs) rompant avec une utilisation de l'espace au coup par coup et préfigurant la conception qui présidera à l'aménagement de Sophia Antipolis, 2 000 sur les 2 200 ha supplémentaires récemment attribués au technopôle. 15 000 actifs travaillent à Sophia, leur présence induit près de 40 000 emplois sur la Côte. A l'origine les transferts d'emplois dominaient, maintenant 72 % correspondent à des créations *ex nihilo* : 55 % offerts à des cadres supérieurs, 18 % à des techniciens, 27 % à du personnel peu qualifié essentiellement du B.G.C.A. La recherche privée et publique, l'enseignement et la formation occupent près du quart des actifs (préparations aux baccalauréats français, international de Genève et à des examens américains car 13 % de la main-d'œuvre dont 3/4 de cadres relèvent de 25 nationalités), l'électronique, l'informatique, les télécommunications environ la moitié, le reste se partage également entre les sciences de la terre et les biotechnologies (biomasse, énergie photovoltaïque, approvisionnement en eau, pharmacie...). Plus de 800 entreprises animent le site : 75 % ont moins de 10 salariés et retiennent 12 % des emplois ; de grands établissements de plusieurs centaines d'emplois (Digital Equipment, Welcome producteur de l'A.Z.T...) attirent 63 % des actifs. Des commerces, 5 banques, des avocats, médecins, conseils divers sont présents. Le succès de Sophia Antipolis est lié à l'ampleur de la réalisation, à la mobilisation de capitaux à risques, à la pluridisciplinarité, à la réalité d'inter-relations entre laboratoires, entre établissements industriels et entre les uns et les autres, au caractère international attesté par les relations (« Washington Foundation »), et favorisé par un réseau de fibres optiques de 500 km faisant de Sophia Antipolis une zone de télécommunication avancée permettant de dialoguer avec le monde entier avec les techniques les plus sophistiquées (visio conférence, vidéo transmission, accès direct à Intelsat Business Service, Système numeris). En contrepartie, il est fait largement appel aux étrangers dans les fonctions de cadres ; 75 % de la sous-traitance est réalisée hors du département, même de France ; les firmes, pour bénéficier de charges fiscales et sociales moins lourdes, pratiquent des délocalisations : Digital Equipment a transféré en Ecosse son département de production informatique, une centaine d'emplois, 10 % de son personnel. Les demandes de nouvelles implantations se poursuivent, seules sont retenues celles qui correspondent à la vocation de technopôle, récemment American Tel and Tel Paradyme installe son centre européen du développement. En 1995, 500 emplois sont créés (+ 3 %) dont un tiers dans les télécommunications et l'informatique. En 1992, le salaire mensuel moyen est de 15 000 F, le chiffre d'affaires des entreprises de 50 Md F dont 5 de valeur ajoutée.

■ **L'exemple fait rêver les villes** se débattant dans des difficultés socio-économiques. Les pôles technologiques se multiplient : Toulon Var Technopôle, Marseille-Provence Technopôle, Aix Europôle, Manosque-Cadarache, Avignon Montfavet Agroparc ; les centres relais aussi : Gap Micropolis, Meyreuil Parc Technologique, Saint-Chamas, Istres, Arles, Ciomex dernier né à La Ciotat comme pôle technologique des milieux extrêmes (1991). Sophia Esterel serait une réplique de Sophia Antipolis dans l'Est varois sur 4 000 ha, un syndicat d'étude est créé en 1995 pour faire avancer le projet. Ces réalisations diffèrent de leur modèle. Plusieurs disposent d'un environnement scientifique limité, voire inexistant ; leur pouvoir d'attraction et de sélection des établissements industriels est faible ; elles s'étendent sur des espaces réduits (6 ha à Gap, 200 à Avignon, 900 à Aix) ; elles sont spécialisées : milieu marin à Toulon ; Technopôle du « Nouveau Froid » à Avignon appuyé sur l'INRA et l'Institut supérieur d'enseignement au management agro-alimentaire ; fusion thermonucléaire, sécurité des installations nucléaires, nucléaire et environnement à Cadarache. Au sein de l'A.M.M., les 3 000 chercheurs et les 200 laboratoires publics et privés sont dispersés : Château Gombert, aménagement volontaire sur 180 ha, devant être porté a 400 bénéficie de la présence de plusieurs grandes écoles (Institut Méditerranéen de Technologie, Institut International de Robotique et d'Intelligence Artificielle...) ; 35 entreprises avec 820 salariés mettent en œuvre une technologie de pointe (casque antibruit, carte bancaire, procédés de lecture savante) ; l'accessibilité difficile et l'intégration étroite au milieu urbain freinent l'épanouissement de ce technopôle manquant d'espace. La cité de la Biotique inclut sur 50 ha deux hôpitaux, les facultés de médecine, pharmacie et odontologie ; chercheurs, médecins, industriels, étudiants doivent se côtoyer pour développer les industries biomédicales ; la villa Hippocrate (3 ha) en construction sera le lieu privilégié des rencontres et accueillera des entreprises. Cette cité s'appuyant sur les activités développées à Luminy (INSERM, anticorps, dépistage des virus) et sur le potentiel de toute la ville (77 unités de recherche en santé et sciences de la vie, 12 000 lits publiques et privés) doit en 10 ans faire de Marseille la capitale biomédicale de la Méditerranée. Aix Europôle est une opération volontariste à terme de 20 ans ; l'espace est distribué comme à Sophia Antipolis entre les laboratoires de recherche 6 %, les résidences 12 %, les équipements de loisirs 15 %, les activités 30 %, le reste allant à l'agriculture et aux espaces naturels. La proximité de l'aéroport et de la future gare du T.G.V., la présence de plusieurs dizaines d'entreprises d'informatique et électronique dans le pays d'Aix dont quelques-unes déjà regroupées peuvent être des facteurs favorables malgré l'éloignement relatif des laboratoires scientifiques rassemblés à Marseille ou dans les usines dispersées au sein de A.M.M.

Le risque était le saupoudrage de crédits pour satisfaire chaque ambition technopolitaine au nom de l'opportunisme politique, sans permettre pour autant à aucun technopôle d'émerger à un niveau suffisant. Le Conseil régional suivit une autre direction. Créée en 1986, la « Route des Hautes Technologies » est associée au « Multipôle technologique du Languedoc-Roussillon » (1989) et fait naître la « Route des Hautes Technologies de l'Europe du Sud », de Valence et Barcelone à Gênes, Turin et Milan. L'idée est d'appuyer le développement économique régional sur une dynamique fondée sur un réseau de pôles souvent spécialisés, complémentaires et en cohérence avec le tissu productif local. Les actions doivent stimuler les activités scientifiques et économiques en valorisant la recherche dans les entreprises régionales, établir l'environnement souhaité par les entreprises de haute technologie, surtout corriger les inconvénients nés de la dispersion et de la spécialisation des pôles en permettant d'établir entre eux des relations étroites pour les hommes, pour la parole et l'image. L'effort a porté sur les autoroutes reliant tous les pôles, Gap devant être prochainement desservie ; d'autres actions s'imposent : l'amélioration de la circulation et des transports publics au sein des principales agglomérations, la poursuite de la ligne à grande vitesse jusqu'à Marseille ; les élections de 1993 ont montré, dans les départements concernés où les listes écologistes ont obtenu entre 4,5 et 10 % des voix, le caractère minoritaire des associations qui se sont exprimées par la violence réussissant à retarder le projet. Les télécommunications doivent établir le contact dans l'instant entre chercheurs, ingénieurs, financiers. Le contrat de plan Etat-Région 1989-1993 confiait à France Télécom, maître d'œuvre, l'établissement du réseau régional R3T2 dans le cadre de RENATER, réseau national de la recherche : chaque pôle doit accéder aux puissants moyens de calculs localisés à Sophia Antipolis et Marseille (Château Gombert, Université Saint-Jérôme) ; les possibilités offertes par les réseaux locaux des entreprises doivent être mises en commun. 15 organismes, universités et centres de recherche sont connectés à R3T2 à Marseille, Nice et Cadarache en 1993 ; l'extension à Toulon est prévue. L'opportunité de raccorder Aix et Avignon, d'ouvrir le réseau à tous les acteurs du développement scientifique et technologique sera envisagée d'ici 1996. R3T2 sera ultérieurement connecté à RENATER permettant les liaisons interrégionales et internationales ; ces dernières sont limitées actuellement à la passerelle de l'Institut National de Recherche Informatique et Automatique exploitée avec les Etats-Unis. Cette politique permet de traduire dans les faits la réalité des réseaux de villes prévus dans la loi d'aménagement du territoire en limitant le temps et les dépenses perdus en déplacements.

4. DÉSÉQUILIBRES RÉGIONAUX

1. Des corrections difficiles

La répartition et les caractéristiques des activités agricoles reflètent l'ampleur des déséquilibres spatiaux sensibles dans tous les domaines de l'activité humaine. La correction de cette opposition entre les marges et l'intérieur, est une priorité toujours affirmée mais difficile à transformer en actes : les marges littorales et rhodaniennes actives et non sans dynamisme assurent à beaucoup un niveau de vie élevé ; l'intérieur au peuplement clairsemé, aux hommes vieillissant, à une occupation de l'espace discontinu, offre à la majorité des revenus limités.

Certes le tourisme s'est répandu, mais les enquêtes des années 80 signalaient que 75 % des estivants voulaient résider à moins de 5 km de la mer ; d'où la surpopulation des campings varois. Sans doute quelques lacs intérieurs ont attiré du monde, le tourisme vert progresse en montagne et à la campagne : n'est-il pas abusif de parler pour autant de revitalisation lorsque l'éventuel redressement des courbes démographiques traduit la substitution d'une population à une autre s'accompagnant du déclin des activités traditionnelles, lorsque ce sont des résidants secondaires à la présence éphémère qui sont sensés redonner la vie aux villages ?

L'idée de donner une nouvelle impulsion à l'agriculture de montagne se heurte aux rudes conditions d'existence qui y correspondent et sont mal supportées et à la difficulté de créer des circuits de ramassage permettant aux denrées d'être compétitives sur les marchés malgré les coûts de transport. L'isolement et les distances ne sont pas plus favorables aux implantations industrielles. La vallée de la Durance n'a jamais connu une industrialisation comparable à celle de la Maurienne. L'usine Péchiney de fabrication d'aluminium de l'Argentière est fermée ; un seul grand établissement subsiste dans les Alpes du Sud : l'usine de chimie organique de synthèse de ATOCHEM de Château Arnoux (plus de 1 000 emplois). L'artisanat d'entretien et le B.G.C.A. soutiennent le secteur secondaire. De nombreux ateliers disséminés dans les bourgs de la Provence intérieure ont disparu comme les tanneries de Barjols. Quelques établissements industriels liés en partie et parfois par des contrats avec les agriculteurs voisins animent les villes du Vaucluse avec leurs conserveries ou leurs usines de fruits confits (Apt). La crise de l'énergie avait donné un temps des espérances aux industries solaires (production de capteurs) ; l'intérêt était leur dispersion dans les Alpes du Sud et leurs confins (Digne, Veynes, Embrun, Carpentras) mais cela n'a jamais concerné qu'une dizaine d'établissements et une centaine d'emplois.

La correction des déséquilibres spatiaux ne peut qu'être partiellement réalisée et sur le long terme, car la nature s'impose à l'homme. La correction des déséquilibres structurels, la sous-industrialisation sont appréhendées de façon positive. La région n'est pas sans problèmes, pas non plus sans atouts. La région est demeurée, dans une large mesure, à l'écart de la première révolution industrielle, elle a participé inégalement à la seconde ; elle semble prête à s'inscrire dans ce qu'il est convenu d'appeler la révolution informatique. La mode a été longtemps la recherche d'industries propres dont la présence ne mettrait pas en cause la vocation touristique. Les industries de haute technologie répondent à cette exigence ; mieux, elles demandent une main-d'œuvre attirée par les éléments du milieu naturel qui font de Provence-Alpes-Côte d'Azur un espace de loisirs. La politique du Conseil régional en faveur de la formation des hommes et de soutien au développement des technopôles par la réalisation des réseaux de télécommunications et de circulation s'inscrit dans une logique d'avenir.

Dans la région la diversité l'emporte sur l'unité ; il faudrait beaucoup d'imagination pour affirmer le contraire. La simple évocation des paysages ruraux est démonstrative : maraîchage et vergers du Comtat et Durance, floriculture niçoise, pâturages de montagne ou de basses plaines, et partout où c'est possible, le vignoble. Mais c'est aussi l'ensemble des industries agro-alimentaires vauclusiennes face à une région niçoise où triomphaient sans partage les activités du tourisme et du B.G.C.A., et à une région marseillaise où des industries prospères se relayaient dans le temps à côté d'une vie portuaire en pleine expansion.

2. Marseille et Nice

De ces intérêts divergents était née, au début de la politique de régionalisation, une politique de sécession de la région niçoise, alimentée en outre par la volonté d'un élu niçois de devenir président d'une région. L'unité devait être préservée. En 20 ans, les situations ont d'ailleurs beaucoup évolué.

La région niçoise a connu un développement industriel qui ne doit rien à l'influence marseillaise, pas davantage au tourisme, même si le milieu géographique est un atout comme facteur de localisation pour certaines entreprises. La ville a reçu une université. Avec Sophia-Antipolis, la recherche se développe. La volonté d'écarter une trop forte densité d'emplois ou de résidents sur ce site conduit à en envisager la saturation ; l'idée de développer à terme un technopôle à l'ouest de l'Esterel, à proximité de Saint-Raphaël, semble la solution.

La région marseillaise avait surmonté les problèmes nés de la décolonisation ; elle a su affirmer son rôle de capitale régionale ; elle a subi et subit encore des crises qui ont touché des pans entiers de ses industries et les activités portuaires. La ville a connu un essor de ses activités culturelles (Théâtre de la Criée, Conservatoire de Musique, Ecole de Danse…).

L'opposition entre les régions marseillaise et niçoise est sans doute moins absolue que dans le passé (structure de l'emploi) mais elle n'a pas disparu : les industries comme les activités tertiaires qui y dominent ne sont pas les mêmes. Le poids respectif des deux ensembles dans l'économie régionale s'est peu transformé ; l'examen de multiples indices montre la primauté marseillaise si on excepte le niveau de vie et d'épargne par habitant où domine la région niçoise. Pour l'emploi, la production, le capital, la région marseillaise intervient pour près de 50 %, voire plus.

La région niçoise offre des équipements de haut niveau égalant ou surpassant en qualité ceux de la région marseillaise : observation vérifiée pour le caractère international de l'aéroport, pour le commerce de luxe, pour l'intensité de la vie intellectuelle (musées, festivals). Mais le potentiel industriel de Marseille reste supérieur.

La ville de Nice est le cœur d'une ceinture littorale urbanisée qu'on suit de Menton à Fréjus-Saint-Raphaël, simple liseré au pied des Alpes niçoises et de l'Esterel, plus épanouie lorsque le relief le permet ; tout l'Est varois tend à s'y ancrer. La zone d'influence est ainsi limitée ; elle pénètre peu la montagne, d'ailleurs presque totalement vidée de ses hommes.

Marseille est le centre d'un puissant noyau d'urbanisation qui a débordé du bassin primitivement occupé, dans la vallée de l'Huveaune, les pourtours de l'Etang de Berre, le pays d'Aix, le littoral entre Port-Saint-Louis du Rhône et La Ciotat, vaste ensemble où l'influence marseillaise s'exerce avec force ; au-delà elle est encore perceptible dans l'Ouest varois, la Moyenne et Basse-Durance, le Comtat. Dans les deux zones, proche et lointaine, des villes viennent contrarier et relayer le pouvoir d'attraction de la métropole en offrant leurs propres services aux populations voisines, Aix-en-Provence, Avignon, et particulièrement Toulon, toutes trois villes universitaires. Plus on s'éloigne, plus restreint est le nombre de domaines où s'exerce l'attraction marseillaise : à une centaine de kilomètres (Hyères, Carnoules, Manosque, Cavaillon, Avignon…), la métropole reste avant tout un marché du travail malgré les vicissitudes que traverse l'économie de l'Aire Métropolitaine Marseillaise.

La mise en œuvre de nombreux projets dépasse souvent les seules ressources du département des Alpes-Maritimes, des subventions du Conseil régional sont indispensables. Même si Nice exerce pleinement ses fonctions de métropole de la Côte d'Azur, elle ne saurait s'abstraire pour autant des réalités politiques et financières. La politique régionale se définit à

Marseille, les contrats de plan s'y discutent en dernière analyse : entre les deux villes s'imposent des relations constantes et multiformes, mais c'est Marseille qui est ordonnatrice des financements. A l'heure où renaît l'idée de favoriser le développement de quelques très grandes métropoles, Nice n'apparaît pas en position de se mesurer avec Marseille. De son côté, Montpellier, à travers des publicités outrancières et d'indéniables succès, ne peut effacer la réalité : un chômage encore plus élevé qu'à Marseille, un potentiel économique et des effectifs de chercheurs bien moindres que dans la cité phocéenne. Marseille seule pourrait prétendre au rôle de capitale pour l'ensemble du Sud-Est français. Le projet Euroméditerranée, associant l'Etat, les collectivités locales, le Port autonome est géré par un établissement public (décret du 13 octobre 1995). Un quartier de 310 ha, au cœur de la ville doit être aménagé en s'appuyant sur des constructions neuves ou l'amélioration du bâti ancien. Euroméditerranée doit permettre d'affirmer le rôle de la France dans la politique méditerranéenne de l'Europe et de faire de Marseille une grande métropole européenne en développant le port et l'emploi (5 000 prévus à court terme). A côté de deux constructions lancées d'immeubles de bureaux (gare St-Charles et Docks), la mise à la disposition des entreprises d'un téléport ouvert en 1995 sur le site souligne le caractère résolument novateur d'Euroméditerranée dont la réalisation doit être conduite en 10 ans.

BIBLIOGRAPHIE

Conseil Général du Var, *Perspectives varoises : l'action économique*, n° 21, mars 1991, 74 p.

DAUPHINE, *Nice une euro-cité méditerranéenne*, Serre, Nice, 1990, 198 p.

DURBIANO (C.). Le Comtat et ses marges. Crises et mutations d'une région agricole méditerranéenne. Publications de l'Université de Provence. Aix-en-Provence, 1997, 217 p.

SPILL. *Avignon : espace urbain d'une ville moyenne.* Centre de documentation pédagogique du Vaucluse, Avignon, 1986, 200 p.

TIRONE, JOANNON, LEES, MARTIN, MOUSTIER. *Le territoire régional PACA*, Association des professeurs d'histoire et géographie, Aix-en-Provence, 1992, 166 p.

Technopolis International, *Les dynamiques de l'Europe du Sud*, n° 9, septembre 1992, 160 p.

VAUDOUR (N.). « Bilan 1976-1986 des créations d'hypermarchés et de supermarchés dans PACA », *Méditerranée*, n° 1, 1987, p. 13-20.

WOLKOWITSCH (M.). *Provence-Alpes-Côte d'Azur*, P.U.F., Paris, 1984, 179 p. Ce livre comporte une bibliographie à jour en 1983.

WOLKOWITSCH (M.) et DEBUCHY (N.). « Les entreprises de services à caractère technologique dans les Bouches-du-Rhône », *Méditerranée*, n° 1, 1987, p. 3-12.

WOLKOWITSCH (M.) et DANEELS (N.). « La recherche dans les entreprises industrielles de PACA », *Méditerranée*, n° 1, 1989, p. 3 -12.

WOLKOWITSCH (M.) et SAVINO (A.). « La synergie entre recherche et production à travers les grandes écoles marseillaises », *Méditerranée*, n°1, 1989, p. 13-22.

Numéros spéciaux à thèmes de la revue « Méditerranée », *L'Eau en PACA*, n° 39, 1980 – *Vignobles et Vins,* n° 65, 1988 – *Le tourisme rural en montagne,* n° 69, 1989 – *Les terrasses de cultures méditerranéennes,* n° 71, 1990 – *Marseille et l'aire marseillaise hier et aujourd'hui,* n° 73, 1991 – *Hommes et Paysages de la Sainte-Victoire,* n° 75, 1992.

Sur Aix-en-Provence, Avignon, Marseille, Nice et Toulon : collection des Notes et Etudes documentaires de la Documentation Française et La France des Villes. Tome 6 : *Villes du Sud-Est* – La Documentation Française.

CHAPITRE

2

LANGUEDOC-ROUSSILLON

Christian Verlaque

Sur la façade méditerranéenne de la France, la Languedoc-Roussillon réunit la plus grande partie d'un Bas-Languedoc ou Languedoc oriental issu en 1542 du dédoublement de la Généralité du Languedoc et un Roussillon devenu définitivement français en 1659 par le traité des Pyrénées. Dotée d'une relative unité par son cadre naturel, la région, traditionnellement voie de passage et terre d'accueil, tente de diversifier ses activités en tirant argument de la qualité de son cadre de vie, et réorganise son espace dans un contexte de renforcement du poids de sa capitale régionale.

1. UN AMPHITHÉÂTRE MÉDITERRANÉEN ET UNE TERRE D'ACCUEIL

En simplifiant à l'extrême, le Languedoc-Roussillon apparaît comme un amphithéâtre de hautes terres, ouvert sur la Méditerranée, dominant une plaine littorale qui communique avec le Midi aquitain par le seuil du Lauragais et avec la France du Nord par le couloir-rhodanien. La ligne de partage des eaux entre Méditerranée et Atlantique y conserve une certaine signification. Le contraste entre haut et bas-pays ne se retrouve pas seulement dans la végétation naturelle et dans les aptitudes agricoles : il recouvre un contraste démographique entre un intérieur qui se vide et un espace sublittoral qui concentre de plus en plus la population.

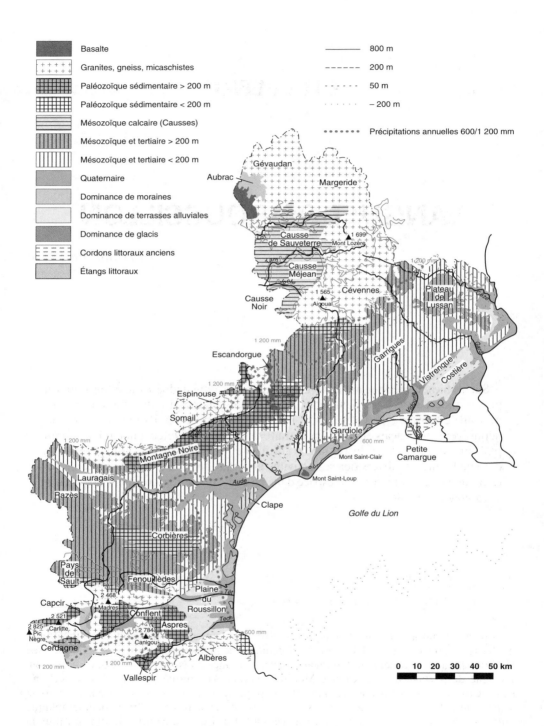

Figure 4. Le milieu physique (relief, précipitations, températures)

La France dans ses régions

Le facteur fondamental d'unité est évidemment climatique. Le régime des pluies, répercuté dans les régimes hydrologiques, en est la marque première : sécheresse estivale plus ou moins accentuée, concentration des précipitations en automne et au printemps, dans un contexte de très grande irrégularité des conditions climatiques dans le temps. Cette forte concentration des pluies provoque des écoulements brutaux (crues cévenoles et roussillonnaises) et limite les apports aux nappes phréatiques. Mais elle traduit aussi l'importance de l'ensoleillement qui, au delà des potentialités de l'énergie solaire, constitue un facteur attractif majeur, notamment pour le tourisme. Seuls le Lauragais et la Lozère ont des régimes différents.

Si les précipitations augmentent avec le relief, les températures traduisent les effets combinés de la latitude et de l'altitude. En plaine, elles offrent des contrastes accentués par rapport à la côte provençale : les gelées sont possibles de septembre à mars, les vents du sud peuvent provoquer de forts coups de chaleur. En montagne, la rudesse hivernale est de rigueur, tandis que l'exposition favorise les soulanes orientées au sud par rapport aux ubacs orientés au nord. Enfin, la région connaît une dominante de vents d'ouest et du nord, vents forts comme la tramontane catalane ou le mistral rhodanien, souvent responsables d'eaux marines plus froides que sur la côte provençale.

En dehors du Rhône qui la limite à l'est, la région n'a pas de grand organisme fluvial. L'Aude ne dépasse pas 150 km de longueur et son bassin versant de 5 300 km^2 n'excède pas le cinquième de la superficie régionale.

1. Les hautes terres périphériques

■ Entre la frontière espagnole et la transversale audoise, elles relèvent des **Pyrénées-Orientales**. Moins imposante que dans sa partie centrale, la chaîne pyrénéenne apparaît toujours comme une barrière, encore élevée (2 910 m au Puigmal), sauf dans les Albères. Elle s'effondre alors dans la mer engendrant la rocheuse Côte Vermeille et ses canyons sous-marins. Ce rôle de barrière est accentué par la médiocrité de l'empreinte glaciaire. Vers les vallées d'Andorre, le franchissement de la chaîne implique le recours aux cols de Puymorens (1 915 m) et d'Envalira (2 407 m). Hors le bassin de la Cerdagne, l'accès à l'Espagne n'est possible que par les cols d'Arès (1 610 m), du Perthus, et bien entendu par le littoral.

Les parties les plus hautes sont soit dénudées, soit couvertes d'une pelouse alpine à gispet qui peut fournir des pâturages estivaux. L'altitude a permis le développement des sports d'hiver dans diverses stations dont la plus connue demeure celle de Font-Romeu.

La tectonique cassante qui a marqué la surrection pyrénéenne a cependant entraîné l'apparition d'un certain nombre de bassins montagnards qui ont concentré le peuplement et connu un certain niveau de mise en valeur agricole toujours conditionnée par l'alternance soulane, fond de vallée, ubac. Drainé par le Tech, le Vallespir voit s'insinuer vergers et maraîchages dans les fonds de vallée, tandis qu'une châtaigneraie a pu se développer sur les versants. Plus au nord, la vallée de la Têt constitue l'axe du Conflent, avec une disposition identique et des peuplements de chênes-lièges sur les versants les plus ensoleillés. Par le col du Perche (1 579 m) elle conduit à la haute plaine de la Cerdagne, partagée avec l'Espagne. Elle est surtout terre de landes et d'herbages, encore que des cultures assolées soient pratiquées sur les meilleures expositions, tandis que les versants sont couverts de bas en haut par le chêne blanc, le pin sylvestre, le pin à crochets. Enfin plus au nord, coincé entre Carlitte et Madrès, le bassin du Capcir, drainé selon une orientation nord-sud par la haute vallée de l'Aude, développe de vastes glacis où des herbages ont permis le développement de l'élevage.

Plus au nord encore, la zone dite « nord-pyrénéenne » développe un relief plus bas, souvent confus et morcelé, dans le pays de Sault. Ce dernier, où les crêtes peuvent encore dépasser 2 000 mètres, se présente principalement comme un plateau entaillé de gorges profondes (Rebenty, Aude). Il demeure surtout terre forestière (hêtres, pins sylvestres), voire terre d'élevage grâce à ses herbages.

Assurant la transition avec la plaine alluviale, les collines calcaires des Corbières culminent à 1 290 m au Pech de Bugarach. Elles sont principalement un domaine de garrigues, mais les herbages n'en sont pas absents et la viticulture est largement présente. Plus au sud les Fenouillèdes offrent un paysage identique tandis que les collines des Aspres adossées au Canigou juxtaposent à la vigne des boisements de chênes-lièges.

■ Au nord de la transversale audoise les hautes terres sont constituées par **le rebord sud-est du Massif central** et sa retombée sur les collines et la plaine bas-languedociennes. Il s'agit d'abord de la Montagne Noire (1 210 m au Pic de Nore), dont la région ne possède que le versant méridional. Les premières pentes portent des cultures assolées avant de céder la place à une forêt étagée. La Montagne Noire se poursuit vers l'est par les collines du Minervois. Le fossé tectonique du sillon du Thoré et du Jaur, qui permet la liaison entre Bédarieux et Mazamet par la nationale 112, et qui concentre les activités agricoles (cultures assolées, vignes, vergers), la sépare des monts du Somail et de l'Espinouse, qui comme elle font partie d'un parc régional du Haut-Languedoc situé pour l'essentiel en Midi-Pyrénées. L'ensemble est prolongé dans le Lodévois, par les hautes surfaces des monts de Mare et, entre Lunas et Lodève, la coulée basaltique de l'Escandorgue. Présente sur les pentes, la forêt cède fréquemment la place vers le haut à des pelouses et des landes et vers le bas à des garrigues à chênes kermès, cistes, genévriers.

Vers le nord, les terrains du socle précambrien et primaire cèdent la place aux calcaires des Causses, ces plateaux profondément karstifiés, dont les aplanissements voisins de 1 000 mètres d'altitude sont profondément entaillés par les vallées en gorges du Tarn et de ses affluents, Jonte et Dourble. Ainsi s'individualisent le Causse du Larzac à cheval sur les départements de l'Aveyron et de l'Hérault, les Causses Noir, Méjean et de Sauveterre, entre Aveyron et Lozère. Privés de l'essentiel des apports en eau par une infiltration en profondeur, ces plateaux sont terre pauvre, parcours à ovins, avec une alternance de landes et de pelouses émaillées de bouquets forestiers où dominent le pin sylvestre et le chêne blanc.

Vers l'est, les Causses cèdent la place aux montagnes de Lozère et du Gard, hautes terres aplanies où s'individualisent les croupes basaltiques de l'Aubrac (1 469 m), l'échine granitique de la Margeride, avec entre les deux le plateau du Gévaudan, et au sud les Cévennes d'où se détachent les hautes surfaces du mont Lozère (1 702 m) et de l'Aigoual (1 564 m). Aux approches du bas-pays, ce rebord du Massif central est découpé en « serres » aux versants abrupts par des vallées profondément encaissées.

Dépassant le plus souvent 800 m, bien arrosées, ces hautes terres aux hivers rudes et aux étés frais sont des pays de forêts et d'herbages souvent entremêlés (pré-bois), fort partiellement humanisés. La Margeride, l'Aubrac, le Gévaudan sont terres d'élevage de bovins, les cultures fourragères se développant dans les parties les moins élevées.

Au sud-est, la vallée de la haute Cèze constitue l'axe d'un bas Vivarais gardois où les vergers côtoient les cultures en sec, tandis qu'au sud-ouest, l'échancrure de la vallée du Lot, entre Mende et La Canourgue, voit apparaître le chêne blanc, des vergers, des cultures assolées non irriguées.

En contrebas des Cévennes et des Causses, collines et moyennes montagnes le plus souvent calcaires, sont aérées par des bassins parfois axés sur des vallées d'orientation NO-SE, comme celles de la Cèze, du Gard (Uzègeois) du Vidourle (Vaunage). Elles sont le domaine de la garrigue, avec ses formations buissonnantes de chêne kermès, de genévriers oxycèdre et rouge, de buis, de romarin. Cette garrigue s'enrichit parfois en chênes verts ou blancs ou se dégrade en pelouse à brachypodes. Tandis que la vigne s'empare des coteaux, les fonds de vallée, les bassins, les terrasses alluviales connaissent des cultures à sec, des maraîchages, des vergers.

Longtemps parcourue par la transhumance ovine, la garrigue fait bien plus pauvre figure que les hautes terres en raison de la médiocrité des sols et de la faiblesse des ressources en eau.

2. Le bas-pays

Il apparaît de plus en plus comme la colonne vertébrale du développement économique régional, l'aire la plus humanisée et la plus urbanisée, celle où la couverture végétale est la plus artificialisée avec l'omniprésence d'une vigne source de richesse comme de problèmes. C'est aussi la voie de passage par excellence et c'est encore le front de mer. On peut en fait y distinguer deux sous-ensembles.

■ **La zone littorale proprement dite** consiste essentiellement en un ensemble discontinu de plaines de colmatage en arrière d'un cordon littoral qui s'appuie sur des piliers rocheux comme le mont Saint-Clair (175 m), le mont Saint-Loup (111 m) ou le Cap Leucate. Ce cordon littoral donne à la plus grande partie de la côte bas-languedocienne son allure basse et rectiligne. Du côté de la Méditerranée, les basses terres se poursuivent par la plate-forme continentale du Golfe du Lion. Vers l'intérieur, parsemée de lagunes, la plaine littorale a longtemps offert un caractère répulsif du fait des moustiques et de la malaria. Par endroits, émergeant des alluvions quaternaires, des anticlinaux calcaires ressuscitent des paysages de garrigues et de forêts. (Montagne de la Gardiole, de la Clape). Au nord, entre Rhône et Vidourle, la plaine devient franchement deltaïque : c'est la « petite Camargue », née du Rhône, vouée aux roselières, à la sansouire, pelouse halophile à base de salicornes, mais aussi aux marais salants, à la riziculture, voire à la vigne sur ses cordons littoraux.

■ En arrière, vers l'intérieur, **une zone sublittorale** de terrasses et de basses collines a tôt accueilli les principales villes de la région et tôt connu une colonisation agricole. Au nord, les terrasses quaternaires des Costières du Gard sont séparées des Garrigues de Nîmes par les alluvions fertiles de la vallée de la Vistre (Vistrenque). Autrefois presque exclusivement vouées à la vigne, elles ont conservé des vignobles réputés sur les coteaux rhodaniens, mais grâce à l'irrigation se sont largement reconverties aux vergers et aux maraîchages.

Dans l'Hérault, la vigne se développe sur les fonds de vallées et sur les terrasses dans la région de Montpellier, s'étale sur les « soubergues », les piémonts du Biterrois. Dans l'Aude, elle couvre les terrasses du Narbonnais, peuple les coteaux du Minervois, les alluvions du Carcassès. Elle est encore omniprésente sur les terrasses alluviales de la plaine roussillonnaise, mais du fait d'une irrigation ancienne partage les terroirs avec des vergers d'arbres fruitiers et des cultures maraîchères. Elle ne régresse en fait que dans la partie occidentale de la plaine audoise, dans ce Lauragais où les influences atlantiques provoquent la domination des cultures herbacées, céréales (blé ou maïs) et fourrages, ainsi que plus au sud dans les vallées et interfluves du Razès.

3. Une terre d'accueil

Pour autant que la connaissance de la préhistoire et les découvertes de l'archéologie permettent d'en juger, le peuplement originel de la région intervient il y a plus de cinq millénaires. Voie de passage, la région a depuis connu des vagues successives d'envahisseurs qui ne l'ont jamais emporté par le nombre mais se sont fondus dans la population originelle.

Beaucoup plus près de nous, au sortir de la Seconde Guerre mondiale, avec 1 430 125 habitants en 1946, la population régionale se retrouve inférieure en nombre à celle de 1901, ayant dans cette première moitié de siècle combiné le recul de la natalité et une relative émigration. Depuis, la population s'est accrue de près d'un quart, atteignant 2 115 879 habitants au recensement de 1990. Ce renversement de tendance est davantage lié à des soldes migratoires positifs qu'au croît naturel, encore que ce dernier connaisse depuis 1979 une évolution favorable, en résultante partielle d'ailleurs du phénomène immigratoire.

L'importance de ce dernier apparaît dès 1962 avant l'arrivée des rapatriés d'Afrique du Nord qui amplifient le mouvement. Le taux d'accroissement annuel dû au solde migratoire passe de 0,54 % en 1968/75 à 1,07 % en 1975/82 et 1,10 % en 1985/90, alors que dans cette dernière période le croît naturel ne représente que 0,07 %. L'immigration d'origine extra-métropolitaine, principalement étrangère, est relativement ancienne. En dépit des naturalisations, les étrangers représentent encore 6,4 % de la population : les espagnols n'en représentent plus que le quart, l'immigration maghrébine ayant fortement accru la part des marocains (30 %), celle des algériens étant en régression (13 %).

Localement cependant les pourcentages ne sont jamais très élevés, et l'immigration étrangère n'intervient en fait que pour le cinquième seulement dans l'immigration récente, les trois régions voisines de l'Ile-de-France fournissant le gros des contingents en provenance du territoire national.

Le retour au pays ne fournit pas une explication suffisante. L'excellence du cadre de vie, la promotion médiatique de la région expliquent un afflux que l'emploi régional a du mal à digérer. Et ce n'est pas un hasard si la région qui a le plus fort taux de croissance par migration de France connaît aussi le plus fort taux de chômage.

2. UN PAYS DE LA VIGNE

Rarement une culture aura autant été un symbole régional. Au sein d'une agriculture et d'un élevage qui ne représentent plus que 6,2 % du produit intérieur régional, la production de vins compte encore pour un peu plus de la moitié. Pourtant la région a toujours connu une mise en valeur du sol différenciée. En fait le contraste des milieux naturels se retrouve, on l'a vu, dans leur mise en valeur, avec un haut-pays, terre d'élevage et d'exode rural, où pourtant sont apparus çà et là des signes de renouveau, et de basses terres, vouées, mais pas exclusivement, à la vigne et à l'urbanisation.

1. Élevage et forêts du haut-pays

Une diffusion de l'habitat en petits villages et hameaux, une accessibilité malaisée caractérisent un haut-pays anciennement marqué par une polyculture vivrière de type agro-pastoral. Elle a associé une céréaliculture du froment sur le calcaire, du seigle sur le granite, à un élevage en grande partie ovin, les troupeaux du haut-pays étant rejoints en été par ceux du bas-pays au terme d'une transhumance organisée le long des drailles. Elle se complétait d'un élevage bovin dans les zones les plus humides. Les pentes, notamment dans les Cévennes, voire dans le Somail et l'Espinouse, ont été colonisées en fonction de la patiente édification de milliers de terrasses par une polyculture à dominante arboricole : châtaigniers en hauteur exploités depuis la seconde moitié du Moyen Age, muriers plus bas, liés à une sériciculture introduite à la fin du XVIe siècle. L'exploitation des ressources forestières a localement servi d'appoint. Mais l'exode vers la plaine s'accentue au XIXe et dans la première moitié du XXe siècle : attraction d'une viticulture spéculative, du bassin houiller alésien, des villes et, en dernière instance, de l'aménagement touristique du littoral.

■ Dans ces hautes terres, **l'élevage bovin** constitue un pivot de l'économie rurale qui a bénéficié autant des aides apportées à l'agriculture de montagne que du nouvel équilibre de mise en valeur induit par un long délestage de population. Le développement des cultures fourragères a pallié en partie le médiocre rendement des prairies naturelles. Malgré une augmentation des effectifs, dans un contexte de régression sensible de la production laitière,

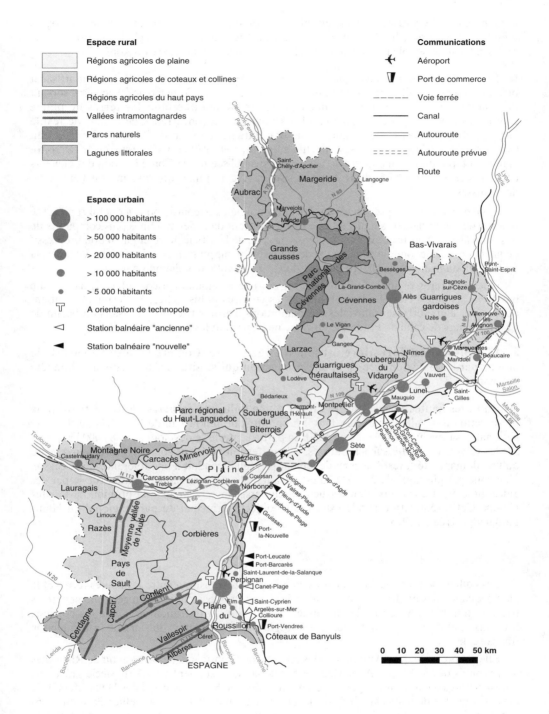

Figure 5. Organisation de l'espace

notamment en Lozère, redonnant un intérêt traditionnel à la viande (veaux de Langogne, bœufs de l'Aubrac), le cheptel bovin apparaît bien modeste à l'échelle nationale. La Margeride en rassemble près de la moitié, le département de la Lozère près de 70 %.

■ La **solution ovine** a trouvé son apogée au XVIIIe siècle, la laine alimentant un artisanat bien développé, le lait permettant l'essor de la fabrication de fromage, les déjections servant de fumure tant pour les terres siliceuses du Gévaudan que pour les terres de plaine consacrées aux céréales et de plus en plus à la vigne. La concurrence de l'industrie textile anglaise et la médiocrité de la laine locale ont entraîné le déclin de l'élevage. Le troupeau ovin a perdu les deux tiers de ses effectifs entre 1875 et 1970, et ils continuent de décroître malgré la réputation d'une industrie fromagère symbolisée par la Confédération des éleveurs de brebis et des industriels de Roquefort, sise en Aveyron mais qui rayonne sur l'ensemble des Causses.

Si l'élevage ovin est prépondérant dans l'économie caussenarde pour lequel il représente une ressource fondamentale, il s'intègre le plus souvent dans des systèmes plus complexes de mise en valeur. Dans les Cévennes toutefois, la crise de la sériciculture et l'abandon progressif de la châtaigneraie, ont entraîné un exode rural que n'ont pu freiner l'élevage des volailles, la fabrication du fromage de chèvre (le pélardon) ou la récolte des champignons.

Quelques rares régions du haut-pays offrent une économie agricole plus diversifiée. Le bas Vivarais allie l'élevage, les céréales et les cultures industrielles. Vallespir et Conflent portent sur leurs terrasses alluviales des plantations d'arbres fruitiers : cerisiers du bassin de Céret, pêchers de celui de Prades. Et la vigne mord partout les plus bas versants.

■ **L'exploitation forestière** est loin d'être absente. Compte tenu de sa superficie montagnarde, la région dispose d'une production qui se situe en fait dans une honnête moyenne.

■ Enfin les hautes terres ont été l'objet d'**une politique de parcs**, destinée tantôt à la préservation des milieux naturels, tantôt à un effort de renouveau de la vie rurale. Le parc national des Cévennes a été créé en 1970. Sa partie centrale se développe sur 84 000 ha, partie sur les Cévennes, partie sur les Causses. Elle est essentiellement zone de protection, encore qu'une domanialité forestière essentiellement privée ait conduit à une tolérance de la chasse. Une zone périphérique de 230 000 ha est davantage vouée à la modernisation rurale par des aides directes, des travaux d'infrastructure, une assistance technique, la promotion de gîtes ruraux. Cette rénovation rurale est en fait l'objectif principal du parc régional du Haut-Languedoc, créé en 1973.

2. La primauté déclinante de la vigne

Les collines le plus souvent calcaires qui assurent la transition entre les hautes terres et la plaine, quand elles ne demeurent pas affectées à la garrigue, sont de façon générale pénétrées par un vignoble qui peuple les terrasses de cailloutis villafranchien, voire les cordons littoraux. Cette vigne permet encore à la région de fournir plus du tiers de la production française de vin.

Elle est présente dès l'Antiquité et les muscats de Frontignan, de Mireval ou de Rivesaltes sont réputés dès le Moyen Age. Mais l'essor de la vigne survient au XVIIe siècle grâce aux infrastructures d'exportation que représentent le port de Sète et le canal des Deux-Mers. Elle devient vignoble de masse au XIXe siècle, grâce au chemin de fer (Montpellier-Paris en 1856) et à la colonisation de l'Algérie. Le grand drame est la crise phylloxérique qui atteint le Biterrois dès 1876. On lutte d'abord par une submersion des pieds, ce qui provoque l'extension du vignoble dans les parties les plus basses de la plaine. Puis on reconstitue le vignoble avec des plants américains censés être immunisés. Cette « reconstitution » suscite la mobilisation de gros capitaux et l'avènement de grands domaines organisés autour des mas, en contraste avec une structure microfundiaire ancienne qui survit grâce à un développement précoce du mouvement coopératif. On utilise de plus en plus une main-d'œuvre temporaire, le plus souvent de travailleurs saisonniers espagnols, et on recherche les gros rendements au détriment de la qualité et de la teneur en alcool, ce qui provoque l'essor d'une activité du coupage avec des vins algériens importés par Sète et Port-Vendres.

La vigne finit par occuper près de 80 % de la S.A.U. dans le Narbonnais et dans le Biterrois, sièges des grandes places du négoce du vin. Elle couvre dans les basses terres plus de la moitié de la S.A.U., sauf dans le Razès et le Lauragais, terres à céréales. Les vins de qualité ne sont pas absents, mais les vins de table l'emportent. Le Languedoc-Roussillon vit à l'heure de la vigne, au travers des manifestations sociales, du patrimoine culturel, de la vie politique.

Mais à partir de 1955, la consommation de vin en France ne cesse de décroître et s'oriente de plus en plus vers la recherche de la qualité. L'industrie du coupage ne remplace que partiellement les vins algériens condamnés après l'indépendance, par des vins italiens. En fait, l'évolution du marché conduit à la fois à la régression des surfaces en vignes (98 000 ha de moins entre 1984 et 1995) et à la recherche de la qualité (abandon de l'aramon au profit de cépages plus nobles, notamment le carignan).

Les vins de qualité représentent aujourd'hui 27,8 % de la superficie en vignes et 20 % de la production viticole, sous forme de vins d'A.O.C. (Corbières, vallée du Rhône), ayant largement intégré des V.D.Q.S. (Soubergues de l'Hérault), et de vins doux naturels (V.D.N.), caractéristiques du Roussillon. Cette amélioration de la qualité n'a pas été aisée. Dans bien des cas, le mouvement coopératif qui avait seul permis la survie de nombreuses micro-exploitations avait ôté au vigneron les soins jaloux de la vinification et n'avait pas maîtrisé une promotion commerciale abandonnée aux grands négociants nationaux et notamment parisiens. Et malgré ces progrès en qualité, la surface globale et le nombre des exploitations ont régressé, et les revenus de la vigne sont devenus inférieurs à ceux du tourisme.

3. Une nouvelle maîtrise de l'eau et l'essor des fruits et légumes

Pourtant, dans cette région méditerranéenne, seule la maîtrise de l'eau, entre les deux hantises extrêmes de la sécheresse et de l'inondation, était à même de favoriser l'émergence, au sein d'une vieille polyculture, de cultures spéculatives autres que la vigne.

Dans la plaine roussillonnaise, cette maîtrise est ancienne puisque le gros du réseau actuel d'irrigation date du Moyen Age, encore que complété au XIXe siècle par des forages artésiens. En fait, c'est là encore l'avènement du chemin de fer qui a encouragé le développement des cultures maraîchères et fruitières (vergers de pêchers et d'abricotiers surtout) dans le « regatiu » roussillonnais, c'est-à-dire les basses vallées de la Têt, de l'Agly et du Tech.

On a également tôt assisté à l'assèchement de marais intérieurs : dès le XIIIe siècle (étang de Montady dans l'Aude). Mais après la Seconde Guerre mondiale, c'est à la Compagnie nationale d'aménagement du Bas-Rhône et du Languedoc qu'a été dévolu le soin d'irriguer près de 200 000 ha de terres, dont une moitié en une zone orientale à partir du Rhône, et l'autre en une zone occidentale à partir de sources d'eau diverses. Les réalisations ont porté sur près de 60 000 ha entre le Rhône et Montpellier, et sur près de 26 000 ha dans la zone occidentale, surtout dans les vallées de l'Hérault et de l'Orb.

Si l'eau du Rhône a aussi été utilisée pour l'approvisionnement urbain (Montpellier), et si elle est devenue indispensable pour certaines stations balnéaires, elle a incontestablement permis dans le Gard et dans l'Hérault le développement des cultures maraîchères (à tendance parfois fortement spéculative, comme celle des asperges) et fruitières (notamment vergers de pommiers). Ces productions se trouvent malheureusement de plus en plus confrontées à la concurrence de pays de l'Union européenne (Espagne), ou de pays associés (Maroc).

Fruits et légumes représentent désormais en valeur près du quart des livraisons agricoles. En tonnage, pommes, en régression, (surtout dans le Gard, secondairement dans l'Hérault) et pêches, en expansion (surtout dans les Pyrénées-Orientales) l'emportent nettement au sein des fruits. On assiste par ailleurs au recul de la production de raisins de table (Gard et Hérault), à la croissance de celle des abricots (Pyrénées-Orientales et Gard), à une nouvelle spéculation depuis quelques années, celle des kiwis. Quant aux légumes, leurs production a plutôt tendance à se développer, en liaison avec l'urbanisation et le développement du transport routier, notamment en ce qui concerne les tomates, en tête des tonnages produits, les Pyrénées-Orientales et le Gard se partageant l'essentiel de la production. Le Roussillon vient nettement en tête pour les salades et les cultures maraîchères.

4. Le cas particulier du Lauragais

La partie occidentale de l'Aude doit notamment à ses différences climatiques d'autres orientations. Le Lauragais est en effet demeuré le bastion d'une polyculture à base céréalière caractéristique du Midi aquitain. L'Aude produit près de la moitié des céréales régionales, devant le Gard (le quart), l'Hérault et les Pyrénées-Orientales (1/8 chacun). Cette polyculture a toutefois évolué avec l'adoption de nouvelles variétés de blé et notamment une très forte progression du blé dur dans les toutes dernières années qui a presque supplanté totalement le blé tendre. On constate aussi un recul léger du maïs en grains, beaucoup plus fort du sorgho, et surtout un essor important des oléagineux, tournesol beaucoup plus que colza. Le développement des cultures fourragères (maïs fourrager) explique celui d'un élevage en partie bovin (2e rang après la Lozère), mais surtout porcin.

Les reconversions de l'agriculture régionale ont été en partie gênées par la petite taille et le morcellement des exploitations, impliquant par ailleurs une proportion importante de double activité. Sous la pression de la conjoncture, ce sont surtout la petite exploitation et l'exploitation à temps partiel qui ont régressé. La superficie moyenne des exploitations est passée en quinze ans de 12 à 22 ha, et près de 18 000 exploitations à temps complet représentent désormais un peu plus du tiers de l'ensemble des exploitations. A la fin de 1989, les opérations de remembrement n'avaient touché que 8,7 % de la S.A.U. (part la plus faible de France après la Corse). Un fort et précoce mouvement coopératif n'a que partiellement rattrapé ces difficultés structurelles du monde rural.

3. INSUFFISANCES ET INCERTITUDES DE L'INDUSTRIALISATION

Le Languedoc-Roussillon a longtemps été marqué par une sous-industrialisation, encore que relative : l'industrie, sans le bâtiment, représente quand même près de 15 % du produit régional (24 % pour la moyenne française), soit plus du double de la production agricole.

1. Les héritages du passé

Avant la révolution industrielle du XIXe siècle, Bas-Languedoc et Roussillon apparaissaient honorablement et originalement manufacturiers par rapport aux autres régions françaises. (Drapiers de Montpellier et Carcassonne, marchands-fabricants de soie de Nîmes, qui font travailler les ateliers cévenols). Cette tradition artisanale a soutenu au siècle passé l'avènement d'industries liées à l'habillement qui ont tenté de survivre. Elles ont cependant encore perdu près du quart de leurs effectifs entre 1982 et 1990, suivant il est vrai une tendance nationale. Le travail de la laine a totalement disparu du secteur Bédarieux-Lodève, celui du coton du Roussillon. A la soierie cévenole s'était tôt substituée une bonneterie réputée concentrée dans l'aire Ganges-Le Vigan : une mono-industrie qui représentait encore avant guerre près de 40 % de la production française d'articles chaussants. Elle a dû depuis s'adapter à l'évolution technique, se diversifier en élargissant sa production aux sous-vêtements puis survêtements en maille, affronter une concurrence accrue, notamment italienne. Cette adaptation a provoqué la disparition de nombreuses petites entreprises, l'intervention croissante d'un capital étranger à la région, et surtout une migration vers la plaine mieux desservie en voies de communication. Né en 1940 à Nîmes, le groupe industriel Eminence a constitué un agglomérat bonnetier éminemment gardois. La confection nîmoise, spécialisée dans les vêtements pour homme, a aussi cherché à s'adapter. Le succès de la firme Cacharel n'a pas compensé la fermeture ou la reprise par des capitaux extérieurs d'un certain nombre d'entreprises. Il en a été de même pour l'industrie de la chaussure avec émergence de la firme Jallatte (Saint-Hyppolyte-du-Fort et Alès) finalement intégrée dans le groupe André.

Dans l'Aude, la chapellerie a longtemps été une spécialité de la moyenne vallée : elle s'est réduite à une seule petite entreprise à Montazels, près de Couiza. Le même département a connu une bonne croissance de l'industrie de la chaussure, notamment avec le groupe Myris issu d'une petite entreprise familiale de Limoux avec essaimage à Couiza, Quillan, Carcassonne. Cette activité a fortement régressé avec l'effondrement du groupe Myris qui tente de se redresser.

La confection militaire, ou plus généralement « administrative », s'était bien implantée à Montpellier et à Sète. Ce marché privilégié a permis à une firme locale de continuer sa production à Sète et Bédarieux. Mais la plupart des tentatives de relance d'une industrie régionale de la confection se sont soldées par des échecs, tant est forte la concurrence mondiale.

2. Mines, ressources énergétiques et amorce d'industrie lourde

La révolution industrielle du siècle passé, fondée sur le charbon, n'a pas ignoré le Languedoc-Roussillon. Le gisement de charbon des Cévennes connu depuis le Moyen Age a longtemps fait l'objet d'une exploitation industrielle avec l'arrivée de la voie ferrée à Alès en 1842. La production culmine à plus de 3 millions de tonnes en 1959, puis, en raison d'une structure tourmentée, de veines minces, de l'abondance des « fines », s'effondre. En régression constante, une petite exploitation, en découverte, s'est maintenue dans le Gard et l'Hérault. Elle a extrait 295 000 tonnes de charbon en 1996.

Se trouvent alors posés les problèmes du ravitaillement énergétique régional et de la reconversion d'un bassin industriel alésien.

Une recherche d'hydrocarbures démarrée en 1938 est demeurée infructueuse. La raffinerie du pétrole de Frontignan, près de Sète, vieille (1904), longtemps modeste, mais portée à 5,7 Mt/an par la Mobil Oil, a finalement été fermée en 1986.

L'hydrologie régionale ne permettait pas d'espérer une grosse production d'hydroélectricité. L'essentiel provient de la centrale rhodanienne de Beaucaire (1970). Le reste, modeste, est fourni par le Massif central (Montahut) et les Pyrénées. De petites thermocentrales sur le charbon d'Alès ou la raffinerie de Frontignan, ont été remplacées en 1978 par la centrale d'Aramon (685 MW), au bord du Rhône, mais qui n'est utilisée qu'en appoint (1 500 heures en 1991).

La précocité du choix (1952) du site de Marcoule par le C.E.A. avait fait du Languedoc-Roussillon un producteur d'électricité nucléaire qu'il n'est plus depuis 1989, année de fermeture du premier réacteur à neutrons rapides, Phénix (250 MW), mis en service en 1973.

Il est par contre devenu le principal producteur français d'uranium avec une production, en légère régression, avoisinant bon an mal an le millier de tonnes. L'essentiel provient du gisement de Saint-Martin-du-Bosc, près de Lodève, mis en exploitation en 1981 par la Cogema. La Cogema a également repris l'usine de Malvézi, près de Narbonne, qui depuis 1960, assure une partie du traitement du combustible nucléaire.

Mais finalement, la région est de plus en plus importatrice d'énergie. Elle fait désormais venir ses produits pétroliers par les ports de Sète et La Nouvelle, son gaz naturel à partir de Fos ou de Midi-Pyrénées, son électricité surtout de la vallée du Rhône. Les énergies nouvelles ont été marquées par le succès technique du four solaire expérimental de Mont-Louis dès 1952, puis l'échec économique de la centrale électrique solaire Thémis (commune de Targassonne) arrêtée en 1985, tandis que le développement des maisons « solaires » a été freiné par des équipements trop sophistiqués et trop coûteux. Un projet notable de production d'électricité à partir de l'énergie éolienne a vu le jour dans l'Aude.

La région a révélé d'autres ressources minérales que le charbon ou l'uranium. Mais avec la fin de l'exploitation du fer du Canigou en 1985 et de la seule mine d'or de France à Salsigne en 1992, l'extraction de minerais métalliques n'est plus représentée que par la production de galène et surtout de blende par Metaleurop (ex. S.M.M. Penaroya) à la mine de Malines, près de Saint-Laurent-le-Minier, dans les Cévennes.

Les minéraux non métalliques tiennent une place non négligeable : feldspaths des Fenouillèdes, spath fluor du versant nord du Canigou. Sur le littoral, les marais salants ont tôt été exploités. La mécanisation y a, depuis la guerre, favorisé une concentration de l'exploitation au profit essentiellement des salins d'Aigues-Mortes (Cie des Salins du Midi). Mais en dehors du calcaire et de l'argile pour le ciment, les briques, les tuiles, ces ressources minérales n'ont pas provoqué d'industrialisation.

C'est donc le charbon qui a été à l'origine du développement d'une industrie lourde sur Alès, des hauts fourneaux au lieu-dit Tamaris, et à Bessèges. Il en subsiste les Aciéries et Fonderies de Tamaris : l'aciérie de Bessèges, reconvertie dans les tubes en 1967, a finalement été fermée.

Déclin du charbon et avatars de la métallurgie ont posé le problème de la reconversion du bassin industriel, avec régime particulier d'aides, haut-commissariat à la reconversion, création de zones industrielles. Elle a relativement réussi pour l'agglomération alésienne avec la création et le maintien de la construction électrique (Merlin-Gérin), beaucoup moins pour des vallées cévenoles trop enclavées. Elles se sont montrées moins attractives, à quelques exceptions près comme aux Salles-du-Gardon où Alcatel-Câble, ex-Câbles de Lyon, a réussi à maintenir son activité. L'usine de Salindres installée au siècle dernier par Pechiney a fabriqué de la soude, puis de l'alumine. Aujourd'hui Rhône-Poulenc l'utilise à des productions chimiques.

La sidérurgie n'est pourtant pas absente de la région. L'aciérie électrique de Saint-Chély d'Apcher (Ugine), dans le nord de la Lozère, créée en 1919 pour des raisons statégiques, et les usines de ferro-alliages (Ugine et Pechiney) implantées en 1952 et 1958 à Laudun, non loin de Marcoule et près du port fluvial de l'Ardoise, sur l'électricité rhodanienne, fonctionnent toujours, mais ont connu de fortes réductions d'effectifs. On peut toutefois regretter l'absence de filières aval pour les productions métallurgiques en dehors d'une construction mécanique liée à l'agriculture et aux industries agricoles et alimentaires.

3. Les industries liées au marché régional

Il s'agit d'abord du marché agricole, reposant à l'amont sur les fournitures à l'agriculture, à l'aval, sur la transformation des produits agricoles.

A l'amont, c'est notamment le vignoble qui a suscité le développement d'une industrie chimique lourde, avec dès 1892 la transformation des phosphates dans le port de Sète, ou encore le raffinage du soufre à Frontignan et Narbonne, ou enfin la fabrication de produits phyto-sanitaires à Béziers, Agde, Beaucaire, Aigues-Vives, avec pénétration progressive de firmes étrangères (Union Carbide, Ciba). Les besoins de l'agriculture ont aussi suscité le maintien de quelques ateliers de production de matériel agricole et plus tardivement de matériel d'irrigation (ainsi à Paulhan, dans la région de Béziers). Le conditionnement des fruits et légumes a entraîné la fabrication d'emballages, essentiellement dans le Roussillon et le Gard.

En aval, les industries agricoles et alimentaires sont loin d'être absentes. Vinification mise à part, avec certaines productions spécifiques, la fabrication d'apéritifs a connu une forte crise, tant à Sète qu'à Thuir, près de Perpignan. Mais par l'exploitation de la source Perrier, la commune de Vergèze, dans le Gard, est devenue un pôle d'emploi important grâce à une production d'eau minérale doublée par la suite de la fabrication de bouteilles.

L'industrie de la conserve est surtout liée aux fruits et légumes, et donc présente dans les Pyrénées-Orientales (Perpignan) et le Gard (Nîmes) plus que dans l'Hérault où on avait espéré la développer à Lunel. Alors que le traitement de l'anchois à Collioure, voire Port-Vendres, est une activité ancienne qui s'est maintenue, la conserverie de sardines n'a connu qu'un éphémère succès dans les années 60.

Le travail du bois, voire la fabrication de meubles, n'étaient pas absents des régions forestières, notamment dans l'Aude. Cette tradition explique en partie l'implantation à Quillan en 1952 d'une usine de résines par la société américaine Formica, toujours en activité. Parmi d'autres activités anciennes utilisant la cellulose, citons la papeterie d'Amélie-les-Bains (1911) reprise par Arjo-Wiggins. Enfin une vieille activité du travail du liège et de la fabrication des bouchons, sise au Boulou, a pâti des progrès des matières plastiques et ne compte plus que quelques ateliers. Travaillant davantage une matière première importée, on citera encore le maintien de la chocolaterie perpignanaise (Cantalou), des réglisseries d'Uzès, le succès de la fabrication d'aliments pour animaux à Castelnaudary et à Aimargues.

Mais le marché régional, c'est encore celui du bâtiment et du génie civil, stimulés par l'urbanisation d'abord, par l'aménagement du littoral ensuite. La production de ciment s'est maintenue à Beaucaire (Calcia), a longtemps prospéré à Sète (Lafarge) avant de se transférer dans l'usine de Port-la-Nouvelle. La fabrication de briques et tuiles s'est plus particulièrement développée dans l'Aude avec l'aide de capitaux toulousains.

4. Les nouveaux atouts : matière grise et qualité de la vie

Compte tenu de l'évolution de la conjoncture internationale qui rejette de plus en plus dans le tiers monde industries lourdes et industries de main-d'œuvre, la région, misant sur la qualité de son environnement naturel et sur une bonne infrastructure en établissements d'enseignement supérieur, à tôt cherché à attirer des activités industrielles de haute technologie, orientées essentiellement vers l'électronique et l'informatique, la pharmacie, la recherche biologique et médicale (appareillages et produits).

Dans le premier domaine, l'événement majeur a été l'implantation en 1965 à Montpellier de l'usine d'I.B.M. France destinée à fabriquer des gros ordinateurs pour toute l'Europe, cette implantation s'accompagnant de la décentralisation d'une sous-traitance parisienne et de la promotion relative d'une sous-traitance locale. Donneur d'ordres et sous-traitants ont créé près de 5 000 emplois permanents dans la région montpelliéraine. L'ensemble connaît aujourd'hui des difficultés. Plus récemment, de petits établissements d'une cinquantaine de salariés se sont implantés dans la banlieue montpelliéraine, à Sète-Frontignan, Bessèges, Pont-Saint-Esprit. Dans le secteur pharmaceutique, dès les années 60, la commune d'Aramon, dans le Gard, a su profiter d'une bonne desserte routière et d'eau en abondance pour attirer deux unités de fabrication de produits de base (SANOFI-Chimie et Expansia), mais c'est Montpellier qui a hérité des principaux laboratoires de recherche dans les années 70, d'abord Chauvin-Blache, mais surtout Clin-Midy ultérieurement intégré dans SANOFI-Recherche qui emploie plus de 500 salariés dans l'ex-zone des laboratoires devenue Parc Euromédecine.

Le secteur « paramédical » n'a pas suscité d'aussi grosses implantations, mais un certain nombre de petites entreprises, toujours principalement dans l'aire montpelliéraine.

5. De nouveaux déséquilibres régionaux

Ces mutations de l'industrie régionale n'ont pas été seulement sectorielles. Elles se sont accompagnées d'une réorganisation spatiale dont le caractère le plus marquant est l'attraction d'un axe Sète-Montpellier-Lunel-Nîmes-Bagnols-sur-Cèze (centre nucléaire de Chusclan-Marcoule, centre industriel de Laudun-L'Ardoise), sous-tendu à la fois par l'excellence de la liaison routière, l'arrivée du T.G.V., la proximité du couloir rhodanien, les infrastructures universitaires. Cet axe a attiré l'essentiel des implantations nouvelles. Le bassin industriel alésien s'est reconverti au prix d'une « contraction » spatiale. Sauf exception (Lozélec), le haut-pays (Cévennes, haute vallée de l'Aude), a beaucoup perdu d'une activité industrielle héritée d'un artisanat ancien. Mais le Sud-Ouest de la région, à Perpignan, Carcassonne, Narbonne, et même Béziers, résiste mal à la désindustrialisation.

4.   L'AMÉNAGEMENT D'UN LITTORAL

Avec près de 210 km de côtes, le Languedoc-Roussillon ne pouvait ignorer la Méditerranée, mais ses entreprises maritimes sont longtemps restées marginales, conjoncturelles, et ponctuelles. Insalubre, son espace littoral a longtemps été perçu comme répulsif, alors qu'il est aujourd'hui une richesse fondamentale de la région.

1. Les mutations des activités traditionnelles

Dans sa plus grande partie, le littoral régional offre une côte rectiligne et basse, un long cordon littoral nourri par deux courants littoraux en sens inverse par rapport à Port-la-Nouvelle, nord-sud et rhodanien au nord, apportant des sables fins, sud-nord et pyrénéen au sud, transportant des sables grossiers. En avant, la plate-forme du Golfe du Lion offre de précieuses ressources biologiques. En arrière, des chapelets de lagunes à faible profondeur (sauf l'étang de Thau) couvrent près de 28 000 ha et communiquent avec la mer par des graus, passes naturelles ou artificielles.

La concentration de l'exploitation salinière s'est accompagnée de la fermeture de 9 des 14 salins qui existaient avant-guerre : certains sont aujourd'hui un objet de convoitise pour les promoteurs d'aménagements touristiques.

■ De la pêche à l'aquaculture

Les étangs littoraux ont suscité des pêcheries dès le haut Moyen Age. Compte tenu des très fortes amplitudes de température et de salinité qui les caractérisent, ce n'est pas tant une faune endémique limitée qui est recherchée, que les poissons migrateurs utilisant les graus : poissons marins comme les loups, muges, daurades, poissons diadromes, essentiellement l'anguille. L'ancienneté de la pêche répartit les étangs entre un domaine privé, et un domaine public qui représente l'essentiel de la production et a donné lieu à une organisation originale, les « prudhommies », corporations qui remontent à 1431.

Traditionnellement, les pêcheurs en étang intervenaient aussi en mer en été. Ils y ont été concurrencés par l'avènement d'une pêche industrielle et se sont essentiellement repliés sur une pêche de l'anguille qui tend d'autant plus à tourner à la surexploitation qu'elle ne s'intègre pas dans le cadre d'une aquaculture, fût-elle extensive.

La conchyliculture a vu le jour au début du siècle dans l'étang de Thau, le plus profond, en liaison avec les possibilités d'expédition par la voie ferrée. On y a développé entre les deux guerres les techniques de « l'élevage en suspension » des huîtres et des moules, on a remembré à partir de 1966 les concessions (352 ha), et introduit l'huître japonaise en remplacement de la portugaise décimée par les épidémies. La conchyliculture a été étendue aux étangs de Salses-Leucate (1962 sur 32 ha) et de l'Ayrolles (1972 sur 23 ha).

Enfin une aquaculture intensive d'espèces marines (loups, daurades, soles, crevettes) s'est développée à Balaruc-les-Bains et Gruissan, de truites de mer à Salses, mais se trouve aujourd'hui relayée par une aquaculture en mer (élevage de poissons en cages, de coquillages en suspension) hors d'atteinte des « malaigues » (crises dystrophiques) estivales des étangs. Au-delà d'une pêche à la senne à partir de la plage, la pêche en mer a été inaugurée à partir des anses abritées de la Côte Vermeille, avec dès le XVIe siècle une pêche à la tartane qui embarque les sennes sur des embarcations. Aux XVIIIe et XIXe siècles, des immigrants gênois et catalans introduisent le chalutage « au bœuf », à deux navires, à partir des embouchures, des graus, et surtout du port de Sète. Mais elle reste très artisanale jusqu'aux années 60 où l'autorisation de la pêche au lamparo et surtout l'arrivée avec leurs navires de pêcheurs rapatriés d'Afrique du Nord introduisent une pêche industrielle qui se concentre à Sète, Port-la-Nouvelle, Port-Vendres. Après une forte expansion dans la décade qui a suivi, la pêche aux pélagiques a connu un déclin marqué et n'a pu fixer durablement une industrie de la conserve.

Si le poids des activités halieutiques est modeste au sein de l'économie régionale, de l'ordre de 585 MF en 1991 pour environ 50 000 t, elles continuent de faire vivre des communautés dont la dimension n'est pas négligeable, (environ 2 500 actifs).

■ Le commerce maritime

La linéarité du littoral comme la médiocrité des cours d'eau prédisposaient mal le Languedoc-Roussillon à la pratique des échanges maritimes. Si la marine à voile a pu longtemps se satisfaire des graus et des embouchures, voire des anses rocheuses de la Côte Vermeille, il a fallu attendre Colbert pour que naisse en 1666, au pied du mont Saint-Clair, **le port de Sète**. La naissance du port provoque celle de la ville : l'un et l'autre croissent au XIXe siècle, avec des tentatives de manufacture et l'obsédante et puissante concurrence marseillaise. Le salut vient de la colonisation de l'Algérie : on y achemine hommes et denrées. Puis l'industrie s'installe liée au vignoble (superphosphates) ou au pétrole roumain (raffinage). Le port se développe d'abord en un croisillon de canaux entre mer et étang, utilise un chenal sur la rive orientale de l'étang de Thau entre les deux guerres, creuse un bassin en eau plus profonde en 1950. En 1975, un plan d'action prioritaire d'intérêt régional (PAPIR) l'oriente résolument vers le large, avec des darses à l'abri d'une jetée parallèle au rivage, Sète est désormais dotée des bassins plus profonds et des terre-pleins qui lui faisaient défaut. C'était un gros pari sur l'avenir. La fermeture en 1986 de la raffinerie de Frontignan a entraîné un effondrement du trafic. En 1994, le port a manipulé près de 4,2 millions de tonnes de marchandises, contre 8,3 pour l'année record de 1979. Les entrées y sont largement prépondérantes (83,7 %) grâce aux produits pétroliers destinés à l'Hérault et au Gard, à un trafic en croissance de tourteaux, d'arachides et de cellulose, à une importation ancienne de phosphates, d'engrais manufacturés, de vins. Les sorties portent essentiellement sur les céréales, voire les huiles et les graisses, ou encore les ciments. Sète apparaît à la fois comme port industriel (Chimie minérale) et comme port régional.

Sète est le seul port non autonome à avoir su développer un trafic conteneurisé, en s'aidant au départ du transroulage, mais il a connu un certain déclin en liaison du fait du ralentissement des échanges avec le Moyen-Orient. Un petit trafic de voyageurs a réapparu avec l'Afrique du Nord (car-ferry sur Tanger).

Derrière Sète, port régional et industriel, les deux autres ports du Languedoc-Roussillon sont d'importance tout à fait inégale. **Port-la-Nouvelle**, sur un ancien grau de l'étang de Sigean, est un port-canal, atteint par la voie ferrée en 1858, géré depuis 1947 par la Chambre de commerce et d'industrie de Narbonne. Défavorisé par son site, Port-la-Nouvelle dessert un hinterland sub-régional jusque dans la partie orientale de Midi-Pyrénées, et gère un trafic très spécialisé, produits pétroliers à l'entrée, céréales à la sortie, qui lui a permis d'approcher les trois millions de tonnes en 1993, pour retomber à 2,3 millions de tonnes en 1994.

Port-Vendres, mouillage connu depuis l'Antiquité, « port de vitesse » vers l'Algérie dès 1867 grâce au rail, n'est plus aujourd'hui, avec des infrastructures et un trafic limités, qu'un port local desservant le seul Roussillon.

2. Une vocation touristique tardive

Malgré ses plages et son ensoleillement, le Languedoc-Roussillon n'a pas su devenir précocement une autre Côte d'Azur. Il lui a manqué un relief plus accentué, des forêts plus présentes, un hiver moins rigoureux, des eaux plus chaudes en été, peut-être aussi les fréquentations célèbres qui ont lancé la Côte et que seule a connues Collioure visitée par les peintres. Mais surtout, avec ses lagunes, elle a pâti de l'image répulsive d'un littoral hanté par les moustiques.

Le tourisme balnéaire y apparaît pourtant dans la seconde moitié du XIXe siècle sous forme de « doublets » associant une ville sublittorale et une station modeste : ainsi Nîmes et Le Grau du Roi, Montpellier et Palavas-les-Flots, Narbonne et Narbonne-Plage, Béziers et Valras, Perpignan et Canet. On y accède en petit train ou en carriole. En 1930, Carnon s'ajoute à Palavas. La clientèle reste éminemment citadine et régionale.

A partir de 1960, le boom économique que connaît l'Europe occidentale introduit la civilisation des loisirs et la société de consommation. La région voit passer des foules de vacanciers européens à destination de l'Espagne.

L'indispensable démoustication a été entreprise dès 1950 par une entente interdépartementale qui a associé un temps les Bouches-du-Rhône. Passant rapidement de l'utilisation massive des insecticides au repérage et à la destruction des gîtes larvaires, elle connaît un réel succès.

Dès 1961 l'idée vient alors d'une grande opération d'aménagement du territoire, à laquelle se prépare l'Etat par de vastes acquisitions de terrains (près de 3 500 ha) complétées par des classements en Zones d'aménagement différé (ZAD). Une mission interministérielle d'aménagement, présidée par Jean Racine, met au point le Plan d'urbanisme d'intérêt régional approuvé par décret en 1964, repris dans le Schéma d'aménagement du littoral de 1972. Au départ, il s'agit d'un aménagement intégré de 66 communes comportant un rivage maritime ou lagunaire. La promotion touristique continue de l'ensemble du littoral est exclue. On conçoit cinq grandes unités touristiques, discontinues, associant stations anciennes et stations entièrement nouvelles conçues *ex-nihilo*, et une desserte en doigt de gant : des transversales à partir de l'axe sublittoral, RN113 puis A9.

Sauf Port-Camargue et Saint-Cyprien, la réalisation des stations nouvelles a été confiée à des sociétés mixtes créant les infrastructures, supervisant l'architecture générale des stations au travers d'agences d'urbanisme.

Ont été réalisées, du nord au sud, les stations nouvelles de Port Camargue (1970), La Grande Motte (1967), le Cap-d'Agde (1970), Fleury d'Aude (1990), Gruissan (1974), Port-

Leucate (1968), Port-Barcarès (1968), Saint-Cyprien (1967). La création de ces stations et l'extension des stations dites anciennes ont porté la capacité d'accueil du littoral de 27 000 logements en 1963 à 965 100 lits en 1995.Cette capacité se répartit essentiellement entre les résidences secondaires (69,7 %) et les campings-caravanings (24,6 %).

L'aménagement du littoral s'est accompagné d'une multiplication des ports de plaisance (25 en 1995), tant dans les stations nouvelles que dans les stations anciennes doublées souvent de ports de pêche. Le progrès a été spectaculaire (20 000 anneaux en 1995), la demande toujours très forte (23 500 navires de plus de 2 tonneaux en 1995).

Sur l'ensemble du littoral, le rythme annuel de vente des logements neufs n'a cessé de croître jusqu'en 1979. La crise économique aidant, il a plongé jusqu'en 1985 pour ne se redresser que légèrement. Les acheteurs sont d'abord originaires de la région et de Midi-Pyrénées. Viennent ensuite les régions voisines de l'est et la région parisienne. La part des étrangers dans les achats semble être demeurée modeste.

L'ensemble du tourisme régional enregistre aujourd'hui près de 91,5 millions de nuitées, dont 57,5 pour la saison estivale, qui concerne surtout le littoral. Les Français l'emportent (78 %), en provenance surtout, par ordre décroissant, de l'Ile-de-France, de Rhône-Alpes, du Languedoc-Roussillon, de Midi-Pyrénées, de Provence-Alpes-Côte d'Azur. Les étrangers sont, par ordre d'importance, principalement des britanniques, des allemands, des néerlandais, des belges, des espagnols. Le tourisme serait responsable de près de 65 000 actifs, dont la moitié de saisonniers, et induirait un chiffre d'affaires de 15 à 20 milliards de francs par an, ce qui en fait la première activité régionale.

Cette promotion touristique du littoral a eu des répercussions sensibles sur l'emploi, soit directement (accueil, hébergement), soit indirectement par les commerces et services, ou par le bâtiment et les travaux publics. Dans ce dernier cas, l'achèvement du gros des programmes s'est conjugué avec les effets croissants de la crise pour réduire les emplois. Mais l'aménagement du littoral a aggravé les déséquilibres régionaux entre littoral et intérieur, même en matière touristique. L'arrière-pays est pourtant riche en sites naturels et témoignages du passé. Il dispose d'un thermalisme ancien au contact tant de la chaîne pyrénéenne (Amélie-les-Bains), que du Massif central. Il offre des possibilités non négligeables de sports d'hiver dans les Pyrénées, (Font-Romeu) et même dans les Cévennes (l'Esperou), et un climatisme estival qui joue un rôle fondamental dans l'économie lozérienne. Et ces dernières années on a développé le tourisme fluvial, les canaux du Rhône à Sète et le canal du Midi.

Le tourisme a trop bien réussi dans l'espace littoral au détriment de la préservation du milieu naturel et des autres activités. Au-delà des coupures vertes esquissées par le Schéma d'aménagement, on a multiplié les procédures de classement de sites (étang de Vic), et un gros effort a été accompli par le Conservatoire du littoral qui à la fin de 1990 avait acquis 5 081 ha dans la région. On attend aussi beaucoup des schémas de mise en valeur de la mer, dont le plus élaboré à l'échelle nationale, celui de l'étang de Thau, vient d'être achevé (1993). Il existe également un projet de parc naturel régional du Pays narbonnais, sur près de 90 000 hectares, qui concernerait largement le littoral.

Enfin se trouve posé le problème du devenir des stations touristiques littorales, anciennes et nouvelles. On voudrait élargir leur période de fréquentation, par des activités non balnéaires (palais des congrès, casinos, salles de spectacle), y enraciner une population permanente. La station qui, devenant commune à part entière, a le plus œuvré dans cette voie est certainement la Grande-Motte. Généralement l'emploi sur place demeure limité et bien des communes littorales tendent à devenir des communes dortoirs des villes sublittorales.

5. LA RESTRUCTURATION DE L'ESPACE RÉGIONAL

Le rôle des infrastructures de transport

La voie Domitienne a, dès la fin du IIe siècle, matérialisé un axe sublittoral de circulation dont ne s'écarteront que peu les voies ultérieures, et qui a fixé les principales villes de la région. L'achèvement en 1681 du canal du Midi a constitué une prouesse technique pour l'époque, contribué modestement au développement du port de Sète, plus sûrement à l'implantation de Port-la-Nouvelle sur une branche, le canal de la Roubine. Le chemin de fer a eu au XIXe siècle un impact considérable sur l'économie méridionale, mais ses tracés et son organisation n'ont pas sensiblement modifié l'organisation de l'espace si on excepte un affrontement entre la Compagnie du Midi des frères Péreire et le Paris-Lyon-Méditerranée du Paulin Talabot qui a privilégié leurs villes « têtes de ligne » de Béziers et Nîmes au détriment de Montpellier et de Sète.

On a vu les conditions de développement des trois ports de commerce. Dans le domaine du transport aérien, une prolifération d'aéroports tire son origine d'une longue absence de véritable métropole régionale. Perpignan-Llabanère est choisi dès 1923 par la société Latécoère comme escale entre Toulouse, Marseille et Barcelone. Montpellier-Fréjorgues est utilisé en 1938 par l'armée de l'air et voué en 1951 au trafic postal. Nîmes Garons sert de base en 1955 à l'aéronavale, et n'est doublé qu'en 1962 d'un aéroport civil qui assure la première desserte parisienne. Chacune de ces villes, puis Carcassonne, Béziers, voire Mende obtiennent une liaison avec Paris. C'est beaucoup pour une région d'un peu plus de deux millions d'habitants, et cette situation explique les difficultés pour Montpellier de développer des liaisons internationales, malgré l'émergence de son trafic « parisien ».

C'est le réseau autoroutier qui a le plus restructuré la région en « rapprochant » les villes de la capitale administrative, au détriment de tendances centrifuges vers Toulouse et Marseille. Il a par ailleurs totalement intégré la région dans l'espace européen. Dans un premier temps (1968-1975), la liaison Orange-Narbonne par l'A9 a raccordé les villes de l'est de la région au Rhône et à l'Europe, dans un second temps (1975-1979), les liaisons Narbonne-Le Perthus (B9) et Narbonne-Toulouse (A61) ont inséré la région sur l'axe Marseille-Bordeaux et l'ont raccordée à l'Espagne. La prochaine étape devrait être l'achèvement de l'autoroute A75 de Paris à Clermont-Ferrand et Montpellier et Béziers. Elle permettra à la fois de soulager l'axe rhodanien et de désenclaver la Lozère. De gros efforts ont par ailleurs été consentis pour améliorer les routes nationales et départementales, mais l'absence d'une bonne desserte Alès-Le Vigan-Lodève-Bédarieux-Saint-Pons continue de pénaliser le rebord du Massif central au profit de l'axe sublittoral.

Ce réseau autoroutier a été complété par des infrastructures de services : « autoport » douanier du Boulou, « centres » routiers de Nîmes-Saint-Césaire, Perpignan-Saint-Charles, Sète, ce dernier doté d'un bureau de fret régional en 1980, « complexe routier international » Narbonne-Croix Sud, au principal nœud du réseau. Tout cela a favorisé une considérable augmentation du trafic routier, tandis qu'entre 1981 et 1995 les expéditions ferroviaires ont chuté de 4,7 à 2,8 Mt, et les réceptions de 3,2 à 2,8. Le trafic fluvial reste lui extrêmement modeste, malgré les aménagements apportés au canal du Rhône à Sète.

Le rôle de la voie ferrée en est amoindri, malgré l'organisation d'un Trans-Express-Régional et l'arrivée du T.G.V. Le Train à grande vitesse (T.G.V.) sud-est dessert la région depuis 1984, mettant en liaison directe Paris avec Nîmes (4 h 14) et Montpellier (4 h 39), en attendant que la réalisation d'une voie spécifique vers Barcelone) (T.G.V. Languedoc-Roussillon pour la partie française), réduise ces temps à 3 h 09 et 3 h 34 et permette la desserte des autres villes sublittorales. Depuis 1984, le trafic voyageurs a nettement augmenté à Montpellier, alors que toutes les autres gares régionales ont enregistré une baisse de trafic, avec ces dernières années une relative stabilisation pour Nimes, Sète et Narbonne.

6. UNE TERTIARISATION ACCRUE DES ACTIVITÉS

Classiquement, les villes de la région ont toujours dû une bonne partie de leurs emplois aux activités commerciales et aux services. Si ces activités sont généralement induites par les besoins de la population, leur localisation peut être liée à des facteurs spécifiques ou modifiés par des mutations structurelles. Plus encore que par le passé, le secteur tertiaire domine l'emploi régional et la réorganisation du réseau urbain. Les activités commerciales se sont encore enrichies de 23 000 actifs entre 1982 et 1990, mais la multiplication des grandes surfaces comme les nouvelles conditions de localisation du commerce de gros industriel et du commerce de détail non alimentaire ont privilégié la périurbanisation et la carte des aires de chalandise des hypermarchés donne une assez bonne idée des hiérarchies urbaines. Quant à l'hôtellerie et à la restauration elles se sont surtout développées sur la côte et dans les villes sublittorales.

Les services non marchands ont connu un solde positif de 44 000 actifs entre 1982 et 1990, principalement dans les activités d'études, conseils et assistance (+ 11 000), le secteur de la santé (+ 10 000), l'action sociale (+ 12 500). Les plus gros employeurs régionaux sont désormais les hôpitaux, selon une hiérarchie bien établie. Et comme dans le reste de la France, la mode est à la vocation technopolitaine : Montpellier, Languedoc-Roussillon Technopôle, parc Georges-Besse de Nîmes, Technopole-Latitude 42 de Perpignan, projets de Narbonne, Alès, Mende, le tout coiffé par un « multipôle technologique régional du Languedoc-Roussillon ». A l'heure de la concurrence européenne, on peut se demander quelles sont les chances de réalisation d'une telle offre, et quels sont les emplois effectivement nouveaux qui lui ont été liés. Il est certain que les localisations de l'enseignement supérieur pèsent ici considérablement, au profit de Montpellier, vieille ville universaire (1289) dont les effectifs d'étudiants sont passés de 6 295 en 1951, à près de 70 000 en 1995, dont 50 828 pour les trois universités et 3 387 pour l'I.U.F.M.

Enfin la décentralisation a renforcé parfois avec outrance les effectifs d'administration générale (+ 12 000 entre 1982 et 1990) au sein des services non marchands (+ 26 400). Montpellier, promue capitale régionale, a été la principale bénéficiaire.

1. Les difficultés des villes petites et moyennes

En fonction de l'organisation du relief (bassins montagnards), des relations avec le monde rural, d'une tradition industrielle, ou d'une rente de situation, toute une série de petites villes ont connu des évolutions diverses. Démographiquement, elle est positive pour l'ensemble des petites villes du littoral et de l'axe sublittoral.

■ Mais elle est le plus souvent négative dans l'intérieur, surtout quand il y a déclin d'un héritage industriel (Ganges-Le Vigan, Lodève, Bédarieux, Limoux, Espéraza, Quillan, Saint-Chély-d'Apcher...) malgré des fonctions administratives (Limoux, Lodève) et des fonctions locales de commerce et services, à l'instar de l'ensemble des autres petites villes. **Mende**, chef-lieu de la Lozère, constitue un cas particulier (12 700 habitants en 1990 pour la commune, 14 800 pour l'aire urbaine). A un niveau supérieur, un certain nombre de villes moyennes s'accompagnent d'aires d'urbanisation de l'ordre de 50 à 100 000 habitants. **Le bassin industriel alésien**, dont la population s'est globalement stabilisée autour de 85 000 habitants, fragmenté par les vallées cévenoles, a connu une évolution particulière. On y observe un contraste net entre les agglomérations des vallées (La Grand-Combe, Saint-Florent-sur-Auzonnet, Bessèges, dont la population a régressé de quelque 6 000 habitants entre 1975 et 1990, et l'agglomération alésienne qui a au contraire progressé, avec une meilleure tenue des industries anciennes ou nouvelles et une montée du tertiaire.

■ Dans l'Aude, si la population communale de **Narbonne** a finalement dépassé celle de **Carcassonne**, à l'échelle des aires urbaines, la ville préfecture l'emporte sur la ville carrefour, avec en 1995 quelques 77 500 habitants pour Carcassonne et 68 100 habitants pour Narbonne. Plus peuplée grâce surtout à l'essor de la périurbanisation, avec 114 700 habitants en 1995 pour son aire urbaine, **Béziers**, capitale du vignoble, et dont la zone industrielle du Capiscol, une des premières de la région, avait su attirer un certain nombre d'entreprises, pâtit aujourd'hui d'une désaffection industrielle et surtout de la proximité de Montpellier. Béziers bénéficie cependant de l'implantation d'une antenne universitaire à partir de Montpellier.

■ Perpignan la Catalane

Perpignan, quasiment ex-aequo avec Nimes pour être la seconde aire urbaine régionale (200 300 habitants en 1995), occupe une place originale du fait de l'éloignement relatif de Montpellier, de sa fonction de chef-lieu d'une Catalogne française aux fortes traditions, et qui est dépourvue de villes moyennes. Les liens avec la huerta roussillonnaise sont forts, physiquement, par une imbrication des zones maraîchères (serres) dans la périphérie urbaine, économiquement parce que la ville est un centre de commerce de gros des fruits et légumes (marché Saint-Charles), comme de transformation (conserveries de Perpignan et de Saint-Estève).

Malgré cela, l'industrialisation perpignanaise a toujours été limitée et souvent très conjoncturelle (papier à cigarette Job en 1890, chocolats Cantalou en 1940). On avait fondé de gros espoirs sur la création de zones industrielles (zone Nord en 1963, reconversion de l'ancien camp de réfugiés de Rivesaltes), et sur l'intervention de capitaux espagnols. Les zones se sont peuplées davantage d'entrepôts que d'usines, et les entrepreneurs espagnols sont relativement peu venus et ont souvent échoué. La ville est donc de plus en plus tertiaire. Elle a retrouvé en 1979 une Université de plein exercice (7 600 étudiants). Elle comporte un secteur bancaire marqué par une forte implantation espagnole. Elle a conservé un quotidien, créé en 1946, l'Indépendant, très majoritaire dans le département.

De fondation tardive (922), Perpignan s'est développée sur la colline du Puig, hors d'atteinte des crues redoutables de la Têt et de son petit affluent la Basse. Les remparts de 1277 ont été détruits en 1904, cédant la place à la classique ceinture de boulevards qui encercle le centre ancien. La voie ferrée arrivée en 1859 a engendré à l'ouest de la ville ancienne un axe d'urbanisation centré sur la place de Catalogne. Outre Têt s'est développé le faubourg-pont du Vernet. Un deuxième pont a été mis en service seulement en 1968 (pont Arago).

Depuis la guerre, l'extension urbaine s'est faite demi-concentrique au sud de la Têt et linéaire au nord, souvent sous forme pavillonnaire, avant de céder la place à une périurbanisation généralisée, (notamment vers Cabestany et Saint-Estève). En 1962 la réalisation de la cité dite du Moulin-à-Vent (5 000 logements), bientôt flanquée du nouvel ensemble universitaire, a inauguré une politique de grands aménagements.

2. Le grand axe urbain régional

Le réseau urbain régional hérité de l'avant-guerre se singularisait par l'absence de métropole régionale avec échelonnement sur les principaux axes de circulation de sept à huit villes d'importance relativement voisine. Il existe aujourd'hui une métropole régionale, mais qui s'insère dans un ensemble plus vaste, un véritable axe d'urbanisation qui va de Sète au Rhône.

■ La population de la commune de **Montpellier** a connu une remarquable progression de 1962 à 1975, accompagnée progressivement des huit communes de l'agglomération, et plus globalement des 14 autres communes du district urbain. Depuis 1975 et plus encore 1982, la croissance a davantage concerné la quarantaine de communes périurbaines dont plus de la moitié des actifs travaillent à Montpellier. On arrive ainsi pour 1990 à 248 000 habitants pour l'agglomération, et plus de 377 400 pour une aire d'influence en croissance continue, puisque sa population est estimée à 418 100 habitants en 1995.

Née officiellement en 985, Montpellier, a tôt connu une prééminence administrative et universitaire. La première a été renforcée par le choix de la ville comme capitale régionale. Elle est restée ville militaire en attirant l'Ecole d'application de l'infanterie et l'Ecole militaire d'administration, mais c'est la récupération d'anciens terrains militaires, à l'instar des biens religieux, qui a surtout marqué l'évolution spatiale de la cité.

Ville manufacturière non négligeable avant la révolution industrielle, Montpellier a été peu touchée par cette dernière. Des zones industrielles, puis des parcs d'activité, ont été créés d'abord dans la commune (près d'Arène) puis dans des communes suburbaines (Saint-Jean-de-Vedas, Vendargues) qui ont connu un succès relatif. D'autres ont suivi, mais beaucoup plus dévolus au commerce de gros et de détail. C'est en fait l'implantation en 1965 d'I.B.M. et de ses sous-traitants qui a donné à la ville une nouvelle vocation industrielle.

Montpellier reste cependant avant tout ville de commerces et de services et a hébergé le principal quotidien régional, le Midi Libre, qui s'est finalement transféré en périphérie.

La ville ancienne, « l'écusson de Montpellier », est née sur une colline entre garrigue et plaine marécageuse. L'enceinte du XIIᵉ siècle, dite « de la Commune clôture », a engendré l'anneau de boulevards qui l'entoure aujourd'hui. Les Guerres de Religion ravagent la ville, sans altérer le plan des rues, que seule la demi-percée hausmannienne du boulevard Foch a modifié, et flanque la ville de deux citadelles, dont l'une, à l'ouest, est transformée en promenade du Peyrou, tandis que l'autre, à l'est, conserve longtemps sa fonction militaire, avant d'accueillir, à deux pas du centre, le lycée Foch (1945), le centre administratif et commercial du Polygone (années 60), le quartier résidentiel d'Antigone (années 80).

Au XIXᵉ, freinée à l'est par la Citadelle et ses glacis, à l'ouest par les servitudes du Peyrou, à l'est par la rivière du Lez, la ville s'était développée surtout au sud-ouest (le Cours ultérieurement baptisé Gambetta) et au sud, où un quartier de gare accompagne l'implantation de celle-ci en 1843. La grande expansion démographique des années 60 se fait d'abord le long des axes routiers vers Nîmes, Toulouse ou Lodève. Elle provoque entre 1964 et 1972 la réalisation de la ZUP de la Paillade, qui concentre près de 30 000 habitants. L'Université, à partir du centre ancien, les établissements hospitaliers, à partir des faubourgs, migrent largement vers les collines septentrionales. Ainsi est née une zone hospitalo-universitaire, à laquelle s'est juxtaposée dès 1966 une « zone des laboratoires » (ZOLAD), devenue ultérieurement Parc euromédecine, et qui a notamment accueilli en 1972 le laboratoire de recherches pharmaceutiques de Clin-Midy, aujourd'hui Elf-Sanofi.

C'est certainement un élément important de Montpellier-Languedoc-Roussillon Techno-pole dont le concept, lancé en 1985, intègre un certain nombre de centres d'activités bien antérieures, mais qui a aussi présidé au développement du pôle Agropolis et à la création du Parc du Millénaire en direction de l'autoroute et de l'aéroport. Nonobstant une périurbanisation généralisée, c'est dans cette direction, en franchissant la rivière du Lez, que les autorités municipales cherchent à développer la ville (Port Marianne). La périurbanisation, de plus en plus importante, provoque des problèmes de circulation pour lesquels le cadre du district se révèle trop étroit. En fait Montpellier, dont l'image a été fortement médiatisée, n'a pas fini de digérer ses problèmes de croissance.

■ Vieille rivale gardoise de Montpellier, **Nîmes** (agglomération de 201 400 habitants en 1995), que ses convictions protestantes ont privé longtemps de la prééminence administrative, a acquis un caractère de cité industrieuse du textile. L'arrivée précoce du chemin de fer ouvre de nouveaux marchés sans diversifier sensiblement une industrie qui, au textile, ajoute la chaussure en 1845 et surtout la confection en 1852.

Cette tradition industrielle conduit les Nîmois à décider en 1959 la création de deux zones industrielles dont la plus vaste (120 ha) à l'ouest, à Saint-Césaire, à proximité d'un Marché d'intérêt national qui contribue au développement des industries agro-alimentaires. Elle connaît un certain succès, mais aucune grande industrie motrice n'a recherché la localisation nimoise : l'industrie nîmoise a donc plutôt régressé, tout en se concentrant. Nîmes a également tôt été ville militaire (Ecole d'artillerie anti-aérienne, base aérienne de Courbessac, base aéronavale de Garons, proximité du camp des Garrigues). Et, dotée autrefois d'une Université, Nîmes n'a retrouvé qu'un embryon d'enseignement supérieur.

Nîmes doit donc compter de plus en plus sur ses emplois tertiaires. (On citera le secteur hospitalier et la Compagnie nationale d'aménagement du Bas-Rhône-Languedoc), selon un développement qui reste gêné par la proximité de Montpellier. Reste une fonction touristique certaine, du fait des vestiges romains (Maison Carrée, Arènes, dégagées en 1809 seulement) ou de la proximité de la Camargue.

Implantée sur une ligne de sources entre les collines des garrigues et la plaine du Vistre, la ville romaine a été nettement plus importante que la ville médiévale qui a conservé ses remparts jusqu'en 1786. Une première extension a accompagné au nord l'aménagement du Jardin de la Fontaine (1745) dont la proximité attire les immeubles bourgeois. Les remparts effacés, le chemin de fer domine et oriente la croissance de la ville. Il la contient au sud-est, et provoque un développement vers l'ouest de la ville, jusqu'à l'axe majeur de ce qui sera l'avenue Jean-Jaurès.

Après la guerre, c'est vers l'ouest que se poursuit l'expansion de la ville avec la ZUP de Pissevin conçue en 1961 sur 350 ha et la zone d'activités de Saint-Césaire. Puis c'est vers le sud-est, tant pour des zones d'activités que des cités résidentielles, le franchissement partiel des nationales et d'une autoroute A9 qui sert partiellement de périphérique. Enfin ces dernières années se développe une périurbanisation importante, notamment vers le sud-ouest et vers Vergèze (Perrier).

Nîmes et Montpellier ne sont séparées que par quarante-deux kilomètres d'autoroute : cette proximité devrait les conduire à une évolution plus complémentaire que concurrentielle. Entre elles émergent des points d'appui de l'urbanisation. **Lunel**, qui continue de connaître une forte croissance (aire urbaine de 23 400 habitants en 1995), a su se doter de quelques activités industrielles et de commerce de gros, mais devient zone d'hébergement et de services pour des petits pôles à cheval sur le Gard et l'Hérault à Vergèze, Vauvert, Aimargues. Eux-mêmes constituent une micro-nébuleuse de petites villes, de plus de 40 000 habitants.

■ L'axe urbain évoqué rejoint la Méditerranée par la cité portuaire et industrielle de **Sète**, dont l'aire urbaine (66 800 habitants en 1995) comprend les communes de Frontignan et de Balaruc-les-Bains. L'industrie, essentiellement chimique, s'est développée sur la rive orientale de l'étang de Thau et sur le canal du Rhône à Sète, l'étang des Eaux-Blanches, intermédiaire entre Thau et Ingril, ayant été comblé pour recevoir une zone d'activités. Adossée au Mont Saint-Clair, fort limitée en espaces disponibles, ville originale en partie peuplée d'immigrants gênois et catalans, Sète a cherché à s'agrandir modestement sur l'étang de Thau avec la ZUP-île du Barrou, et voudrait bien développer des infrastructures touristiques vers les salines de Villeroy et le lido de la plage de la Corniche. Devant le déclin industriel, Frontignan vers la plage et l'étang d'Ingril, Balaruc-les-Bains vers le bassin de Thau, voudraient aussi développer des activités nautiques, alors qu'un important problème de friches industrielles n'a pas été véritablement résolu. La liaison avec Montpellier a été grandement améliorée par une mise à quatre voies, sur la quasi-totalité du parcours, de la nationale 112.

Du côté du Rhône enfin, le développement urbain se fait selon trois modalités tout à fait différentes. A la latitude de Nîmes, **Beaucaire** (agglomération de 24 000 habitants en 1990), ville jumelle de Tarascon, a su préserver un petit pôle d'industries des matériaux de construction et de produits chimiques, ajoutés à un agro-alimentaire industriel ou commercial. Plus au Nord, les communes de **Villeneuve-les-Avignon** et des Angles (18 000 habitants en 1990) ont connu une forte croissance comme communes-dortoirs d'Avignon. Enfin, à hauteur d'Orange, **Bagnols-sur-Cèze** (aire urbaine de 21 600 habitants en 1995) est devenu le centre résidentiel et de services pour les zones d'activités de Marcoule (commune de Chusclan) et de l'Ardoise (commune de Laudun) en bordure du Rhône.

Le dynamisme démographique qui caractérise aujourd'hui le Languedoc-Roussillon se révèle à la fois facteur de développement et source de problèmes. Il importe tout d'abord que l'attractivité de la région s'accompagne d'une promotion de l'emploi qui lui permette de réduire des taux de chômage qui sont parmi les plus forts de France. Il est tout aussi nécessaire qu'une politique d'aménagement concerté limite cette croissance des disparités non seulement entre haut et bas-pays, entre intérieur et littoral, mais aussi entre l'axe de développement circa-rhodanien et le reste de la région.

BIBLIOGRAPHIE

BERGER (A.) et ROUZIER (J.). *Vivre et produire en Languedoc-Roussillon*, Toulouse, Privat, 1981, 250 p.

FERRAS (R.) et VOLLE (J.-P.). *Languedoc-Roussillon, région de la France du Sud et de l'Europe du Nord,* Montreuil, Bréal, 1989, 172 p.

VERLAQUE (Ch.). *Le Languedoc-Roussillon,* Paris, Presses Universitaires de France, 1987, 184 p.

Nombreux articles dans le Bulletin de la Société languedocienne de géographie (Université Paul-Valéry, Montpellier) et dans la Revue de l'Economie méridionale (Université de Montpellier I).

CHAPITRE

3

CORSE

Janine Renucci

Elle est la plus petite des trois grandes îles de la Méditerranée occidentale (8 679 km^2) et la moins peuplée (260 000 hab.), en même temps que l'une des plus petites régions économiques françaises et l'une des moins prospères. A 176 km de Nice, elle représente « la plus proche des îles lointaines » ou « l'Ile de Beauté » banalisée des touristes. Elle incarne enfin l'île-problème revendicative ou révoltée. Telles sont les notions simplifiées qui s'emboîtent pour définir sommairement la Corse.

Entre les héritages d'un passé contraignant et les conquêtes d'un présent agressif, quelquefois mal vécu, elle s'identifie simultanément à un vieux pays et à un pays neuf. Associée aux rivages de l'Europe, elle s'agrège à ce « sun belt » considéré comme privilégié parce qu'il dispose des atouts mer-soleil. Les agréments de la situation finiront-ils par contrebalancer les inconvénients de la position périphérique alliés à l'obsédant handicap de l'insularité ?

1. ÎLE ET MONTAGNE EN MÉDITERRANÉE

1. Un fragment de l'ensemble alpin

■ **La Corse apparaît d'abord comme une montagne imposante** vu sa taille modérée (183 km x 84 km), puisque le Monte Cinto culmine à 2 710 m et qu'il ne porte que le sommet dominant de la dorsale de hauts reliefs qui s'allonge du N-N-O au S-S-E. Avec le Monte

Padro, le Rotondo, le Monte d'Oro, le Renoso et l'Incudine, les altitudes se maintiennent au-dessus de 2 000 m, dessinant une ligne de crête dentelée qui ne s'altère qu'au niveau de la masse subtabulaire de l'Incudine. Le socle primaire qui les constitue est formé de granits et de granulites, accompagnés de rhyolites et de diorites. C'est un énorme horst faillé, soulevé et cassé dès l'époque hercynienne, puis au moment de l'orogénie alpine. L'encaissement épigénique des cours d'eau y sculpte des gorges sauvages. aussi a-t-il, pour les communications, les inconvénients d'une « montagne continue » ; entre l'Est et l'Ouest, il faut toujours franchir l'obstacle par des vallées aux pentes raides et des cols élevés. Si la route Ajaccio-Bastia emprunte le col de Vizzavona à 1 161 m, celle de Porto au Niolo franchit le col de Vergio à 1 464 m, et le col de Bavella, entre Alta Rocca et Solenzara, atteint encore 1 243 m.

Malgré des altitudes moindres, la longue arête dissymétrique du Cap Corse (1 307 m) et le massif de la Castagniccia (1 767 m) dilatent l'étendue de la montagne. Ils correspondent à la zone des schistes violemment plissée, même charriée dès l'Oligocène. C'est pourquoi, plus de la moitié de la superficie est-elle située au-dessus de 400 m et encore près du cinquième au-dessus de 1 000 m. D'où l'importance de l'altitude moyenne, 568 m, très supérieure à celle des voisines méditerranéennes, et qui a suscité la comparaison avec les îles volcaniques du Pacifique ou de l'océan Indien.

■ **La faible importance des plaines** s'associe à cette topographie heurtée. Dégagée dans l'enveloppe sédimentaire du horst hercynien, la dépression centrale, souvent interrompue par des affleurements résistants, n'a ni la largeur, ni la continuité d'un petit sillon alpin. Il est vrai qu'il lui a manqué le défoncement des glaciers qui, ici, n'ont guère laissé leur empreinte au-dessous de 1 000 m. Les plaines périphériques résultent d'accumulations de cailloutis arrachés aux reliefs au Pliocène ou au Quaternaire. Conques menues épanouies au fond des golfes sur la côte occidentale, elles s'allongent sur une centaine de kilomètres, au sud de Bastia, sur la façade orientale. Elles n'ont bénéficié du support de sédimentations antérieures que dans le Nebbio ou dans la plaine d'Aléria-Ghisonaccia. Aussi ont-elles fréquemment l'aspect de glacis de piedmont et leurs bordures côtières sont faites de cordons littoraux sableux qui obstruent les estuaires, favorisant la stagnation des étangs.

■ **Partout l'emportent les côtes rocheuses**, la plaine orientale mise à part, pointes ourlées d'écueils ou s'achevant en guirlandes insulaires (Sanguinaires, Giraglia), falaises abruptes (Bonifacio), ou calanches célèbres (Piana, Porto) quand les escarpements de la montagne tombent brutalement dans la mer.

2. Un espace entre mer et montagne

La montagne modifie **le climat méditerranéen** qui règne souverainement aux basses altitudes, et détermine l'étagement des zones climato-botaniques. La carte pluviométrique reproduit approximativement la carte hypsométrique. Alors que les stations littorales totalisent de 500 à 700 mm, Bastia avec 850 mm étant une exception, les régions supérieures à 700 m reçoivent plus de 1 000 mm, et les quantités dépassent 1 500 mm au-dessus de 1 000 m, atteignant plus de 2 m sur les hauteurs dominantes. Les précipitations ont l'irrégularité et la brutalité habituelles à la latitude : un petit nombre de jours de pluie, deux maxima, le plus accusé en novembre-décembre, le plus discret en février-mars, et une sécheresse sévère en été, à peine atténuée par quelques orages montagnards.

Avec 2 885 heures d'ensoleillement, Ajaccio possède le record national ; elle a des hivers modérés (9°4 en janvier) et des chaleurs mesurées en été (26°7 en juillet) grâce aux brises de mer. L'altitude aggrave beaucoup plus la chute des températures hivernales qu'elle ne freine la montée des températures estivales. Popaja (1 074 m), proche du col de Vergio et du Cinto,

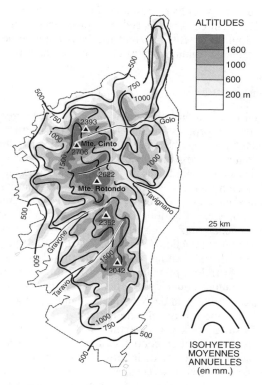

Figure 6. Relief et pluviométrie

Les figures de ce chapitre ont été exécutées par C. Danière. Laboratoire de Géographie rhodanienne, U.R.A. 260 du C.N.R.S.

a une moyenne de 1°2 en janvier et de 25°5 en juillet. D'où l'importance des chutes de neige au-dessus de 1 000 m. Bien que les neiges éternelles n'existent pas, l'enneigement peut durer de 4 à 5 mois au-dessus de 1 600 m, de 8 à 10 mois dans les zones situées au-delà de 2 000 m.

L'abondance des précipitations et du manteau neigeux vaut à la Corse d'offrir le paradoxe d'être simultanément une île aride et riche en eau. Elle dispose de ressources hydrauliques copieuses puisque, selon les calculs effectués, elle recevrait un volume supérieur aux autres régions considérées par grands ensembles : 10 560 m^3 par ha et par an contre 6 540 pour le Bassin parisien.

Ces éléments se conjuguent pour régir la succession des **zones climato-botaniques**. Jusqu'à 600 m s'étend la zone des plaines et des coteaux qui correspond à l'étage méditerranéen inférieur. C'est l'étage du maquis, formation secondaire témoin de la dégradation de 2 formations primitives, la brousse dense à oliviers sauvages en bas, et la forêt de chênes-verts, de chênes-lièges ou la forêt de pins. Entre 600 et 1 200 m, l'étage méditerranéen supérieur est celui de la montagne cultivée et habitée. Les cultures se sont hissées jadis jusqu'à 1 200 m, et le hameau le plus haut survit encore à 1 100 m. C'est aussi l'étage des forêts. Entre 6-700 et 1 000 m, s'épanouit le domaine du châtaignier, espèce cultivée liée à l'ancien peuplement, peut-être espèce primitive, en tout cas incorporée à la végétation naturelle, particulièrement épaisse dans la montagne schisteuse à laquelle elle a donné son nom. Au-dessus commencent les forêts de résineux, pin maritime et pin laricio, auxquels se mêle le hêtre ; elles ne dépassent pas 1 600 m, cédant la place ensuite aux espaces gazonnés de l'étage montagnard subalpin, avec leurs pozzines tourbeuses qui cernent les lacs. La Corse bénéficie donc d'un ensemble de conditions naturelles très rare dans une île méditerranéenne.

3. Une riche réserve de nature

La richesse du capital nature a été affirmée et valorisée par la création du **Parc naturel régional** en 1971. Il est devenu progressivement le plus vaste de France puisqu'il rassemble 138 communes et 300 000 ha. Il englobe toute la haute dorsale cristalline, atteignant la mer entre les calanques de Piana et l'Argentella sur la côte occidentale. Il s'achève, au sud, au niveau de Bavella et de l'Ospedale, au-dessus du golfe de Porto-Vecchio. Il dessine une saillie Nord-orientale puisqu'il s'étend sur la Castagniccia centrale. Il réunit les plus beaux paysages montagnards, du Cinto aux aiguilles de Bavella, et, avec eux, les lacs haut-perchés, témoins de l'ancienne glaciation, Nino, Melo, Capitello. Des vallées étranglées s'y incrustent comme celles de la Restonica qui s'achève aux portes de Corte. Sur 20 % de la surface se développent les vastes forêts d'Aïtone et Valdoniello, Vizzavona, Bavella et l'Ospedale. Le Parc possède des réserves célèbres : en altitude, celles de la montagne d'Asco et de Bavella pour le mouflon, en bas, celle de Scandola pour la pêche et l'avifaune, proche de la réserve de biosphère du Fango, réserve internationale de l'Unesco (M.A.B.) avec une forêt-témoin.

Le Parc a facilité l'accessibilité et la découverte de ce milieu. D'abord avec la rénovation du fameux GR20 qui se déroule à proximité de la ligne de crête, désormais jalonné d'une douzaine de refuges. Ensuite grâce à l'ouverture de l'itinéraire « Tra Mare e Monti » Calenzana-Cargèse. Trois autres sont en cours d'équipement. Le Parc a encouragé l'activité des petites stations où, malgré la brièveté de la saison, le ski alpin est possible : les deux plus anciennes, Vergio et Asco, les deux plus récentes, Ghisoni et Bastelica-Val d'Ese. Il a aidé l'extension du ski de fond appuyé sur quatre foyers principaux, les deux foyers méridionaux, Quenza et Zicavo, utilisant le beau plateau du Coscione.

La Corse a également le privilège, peu répandu en Méditerranée européenne, de posséder **des rivages encore préservés des excès de l'urbanisation**. L'inventaire de 1978 avait montré que 43 % des 841 km de côtes constituaient des espaces naturels, le plus fort pourcentage en France, alors que 600 km demeuraient à peu près vides. Les sites réputés s'y succèdent ; le golfe de Porto inscrit dans le patrimoine mondial de l'Unesco, Roccapina et les falaises de Bonifacio au sud de l'île. Les acquisitions du Conservatoire du littoral, propriétaire de 113 km de rivages, les protègent tandis que le Parc a étendu ou veut étendre sa gestion aux archipels des deux extrémités, les Lavezzi et Cerbicales et les îles Finocchiarola.

Depuis 1982, la protection du patrimoine naturel vivant dispose d'un outil efficace : **l'inventaire des zones naturelles** d'intérêt écologique, faunistique et floristique qui a recensé 230 zones, de la mer aux plus hauts sommets, et permet de dresser une carte des espaces et paysages exceptionnels ou remarquables. Les efforts de protection sont-ils un gage de sécurité ? En réalité, l'exemple de Pinia, pinède côtière de 400 ha, au sud de l'étang d'Urbino, achetée par le Conservatoire et qui vient d'être dévorée par le feu, montre qu'il n'en est rien. L'incendie est devenu une fatalité impitoyable qui sévit chaque année. Produit de l'aridité estivale et des habitudes séculaires des bergers, il est dû aussi à la négligence des touristes et surtout à l'ardeur des pyromanes. Bien que son terrain d'élection soit la zone inférieure à 600 m, la moins arrosée et la plus chaude, c'est-à-dire la zone du maquis, il pénètre aussi jusqu'à l'étage montagnard et, d'Asco à Vizzavona et à Bavella, plusieurs des grandes forêts en ont gardé des traces durables. Il réduit la forêt résiduelle et altère l'épaisseur du maquis qui a parfois cédé la place à de maigres landes. Quand le couvert a disparu, le sol, exposé au ruissellement, perd ses capacités de rétention. Ainsi se crée un cercle vicieux : l'aridité favorise l'incendie, et l'incendie aggrave l'aridité. Le milieu insulaire, assez remarquablement doué, demeure donc difficile à préserver comme il a été difficile à aménager pour ses habitants.

2. LA DERNIÈRE-NÉE DES RÉGIONS ÉCONOMIQUES (1970)

Emancipée de la tutelle de la région PACA, la Corse a été la 22e région du territoire en 1970, à la différence des 21 autres créées dès 1956. Résultat obtenu grâce aux revendications locales engendrées par les profonds bouleversements survenus dans les années 50-60, après une longue période de dépérissement.

1. Un siècle de dépérissement

C'est de 1850 à 1950 qu'ont été progressivement balayées les vieilles structures de la vie insulaire et, avec elles, l'ancienne économie agro-pastorale, du temps de l'autarcie, qui s'était constituée, depuis le Moyen Age, dans le cadre de la montagne-refuge valorisée par la désertion des plaines.

■ **L'émigration** qui a ponctionné la faible population corse, en a été la cause première. Certes, de cette terre pauvre, les habitants sont partis de tout temps ; mais la vague de départs massifs s'est déclenchée après 1850, encouragée par la révolution des transports, le rattachement à un Etat riche, lancé dans l'aventure coloniale, et elle s'est intensifiée peu à peu, surtout après les crises agricoles, celles du blé, du vignoble, du cédrat. Elle sévissait partout avant la guerre de 1914, puis s'est aggravée ensuite, atteignant toutes les régions et toutes les familles, entraînant une diaspora planétaire bien que ce soit les grandes villes françaises qui aient attiré la majorité des émigrants. La Corse offre le paradoxe d'avoir alimenté un exode intense sans avoir jamais possédé une importante population puisque celle-ci a probablement culminé en 1881 avec 273 000 hab. Mais l'exode l'a vidée : en 1960, elle ne gardait que 160 000 hab., évaluation imposée par des recensements très suspects. L'effondrement démographique avait maintenu le groupement des habitants dans les villages perchés, dominant un bas-pays vide, car la croissance des rares cités littorales était restée modeste.

■ **Un recul agricole sévère**

La désertification a entraîné un recul agricole sévère, dévoilé par l'inventaire départemental de 1949 :

	Fin XVIIIe (en ha)	1913 (en ha)	1957 (en ha)
Territoire cultivé	262 283	318 500	59 940
Céréales	143 936	–	3 650
Vignes	9 855	11 130	8 930

Les cultures occupaient, en 1957, 6,8 % de la surface contre 36 % dans le passé. Les céréales étaient éliminées, la survie de la châtaigneraie et de l'oliveraie largement factice, la première ayant perdu son rôle nourricier, la deuxième n'alimentant plus un grand commerce d'huile, les deux donnant des fruits qu'on ne récoltait presque plus. C'est l'élevage qui avait bénéficié du repli, disposant des espaces incultes pour le maintien d'un troupeau, réduit en nombre mais fructueux, grâce à la spécialisation des chèvres, surtout des brebis, dans la production laitière et fromagère avec l'installation des industriels de Roquefort. Cette « économie horto-pastorale », selon l'expression de René Dumont, réunissait 25 % des actifs en apportant 7 % des revenus moins que le seul secteur du bâtiment qui procurait l'essentiel des profits du secteur secondaire, vu l'insignifiance de l'industrie.

■ Industrie déficiente, services hypertrophiés

Succès éphémères, faillites, disparitions, telle est l'histoire de l'industrie corse. Les années 50-60 virent fermer la dernière usine d'extraits tannants, ainsi que la seule mine française d'amiante exploitée à Canari. Le bilan est alors rapide : quelques industries agro-alimentaires, laiteries, charcuteries, boissons, la manufacture de tabac Job-Bastos, quelques scieries, une usine de lames de parquet, une tuilerie-briquetterie. Cette médiocrité légitimait la puissance du tertiaire qui concentrait plus de la moitié des actifs, dominé par l'hypertrophie caricaturale des services publics. Le fléchissement des fonctions productives n'avait pas engendré l'appauvrissement des habitants, mais le repli sur des revenus rentiers puisque 36 % des ressources provenaient des pensions, prestations sociales, et assistance. La Corse paraissait enlisée dans une sorte de survie artificielle, dépendante du soutien extérieur.

2. Le démarrage du changement

La conjoncture changea pendant la décennie 1950-60, inversant l'évolution régressive qui sévissait, **grâce à la prise de conscience des disparités régionales suivie par l'apparition de la politique d'aménagement du territoire**. L'Inventaire Départemental de 1949 à révélé la situation inférioisée de l'île, fragment marginal du « désert français ». Aussi a-t-elle bénéficié, en 1957, d'un Programme d'action régionale particulier. Il établissait un constat sur le délabrement local, entraînant « le niveau de vie le plus bas de la métropole », et insistait sur les causes du mal. Il établissait aussi d'ambitieuses perspectives de rénovation. Le tourisme devait être l'activité-clé, susceptible de régénérer toute l'économie par une série de réactions en chaîne. Il exigeait l'amélioration des liaisons avec l'extérieur et des communications intérieures, en même temps qu'il pouvait stimuler l'agriculture en augmentant la consommation. Toutes les zones d'altitude devaient être touchées par un aménagement agro-sylo-pastoral visant à rétrécir les surfaces incultes à 20 % de la superficie. Le rôle capital était dévolu aux plaines littorales, peu utilisées, qui, irriguées, pouvaient accueillir des cultures riches. Le PAR espérait le concours de la population alors que celle-ci, diminuée par l'exode, manquait de capitaux, de connaissances techniques et de foi en l'avenir. Ces handicaps l'ont empêchée de récolter les premiers bénéfices des aménagements entrepris.

Deux sociétés d'économie mixte, la Société pour la Mise en Valeur Agricole de la Corse et la Société pour l'Equipement Touristique de la Corse ont été créées en 1957. La Somivac a été chargée d'effectuer la conquête de 20 000 ha de terres vierges en plaine orientale. La Setco devait construire en 5 ans 3 000 chambres dans une centaine d'hôtels dispersés dans les sites choisis. Mais, dès le départ, elle a été entravée par des moyens financiers restreints, tandis que la première commençait la réalisation des objectifs fixés.

C'est alors que **l'arrivée des Rapatriés d'Afrique du Nord**, élément conjoncturel imprévu pour le PAR, bouleversa les projets initiaux. Le mouvement de retour dura de 1957 à 1965 avec un afflux brutal en 1962. La Corse accueillit de 15 à 17 000 personnes, nombre inférieur à celui des autres départements méditerranéens, qui représentaient pour elle 8-10 % de la population. Un sur quatre portait un nom corse. Si plus de la moitié s'est installée à Ajaccio et Bastia, la vague d'immigration a touché toute l'île, en particulier les plaines littorales où plus de 400 familles d'exploitants agricoles ont élu domicile. Beaucoup ont opté, en plaine orientale, pour les zones presque vides de Linguizetta, Aleria et Ghisonaccia. Le ministère des Rapatriés a accordé des crédits à la Somivac pour que leur soient attribués des lots créés sur les terres défrichées. Certains étaient auparavant viticulteurs ou agrumiculteurs, d'autres ingénieurs agricoles ou pépiniéristes. Dans les villes, ils ont ouvert des commerces, des entreprises, quelques hôtels et campings, des cabinets dentaires ou médicaux. Ainsi s'est amorcé le changement. L'initiative est venue du dehors : de l'Etat d'abord, de l'entrée d'une population nouvelle ensuite, et également de la croissance spontanée de la fréquentation touristique.

3. De profondes mutations dès les années 60

■ Redressement démographique

Avec l'arrêt du dépeuplement s'est inversée la « tendance au déclin » qui sévissait depuis un siècle. L'évolution se dégage à travers les évaluations correctives de recensements erronés : 176 000 hab. en 1962, 190 000 en 1968, 210 000 probablement en 1975. Ce sont les excédents du bilan migratoire qui expliquent les progrès, le bilan naturel n'ayant eu qu'une faible incidence. L'immigration a joué le rôle principal. Les Rapatriés n'ont apporté qu'une fraction minoritaire tandis que la main-d'œuvre étrangère, attirée par les transformations agricoles, l'expansion urbaine et touristique, l'emportait en volume. L'entrée en force des Maghrébins a éliminé la vieille prépondérance italienne. La population étrangère a quadruplé entre 1962 et 1975, faisant alors de la Corse la première région d'accueil en France (30 090 personnes). Les arrivées du continent ont gonflé après 1975, mais les Corses sont restés majoritaires dans leur île.

■ Transformations socio-économiques

Le redressement démographique a accompagné les transformations socio-économiques. **Le recul du maquis** a été le résultat le plus spectaculaire de la mission de « colonisation rurale » dont la Somivac a été chargée. 30 000 ha de friches ont été récupérés dont 12 000 en plaine. Sur 3 300 ha, une centaine d'exploitations nouvelles ont été créées, réparties en 4 ensembles à Ghisonaccia, Mignataja, Linguizetta, et à Calenzana en Balagne. Le reste a été défriché par intervention sur propriétés privées. Car le mouvement a déclenché une étonnante flambée d'initiatives privées. Ainsi est née **une nouvelle agriculture insulaire**. La Corse a absorbé en 10 ans les 2 révolutions enregistrées par l'agriculture européenne depuis le XVIIIᵉ siècle, celle des engrais et celle des machines. Elle y a gagné aussi l'irrigation grâce au réseau hydraulique mis en place, au départ, par la Somivac et appuyé sur des prises d'eau alimentées par le Fium'orbo, le Tavignano, le Golo, plus tard par une série de barrages (Calacuccia, Alesani...). Et les exploitations se sont orientées vers des procédés sophistiqués : différents types d'aspersion et le goutte à goutte si prisé en Israël.

Aux innovations techniques se sont associées des mutations structurelles. Le **remodelage rapide des structures d'exploitation** en est la preuve. Dès 1970, la diminution numérique avait emporté microfundia et exploitations marginales, accru la taille moyenne, et triplé le nombre des exploitations supérieures à 50 ha en rajeunissant le milieu agricole. En outre, avec les progrès du mouvement associatif, **le vieil individualisme paysan a été ébranlé** : caves coopératives, Sica, coopératives d'approvisionnement ou de commercialisation des fruits et légumes se sont organisées, ainsi que des groupements de producteurs.

A côté s'est progressivement imposé **le tourisme de masse**. L'impulsion de l'Etat n'a pas eu, ici, un effet déterminant : la Setco n'a construit que 4 hôtels et 300 chambres. Ce sont les initiatives privées qui ont entraîné la multiplication des hébergements : celles des clubs de vacances d'abord, Club Olympique, Club Méditerranée, puis la grande finance française et internationale pour les grosses opérations, suivies par les réalisations du tourisme social. Les Corses ont vite participé au mouvement : avec l'aide du Crédit Hôtelier, ils ont ouvert des hôtels, mais aussi des restaurants et des night-clubs avant d'investir dans le camping. En 1970, la capacité de réception atteignait 100 000 lits, et la Corse recevait plus de 500 000 touristes. La concentration estivale suscitait déjà des efforts d'étalement de la saison. Après la création de la région, le schéma d'aménagement de 1971 envisageait de tripler les possibilités d'accueil à l'horizon 85. Les années 60 ont donc connu le choc du nouveau et les premiers impacts de la croissance qui ont modifié profondément la physionomie de l'île.

3.   UNE NOUVELLE GÉOGRAPHIE INSULAIRE

Les bouleversements subis n'ont pas agi harmonieusement sur l'ensemble de la Corse. Ils ont engendré des disparités parce qu'ils ont favorisé la périphérie littorale longtemps négligée, privilégiant les plaines, les villes et leurs abords. La montagne est restée à l'écart.

1. Poussée urbaine et désertification

■ Poussée urbaine

La médiocrité a régné longtemps sur les villes corses ; pourvues de ports modestes, les mieux situées n'ont jamais fait figure de prospères cités marchandes. Elles ne réunissaient que 75 000 hab. et 42 % de la population en 1954. En 1990, elles concentrent 132 247 personnes sur les 249 737 hab. (53 %). Mais elles ont été animées par des dynamismes inégaux. Une expansion brutale a transfiguré Ajaccio et Bastia qui, gagnant 50 000 hab. en 30 ans, ont vu leur population doubler. Les petites villes ont connu un gonflement plus mesuré. Les stations littorales affichent une évidente vitalité. Le changement le plus radical appartient à Porto-Vecchio (9 300 hab.) qui juxtapose un centre modernisé, une marine aménagée et une forte progression spatiale. Essor aussi à Propriano, Calvi, même Ile-Rousse. Sartène (3 500 hab.) qui a végété longtemps, paraît avoir retrouvé un peu de vigueur. Quant à Corte (5 693 hab.), grâce à la résonance historique de son nom et à sa position sur l'axe Ajaccio-Bastia, elle a acquis des fonctions universitaires qui renforcent ses activités et son attraction.

■ Ajaccio et Bastia

L'explosion urbaine ne s'exprime pleinement qu'à Ajaccio et Bastia, la première, qui possède 58 315 hab., devenue supérieure à la deuxième qui en a 45 087 si on lui ajoute les communes septentrionales. Elles ont beaucoup de points communs. Les deux centres associent, auprès de la citadelle et du port, un noyau ancien aux quartiers en damier du XIXe siècle. Ils n'occupent qu'une place restreinte et commencent à se dépeupler au bénéfice de la périphérie, unités satellites et antennes littorales bourgeonnantes. Les banlieues groupent 16 339 hab. à Ajaccio et 18 012 à Bastia. En outre, dans les deux villes, un habitant sur deux s'est installé depuis 1975, et le taux de population active est plus élevé que la moyenne insulaire avec une participation féminine plus forte.

Pourtant, chacune a sa personnalité. Bien que préfecture depuis 1975, Bastia a la réputation d'être la ville du commerce et des affaires, appuyée sur le port le plus actif de l'île. Quoique le tertiaire domine, elle possède un secteur secondaire plus étoffé qu'Ajaccio, plus d'ouvriers, moins d'employés. Débouché de la plaine orientale, elle est le pôle d'une région plus vaste et plus peuplée. Dans le cadre séduisant de son golfe, Ajaccio reste davantage confinée dans ses fonctions tertiaires. Chef-lieu de région, unique préfecture jusqu'en 1975, c'est une ville administrative en même temps qu'une station balnéaire, où vivent plus de professions libérales et de cadres supérieurs, plus d'employés, plus de retraités qu'à Bastia. Ce milieu de « cols blancs » en fait la ville corse la plus riche, vu les déclarations fiscales. Mais, entre les deux, les concurrences s'atténuent et les différences s'estompent : Bastia se tertiarise, et toutes deux enfantent des technopôles…

■ **Désertification des espaces ruraux**

Malgré ses progrès, la population insulaire conserve sa faible densité : 29 hab. au km², contre 140 aux Baléares. A l'exclusion des campagnes de la façade orientale, touchées par une urbanisation impétueuse, les espaces ruraux sont victimes d'un grave phénomène de désertification. Beaucoup de villages, surtout les plus élevés, ont perdu de 60 à 90 % de ceux qui résidaient au début du siècle. Beaucoup de communes sont devenues squelettiques : 222 sur 349 rassemblent moins de 200 hab., et certaines en retiennent moins de 10 en hiver. Les communes de coteau et de montagne, avec 49 718 hab., ne groupent plus que 20 % du total. Le déficit des naissances sévit dès 100 m d'altitude et s'aggrave au-delà de 450 m. Ce mécanisme est maintenant plus intense que l'exode. Les cantons élevés ont été amputés de 15 000 personnes depuis 1962. D'où le délabrement économique.

2. Agriculture moderne et activités traditionnelles

Les plaines périphériques, dégagées du maquis, se sont muées en campagnes humanisées. Le premier résultat des conquêtes agricoles, imprévu par le PAR, a été **l'extension brutale du vignoble** : il a atteint 31 000 ha en 1975 avant que ne démarrent les arrachages encouragés par la prime C.E.E. Solution de circonstance poursuivie en marge de la légalité, la vigne s'est imposée comme une culture facile, apportant un revenu rapide. Elle a entraîné le développement de la grande exploitation capitaliste, jusque-là inconnue, accompagnée d'énormes caves, avec une production orientée vers la quantité, des degrés bas : d'où le recours à la chaptalisation. Aujourd'hui, le vignoble n'occupe que 8 220 ha, et la production qui était montée à 2,2 millions d'hl est tombée à 400 000. Sa composition a changé grâce à la restructuration et la diversification des plantations, désormais tournées vers la qualité. Les A.O.C. des vieux vignobles d'Ajaccio et de Patrimonio, les appellations Villages de Calvi, Sartène, Figari, Porto-Vecchio, et les « vins de Corse » de la plaine orientale représentent 40 % des quantités obtenues. Le vrai problème réside dans la réaffectation des terres libérées par les vignes : un tiers seulement a été réoccupé par d'autres cultures, fourrages irrigués, céréales, maïs, tournesol ou colza. Ailleurs ont progressé les friches.

Le verger d'agrumes apporte un résultat plus stable aux aménagements effectués. Il a été orienté vers le clémentinier (2 097 ha) dont la récolte commence dès novembre, avant les grands froids. S'y ajoutent 430 ha de pomélos récemment plantés. Lié à l'irrigation, le verger est localisé en plaine orientale, surtout autour d'Aléria et de Ghisonaccia. La clémentine corse est connue sur le marché national où elle se heurte à la concurrence de l'Espagne et du Maroc qui obtiennent des fruits de calibre supérieur. La production des dernières années (25-27 000 t) est beaucoup moins élevée qu'il n'était prévu, et l'amélioration des variétés n'a pas éliminé les difficultés de commercialisation. **Les autres spéculations fruitières** ne rencontrent pas non plus les succès escomptés. Le kiwi a suscité un tel engouement qu'il s'est étendu sur 1 450 ha avant de se replier car ses prix se sont effondrés. Le prunier d'ente incite au pessimisme, le pêcher s'est rétracté. L'amandier est plus prometteur.

A leurs côtés, **les activités traditionnelles n'ont pas disparu**. L'olivier, longtemps abandonné, bénéficie d'efforts positifs en Balagne. L'élevage garde une place importante puisque 53 % des 5 116 exploitations de 1988 s'y consacrent et que 19 % l'associent à l'agriculture. L'intérieur réunit presque tous les 80 000 bovins, et les 40 000 porcs, une bonne partie des 95 000 brebis et des 40 000 chèvres. Les deux dernières sont des activités en voie de transformation parce que les sociétés de Roquefort ayant réduit leur collecte, les éleveurs ont développé la production de fromage fermier ou créé des coopératives. Les pratiques évoluent : les bergers sont plus jeunes, les troupeaux ovins ont grossi en plaine orientale, se sédentarisent, connaissent bergeries et traite mécanique. Les bovins, seuls, ont des effectifs accrus, « effet pervers » de l'indemnité spéciale montagne et de la prime à la vache allaitante. Les bêtes restent condamnées au libre parcours et à une faible productivité qui ne satisfait

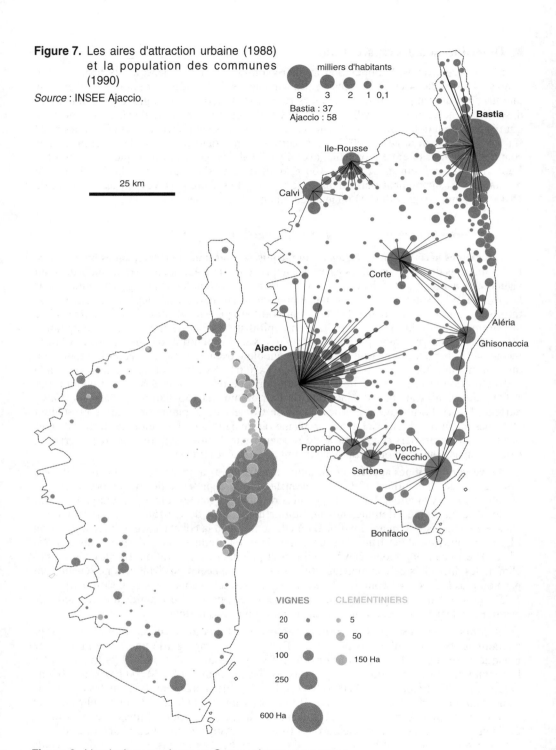

Figure 7. Les aires d'attraction urbaine (1988) et la population des communes (1990)

Source : INSEE Ajaccio.

milliers d'habitants

8   3   2   1 0,1

Bastia : 37
Ajaccio : 58

25 km

Bastia

Ile-Rousse

Calvi

Corte

Aléria

Ghisonaccia

Ajaccio

Propriano

Porto-Vecchio

Sartène

Bonifacio

VIGNES   CLEMENTINIERS

20   5

50   50

100   150 Ha

250

600 Ha

Figure 8. L'agriculture moderne en Corse : vignes et agrumes

Source : Recensement agricole 1988.

que 15 % de la demande. La situation est identique pour l'élevage porcin malgré le succès de la charcuterie dite « corse » obtenue souvent avec des animaux importés.

3. Un tourisme balnéaire dominant

■ **La Corse des rivages** a été valorisée par l'affirmation du tourisme balnéaire. Dans les zones côtières s'entassent la plupart des hébergements : 90,9 % de l'hôtellerie (24 000 lits), 97 % des villages de vacances (32 250 lits), 91 % des campings (59 639 places), c'est-à-dire 91,6 % des 120 000 places offertes par l'hébergement professionnel. S'y ajoute une vingtaine de ports de plaisance, cinq d'entre eux n'étant que des ports-abris fragiles ; leur capacité atteint 5 704 postes et, seuls, Ajaccio, Bastia et Saint-Florent en proposent plus de 500. A ces implantations correspondent des flux touristiques fortement concentrés en été. 1992 aurait apporté 1 577 000 touristes de mai à octobre : 7 sur 10 étaient présents en juillet-août. Tous les efforts d'allongement de la saison ont échoué : celle-ci dure réellement deux mois, et les quatre mois de juin à septembre totalisent 90 % des arrivées. Vu la faible population permanente, la pression touristique n'est pas écrasante ; la Corse aurait rassemblé 630 000 personnes le 15 août 1992, 2,5 fois le nombre de ses habitants, dont 384 000 touristes, ce qui lui aurait donné une densité de 72 hab./km^2.

La fréquentation de 1970 a donc triplé, mais les progrès ont été acquis surtout avant 1980 et le volume des nuitées n'a pas grossi au même rythme : la durée moyenne des séjours est tombée de 23 à 14,3 jours au cours de la dernière décennie si bien que les 22,5 millions de nuitées de 1992 dépassent à peine le chiffre de 1982. Les faveurs du tourisme estival révèlent la composition de la clientèle. 56 % des visiteurs proviennent du « continent », c'est-à-dire de l'Hexagone, et, parmi eux, 14 % sont des Corses en vacances. Le courant étranger (44 %) est dominé par les Italiens (23 %) dont l'afflux a grandi, et par les Allemands dont les arrivées sont stables. D'après les enquêtes, six touristes sur dix séjournent sur le littoral, un choisit l'intérieur, trois sont itinérants.

Les aires et les pôles attractifs voisinent, sur la côte avec des espaces vides ou peu touchés. La puissante vague de constructions n'a pas engendré ici de « Manhattan balnéaire ». La zone Ajaccio-Porto, avec 22,2 % des séjours, l'emporte sur toutes les autres. Le golfe d'Ajaccio joue un rôle majeur grâce à la corniche des Sanguinaires, surtout à la rive Sud, conquise au tourisme depuis 30 ans, et où est née la station de Porticcio. La région de Porto-Vecchio-Bonifacio (21 % des séjours) séduit une clientèle exigeante avec ses lotissements luxueux, son golf, ses ports de plaisance et l'aéroport de Figari. Elle surclasse la Balagne (16,8 % des séjours) où Calvi et Ile-Rousse bénéficient pourtant d'une vieille réputation. Beaucoup de petits noyaux animés se sont créés ou étoffés.

■ **Que récolte l'intérieur** dans le tourisme insulaire ? Il accueille traditionnellement les Corses qui retrouvent leurs villages et y possèdent une bonne part des 52 527 résidences secondaires qui constituent l'essentiel de la capacité de réception. La montée des citadins amateurs de fraîcheur, en été, vers un réseau de petits hôtels est aussi une tradition. L'apparition d'un embryon de « tourisme vert », depuis moins de 10 ans, apporte une nouveauté : il est appuyé sur quelques campings, 2 200 places en gîtes ruraux, une série de refuges et de haltes de randonneurs qui suivent les sentiers balisés ou se promènent à leur guise en pratiquant le camping sauvage. Le tourisme équestre s'affirme, tandis que les week-ends d'hiver entraînent la venue des amateurs de neige là où le ski est possible.

Les impacts du tourisme s'ajoutant à l'apparition de l'agriculture moderne et à la poussée urbaine ont exercé une influence sélective sur l'espace insulaire désormais dominé par les basses terres littorales qui concentrent la plus grande partie de la population et des activités.

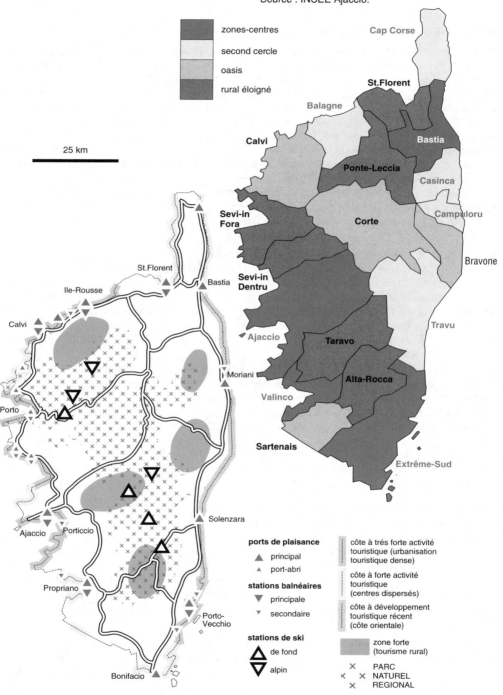

Figure 10. Les micro-régions et leur typologie
Source : INSEE Ajaccio.

zones-centres
second cercle
oasis
rural éloigné

25 km

Cap Corse
St.Florent
Balagne
Calvi
Bastia
Ponte-Leccia
Casinca
Campuloru
Sevi-in Fora
Corte
Bravone
Sevi-in Dentru
Ajaccio
Travu
Taravo
Moriani
Alta-Rocca
Valinco
Sartenais
Extrême-Sud

St.Florent
Ile-Rousse
Bastia
Calvi
Porto
Moriani
Ajaccio
Porticcio
Solenzara
Propriano
Porto-Vecchio
Bonifacio

ports de plaisance
▲ principal
▴ port-abri

stations balnéaires
▼ principale
▾ secondaire

stations de ski
△ de fond
▽ alpin

côte à trés forte activité touristique (urbanisation touristique dense)

côte à forte activité touristique (centres dispersés)

côte à développement touristique récent (côte orientale)

zone forte (tourisme rural)

× PARC
× × NATUREL
× REGIONAL

Figure 9. Le tourisme en Corse

4. UN BILAN AMBIGU POUR LA RÉGION CORSE

L'île et ses deux départements constituent une collectivité territoriale pourvue d'un statut dérogatoire. Depuis le PAR de 1957, l'examen des résultats obtenus, au terme de 30 ans de croissance, entraîne un constat réservé.

1. Une structuration déséquilibrée de l'espace insulaire

■ **Un nouveau découpage interne** exprime les effets inégalisateurs de l'évolution récente. Les sollicitudes officielles vont maintenant aux micro-régions qui se sont affirmées, dans les années 80, avec le soutien de l'Assemblée de Corse et de l'Etat dans le cadre du Plan Etat-Région 1989-93, et celui de la C.E.E. dans le cadre des Programmes intégrés méditerranéens. Appuyées sur les situations démographique et économique, elles sont regroupées par l'INSEE en catégories qui traduisent la diversité insulaire :

1) Les zones-centres sont des zones côtières structurées autour d'un pôle d'attraction très fort ; accueillant les flux migratoires, elles ont les 2/3 de la population et 70 % des actifs. Elles englobent les zones d'Ajaccio et de Bastia, mais aussi l'Extrême-Sud, de Porto-Vecchio à Bonifacio et Propriano.

2) Les zones de « second cercle » ont une population moins dense, moins concentrée dans une commune-pôle, et sont plus marquées par l'agriculture. C'est le cas de la Balagne, du Cap-Corse, de la Casinca, du Travo, toutes en Haute-Corse.

3) Les « oasis » possèdent une population plus faible, moins de 16 hab./km^2, mais les communes-pôles sont des points-relais bien vivants avec équipements et services. Calvi, Corte, la Bravone autour d'Aléria, y figurent pour la Haute-Corse, et Sartène pour la Corse du Sud.

4) Les micro-régions du « rural éloigné » sont les éléments les plus touchés par l'exode, le vieillissement des habitants et la disparition des activités. Il s'agit des hautes vallées intérieures. Elles n'atteignent le littoral que dans les zones escarpées : Saint-Florent à cause du désert des Agriates, Sevi in Fora qui intègre Porto et Piana.

■ Décalages

La disparité des revenus, mesurés à travers les déclarations fiscales, révèlent les décalages existants. Au-dessus de la moyenne corse (100) s'impose la région d'Ajaccio (115) où l'emporte la rive sud du golfe (150). Au-dessous arrivent en queue les zones montagnardes déjà citées dont les revenus sont en baisse. Les déséquilibres internes et la localisation du dynamisme corse se dégagent avec force de la cartographie des flux de trafic routier. En excluant les tronçons d'entrée-sortie d'Ajaccio et Bastia, c'est l'axe nord-sud Bastia-Ghisonaccia qui domine, toute l'année, par le volume du trafic. Il est toujours supérieur à l'axe dit « métropolitain » Ajaccio-Corte-Bastia. La distinction est faite dans les objectifs du futur schéma d'aménagement qui prévoit l'établissement de deux voies rapides, l'une de niveau régional entre Ajaccio et Bastia, l'autre de niveau international le long de la côte orientale. L'affirmation de la façade Est, révélée, depuis 30 ans par la démographie, est confirmée par les flux maritimes marchandises-voyageurs. Bastia concentre 51 % du trafic marchandises corse et 56 % du trafic voyageurs ; avec Porto-Vecchio, les chiffres se hissent à 60 % pour les marchandises et 58 % pour les voyageurs. La vitalité insulaire s'appuie largement sur le littoral tyrrhénien, Ajaccio, noyau riche et animé sur la côte occidentale, apparaissant comme « un îlot dans l'île » pour l'INSEE.

2. Une économie vulnérable

Malgré la multiplicité des aides venues du dehors, malgré la hausse évidente des niveaux de vie et les signes d'enrichissement, l'économie reste caractérisée par sa faible différenciation, sa faible productivité et la fragilité de ses activités. Il est troublant de constater que les jugements émis par l'Inventaire de 1949, puis le PAR, sont presque semblables à ceux du récent schéma d'aménagement qui, dans son projet, déplore « une région en retard de développement », et « une économie de services... dépendante de l'extérieur pour son approvisionnement en produits alimentaires et manufacturés... une économie qui n'a pas encore vraiment amorcé son rattrapage sur les autres régions françaises. »

■ **La mise en valeur agricole,** l'irrigation ont introduit l'agriculture moderne sous l'impulsion de la Somivac qui a disparu, remplacée par l'Office hydraulique et l'Office de développement agricole et rural. Pourtant, la surface cultivée ne couvre que 3 % du territoire et la surface utilisée le quart seulement. En plaine orientale, l'extensification vient de gagner 10 000 ha. Avec 5 116 exploitations, les actifs représentent 9,9 % du total, procurant 3,2 % du P.I.B. Les nouveautés introduites, clémentines, kiwis, souffrent de la chute des prix ; ce sont les vieilles activités rénovées qui apportent les profits les plus sûrs, vin de qualité, élevage ovin laitier avec fabrication du fromage. Depuis 10 ans, la situation agricole est inquiétante, moins à cause du montant des prêts qu'à cause de l'énorme part des impayés. Les agriculteurs ont demandé l'effacement de la dette. Les plus virulents disent que l'agriculture corse est structurellement non rentable ; les dernières propositions de développement sollicitent le maintien et le renforcement des aides.

■ **Le secteur secondaire** reste dominé par le bâtiment qui, malgré sa rétraction, réunit plus d'actifs que l'agriculture : 12 % des emplois apportant 11,3 % du P.I.B. Le tissu industriel s'appuie surtout sur l'énergie et l'agro-alimentaire dans un secteur étriqué qui ne possède que 7,8 % des actifs. Mais des nouveautés ont surgi avec la multiplication des zones industrielles, d'ailleurs difficiles à meubler ; la délocalisation a introduit la haute technologie grâce à Corse Composites Aéronautiques et à deux implantations proches. L'essaimage attendu ne s'est pas produit.

■ **Les fonctions tertiaires**

Avec des effectifs qui ont doublé en 30 ans, elles ont accru leur prépondérance, groupant 70 % des actifs et représentant 75 % du P.I.B. L'hypertrophie célèbre des services publics et parapublics demeure puisqu'un salarié sur trois est au service de l'Etat. Les vieilles préférences de la société locale pour les métiers de « cols blancs » ont été encouragées par le renforcement des structures administratives après l'érection de la Corse en région économique, la création des deux départements puis la décentralisation en 1982. Pourtant les récentes créations d'emplois touchent plutôt le commerce. Ici se manifeste l'impact du tourisme qui a été considéré comme une activité locomotrice. L'est-il encore ? En 1992, les touristes auraient laissé 5 milliards de francs en Corse, et la valeur ajoutée ne serait élevée à 3 milliards. La consommation touristique aurait correspondu à 20 % de la consommation des ménages. Mais c'est une ressource éphémère et fragile par essence. Depuis 1993, la fréquentation fléchit à tel point que les derniers bilans montrent une régression sensible. Elle touche les arrivées malgré la mise en service des navires à grande vitesse en 1996, celles des étrangers, surtout Italiens, comme celles des Français. Elle touche aussi les nuitées si bien que, dans les hôtels et les campings, les taux d'occupation ne dépassent 50 % qu'au mois d'août. Ces résultats inquiétants entraînent des craintes pour l'avenir dans une région qui possède 153 lits touristiques pour 100 hab. contre 32 pour la France.

La Corse reste donc dépendante de son économie de services qui lui donne les trois-quarts de sa richesse, puisque ses forces productives, industrie et agriculture, n'y contribuent que pour 8,6 %. Le déséquilibre de ses échanges qui s'est aggravé traduit sa dépendance vis-à-vis de l'extérieur : le taux de couverture des importations par les exportations s'élève à 14,6 %.

Le bond en avant, accompli depuis 30 ans, n'aurait-il rien changé ?

3. Des progrès, des projets, des problèmes

En réalité, la continuité s'associe au changement qui est indéniable. Il est vrai que les manifestations de la croissance revêtent des aspects ambigus. Si la dépopulation a cessé, le tarissement de l'immigration et la chute de la natalité ralentissent sévèrement le « repeuplement ». La Corse demeure la moins densément peuplée des grandes îles méditerranéennes. Bien qu'elle possède encore près de deux inactifs pour un actif, le taux d'activité a augmenté, surtout pour les femmes, mais le chômage également, supérieur au taux français. Elle a bénéficié, en particulier, d'une amélioration évidente du niveau de vie : la possession du téléphone, de la voiture, de la télévision-couleur ou du lave-vaisselle dépasse la moyenne nationale. Il y a 405 voitures pour 1 000 hab. contre 403 aux Baléares, 385 en France, 302 en Sicile, 288 en Sardaigne. Pourtant, tous les décalages n'ont pas été éliminés. Avec 75 400 F/hab., le P.I.B. est toujours le plus faible de France, comme le salaire moyen et l'impôt sur le revenu par habitant : 2 588 F et 4 121 F dans le pays. Et l'île dépense presqu'autant au jeu qu'elle donne au percepteur : loto et P.M.U. drainent les 3/4 des sommes versées à l'Etat. Contradictions qui s'expliquent par le rôle de « l'économie souterraine » et celui des prestations sociales de 20 % supérieures à la moyenne à cause des retraites et des pensions.

Les progrès résident aussi dans l'amélioration des liaisons routières ; s'il n'y a pas d'autoroute, la circulation d'Ajaccio à Bastia, de Bastia à Bonifacio, à l'entrée des deux principales villes, et de Ponte-Leccia à la Balagne, est devenue plus facile. Les ports se sont transformés : le remodelage en cours du port de Bastia en témoigne. Les quartiers vétustes des villes ont été rénovés ou commencent à l'être : après Ajaccio, Bastia s'y consacre. Les entreprises de réhabilitation se multiplient. La vague d'urbanisation périphérique, avec ses bourgeonnements mal maîtrisés et ses implantations linéaires au bord des axes routiers, détermine les mutations du paysage. Jadis figé dans son déclin, l'intérieur ne reste pas à l'écart : les initiatives du Parc, de la Somivac, de l'Odarc, les contrats de pays et les comités de développement ont travaillé à favoriser, outre les équipements collectifs, l'éclosion des gîtes, des campings à la ferme… Le souci de la restauration du patrimoine a pénétré, et, même, le montage de produits touristiques.

De nombreux projets surgissent. Une centrale thermique au gaz liquéfié va être édifiée au sud de Bastia pour faire face à la hausse de la consommation d'électricité qui a décuplé en 30 ans alors qu'elle triplait sur le continent. L'association Futura est née, celle de la Corse technopolitaine : Bastia, Ajaccio, Figari, ont dévoilé leurs intentions. Les 12 communes, supérieures à 2 000 hab., viennent de bénéficier de contrats qui vont leur permettre de perfectionner leurs équipements.

Toutes les réalisations passées, présentes, futures, n'ont pu et ne peuvent être entreprises que parce que la Corse est « sous perfusion ». L'assistanat si souvent attaqué, c'est-à-dire l'apport de fonds publics provenant des départements, de la collectivité territoriale, de l'Etat, de l'U.E., soutient l'édifice insulaire. La situation ne devrait guère s'améliorer puisque la perpétuelle revendication, qui fait l'unanimité, est celle d'un statut fiscal dérogatoire. D'ailleurs, l'annonce de la création d'une zone franche pour 5 ans va accroître le volume des aides et des dégrèvements. C'est la preuve de cette recherche « d'identité spécifique » que l'U.E. a reconnue pour Madère, les Canaries, et les lointaines Açores. Elle traduit la permanence du malaise insulaire : né de la brutalité des changements qui font un peu figure de viol, entretenu par les insatisfactions économiques, il s'exprime par la vigueur des mouvements protestataires, autonomiste et nationaliste, et entraîne la « dérive mafieuse », l'inflation des affaires frauduleuses, des attentats, des homicides.

La Corse est l'île congénitalement handicapée par la mer qui l'entoure, la montagne qui l'encombre, l'étroitesse du marché local. Elle est aussi l'île du « double visage », celle de la tradition et de la modernité, de la pauvreté et de l'aisance, des agitations suspectes ou violentes et des vacances estivales euphoriques. Oppositions et ambiguïtés vont de pair avec l'ampleur des transformations subies. Placée par les diagnostics officiels en marge de l'Europe parce qu'en retard de développement, elle y est désormais intégrée, associée à ses flux et irriguée par ses richesses.

BIBLIOGRAPHIE

ALBITRECCIA (A.). *La Corse, son évolution au XIXe siècle et au début du XXe siècle*, Paris, P.U.F., 1942.

ARRIGHI (P.) sous la direction de, *Histoire de la Corse,* Toulouse, Privat, 1971, 454 p.

ETTORI (F.), PECQUEUX-BARBONI (R.), POMPONI (F.), RAVIS-GIORDANI (G.), RENUCCI (J.) et SIMI (P.). *Corse*, Paris, Bonneton, 1992, 431 p.

KOLODNY (E.). *La géographie urbaine de la Corse*, Paris, SEDES, 1962, 334 p.

RENUCCI (J.). *Corse traditionnelle et Corse nouvelle*, Lyon, Audin, 1974, 454 p.

RENUCCI (J.). *La Corse*, P.U.F., Que sais-je ?, 3e édition, 1992, 128 p.

RONDEAU (A.). *La Corse*, A. Colin, 1964, 194 p.

CHAPITRE

4

AUVERGNE

Christian Mignon

La région Auvergne – avec quatre départements (Allier, Puy-de-Dôme, Haute-Loire, Cantal) – déborde de beaucoup le cadre de l'ancienne Province. Agrandie du Velay au sud-est (partie orientale de la Haute-Loire) et surtout du Bourbonnais au nord (département de l'Allier), elle a peut-être perdu ainsi un peu de son unité initiale. Cependant, sa personnalité, très marquée par la géographie, demeure forte.

1. PERSONNALITÉ DE L'AUVERGNE

1. Terre de contrastes et de contacts

■ **La variété des paysages** *(Figure 11)*

L'Auvergne est la seule région entièrement rassemblée au sein du Massif central. Montagneuse pour plus des 2/3 de son territoire, c'est une « **moyenne montagne** » qui « *s'étale plus qu'elle ne s'élève* » (A. Fel). Si les sommets n'atteignent nulle part 2 000 m, l'altitude moyenne y est assez élevée, souvent autour de 1 000 m. Sur ce massif ancien raboté par l'érosion, **l'horizontalité des plateaux cristallins** constitue un terme familier des paysages.

L'Auvergne pourtant est singulière dans le cadre du Massif central : elle échappe à la monotonie des lourdes voûtes qui, plus au sud ou à l'ouest, règnent assez continûment, s'affirme au contraire d'emblée comme une **région cloisonnée**. Le morcellement lui confère ses traits les plus spécifiques. Le jeu des failles, essentiellement orientées dans le sens méridien, a disloqué un socle trop rigide et engendré à la fois l'organisation d'ensemble du relief et les caractères les plus remarquables de ses paysages :

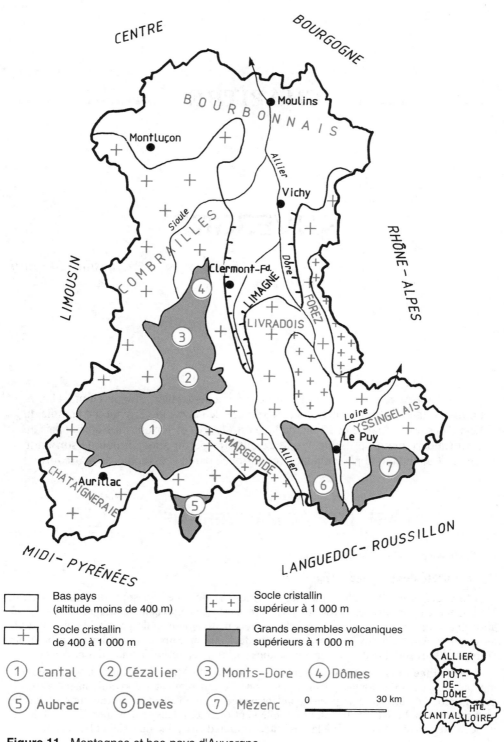

CENTRE

BOURGOGNE

B O U R B O N N A I S

● Moulins

Montluçon ●

Vichy ●

Allier

Sioule

C O M B R A I L L E S

Dore

LIMOUSIN

RHÔNE – ALPES

Clermont-Fd ●

④

LIMAGNE

LIVRADOIS

FOREZ

③

②

Loire

YSSINGELAIS

①

Le Puy ●

MARGERIDE

Allier

⑦

CHATAIGNERAIE

Aurillac ●

⑤

⑥

MIDI – PYRÉNÉES

LANGUEDOC – ROUSSILLON

	Bas pays (altitude moins de 400 m)			Socle cristallin supérieur à 1 000 m

Socle cristallin de 400 à 1 000 m

Grands ensembles volcaniques supérieurs à 1 000 m

① Cantal   ② Cézalier   ③ Monts-Dore   ④ Dômes

⑤ Aubrac   ⑥ Devès   ⑦ Mézenc

0   30 km

ALLIER
PUY-
DE-
DÔME
CANTAL   HTE.
LOIRE

Figure 11. Montagnes et bas-pays d'Auvergne

La France dans ses régions

Le volcanisme, étroitement lié à l'image de l'Auvergne, est un peu partout présent. Cependant, c'est surtout à l'ouest qu'il s'impose selon l'axe N-S des monts d'Auvergne. Là se succèdent les grands appareils complexes qui constituent les monts du Cantal, puis les monts Dore, et enfin, vers le nord, l'alignement des tout jeunes volcans – cônes et dômes – de la chaîne des Puys. Il n'est pas absent, malgré tout de l'Auvergne orientale où il réapparaît avec force dans les monts du Velay (Mézenc, Meygal, plateaux du Devès entre Loire et Allier).

L'existence de profonds couloirs d'effondrement affaissés entre les môles cristallins, marque aussi la personnalité de l'Auvergne. Les Limagnes, chapelet de bassins qui jalonnent le cours de l'Allier, en constituent l'élément principal et, en quelque sorte, « l'épine dorsale » de tout le système auvergnat. Autour d'elles s'articulent les grands ensembles montagneux : monts d'Auvergne volcaniques à l'ouest, hautes terres surtout cristallines à l'est. Nulle part ailleurs dans le Massif central, ces bassins ne sont aussi présents, aussi continus : ils fertilisent l'Auvergne, l'ouvrent vers les plaines au nord, lui confèrent à la fois variété et cohérence.

La variété des paysages en découle, née de la juxtaposition sur de courtes distances des plaines et des montagnes.

Sur les hauteurs et malgré des altitudes modérées, s'impose la marque d'une rudesse clairement montagnarde. Fraîcheur et humidité en font des pays verts, d'herbages et de forêts. L'hiver est long et la neige fréquente.

Les bassins, tout proches, évoquent un autre monde. Vignes, vergers, moissons témoignent des faveurs d'un milieu beaucoup plus sec, aux températures plus clémentes.

C'est au cœur de la région, en basse Auvergne (Puy-de-Dôme, nord-ouest de la Haute-Loire) que les contrastes sont les plus vifs. D'ouest en est, montagnes et bas-pays se succèdent à un rythme rapide, cohabitent vraiment et parfois même s'interpénètrent lorsque, entre plaine et sommets, s'interpose l'épaisseur des « pays coupés » (entre petites limagnes d'Issoire et de Brioude notamment et les montagnes encadrantes).

Aux extrémités, au nord comme au Midi, les contrastes se font par contre moins vigoureux : hautes terres plus uniformément monotones au sud, soudées de part et d'autre de l'Allier, où, avec l'effacement des limagnes, l'Auvergne se termine en cul-de-sac ; plaines ou bas-plateaux continus du Bourbonnais, au nord, qui, alors que s'estompent les bordures montagneuses, annoncent déjà les calmes horizons du Bassin parisien.

L'Auvergne constitue malgré ces contrastes **un ensemble équilibré et cohérent**.

Une architecture harmonieuse se marque aussi bien dans le détail des paysages rarement heurtés, composés le plus souvent d'horizons régulièrement étagés de plaines en buttes, de plateaux en sommets, que dans l'organisation d'ensemble du système régional. Ce dernier s'articule clairement à partir de la gouttière centrale que suit la vallée méridienne de l'Allier. Les eaux, les hommes, les énergies... tout converge naturellement vers le couloir des Limagnes et, par là, s'écoule vers le nord. Peu d'espaces échappent à ce schéma si ce n'est, aux extrémités méridionales, le bassin de la Loire qui draine les plateaux du Velay vers la plaine du Forez et Saint-Etienne ou, au sud-ouest, le Cantal aurillacois ouvert sur l'Aquitaine.

Des complémentarités étroites associent traditionnellement plaines et montagnes voisines. Les échanges, à courte distance dans le sens transverse, ont toujours été intenses : vins et fruits des coteaux limagnais contre fromages et salaisons de la montagne, troupeaux transhumants, mouvements de saisonniers vers les récoltes des bassins. Plus tard, les villes et l'industrie ont largement puisé dans la réserve alors abondante des montagnards. L'Auvergne traditionnelle marie les contraires plus qu'elle ne les oppose. Le dispositif urbain exploite ces complémentarités au contact des deux milieux. Il dessine un double alignement nord-sud au long des bordures montagneuses qui limitent la Limagne, contrôlent à la fois la direction méridienne des relations lointaines et les échanges locaux entre plaines et hautes terres.

■ Aux marges du Nord et du Midi : le contact des cultures

Par sa situation au cœur de la France médiane, l'Auvergne se définit aussi au long de l'histoire comme un lieu de rencontre entre influences venues du Nord et celles issues du Midi occitan. Il en résulte une coupure toujours apparente au contact de deux ensembles culturels.

L'Auvergne de tradition est, pour l'essentiel, d'affinité méridionale. La toponymie, le dialecte rappellent l'ancienneté du peuplement dans la mouvance des cultures méridionales. Les paysages eux-mêmes évoquent souvent, en Limagne, des aspects du Midi : gros villages aux tuiles rondes, tassés, parfois perchés…

Cette Auvergne, précocement peuplée, se définit surtout par un trait social bien affirmé : c'est le siège **d'une petite paysannerie** dense, à peu près exclusive.

En Bourbonnais, au contraire, s'imposent des caractères tout différents. Langue d'oil, accent nouveau, habitat révèlent les influences venues du Nord. Tardivement mis en valeur, notamment dans le cadre **de grands domaines aristocratiques**, l'histoire, la société, les mentalités y sont sans grand rapport avec la « culture auvergnate ».

Cette dualité « culturelle » pose donc le problème de l'identité, de la cohésion de la région actuelle qui associe Auvergne et Bourbonnais. L'intégration du Bourbonnais représente un glissement vers le nord peut-être suggéré par la nature : n'indique-t-il pas du même coup un recentrage du système régional tout entier, du sud vers le nord, des hautes terres vers le bas-pays ?

2. Auvergne modeste et inquiète

■ Peu d'hommes, peu de richesses

Le poids de l'Auvergne est faible dans le concert des régions françaises. Sa population – 1,3 million d'habitants –, un potentiel de ressources modeste, la classent parmi les plus « petites régions » de l'Hexagone.

Considérée sous l'angle des densités, la situation paraît plus médiocre encore. Sur près de 5 % de l'espace national, l'Auvergne ne rassemble que 2,3 % de la population et 1,8 % de la valeur ajoutée française. Les moyennes, en matière démographique et économique, sont plus de deux fois inférieures à celles de l'ensemble de la France.

Ce constat de faiblesse résulte d'une longue histoire qui n'a cessé d'appauvrir la région au même titre que la majeure partie du Massif central.

■ Crise ancienne, inquiétudes d'aujourd'hui

L'Auvergne perd ses habitants depuis plus d'un siècle : près d'1,6 million d'habitants en 1866, 1,3 aujourd'hui. L'émigration a frappé sévèrement et désormais les naissances n'équilibrent plus les décès. Certes le dépeuplement n'a pas toujours été aussi intense ni égal en tous lieux. Une légère reprise se manifeste pendant une vingtaine d'années (1950-70), qui signale un vif mouvement d'immigration, suffisant pour compenser alors la vague des départs. Mais il concerne surtout le Puy-de-Dôme et ses villes, accessoirement l'Allier. Dans le Cantal, la Haute-Loire, le déclin démographique demeure continu : le premier cité perd près de la moitié de ses habitants depuis le milieu du siècle dernier, le second presque un tiers. Semblable évolution ne fait que traduire la crise des activités traditionnelles et concerne finalement l'ensemble du Massif central et, au-delà, la plupart des montagnes françaises.

L'inquiétude du présent est, par contre, plus singulière. Alors que presque toutes les régions de montagnes « renaissent », stabilisent leur population et même souvent l'accroissent, l'Auvergne, elle, continue de perdre ses habitants. Le dépeuplement revêt ici, comme dans la plus grande partie du Massif central, l'aspect d'un mal chronique. La population auvergnate a encore reculé d'une dizaine de milliers de personnes entre 1982 et

1990. La perte peut sembler modeste. Elle traduit pourtant une tendance particulièrement alarmante pour l'avenir dans la mesure où elle manifeste des défaillances généralisées : mouvement naturel déficitaire, mais aussi désormais solde migratoire négatif, et qu'elle **affecte aujourd'hui aussi bien les villes que les campagnes**. Ainsi s'exprime un inquiétant malaise de l'économie régionale : les difficultés de l'agriculture ne sont ni récentes, ni inattendues, celles de l'industrie – on parle parfois de désindustrialisation – sont bien plus durement ressenties. En conséquence, l'Auvergne se signale aujourd'hui comme l'une des rares régions à accuser un sensible recul du nombre des actifs (1975-90).

C'est là une malheureuse particularité qu'elle ne partage qu'avec le Limousin, le Nord et la Lorraine, comme si elle ajoutait aux handicaps traditionnels de la montagne, les difficultés propres aux vieilles régions industrielles à reconvertir. Crise passagère en période de basse conjoncture ou mal plus profond inscrit dans la nature d'une région trop défavorisée ?

3. Pauvreté de l'Auvergne : des handicaps persistants

L'Auvergne a la réputation d'un pays pauvre : le pays est bien rude souvent et ses habitants ont dû quitter en nombre une terre trop difficile. On doit se demander pourtant si cette pauvreté – supposée ou réelle – représente une constante, un handicap si permanent qu'il s'oppose toujours au développement régional.

Trop généraux, les indicateurs économiques n'apportent guère de réponse, et distinguent mal l'Auvergne de la plupart des autres régions de la France du Sud ou de l'Ouest dont le P.I.B./habitant est également très au-dessous des moyennes nationales. Par ailleurs, il convient de ne pas noircir exagérément le tableau. A côté de résultats effectivement médiocres, de belles réussites doivent être signalées dans la plupart des secteurs d'activités et l'Auvergne dispose aussi de richesses.

■ L'empreinte montagnarde : les handicaps physiques

Plus des 2/3 de la région sont classés en « zone de montagne ». C'est dire la puissance du fait montagnard et l'importance des contraintes qui en découlent pour les activités humaines.

L'agriculture subit de graves préjudices, moins en raison des pentes souvent modérées, ni même de la médiocrité des sols, en dehors des plateaux cristallins (les planèzes volcaniques ont la réputation de terres fertiles), que du fait d'un **climat** qui pénalise gravement les productions : élimination des cultures trop fragiles (le maïs, notamment, si nécessaire à l'élevage moderne, est exclu de la plus grande partie des montagnes), rendements amoindris, insuffisants en regard de charges accrues par la longueur des hivers (investissements en bâtiments). Aujourd'hui encore, où faute de mieux, la montagne a dû se convertir à l'herbe, l'élevage ne fournit que des résultats décevants face à ceux qu'obtiennent les bas-pays.

L'isolement – lenteur et difficulté de la circulation – contraint en fait toutes les activités. La « topographie en creux », caractéristique des massifs anciens, multiplie les gorges franchies au prix de longs et sinueux détours. Les relations autrefois se limitaient à de courtes distances. La neige rendait souvent hasardeuse la traversée des montagnes. Les progrès de la route moderne, au moins sur quelques grands axes, n'ont pas aujourd'hui encore rompu entièrement ces obstacles. L'Auvergne demeure enclavée sur de vastes espaces. Les activités assujetties à des échanges à distance en ont souffert, en souffrent encore aujourd'hui. On comprend du même coup la faiblesse de la vie urbaine montagnarde, petites villes-marchés à rayonnement local, sans grand pouvoir d'impulsion. Aussi l'économie de ces hautes terres se résume-t-elle surtout à l'agriculture, elle-même pénalisée par la rudesse du milieu. La région tout entière subit le handicap d'une vie montagnarde trop peu diversifiée et dont l'extension territoriale est largement majoritaire.

Or, ces défaveurs s'accusent aujourd'hui. Moyenne montagne trop haute pour rivaliser avec le bas-pays dans le domaine agricole, trop basse pour bénéficier en contrepartie de la neige et des sports d'hiver qui enrichissent la grande montagne alpine, l'Auvergne est en fait doublement pénalisée dans le contexte actuel d'échanges concurrentiels. Ses difficultés actuelles tiennent pour beaucoup à la pauvreté persistante de la montagne.

■ Les faiblesses de la société

La pauvreté de l'Auvergne est aussi celle des Auvergnats, celle de sa petite paysannerie, d'un petit peuple besogneux qui prévaut à la montagne comme dans les plaines. L'émiettement des biens, la faiblesse des ressources, culminent au siècle dernier avec le maximum démographique et contraignent finalement à l'exode.

Faute de beaux domaines et de grand commerce, l'Auvergne n'a guère accumulé les capitaux qui, ailleurs, ont pu faire naître de puissantes activités modernes. Lorsque, par exception, les fortunes existent, elles ne s'attachent guère qu'aux intérêts terriens (aristocratie bourbonnaise, grands éleveurs du Cantal). Certes, l'émigration a pu drainer en retour des pécules nombreux, mais trop modestes sans doute pour faire naître de « belles affaires ».

La pauvreté de la petite paysannerie, sa prudence en cas de réussite, n'ont guère favorisé en Auvergne le grand mouvement industriel et urbain de la fin du siècle dernier. Les capitaux et les initiatives, presque toujours, viendront du dehors. En définitive, l'Auvergne n'a été riche que de ses hommes et, à son tour, cette richesse se dérobe…

La pauvreté démographique est probablement aujourd'hui le principal handicap de l'Auvergne. Inversion stupéfiante depuis un siècle : trop d'hommes autrefois, pas assez aujourd'hui ! De plus en plus, le problème peut se poser en terme de « masse critique ». Le département du Cantal abrite moins de 160 000 habitants, la Haute-Loire à peine plus de 200 000. Dans les campagnes, les densités se tiennent le plus souvent entre 10 et 20 h/km^2, rarement au-dessus de 20. Restera-t-il bientôt assez d'hommes pour animer l'ensemble du territoire régional ? Car cette population réduite est aussi une population vieillie qui comporte désormais autant de personnes âgées (> 60 ans) que de jeunes de moins de 20 ans. Loin de s'améliorer, la situation se dégrade encore. La dénatalité s'aggrave (natalité de 11,2 ‰ pour une mortalité de 11,8 ‰ entre 1982 et 1990) et la région n'attire plus assez de migrants pour enrayer le déclin démographique.

L'insuffisance des villes est aussi fortement préjudiciable à la région.

La sur-représentation de la population rurale est toujours manifeste. Resté majoritaire jusque dans les années 60-70, le monde des campagnes conserve encore 42 % des habitants (moyenne française : 25 %) et le sud de l'Auvergne affiche des records de ruralité : 53 % de campagnards en Haute-Loire, 66 % dans le Cantal !

La déficience de l'armature urbaine est pour beaucoup dans les difficultés de la démographie et de l'économie auvergnates. Trop faibles globalement, trop petites souvent (seules, en dehors de Clermont-Ferrand, Vichy et Montluçon atteignent 60 000 habitants), les villes animent mal l'espace régional, redistribuent peu les hommes et les activités. La « renaissance rurale », qui ailleurs revivifie les campagnes, est ici à peine ébauchée, réduite à d'étroits rayons périurbains.

A l'inverse, Clermont-Ferrand, avec quelque 300 000 habitants, fait un peu figure de monstre qui regroupe près du quart de toute la population régionale. La grande ville, dans ces conditions, n'absorbe-t-elle pas la vie de sa région, plus qu'elle ne la ranime ? La question des solidarités entre villes et campagnes semble, en tous cas, de plus en plus déterminante.

2. VILLES ET CAMPAGNES D'AUVERGNE

1. Les campagnes menacées

Les campagnes pèsent toujours en Auvergne d'un poids considérable. Or, elles souffrent en cette fin de siècle d'une double insuffisance :

– démographique, en conséquence d'une situation alarmante qui les range le plus souvent parmi les « espaces fragiles » ;

– économique, par suite des difficultés d'une fonction agricole trop exclusive alors que les activités de relais s'affirment timidement.

■ L'agriculture

L'agriculture mobilise encore près de 10 % des actifs auvergnats, soit deux fois plus que la moyenne française, et localement, beaucoup plus (18 % dans le Cantal, 14 % en Haute-Loire, souvent plus de 30 voire 40 % à l'échelle de nombreux cantons de montagne). Cette sur-représentation constitue un grave handicap alors que les perspectives libérales de l'Europe actuelle font pressentir un recul considérable de l'activité agricole. Tout l'équilibre de la société rurale, déjà bien compromis, pourrait s'en trouver ruiné. L'agriculture auvergnate avait pourtant remarquablement progressé au cours des dernières décennies.

* La modernisation, un renversement tardif mais rapide

L'Auvergne paysanne, celle de la tradition, est demeurée longtemps vivante, presque intacte encore dans les années 60. Mais elle paraît alors bien attardée, voire promise à un déclin irrémédiable :

– Exploitations trop menues : moins de 20 hectares par famille et souvent moins de 10 jusque dans les années 70, morcellement extrême des parcelles sans cesse divisées au gré des successions.

– Agriculteurs vieillis et peu soucieux d'innovation. La majorité dépasse la cinquantaine, moins d'un sur dix a moins de 35 ans.

– Fidélité, pour l'essentiel, à la vieille polyculture. L'élevage, en montagne, n'est guère spécialisé et fournit à la fois veaux de boucherie, lait pour le fromage ou le beurre. Les labours, encore très importants, s'y ajoutent (céréales, pommes de terre). Le tout suppose beaucoup de travail pour de maigres revenus. Le retard est considérable au moment où d'autres régions ont largement engagé leur modernisation.

– **La rupture des années 70 et l'affirmation d'une agriculture moderne** vont transformer radicalement le visage des fermes traditionnelles. L'urgence d'une situation bien dégradée, le remplacement massif des vieilles générations (rôle très efficace de l'I.V.D. après 1962), l'intervention de jeunes leaders paysans, favorisent la progression rapide et inattendue d'un mouvement qui parvient à combler les retards.

– **L'amélioration des structures est spectaculaire.**

L'agrandissement des fermes est significatif, jusqu'à assurer aujourd'hui la prépondérance d'exploitations familiales moyennes (46 ha en 1995, soit un doublement de superficie en une vingtaine d'années). D'ores et déjà, les exploitations de plus de 50 hectares monopolisent près des 2/3 de la S.A.U.

Dans le même temps, les jeunes agriculteurs sont devenus bien plus nombreux : près de 16 % des chefs d'exploitations, soit deux fois plus en valeur relative que dans les années 60. Bref, l'agriculture auvergnate, sensiblement plus jeune que la moyenne nationale, agrandie, dispose de cadres rénovés pour une activité moderne.

– **Les systèmes de production ont aussi considérablement évolué**, dans le sens général de la spécialisation et de l'intensification *(Figure 12)*.

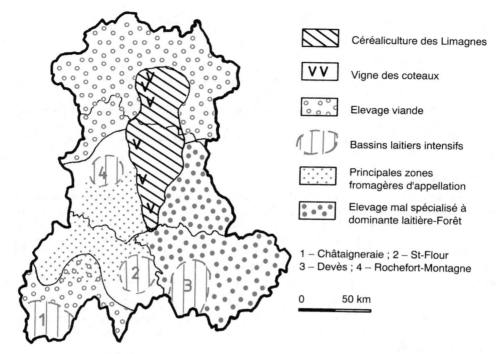

Légende :

- ⧄ Céréaliculture des Limagnes
- ⍵ Vigne des coteaux
- ⚬ Elevage viande
- ⧀⧁ Bassins laitiers intensifs
- ⦿ Principales zones fromagères d'appellation
- ⦿ Elevage mal spécialisé à dominante laitière-Forêt

1 – Châtaigneraie ; 2 – St-Flour
3 – Devès ; 4 – Rochefort-Montagne

0   50 km

Figure 12. Types de systèmes agricoles

La vocation pour l'élevage est aujourd'hui consacrée : 9 exploitations sur 10, les 3/4 du territoire couché en herbe (parfois, comme dans les Monts d'Auvergne, la totalité). En contrepartie, les labours ont presque disparu de la majeure partie de la région.

Cet élevage s'est surtout étroitement spécialisé : l'orientation laitière tend à devenir exclusive chaque fois que la dimension des fermes apparaît mesurée (Haute-Loire surtout, mais aussi Châtaigneraie du sud-ouest cantalien, Puy-de-Dôme), l'élevage viande s'impose au contraire avec l'agrandissement des exploitations, au nord surtout, en Bourbonnais et à son voisinage (Combrailles du Nord), il gagne aussi les grandes fermes du Cantal. Ici et là, on produit du « maigre », de jeunes animaux (« broutards » de 8-9 mois) qui seront engraissés ailleurs, en Champagne ou surtout en Italie du Nord.

L'intensification a beaucoup progressé grâce à l'adoption de races à hauts rendements (F.F.P.N. ou Montbéliardes pour le lait, Charolaises pour la viande) et à l'amélioration de la production fourragère (amendement des herbages, prairies temporaires, ensilage) enrichie par des achats d'aliments complémentaires.

La spécialisation céréalière s'est, par contre, concentrée dans le bas pays, et, surtout, sur les meilleures terres de Limagne autour de Clermont-Ferrand et Issoire. Si elle ne concerne plus désormais qu'une exploitation auvergnate sur dix, elle exerce cependant un empire absolu dans ses secteurs d'élection : l'élevage a été évincé, la vigne des coteaux, les pommiers des vallées ont presque entièrement disparu. Le blé règne en maître dans ces pays de champs ouverts plusieurs fois remembrés. Il s'associe aux oléagineux, au maïs. Mais, c'est surtout la culture de semences de maïs, promue par la firme locale Limagrain, qui a fait la prospérité des vingt dernières années. Elle se replie aujourd'hui sur les régions les plus proches de Clermont.

La mécanisation, les engrais et l'irrigation, la sélection des variétés cultivées permettent sur les « terres noires » à la fertilité légendaire des rendements très élevés. Ainsi, se trouve un peu compensé le handicap de taille dont souffrent les exploitations, juste moyennes en comparaison des domaines de grande culture du Bassin parisien.

En définitive, l'agriculture auvergnate a fait des progrès spectaculaires. Il en résulte pour la géographie un contraste plus vigoureux qu'il n'a jamais été entre les campagnes intégralement céréalières de grande Limagne et les herbages exclusifs des montagnes encadrantes.

* Des résultats décevants pour une modernisation coûteuse

Les efforts du dernier quart de siècle ont été payés au prix fort d'une âpre sélection et d'une élimination massive des agriculteurs. Deux fermes sur trois ont disparu depuis 1955 (– 1/4 pour la seule dernière décennie). La concentration foncière, la mécanisation des tâches ont, comme ailleurs, évincé une large part de la main-d'œuvre agricole, et le mouvement devrait encore s'aggraver.

Les résultats au plan économique, demeurent pourtant très loin des espérances. On est « *en présence d'une sorte d'échec de la modernisation* » (A. Fel). En terme de revenus, l'exploitant auvergnat se voit aujourd'hui rémunéré à un niveau inférieur d'1/3 au moins à la moyenne française : les aides, souvent importantes (de 30 à 60 % des ressources de l'agriculteur, surtout en montagne, grâce à l'I.S.M. notamment), compensent ce manque à gagner, mais ne font que révéler la dramatique impuissance d'une agriculture largement assistée.

L'inadaptation de la « voie productiviste » apparaît ici comme la grande explication. Les coûts de production sont en altitude bien plus élevés (investissements en bâtiments, coûts majorés des aliments concentrés pour le bétail, etc.) alors que les rendements, seulement moyens, demeurent bien plus modestes que dans les bas pays. Ainsi, l'herbe naturelle prévaut très largement sur les fourrages cultivés, souvent limités par le froid (maïs surtout) et témoigne de cette « demi-intensification ». Mais la nature n'est pas seule en cause : le déficit de la consommation d'engrais (1/2 de la moyenne nationale) souligne aussi la responsabilité des hommes.

Un tel bilan remet en question les choix opérés jusqu'ici. La nouvelle PAC – contingentement des productions surtout, encouragement à la cessation d'activité – ne peut qu'aggraver l'inquiétude et ajouter aux incertitudes. Dans la compétition exacerbée qu'elle suscite entre les régions, elle place l'agriculture auvergnate dans une situation de plus en plus fragile : que produire désormais en montagne où une réorientation hors de l'élevage n'est guère envisageable ?

La spécialisation laitière qui mobilisait la majorité des éleveurs paraît désormais réservée à une élite déjà dotée de gros troupeaux très productifs et donc de quotas confortables. Entre 1979 et 1988, les exploitations laitières ont diminué de moitié et le cheptel a régressé sensiblement. Ainsi se dessine une nouvelle géographie du lait, beaucoup plus sélective, au profit de quelques foyers au dynamisme depuis longtemps reconnu et qui renforcent leurs positions. Solidement encadrés par de puissantes industries laitières, des « bassins de production » se constituent, assez forts pour soutenir la concurrence : Châtaigneraie du Cantal au sud-ouest, région de Saint-Flour, zone de Rochefort au nord des monts Dore, plateaux du Devès en Haute-Loire. En contrepartie, la réorientation vers la production de viande maigre, celle des « broutards », progresse, surtout à partir du Bourbonnais vers les Combrailles et plus encore dans les monts du Cantal et l'Aubrac. Mais ce système, beaucoup plus extensif, suppose de vastes espaces, de grandes exploitations pour prétendre à des résultats convenables. Souvent, dans les fermes seulement moyennes, la production de viande n'apparaît que comme un palliatif qui permet, faute de mieux, de compléter une production laitière insuffisante.

La voie d'une production de qualité reconnue, à partir des fromages bénéficiaires d'A.O.C., permettrait de mieux valoriser le lait, même sur des exploitations modestes. La fabrication du saint-nectaire ou du cantal notamment offrirait d'excellentes opportunités à condition de mieux affirmer leurs qualités spécifiques et de délimiter plus rigoureusement leurs territoires. Le pari est encore loin d'être tenu.

Trop de régions, enfin, ne peuvent prétendre à aucune des spécialisations précédentes, surtout dans les montagnes orientales (Livradois, Forez, Mézenc). On prône alors la « diversification », les productions inédites (petits fruits, gibier, foie gras, etc.). Les expériences, nombreuses et parfois couronnées de succès, constituent surtout des solutions ponctuelles sur fond de pays à l'abandon...

L'avenir ne laisse pas d'inquiéter. Les contrastes s'accusent entre quelques foyers d'agriculture vivante et de vastes espaces désorientés. On attend une contraction massive du nombre des agriculteurs, même si les mesures « agri-environnementales » de l'Europe orientent des aides substantielles vers les élevages montagnards, naturellement extensifs et peuvent ainsi apparaître comme une nouvelle chance. Les campagnes auvergnates, trop dépendantes du seul travail de la terre, sont particulièrement fragiles, menacées. Dès lors, l'émergence de nouvelles activités de relais devient un problème central, vital même dans bien des cas.

■ Insuffisance des activités non agricoles

Les activités non agricoles ne sont point absentes des campagnes d'Auvergne. Après bien des désillusions, le tourisme paraît offrir de nouvelles promesses. L'industrie rurale présente aussi de belles réussites. Cependant, le bilan d'ensemble demeure trop modeste et, surtout, les fonctions non agricoles ne concernent qu'une partie de l'espace.

Le tourisme : désillusions et promesses...

• Les déceptions

On avait fondé sur le tourisme bien des espérances pour rénover et diversifier l'activité des campagnes. Mais l'Auvergne souffre en la matière des insuffisances propres à la moyenne montagne, sans les attraits de la grande montagne alpine, et est facilement concurrencée par la mer.

L'été n'accueille, comme l'ensemble des campagnes, qu'une faible minorité des vacanciers français, d'origine souvent modeste. Or, si la moyenne montagne peut jouer sur la beauté de ses paysages, l'attrait de ses lacs et de ses rivières, elle pâtit du handicap de l'altitude : la saison utile est réduite à 2 ou 3 mois au cœur de l'été. Il est bien difficile alors de rentabiliser des installations et d'assurer des ressources pour l'année entière.

Le développement tardif du tourisme hivernal n'a pas davantage assuré le succès escompté. Les sports d'hiver, uniquement pratiqués au Mont-Dore jusque dans les années 60, trop systématiquement sollicités par la suite dans de nouvelles stations comme Superbesse (Sancy) et Superlioran (Cantal) et surtout dans un grand nombre de petits centres imprudemment multipliés, souffrent de la comparaison avec leurs homologues des Alpes. L'Auvergne manque d'altitude (neige tardive et irrégulière) et de longs versants. Elle attire surtout une clientèle de voisinage issue des villes régionales. La fréquentation extérieure demeure très modeste : quelques Parisiens, quelques skieurs de l'Ouest.

C'est peut-être la résidence secondaire qui a le plus marqué la croissance des activités de loisirs : près de 400 000 lits au total, surtout répartis dans un rayon d'une cinquantaine de kilomètres autour de Clermont (monts Dore, Livradois) et de Saint-Etienne (nord-est Haute-Loire). Le tourisme auvergnat est donc d'abord une pratique des habitants de la région qui attire trop peu au-delà de ses limites (3 % seulement des séjours des Français pour 1990-91). Le « décollage » par le tourisme ne s'est pas produit.

Les contraintes climatiques ne sont pas seules responsables. Les options choisies, simples reproductions de modèles alpins à succès, font fi des potentialités réelles de la région.

L'Auvergne n'est ni la Savoie, ni le Tyrol pour croire naïvement à l'essor des sports d'hiver ou de l'agro-tourisme.

Obstacle des mentalités (agriculteurs réticents ou indifférents), insuffisance de l'équipement d'accueil trop peu rénové (hôtels vieillots et trop petits, campings sommairement aménagés parfois) qui ne répond plus aux besoins actuels, image de marque souvent négative (une Auvergne attardée, lointaine et froide) font que le « *décalage entre l'offre et une nouvelle demande potentielle est considérable* » (P. Vitte).

- **Des perspectives prometteuses ?**

En effet, un « nouveau tourisme » est en train de naître, mieux adapté à la personnalité du pays, aux grands espaces. Un foisonnement d'initiatives en témoigne.

Le nouveau tourisme renonce à l'accueil « sec », au seul hébergement, pour offrir au contraire toute une gamme d'activités largement fondées sur la découverte du pays, de ses richesses naturelles et culturelles, soit d'authentiques « produits touristiques » élaborés. Les pratiques sportives y jouent un rôle important : randonnées pédestres, équestres ou cyclistes (V.T.T.), sports aériens (deltaplane, para pente aux flancs des volcans) ou nautiques (canoë, rafting sur le haut Allier), ski de fond bien adapté à la nature auvergnate. Les activités culturelles s'associent aux précédentes : festivals de toutes natures, dans le sillage de la réussite musicale de la Chaise-Dieu, découverte du patrimoine local (nature, histoire, activités traditionnelles, etc.).

De nouveaux « acteurs » s'imposent, depuis les grands organismes (parcs régionaux des Volcans, du Livradois-Forez) jusqu'aux individus, en passant par les Associations souvent très actives. Même si l'agro-tourisme s'intègre, ici et là, au mouvement, les professionnels constituent désormais la pièce essentielle du système. On vise du même coup de nouvelles clientèles : celle qui se détourne des plages saturées, les Européens des pays du Nord-Ouest de plus en plus nombreux. Tout cela repose sur un équipement adapté : réseau de gîtes d'étapes associant hôteliers, fermes-auberges, gigantesque balisage de multiples chemins de randonnées, etc.

L'impact géographique du tourisme demeure cependant très inégal, même si les nouvelles formules fleurissent aux quatre coins de la région.

Quelques foyers s'imposent nettement : la montagne volcanique de l'ouest surtout qui bénéficie à la fois des plus beaux paysages, d'un passé touristique (thermalisme, sports d'hiver) et de la proximité clermontoise. Le massif des Monts Dore en est au cœur. Le Cantal, les montagnes orientales du Livradois-Forez jouent un rôle plus modeste. Le bas-pays et notamment le Bourbonnais n'interviennent que très modestement.

L'essor des nouvelles pratiques favorise l'émergence de nouveaux espaces touristiques en Livradois-Forez, dans le Cantal à l'ouest, sur le haut Allier au sud. Mais il reste de vastes ensembles peu concernés : c'est là l'une des limites du tourisme à constituer une solution d'ensemble pour les campagnes en difficulté.

L'industrie rurale : réalités et espoirs

Le rôle de l'industrie est, dans les campagnes d'Auvergne, bien plus notable qu'il n'y paraît : plus de 50 000 emplois, soit plus que l'agriculture, 40 % des actifs secondaires (à condition de comptabiliser les entreprises de 1 à 10 salariés).

Le panorama de l'industrie rurale est assez facile à résumer. Il s'agit essentiellement de petites et moyennes entreprises dont les 3/4 utilisent moins de 50 salariés.

Les types de fabrications sont extrêmement divers : industrie rurale « classique » (bois, agro-alimentaire dans l'Allier, la Haute-Loire, textile en Haute-Loire surtout) ou branches habituellement plus urbaines de la chimie (pharmacie, plastique « extrudé ») et de la métallurgie (mécanique de précision de l'Yssingelais) qui d'ailleurs fournissent la moitié de l'emploi total.

La géographie, surtout, en est très contrastée. L'industrie rurale se rencontre bien plus dans la moyenne montagne que dans le bas-pays où l'activité manufacturière se concentre dans les villes. Mais la montagne elle-même est très inégalement concernée.

De véritables nébuleuses industrielles qui privilégient les montagnes orientales au voisinage des régions stéphanoises ou lyonnaises apparaissent en deux ensembles. Le premier, autour de Thiers et Ambert, occupe la retombée occidentale des monts du Forez et la vallée de la Dore à ses pieds. Dans la montagne thiernoise, la vieille coutellerie s'est associée de nombreuses fabrications nouvelles (mécanique, plâterie, plastique, etc.), tandis que l'Ambertois est resté plus fidèle à la tradition textile ou papetière.

Le second, l'Yssingelais, présente une étonnante concentration d'ateliers. L'influence du textile stéphanois y est ancienne, mais depuis quelques décennies, le succès repose bien davantage sur le travail de la matière plastique : le bourg de Sainte-Sigolène s'est fait une réputation de capitale nationale dans le domaine des emballages plastiques.

Les vides industriels prédominent ailleurs, notamment dans les monts d'Auvergne, à l'ouest. Rares implantations isolées dans les Combrailles (aciérie des Ancizes), les bocages bourbonnais (industrie de la viande à Villefranche-sur-Allier), le Cantal (menuiserie à Ydes, grosse laiterie de Saint-Mamet) qui, nulle part, ne créent de tissu industriel et une atmosphère d'entreprise.

Or, dans ces campagnes restées trop agricoles, la possibilité de diffusion de l'industrie est une question centrale. La création, ici et là, de petits ateliers (Margeride, Livradois, Cantal) est essentielle au maintien d'une vie locale. Elle montre que l'usine peut prospérer dans les campagnes qui conservent un potentiel démographique minimum, que les handicaps de la localisation ou d'une main-d'œuvre peu formée ne sont pas rédhibitoires pour peu que le choix des fabrications soit adapté. Finalement, on peut se demander si, dans cette perspective, le rôle des comportements, des mentalités locales n'est pas déterminant. La Haute-Loire, très volontaire en ce domaine, enregistre des succès, à l'inverse du Cantal et même du Puy-de-Dôme. Aussi, pour l'heure, les tendances sembleraient plutôt aggraver les déséquilibres géographiques que les atténuer... Les ateliers se diffusent à partir des foyers industriels préexistants, autour de l'Yssingelais surtout, mais s'implantent difficilement ailleurs.

Ainsi, hors de quelques pôles touristiques ou industriels trop peu nombreux, les activités non agricoles demeurent encore trop modestes pour compenser le recul de l'emploi agricole et conjurer la crise démographique des campagnes. Dès lors, la population rurale ne se maintient ou n'augmente que sous l'influence des villes : campagnes périurbaines vivantes et campagnes « profondes » dévitalisées.

2. L'insuffisance des villes

L'Auvergne ne manque pas de villes, mais celles-ci sont souvent très petites et les rares agglomérations de quelque importance sont trop inégalement distribuées. Il s'ensuit que de vastes espaces se trouvent privés d'animation urbaine efficace.

■ Un développement urbain tardif et incomplet

• Le retard de l'urbanisation persiste

Il faut attendre les années 1960 pour que cède en Auvergne la prééminence des populations rurales (1/5 de citadins seulement vers 1900, 1/3 au milieu du siècle). L'essor sera ensuite vigoureux, surtout au tournant de la décennie 60-70, mais bref, vite essoufflé puisque la population urbaine stagne désormais. Avec 58 % de citadins, l'Auvergne est aujourd'hui l'une des régions les moins urbanisées de France, avec l'Ouest et les secteurs voisins du Massif central.

Les conditions, il est vrai, sont peu favorables à l'épanouissement des villes. La montagne, le morcellement du relief, même dans le bas-pays (les Limagnes se fractionnent au sud avant de se terminer en cul-de-sac), sont plus propices aux échanges rapprochés qu'aux relations lointaines. L'isolement favorise la floraison des petites unités urbaines et, même Clermont, jusqu'à la fin du XIXe, n'échappe pas à la règle.

Aujourd'hui, la dévitalisation des campagnes prive les villes de réserves migratoires. Le handicap est décisif pour les plus petites d'entre elles, fondues au sein des campagnes. Il oblige les plus grandes à compter sur une attraction extérieure, très problématique désormais.

La grande émigration auvergnate du passé n'a d'ailleurs que très partiellement bénéficié aux villes locales, en dehors de quelques périodes fastes du développement industriel. Saint-Etienne, Lyon et surtout Paris en ont bien davantage profité. Cela aussi explique la lenteur et la modestie de l'urbanisation régionale.

- **Activités et croissance urbaine**

Le développement industriel a été décisif au départ de l'expansion urbaine. Mais l'industrialisation des villes auvergnates a été bien souvent tardive, issue davantage de décisions extérieures à la région que d'initiatives locales.

En dehors de Thiers, Ambert, la tradition de villes manufacturières est à peu près absente. Encore ces très vieilles cités ouvrières diffusent-elles plus leurs ateliers à la campagne qu'elles ne les concentrent dans la ville elle-même ! Quant à la « Révolution industrielle » celle du charbon et du fer, elle ne s'illustre guère que par le cas de Montluçon-Commentry qui, au milieu du XIXe, développe une forte industrie lourde (sidérurgie, mais aussi chimie) approvisionnée par le canal du Cher. La houille de petits gisements fait naître seulement de modestes agglomérations à Saint-Eloy, Messeix, Brassac...

Le meilleur de l'équipement industriel n'apparaît que plus tard, au XXe siècle, et parfois même après la Seconde Guerre mondiale.

C'est le cas en particulier, de l'industrie du caoutchouc qui naît à Clermont du hasard d'une chronique familiale, à la fin du siècle dernier. La puissante firme Michelin connaît une vive expansion dès l'entre-deux-guerres, puis dans les années 60-70. Elle fait de la capitale auvergnate un « empire Michelin », une grande ville ouvrière sans tradition industrielle.

La plupart des autres industries s'installent plus tardivement encore, presque toujours à la suite de décisions politiques de l'entre-deux-guerres. L'Etat implante près de Clermont l'imprimerie de la Banque de France, les Ateliers industriels de l'air. Certaines grandes entreprises viennent s'abriter en Auvergne, loin des frontières. Cette « décentralisation stratégique », est à l'origine de l'industrie d'Issoire et de sa région : métallurgie de l'aluminium, (Cégédur intégré au groupe Péchiney), industrie de l'équipement automobile (Ducellier absorbé depuis lors par Valéo). Elle concerne aussi les plus fortes entreprises, à Vichy (Manurhin), Riom (Signaux, Pharmacie), etc.

Le résultat en est une concentration très accentuée de l'industrie, tant au niveau de la géographie que des entreprises.

Dans l'espace, une seule région industrielle d'envergure se dessine, au cœur de ce qu'on nomme aujourd'hui le Val d'Allier : depuis Issoire ou Brioude au sud, jusqu'à Vichy et Gannat au nord, elle est très largement dominée par l'agglomération de Clermont-Riom. Ailleurs, en dehors des vieux foyers plus modestes de Thiers d'une part, de Montluçon-Commentry d'autre part, l'industrie n'apparaît guère que de manière ponctuelle, au Puy, Aurillac ou Moulins. La carte de l'inégale urbanisation répond assez bien à celle d'une inégale industrialisation.

Les structures industrielles sont aussi fortement concentrées. Dans l'ensemble, les très grosses firmes pèsent très lourdement : Michelin bien sûr, mais aussi Merck (pharmacie), Sumitomo, Ducellier devenu Valéo, ou Péchiney, Rhône-Poulenc, etc. Il en résulte une évidente **fragilité du système industriel régional,** et ce d'autant plus que les centres de décision sont extérieurs à l'Auvergne.

La crise industrielle frappe aujourd'hui la région, accentuée par l'enracinement local insuffisant des grandes firmes, par leur orientation dans les secteurs de production les plus sensibles (60 % de l'emploi des grandes entreprises dépend du caoutchouc et dans l'ensemble du secteur automobile). La région a perdu plus de 30 000 emplois en une décennie, Clermont à elle seule accuse une perte de 13 000 postes à la suite de la réduction des effectifs Michelin. Deux ensembles d'importance, celui de Montluçon et celui d'Issoire-Brassac, ont été classés comme pôles de reconversion.

La croissance des fonctions tertiaires doit pallier désormais les défaillances de l'industrie pour soutenir la vitalité urbaine.

L'Auvergne accusait un sérieux retard en ce domaine (1/3 des actifs seulement vers 1950), comblé depuis lors : les valeurs actuelles – 60 % – sont désormais équivalentes aux moyennes nationales. Le gain a été considérable : 120 000 emplois depuis 1962, 40 000 encore pour la dernière décennie.

La fonction commerciale a été longtemps essentielle, surtout pour les petites villes-marchés animées par les foires, à la montagne (Saint-Flour, Murat, Besse), comme en Limagne (Issoire, Brioude, etc.). Elle reste aujourd'hui fort importante, surtout dans le cas des agglomérations sans grande envergure industrielle comme Aurillac ou Moulins.

Les services jouent désormais un rôle bien plus décisif, et leur qualité règle de plus en plus l'importance et le dynamisme respectif des villes.

Le renforcement de l'administration depuis la guerre, le développement des équipements scolaires ont largement soutenu la croissance des villes « moyennes », chefs-lieux départementaux surtout (Aurillac, Le Puy, Moulins) et d'autres plus petites (Brioude).

Cependant, c'est au niveau supérieur que l'essor des activités de service a été le plus sensible. Clermont-Ferrand, ville mono-industrielle il y a moins d'un demi-siècle, s'est ainsi transformée en centre tertiaire (plus de 60 % des actifs), en authentique « métropole régionale ». L'administration régionale y concentre ses Directions, les fonctions hospitalières (plus de 6 000 emplois au C.H.R.U.) et universitaires (plus de 30 000 étudiants, 2 universités, grandes écoles), les activités de recherche publiques ou privées s'y sont considérablement renforcées. En bref, la fonction régionale est devenue essentielle pour Clermont. La question, dès lors, est de savoir si l'Auvergne n'est pas une région trop anémiée pour soutenir l'élan de sa capitale. Les services clermontois, il est vrai, tendent parfois à s'affirmer au-delà du cadre de la région pour esquisser, timidement encore, une vocation de direction et d'aménagement étendue à l'ensemble du Massif central avec les sièges de la SOMIVAL et plus récemment du Comité du Massif, de l'UCCIMAC, de l'ADIMAC*. A l'étroit dans les limites d'une région trop modeste, l'ambition de Clermont serait d'acquérir des fonctions supra-régionales (voir plus loin).

Le cas de la capitale régionale exprime clairement les caractères nouveaux de l'urbanisation en Auvergne :
– la vive croissance du secteur tertiaire a signifié la disparition des villes monofonctionnelles : Thiers, Montluçon, pas plus que Clermont ne sont aujourd'hui des villes essentiellement ouvrières ;
– l'essor des fonctions tertiaires – comme ce fut le cas avec le développement industriel – s'est surtout concentré dans la métropole régionale. Il contribue, un peu plus, à accentuer les déséquilibres du système urbain auvergnat.

---

* SOMIVAL : Société de Mise en Valeur de l'Auvergne et du Limousin.
UCCIMAC : Union des Chambres de Commerce et d'Industrie du Massif Central.
ADIMAC : Association pour le Développement Industriel du Massif Central.

■ Un système urbain déséquilibré

• Une géographie contrastée

La géographie urbaine se calque sur celle du relief : plaines et bassins concentrent les villes, la montagne en est à peu près dépourvue.

La faiblesse de la vie urbaine montagnarde est frappante. Les villes y sont nombreuses cependant, mais minuscules (4 à 5 000 habitants le plus souvent). Peut-on même parler de villes à propos de tels organismes, qu'il s'agisse des petites cités plus industrielles que commerçantes des montagnes orientales (Yssingeaux, Aurec, Monistrol, Sainte-Sigolène, Arlanc, etc.) ou des rares villes-marchés des monts d'Auvergne (Murat, Besse, etc.). En fait, les « vraies villes ont toujours manqué » à la montagne, ou bien apparaissent seulement sur ses bordures (Ambert, Le Puy, Saint-Flour, Aurillac).

La concentration urbaine dans les plaines apparaît, en comparaison, d'autant plus spectaculaire. Le couloir des Limagnes en rassemble le meilleur, sur ses bordures, au contact des montagnes : Vichy, Thiers à l'est, Gannat, Riom, Clermont, etc. à l'ouest.

En réalité, la ville n'acquiert quelque importance qu'à une double condition :
– la taille de la ville se règle à la mesure des dimensions du bassin qu'elle commande, d'autant plus modeste que sa Limagne est plus étroite (Issoire, Brioude). Elle ne s'épanouit qu'avec l'élargissement au nord de la grande Limagne.
– l'existence d'un carrefour important entre l'axe méridien et la direction transverse : Clermont, Moulins se trouvent dans ce cas.

On aboutit ainsi à opposer encore un vaste ensemble méridional, celui des hautes terres à peine aérées par quelques bassins où de modestes villes (Le Puy, Aurillac, Brioude) s'avèrent impuissantes à féconder l'espace, à une Auvergne septentrionale, basse et ouverte, dotée d'un système urbain plus dense, plus puissant.

• Un réseau urbain déséquilibré

* Une poussière de petites villes très nombreuses, une agglomération clermontoise de 350 000 habitants : entre les deux, le relais des villes moyennes fait défaut, aucune n'atteignant les 100 000 habitants.

On a longtemps conclu à l'absence de véritable réseau urbain, fonctionnel en Auvergne. Juxtaposées plus que liées entre elles, rivales ou indifférentes, les villes auvergnates ont davantage entretenu de relations avec les grandes métropoles lointaines qu'avec leurs voisines ou la capitale régionale. Même les plus petites, comme Saint-Flour, s'adressaient plus régulièrement à Paris qu'à Clermont. Le Puy regarde vers Lyon ou Saint-Etienne plus que vers l'Auvergne. Entre elles, des cités voisines s'ignorent : au sud, peu de relations entre Le Puy, Saint-Flour, Aurillac ; en Bourbonnais, les trois villes – Moulins, Vichy, Montluçon – s'isolent jalousement sur une fraction de l'espace départemental.

Jusqu'aux années 1970, l'Auvergne manque d'une tête suffisamment puissante pour fédérer ces organismes dispersés et tournés vers le dehors. Clermont demeure alors une ville industrielle.

* Depuis lors, les choses ont changé. L'affirmation d'une métropole clermontoise a indiscutablement centralisé les relations et créé un véritable réseau urbain.

Le rayonnement des grands services clermontois (hôpitaux, universités, administration, presse) demeure cependant incomplet. S'il s'étend parfois, vers le nord, au-delà des limites régionales pour mordre sur le Berry et le Nivernais, il s'affirme imparfaitement aux confins méridionaux de la région : Toulouse exerce son attraction jusqu'au sud-ouest cantalien, sur la Châtaigneraie et jusqu'à Aurillac, Le Puy et une bonne partie du Velay, surtout, se tournent de plus en plus vers la région Rhône-Alpes.

De plus, le réseau urbain auvergnat, constitué par le haut, par la force centralisatrice clermontoise, fonctionne peu à la base : comme par le passé, sur le terrain, les villes voisines continuent de s'ignorer, faute peut-être de centres intermédiaires assez forts au niveau départemental pour relayer activement la métropole régionale et imposer une hiérarchie fonctionnelle.

Le réseau urbain auvergnat s'en trouve aujourd'hui d'autant plus déséquilibré au profit de sa tête. Clermont constitue une capitale « écrasante » pour l'Auvergne : l'agglomération concentre 1/4 de la population régionale, plus du tiers même selon la nouvelle définition des « métropoles régionales » (1994), et le meilleur de ses activités, au cœur d'un espace très affaibli. Après avoir absorbé les forces vives de son arrière-pays, Clermont s'affirme de plus en plus comme une ville « insulaire », plus soucieuse de son propre avenir que de celui de sa région. Elle regroupe les emplois mais ne les diffuse guère hors de ses limites. Et cette insularité risque fort de s'accentuer...

En effet, trop lourde pour l'Auvergne, Clermont est en même temps bien modeste et fragile dans le cadre national ou européen d'aujourd'hui. D'évidence, sa faiblesse est d'abord démographique, sa masse trop inférieure au seuil des 500 000 habitants qui semble définir les agglomérations de rang supérieur. Le projet Arvenia, soutenu par l'administration régionale, envisage, dans cette perspective, de regrouper dans un même ensemble les villes voisines de Limagne, d'Issoire à Thiers et à Vichy. Mais, est-il réaliste de concevoir une agglomération étalée sur une centaine de kilomètres, ne serait-ce qu'en regard des énormes besoins en infrastructures de liaison que supposerait le fonctionnement d'un tel système ?

En fait, la croissance clermontoise dépendra d'abord de son pouvoir d'attraction économique capable de susciter un flux notable d'immigration extérieure à la région. Or, la situation est aujourd'hui bien sombre. L'emploi industriel, trop tributaire encore de Michelin, s'affaisse. A son tour, l'imprimerie de la Banque de France annonce d'importantes réductions d'effectifs, et l'avenir des Ateliers Industriels de l'Air apparaît toujours incertain. Les perspectives sont d'autant plus inquiétantes que le tissu des PMI, trop peu développé, s'avère bien impuissant à pallier les défaillances des grosses industries. Dans ces conditions, le renforcement des activités tertiaires est de plus en plus essentiel. Mais, la fonction régionale est, elle, dépendante d'un hinterland qui s'anémie au rythme de la dépopulation : la population étudiante, celle des hôpitaux, la clientèle des services en général, ne risquent-elles pas de décliner ? L'attribution récente à l'agglomération clermontoise de la Prime d'aménagement du territoire souligne bien les difficultés du moment et les dangers de l'avenir.

Le salut résiderait donc dans l'affirmation d'une vocation supra-régionale que traduiraient des activités nouvelles à grand rayonnement. La promesse en existe, si l'on sait tirer profit de quelques atouts :
– L'existence d'un carrefour autoroutier (inachevé pour l'heure) de niveau international entre Europe du Nord et Péninsule ibérique, Europe centrale et Sud-Ouest atlantique, susceptible d'engendrer une puissante activité de gestion des transports et d'attirer les entreprises. La construction d'un « parc logistique » est à l'étude.
– La présence d'un important potentiel de recherche, bien supérieur au poids démographique et économique de la région (l'Auvergne se situe respectivement au 6ᵉ et 7ᵉ rang national pour la recherche privée et publique), capable d'attirer autour de quelques pôles d'excellence des fonctions de haut niveau. On rêve d'abord, en créant un « agropole », de bâtir ici une capitale de l'Europe verte, agricole et agro-alimentaire : l'importance du centre de l'INRA, celle des laboratoires universitaires, la délocalisation du CEMAGREF, le rôle de la firme Limagrain, peuvent justifier des ambitions. Il en va de même dans le secteur de la santé (pharmacie et thermalisme) comme dans celui de la mécanique qui s'oriente vers la recherche sur les métaux et les matériaux composites (Université, Ecole nationale de mécanique avancée, Centre de recherche Michelin, Centre européen informatique en cours de constitution).

Un succès, en ces domaines, pourrait assurer l'avenir de Clermont. Il porte cependant le risque de désolidariser davantage la ville et sa région en concentrant plus encore les forces vives en un seul lieu, de réduire l'Auvergne à une métropole. Le pari est difficile, de consolider à la fois la puissance de la ville et de resserrer les liens qui l'unissent au tissu régional. Le développement du tourisme moderne, celui de la recherche agro-alimentaire peuvent peut-être servir les deux voies. Mais il conviendrait surtout, sans doute, de déconcentrer les pouvoirs et les activités vers le relais des villes de second rang, renforcées, aptes à mieux animer les différentes parties du territoire régional.

Au sommet même, les ambitions de la capitale régionale se heurtent à de sérieuses difficultés dont témoignent les retards chroniques des grands projets :
– l'aménagement de l'agglomération, en matière de transports publics notamment, souffre de la faiblesse des structures intercommunales (Communauté de cOmmunes de l'Agglomération Clermontoise : COMAC) ;
– au voisinage immédiat, les grands chantiers à ouvrir dans la chaîne des Puys sont remis en cause : construction de l'autoroute vers Bordeaux dont le retard diffère d'autant la mise en place d'un grand carrefour, contestation très vive du projet Vulcania (Parc international de vulgarisation scientifique en vulcanologie, à édifier dans la chaîne des Puys).

Aux divisions politiques traditionnelles, sources de pesanteurs permanentes, s'ajoute désormais l'action vigoureuse des mouvements écologistes pour la défense des Puys. Au-delà de l'anecdote et du cadre local, l'enjeu est d'importance et pose de façon exemplaire le problème des choix pour l'avenir de la Région : l'Auvergne devra trouver un compromis entre la nécessité pressante de renouveler ses activités et le souci de préserver un environnement exceptionnel qui constitue l'une de ses grandes richesses.

3. RÉGIONS D'AUVERGNE : L'ANCIEN ET LE NOUVEL ORDRE

1. La trame

L'articulation régionale de l'Auvergne obéit à un double principe :
– L'un, hérité d'une organisation séculaire, se fonde sur les divisions naturelles et le jeu de leurs complémentarités.
– L'autre, très récent, enregistre les effets inégaux des influences urbaines aujourd'hui décisives.

■ Permanence de l'ordre ancien : l'organisation méridienne

D'ouest en est, l'opposition traditionnelle demeure entre deux ensembles montagneux que sépare le couloir des Limagnes.

Les monts d'Auvergne, à l'ouest, doivent d'abord leur personnalité au volcanisme, aux altitudes plus élevées qu'il provoque, aux magnifiques paysages qu'il engendre : sommets presque alpins du Cantal et des monts Dore, amples plateaux basaltiques de l'Aubrac, du Cézalier, reliefs postiches – cônes ou dômes – des volcans très jeunes de la chaîne des Puys.

L'abondance des précipitations, surtout sur les versants occidentaux, en fait une montagne océanique, un « pays vert » d'immenses herbages. Les grands troupeaux demeurent aujourd'hui au cœur de l'économie locale. La fonction agricole est toujours essentielle, l'industrie traditionnellement absente. Les villes elles-mêmes sont fort discrètes : Saint-Flour, Aurillac. Le tourisme, par contre, trouve là son terrain d'élection, notamment dans les monts Dore et le Cantal où il peut offrir de belles promesses.

Les montagnes orientales sont bien différentes. Le volcanisme se fait plus discret sauf sur la bordure vivaraise (Mézenc, Meygal) ou sur le plateau du Devès. Les hautes terres cristallines, plus pauvres et plus sèches, dominent (Livradois, Forez, Margeride). Entre les bois de pins, la petite culture paysanne – céréales et moutons – a longtemps prévalu. Cette société menue appelait des ressources de complément, opportunément fournies par l'artisanat et les influences stéphanoises. Sauf sur le Devès, la vie agricole a beaucoup décliné. La forêt conquérante chasse les hommes sur de vastes espaces. Ailleurs, la petite industrie prospère autour de Thiers, Ambert et surtout dans l'Yssingelais.

Le couloir limagnais allonge entre ces deux ensembles ses paysages de plaine à blé et sa réputation d'opulence. En réalité, la fertilité des sols est très inégale : à la richesse des Terres Noires de la grande Limagne céréalière s'opposent les Varennes sableuses et pauvres qui s'affirment progressivement vers le nord dans les bocages du Bourbonnais.

Là, se concentrent les échanges, l'industrie, les villes : la majorité de la population et le meilleur de l'économie moderne auvergnate.

■ **Le nouvel ordre des villes** surimpose à l'organisation méridienne traditionnelle une coupure de plus en plus franche qui sépare grossièrement le nord et le sud de la région.

Au nord, les villes plus nombreuses, plus fortes (Clermont et Saint-Etienne notamment) soutiennent des campagnes plus vivantes. Des auréoles périurbaines s'étalent sur une bonne part de l'espace. Certes, de larges secteurs intermédiaires sont encore peu touchés, au plus profond des bocages bourbonnais notamment, mais les influences urbaines s'affirment de plus en plus pour créer un **dispositif en auréoles** de vitalité décroissante à partir des villes. C'est là l'Auvergne urbanisée.

Au sud, par contre, dans le Cantal et le sud de la Haute-Loire, prédominent les campagnes « profondes » où l'agriculture est trop souvent exclusive, où la population se réduit inexorablement. L'extension des hautes terres explique la modestie des villes : Saint-Flour, Aurillac, Le Puy n'animent que d'étroits périmètres à leur voisinage, îlots de vitalité au cœur de vastes espaces à basses densités. L'Auvergne méridionale présente une **organisation vacuolaire**.

Ainsi se crée une nouvelle géographie qui tend à une véritable recomposition régionale : l'Auvergne vivante se calque de plus en plus sur le couloir étroit du Val d'Allier au nord, oublieuse de l'autre Auvergne, celle des montagnes livrées à elles-mêmes sur de vastes territoires.

2. La recomposition régionale : Val d'Allier et arrière-pays *(Figure 13)*

■ Le Val d'Allier

Le Val d'Allier correspond grossièrement aux plaines de Limagne et du Bourbonnais. Sans grande unité au départ, c'est là une « nouvelle région », née dans les années 1960, des schémas d'aménagement et qui, finalement, a pris corps. Depuis Issoire au sud, jusqu'à Moulins au nord, cet espace linéaire s'organise selon des relations méridiennes faciles et l'ouverture vers le Bassin parisien. Elle s'appuie sur une démographie d'ensemble dynamique, la présence des villes principales et, surtout, sur le rôle fédérateur de Clermont. Bien urbanisé, le Val d'Allier est parcouru d'intenses migrations pendulaires qui lient étroitement villes et campagnes.

Son unité, pourtant, n'est pas parfaite. Elle ne s'affirme fortement qu'au cœur du système, dans la région de Clermont, pour se défaire progressivement à ses extrémités bourbonnaises ou dans les petites Limagnes méridionales.

• **La région clermontoise**, au cœur, s'allonge d'Issoire jusqu'à Gannat et Vichy au nord. Elle se caractérise d'abord par une forte armature urbaine. Les villes, nombreuses et industrieuses, s'associent par d'intenses migrations de travail dont les flux les plus importants

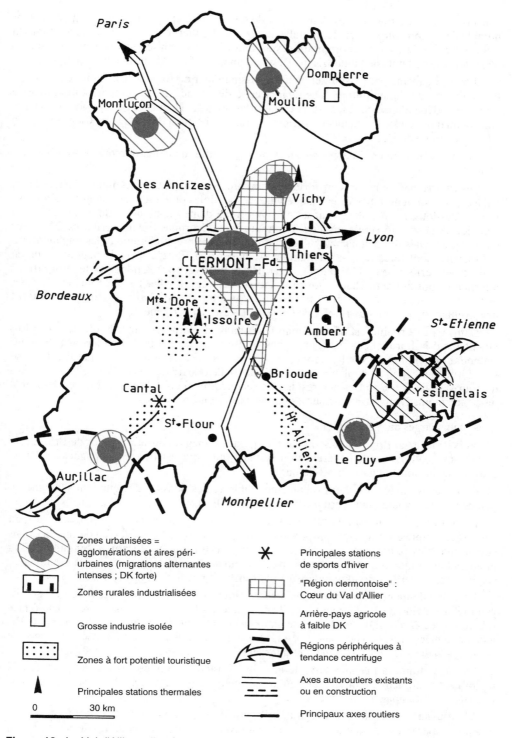

Figure 13. Le Val d'Allier et l'arrière-pays

Paris

Dompierre

Montluçon

Moulins

les Ancizes

Vichy

Lyon

Bordeaux

CLERMONT-Fd.

Thiers

St-Etienne

Mts. Dore

Issoire

Ambert

Yssingelais

Cantal

St-Flour

Brioude

Ht. Allier

Le Puy

Aurillac

Montpellier

Zones urbanisées = agglomérations et aires péri-urbaines (migrations alternantes intenses ; DK forte)

Principales stations de sports d'hiver

Zones rurales industrialisées

"Région clermontoise" : Cœur du Val d'Allier

Grosse industrie isolée

Arrière-pays agricole à faible DK

Zones à fort potentiel touristique

Régions périphériques à tendance centrifuge

Principales stations thermales

Axes autoroutiers existants ou en construction

0   30 km

Principaux axes routiers

convergent vers Clermont. L'agglomération de Vichy (60 000 h) envoie ainsi un contingent notable de « pendulaires » vers la capitale auvergnate. Le thermalisme pourtant n'y est plus la seule fonction. Malgré sa réorientation vers le loisir et la remise en forme, il offre moins d'emplois aujourd'hui que l'industrie qui s'est nettement étoffée (Manurhin, par exemple).

Il en va de même pour Issoire et l'ancien bassin minier de Brassac. En dépit de la solidité de l'industrie de l'aluminium (Cegedur), la crise des usines d'équipements automobiles a renforcé la dépendance par rapport à l'emploi clermontois. Thiers, longtemps plus autonome aux commandes de sa montagne industrielle, se rapproche aussi davantage de Clermont grâce à la liaison autoroutière.

Clermont, finalement, malgré les aléas de la situation actuelle, domine l'ensemble sans conteste.

Les campagnes alentour sont fortement urbanisées. Partout, les citadins s'installent au village et constituent, à partir de chaque ville, des auréoles de « redéversement urbain ». Au rythme des lotissements, il s'ensuit un net renouveau démographique et un bouleversement complet de la société rurale où les agriculteurs sont désormais très minoritaires. Mais, sur place, les activités ont peu changé : l'agriculture demeure prépondérante et les implantations industrielles sont rares (agro-alimentaire à Aigueperse, à Ennezat avec Limagrain, eaux de Volvic, verrerie de Puy-Guillaume, etc.). En définitive, tout repose sur les migrations alternantes qui drainent chaque jour les néo-ruraux vers la ville. Le phénomène n'est pas nouveau : dans les années 50, l'industrie issoirienne et Michelin surtout recrutaient massivement dans le monde rural. Le phénomène s'est, depuis, généralisé.

L'influence urbaine est surtout manifeste dans la plaine et sur les coteaux autrefois viticoles qui la bordent : là, les campagnes sont entièrement « péri-urbaines ». Elle mord cependant quelque peu sur la montagne, aux portes de Clermont. La chaîne des Puys se transforme peu à peu en banlieue, annexe résidentielle et parc de loisirs. Au-delà, par le biais du tourisme de week-end et des résidences secondaires, l'effet urbain est encore sensible jusqu'aux monts Dore ou, à l'est, sur les parties basses du Livradois.

- **Aux marges du Val d'Allier**

Vers le nord, en Bourbonnais, ou dans les petites Limagnes du sud, à partir de Brioude, le dynamisme s'atténue et la cohérence du système qui associe villes et campagnes se défait. L'exemple du Bourbonnais est révélateur.

Campagnes immobiles, déprise humaine, faiblesse des densités dès que l'on s'éloigne un peu de la ville, signalent une certaine léthargie (J.P. Diry).

Les bocages « aristocratiques » – châteaux et métayers – n'ont guère progressé. C'est, au contraire, l'impression inverse qui prévaut : extensification de l'élevage-viande du Charolais sur de mauvais pâturages, l'essor des ovins ne faisant que confirmer la tendance, tissu industriel anémique réduit à quelques foyers de modeste importance (Peugeot à Dompierre-sur-Besbre, au nord ; agro-alimentaire à Villefranche-sur-Allier, à Lapalisse, etc.).

La ville elle-même joue un rôle médiocre. **Moulins**, ville terrienne, résidence de grands propriétaires, ville de fonctionnaires et de commerce, a tenté de s'industrialiser. Les bonnes relations avec Paris ont d'abord favorisé un mouvement venu de l'extérieur (chaussures Bally, industries mécaniques : Thomson, Potain, D.B.A.), mais qui s'est vite affaissé. « *L'échec de l'industrie renvoie la ville à sa fonction traditionnelle de Préfecture* » (P. Estienne).

On ne s'étonnera pas, dès lors, de la faible attraction exercée sur les campagnes. Les migrations pendulaires n'intéressent qu'un périmètre étroit. Au-delà, le bocage appartient très vite aux « campagnes profondes ».

Montluçon (70 000 h) et sa région, à l'ouest du département de l'Allier, font un peu exception : par sa tradition industrielle, par l'autoroute de Paris qui réduit les distances vers la capitale auvergnate. Ainsi est-elle devenue l'annexe universitaire principale de Clermont, alors que Montmarault, à proximité, attire les nouvelles entreprises autour de l'échangeur autoroutier. Montluçon demeure cependant trop lointaine pour s'intégrer au système clermontois. Les difficultés de la reconversion industrielle, malgré la reprise de Dunlop, la modernisation d'anciennes productions (aciers spéciaux, chimie fine à Commentry, mécanique de précision) donnent plus de prix aux fonctions de service qui rayonnent aujourd'hui sur une partie de l'Allier et les marges du Cher et de la Creuse.

■ L'arrière-pays : l'Auvergne profonde

Solitude des basses densités, anémie démographique, rareté des activités non agricoles, les hautes terres, trop éloignées des villes, appartiennent pour la plupart à ces régions en difficulté que l'on nomme aujourd'hui des « espaces fragiles ». Inégalement fragiles cependant.

Des « bastions agricoles » encore solides témoignent d'une relative vitalité. On les rencontre surtout dans les montagnes de l'ouest, à moyenne altitude, dans les régions d'élevage laitier intensif bien organisées autour de forts appareils agro-alimentaires. La Châtaigneraie cantalienne, les plateaux de Saint-Flour et du Devès, la région de Rochefort au flanc nord des monts Dore sont dans ce cas. La population décline mais les hommes, les jeunes surtout, sont encore assez nombreux pour autoriser l'espoir. Il suffirait probablement, à côté d'une agriculture dynamique, de développer quelques nouvelles activités pour assurer la stabilisation démographique.

Le cas du Massif cantalien est plus problématique. Les densités humaines déjà basses s'affaiblissent encore tandis que les grandes fermes se tournent de plus en plus vers l'élevage extensif pour la viande.

Les espaces précaires, les plus isolés, les plus rudes (haute altitude ou sols pauvres sur cristallin) vont à l'abandon. L'agriculture périclite, la lande et la forêt gagnent sans cesse du terrain. Montagnes du vide, montagnes de vieux, ces pays se désagrègent. Dans le haut Livradois, le Forez, les plateaux de la Chaise-Dieu, la Margeride, des initiatives se manifestent cependant dans l'agriculture ou le tourisme, l'installation d'un atelier. Mais tout est ponctuel, disparate. L'absence de cohérence, de perspective d'ensemble est sans doute la plus préjudiciable.

En définitive, sur ces vastes territoires d'altitude, rares sont les secteurs qui échappent au déclin. Seules font exception les rares zones urbanisées.

Les « montagnes-ateliers » du Thiernois, de l'Ambertois et surtout de l'Yssingelais en font partie. Là, on vit de la petite industrie, enracinée dans la tradition de l'artisanat à domicile, modernisée depuis. Avec le travail du plastique qui a, depuis la guerre, relayé le textile et la « quincaillerie » en difficulté, la région d'Yssingeaux tient la vedette : près de 200 entreprises soutiennent un réseau serré de bourgs ou de petites villes très actives. Le succès est bien né de l'initiative locale, mais la proximité de Saint-Etienne a joué aussi un rôle évident (entrepreneurs, cadres, capitaux).

Aurillac et Le Puy, enfin, sont les seuls organismes urbains de quelque importance. Leur pouvoir se mesure à leur modestie (40 000 h), à leurs fonctions surtout tertiaires (administration, commerce, services) qui ne rayonnent que sur une petite partie de leurs départements respectifs. Mal rattachées à la capitale régionale, elles sont aussi fort sensibles aux forces centrifuges qui attirent Aurillac et sa région vers Toulouse et, surtout, détournent Le Puy-en-Velay vers Saint-Etienne ou Lyon. On perçoit bien, par là, les limites du pouvoir clermontois, et celles de l'aptitude fédératrice du Val d'Allier : à ses extrémités la région se dissout, perd toute cohésion.

Entre plaines et montagnes, les solidarités d'autrefois ont été rompues. L'Auvergne est aujourd'hui séparée en deux ensembles au moins. Une vision réductrice pourrait la résumer à la juxtaposition d'un vaste domaine de montagnes ou de campagnes à demi-vides et au Val d'Allier plus tourné vers le dehors qu'intégré à un espace régional dont il est peu soucieux.

BIBLIOGRAPHIE

CERAMAC. *L'Auvergne rurale – Des terroirs au grand marché,* Clermont-Ferrand, Université Blaise Pascal, 1990, 207 p.

Collectif, *Les Monts d'Auvergne,* Toulouse, Privat, 1983, 471 p.

ESTIENNE (P.). *Les régions françaises,* tome 2, Paris, Masson, 1978, 216 p.

ESTIENNE (P.). *Terres d'abandon ? La population des montagnes françaises,* Clermont-Ferrand, Institut d'études du Massif central, 1988, 280 p.

FEL (A.). *L'Auvergne,* Coll. « Découvrir la France », Paris, Larousse, 1973, 70 p.

FEL (A.) et BOUET (G.). *Atlas et Géographie du Massif central,* Paris, Flammarion, 1983, 348 p.

MAZATAUD (P.). *L'Auvergne : géopolitique d'une région,* éd. Créer, 63340 Nonette, 1987, 242 p.

On consultera également avec profit :

INSEE, *Panorama économique de l'Auvergne,* Les Cahiers du Point, n° 51, avril 1993, 87 p.

Atlas départemental, *Haute-Loire*, 1988, 160 p. *Puy-de-Dôme,* 1989, 208 p., éd. Cartographie et Décision, 14, rue Cardinal de Polignac, 43000 Le Puy-en-Velay.

Adresses utiles

CERAMAC (Centre d'études et de recherches appliquées au Massif central), Université Blaise Pascal, 29 bd Gergovia, 63037 Clermont-Ferrand Cedex.

INSEE Auvergne, B.P. 120, 63403 Chamalières.

CHAPITRE

5

LIMOUSIN

Oliver Balabanian et Guy Bouet

Petite région (16 942 km^2) située au nord-ouest du Massif central, le Limousin fait partie d'un « espace central » français resté longtemps enclavé, ce qui a nui à son développement mais n'a pas empêché ses élites de le quitter au cours des siècles.

Le Limousin, dont se sont moqués Rabelais, Molière ou La Fontaine, mais qui a vu naître le troubadour Bernard de Ventadour, l'émailleur Léonard Limosin ou les savants Gay-Lussac et Dupuytren et qui est connu dans le monde entier par la porcelaine de Limoges, la tapisserie d'Aubusson et de Felletin, les chaussures Weston et la firme Legrand, a une très forte personnalité.

C'est un carrefour, une terre de contacts. Brive est le « riant portail du Midi » et son bassin jouit d'un climat plus chaud que les plateaux voisins : là commence le Sud-Ouest, sa gastronomie et son genre de vie. Limoges, bien que regardant vers Paris comme toutes les villes provinciales, se tourne vers l'Ouest : ne se proclame-t-elle pas capitale du Centre-Ouest puisqu'elle est la ville la plus peuplée entre Loire et Garonne ? Tandis que sur les marges orientales Montluçon exerce son influence sur Boussac ou Evaux-les-Bains ; Clermont-Ferrand rayonne jusqu'à Ussel. Enfin, l'une des limites entre la langue d'oc, à laquelle appartient la langue limousine, la langue des papes d'Avignon, et la langue d'oïl est tracée au niveau des monts de Blond et de la Gartempe à la frontière de la Marche et du Haut Limousin.

Le Limousin est aujourd'hui situé sur une route de plus en plus fréquentée qui relie l'Europe du Nord à l'Europe du Sud ; le Limousin n'a pas eu la chance de bénéficier au cours des « Trente Glorieuses » de la sollicitude des aménageurs, aussi a-t-il été « oublié » par le plan autoroutier. Néanmoins, on construit actuellement l'Occitane, l'autoroute A20, et on commence à construire l'autoroute A89 qui permettra de relier Lyon à Bordeaux par Ussel, Tulle et Brive. Nul doute que ces infrastructures modernes permettront d'aller à la découverte des paysages limousins.

Les paysages doivent beaucoup à l'eau ; le Limousin est un château d'eau, c'est la conséquence d'une pluviométrie élevée bien qu'irrégulière. Très tôt les hommes ont cherché à maîtriser cette eau pour irriguer ou pour disposer d'une source d'énergie, aussi les paysages nés de l'eau sont-ils en partie l'œuvre des hommes. Les cours d'eau et les étangs sont aujourd'hui l'un des plus efficaces supports du tourisme en Limousin. Le Limousin est aujourd'hui également un pays d'herbe et d'arbres ; certes, cette occupation du sol a des significations diverses, il reste que le Limousin est l'archétype du pays vert avec ses landes, ses prairies hydromorphes et ses prairies sèches, ses bois feuillus où dominent le chêne et le châtaignier, ses forêts de conifères et son bocage. Mais ces paysages humanisés qui répondent « aux suggestions » du climat et des sols peuvent être mis en danger par l'évolution de la population et des activités économiques ; c'est que le Limousin doit résoudre quatre problèmes principaux : que va devenir sa population ? Quel est l'avenir de son agriculture, facteur de production et responsable de la qualité des paysages ? Comment son industrie va-t-elle s'adapter au monde moderne ? Quel rôle peut jouer son environnement dans une Europe de plus en plus urbanisée ?

1. LA NATURE, L'ESPACE ET LES PAYSAGES LIMOUSINS

Non sans raison, les Limousins sont fiers de la qualité de leur environnement et de la beauté de leurs paysages. De fait, les campagnes de cette petite région à l'image de marque bien floue, coincée entre des régions bien connues comme l'Auvergne, le Périgord ou les Charentes, inspirent la sérénité. Certes, rien n'est grandiose ni spectaculaire en Limousin, mais tout est équilibre dans cette portion de moyenne montagne perdue au nord-ouest du Massif central et qui semble s'évanouir sous les dépôts sédimentaires des Bassins parisien et aquitain.

1. Une moyenne montagne atlantique

Les moyennes montagnes, en France, n'ont pas bonne presse : elles ne possèdent aucun avantage de la haute montagne tout en ayant tous les inconvénients. Et l'image de marque du Limousin pâtit largement de ces réalités incontournables.

Encore, s'il est bien sûr que le Limousin n'est pas une région de plaine, on est en droit de se demander s'il s'agit vraiment d'une moyenne montagne : le point culminant, le mont Bessou, n'atteint pas 1 000 m et de vastes secteurs au nord et à l'ouest ne dépassent pas 350 m d'altitude. En schématisant quelque peu, on pourrait dire que la topographie limousine, faite d'un foisonnement de collines qui se succèdent comme les vagues de l'océan, est largement inconsistante. Ce n'est que localement que le relief peut intéresser le visiteur. Tout d'abord, les plateaux les plus élevés, à l'instar du plateau de Millevaches, présentent une topographie marquée par la présence d'alvéoles dignes d'attirer l'attention. De plus, tout le Sud-Est du département de la Corrèze, profondément ciselé par le réseau hydrographique de la Dordogne et de ses affluents, présente des gorges spectaculaires. Comme il s'agit d'une vieille région frontalière entre l'Auvergne et le Limousin, le sommet de ces gorges est, de loin en loin, hérissé de châteaux et de maisons fortes. La conjonction de la présence de ces gorges, quelquefois barrées par des barrages et ennoyées, et d'un riche héritage historique, en fait une région tout à fait remarquable.

En dépit des altitudes vraiment modestes, une bonne moitié de l'espace limousin présente incontestablement un milieu montagnard.

Tout d'abord, le Limousin fait figure de pays froid et mouillé. Les températures moyennes annuelles sont nettement inférieures à celles des régions périphériques. Ainsi, les températures moyennes de Limoges sont-elles à peu près équivalentes à celles que l'on enregistre 200 m plus haut dans les régions alentour. C'est dire que l'hiver est plutôt froid. Au-dessus de 500 m d'altitude, les températures inférieures à – 15° ne sont pas exceptionnelles. En outre, les précipitations sont abondantes : c'est ce qui fait certainement la triste réputation du Limousin. Il est de fait que les trois préfectures limousines – Limoges, Tulle et Guéret – reçoivent en moyenne près d'un mètre d'eau chaque année. Clermont-Ferrand, avec 550 mm, paraît, en comparaison, bien sec de même que Poitiers (avec 600 mm) et Angoulême (700 mm).

Le caractère océanique de ce climat frais et humide se marque aussi par son instabilité permanente et ses caprices. Les étés pourris et les mois de janvier doux ne sont pas rares. Les printemps qui n'en finissent pas de venir et qui exaspèrent par leur brièveté font pendant à des automnes souvent splendides et qui ne cèdent pas facilement leur place à l'hiver.

Ce climat capricieux, surtout la conjonction de températures fraîches et de précipitations importantes, est la principale composante du milieu de moyenne montagne atlantique qui est singulièrement bien marqué au-dessus de 500 m d'altitude. Alors, il suffit de s'élever légèrement pour subir une péjoration climatique importante. Les indicateurs végétaux sont formels : le châtaignier ne dépasse guère 500 m d'altitude et les arbres fruitiers, pommier inclus, ne vont guère au-delà de 700 m. A partir de 750-800 m, le gel peut frapper à tout moment dans l'année, y compris au mois d'août. D'ailleurs, dès que l'on dépasse cette altitude, les jardins deviennent pauvres et rares sont les légumes qui peuvent supporter des contraintes aussi rudes.

La pauvreté des sols limousins participe aussi du milieu. Développés sur socle granitique, les pH sont presque toujours bas ; encore plus bas quand ils se sont formés sous lande à bruyère ou sous les formations tourbeuses qui sont fréquentes dans le fond des alvéoles.

Le climat rude, les sols ingrats ont fait autrefois du Limousin une terre à seigle, à pomme de terre et à élevage. Depuis, on n'a jamais cessé de souligner les caractères naturels répulsifs. Par contre, on a été bien trop discret, pour ainsi dire timide, pour dire que le milieu limousin offrait de belles compensations.

2. Le « pays de l'arbre et de l'eau » ou « le pays vert et bleu »

Ces deux expressions ne sont pas synonymes. La première a largement été utilisée jusqu'à aujourd'hui ; la seconde commence à s'imposer. C'est qu'elles recouvrent des réalités différentes que les Limousins perçoivent bien et qui sont le fruit d'une évolution – il vaudrait mieux dire d'une révolution – paysagère.

En effet, et jusqu'au début des années 1950, le Limousin était largement encore un pays où les arbres – arbres des haies de bocages, arbres exotiques autour des maisons et hameaux, arbres le long des cours d'eau, arbres des vergers, arbres des boqueteaux – abondaient mais où les forêts véritables étaient rares et peu étendues. Lors de l'établissement du cadastre napoléonien, nombreuses furent les communes qui n'arrivèrent pas à recenser au moins 5 % de leur surface en bois. Les hautes terres, comme le plateau de Millevaches, étaient si démunies en bois que l'on sollicitait abondamment les tourbières pour fournir du combustible. D'ailleurs, n'a-t-on pas longtemps cru que la lande constituait le paysage naturel de la montagne limousine, contre-vérité majeure qui a été largement reprise et divulguée par les écologistes.

Au milieu du XIXe – et cela est encore largement vrai au début de ce siècle – l'espace limousin était essentiellement occupé de prés, pacages et labours (60 % environ des surfaces) et par des landes (plus de 21 %). Jusqu'à la veille de la dernière guerre, le Limousin était une région couverte de beaux bocages sur les plateaux inférieurs ; au-dessus de 500 m, les landes s'étendaient encore à l'infini sur les croupes des collines. Partout, à cette époque, les eaux des multiples ruisseaux et rivières étaient considérées comme une précieuse richesse et intensivement utilisées en petite hydraulique pour la production d'énergie, de poissons ou pour les besoins de l'agriculture.

Aujourd'hui, les paysages limousins sont devenus méconnaissables en raison de l'ampleur de l'exode agricole et des bouleversements intervenus dans les pratiques agricoles. Les landes sont en voie de disparition et font désormais partie du folklore ; les labours sont réduits à la portion congrue ; par contre, la forêt ne cesse de s'étendre, occupe désormais largement plus du tiers de l'espace et peut dépasser 60 % et même 70 % des surfaces de certaines communes. Le reste de l'espace est occupé par un immense herbager qui, dans tout l'Est du Limousin, tombe en lambeaux sous la pression de la forêt. Désormais, le Limousin fait figure de « pays vert ». C'est, en fait, un camaïeu de verts : verts plutôt tendres des herbages, verts sombres des résineux plantés (qui représentent un tiers des surfaces forestières), verts plus ou moins soutenus des essences feuillues. A l'automne, le puzzle des bois donne des paysages splendides qui ne sont pas sans rappeler ceux de l'été indien au Canada. Avec le développement des plantations de chênes d'Amérique, c'est en Limousin qu'il faudra venir pour contempler ces paysages féériques.

Dans le même temps, le bleu s'est étendu. Tout d'abord, le Limousin reste constellé d'étangs :

Nombre approximatif d'étangs en Limousin			
	Nombre	Dont étendue supérieure à 50 ares	Surface moyenne
Haute-Vienne	5 000	1 674	2 ha
Creuse	1 450	898	3,4 ha
Corrèze	1 500	488	1,9 ha
Total Limousin	7 950	3 060	2,4 ha

Ces étangs ont été, pour bon nombre d'entre eux, construits avant la Révolution et certains remontent même à l'époque gallo-romaine. D'autres, privés ou communaux, sont tout à fait récents et doivent être mis au compte de la civilisation des loisirs.

A côté de ces pièces d'eau qui dépassent rarement la trentaine d'hectares, il a été établi, depuis la fin de la Première Guerre mondiale et surtout depuis les années 50, des barrages imposants qui ont généré des retenues d'eau importantes. Le Limousin a d'ailleurs été pionnier en la matière : pendant longtemps le barrage d'Eguzon, dont la retenue se situe à cheval sur les départements de la Creuse et de l'Indre, a fait figure de géant avec ses 70 m de haut. Désormais, la plupart des grands cours d'eau limousins – Dordogne, Taurion, Creuse, Maulde, Vézère – ont été équipés par la grande hydraulique. Celle-ci a permis l'établissement de plans d'eau de formes différentes et créé des paysages variés : soit il s'agit de réserves filiformes et profondes quand un barrage coupe une vallée encaissée comme c'est le plus souvent le cas, soit nous avons des plans d'eau digités – comme à Vassivière dont la surface approche les 1 000 ha – quand on a ennoyé une alvéole.

Ainsi, il est donc évident que les paysages limousins ont connu, depuis une cinquantaine d'années, des bouleversements prodigieux. Ceux-ci sont largement dus à la déprise.

3. Le charme discret de la déprise et la valeur de l'environnement

L'effondrement, aussi inéluctable que continu, du nombre des agriculteurs s'est traduit, de façon générale, soit par une extensification des systèmes de production agricole, soit par un abandon des terres par l'agriculture.

La première évolution est nette dans le Nord du Limousin et en particulier en Basse-Marche. Là, avant la guerre, nous avions un très beau paysage de bocage servant de décor à une polyculture céréalière dans le cadre de la grande propriété mise en valeur par métayage. Aujourd'hui, le bocage a subi quelques modifications de détail et l'on a un grand herbager pour l'élevage des moutons en plein air. Dans nombre d'autres cas, le bocage est sérieusement mis à mal et, au mieux, on passe à des paysages de parc arboré qui ne sont pas sans intérêt.

Par contre, et c'est souvent le cas dans toute la moitié orientale du Limousin, là où se situent et les hautes terres et les pays coupés, l'abandon de l'agriculture se traduit par une progression énorme des bois. A tel point que dans nombre de communes, l'agriculture devient résiduelle et n'occupe que quelques clairières de plus en plus étreintes par une forêt conquérante, qu'elle soit plantée ou spontanée. Dans les cas extrêmes, on assiste à la décomposition complète du paysage traditionnel qui est remplacé soit par de la forêt soit par des étendues complètement ouvertes et dépourvues d'arbres.

Bien entendu, toutes les situations intermédiaires existent. Il est partout possible d'observer l'épaississement des haies qui s'ourlent d'un rideau de genêts. Les pâturages, devenus pacages, commencent à se hérisser de noisetiers et de bouleaux. Les rigoles ne sont plus entretenues et les joncs deviennent envahissants. Les murettes s'écroulent et sont envahies par les ronciers et les arbustes. Les chemins ruraux, quant à eux, inutilisés, deviennent vite impraticables.

Toutes ces situations, variées à l'infini, ont transformé les campagnes en habit d'arlequin aux mille facettes. Mais il s'agit de campagnes, jusqu'à présent tout au moins, qui restent ouvertes et accueillantes et où il y fait bon se promener grâce à mille chemins qui mènent tous à la découverte. Il n'est donc pas outrecuidant d'insister sur la qualité de l'environnement en Limousin. Toute la question est de savoir si cette qualité est profitable pour les populations locales.

S'il est reconnu par tous que les campagnes limousines peuvent être à la fois un espace de loisir, un espace où l'on peut lier qualité de vie et de travail, un espace conservatoire d'une culture, de traditions, d'un milieu, un espace disposant d'un château d'eau de qualité, un espace exploité par une agriculture en général respectueuse de l'environnement et livrant sur le marché des produits de grande qualité, il est tout aussi vrai d'affirmer que la qualité intrinsèque de l'environnement n'a pas – jusqu'à présent tout au moins – été un atout suffisamment puissant pour attirer en Limousin hommes et activités. Qui plus est, la montée en puissance des valeurs écologistes, depuis une dizaine d'années, a surtout eu des effets pervers pour l'économie locale et régionale, pour au moins deux raisons.

Au nom de la défense de l'environnement, on a, en effet, d'une part, considérablement aggravé les handicaps qui pèsent déjà sur certaines activités (dans quelques cas d'industries déjà en crise, les contraintes environnementales accrues ont été la goutte d'eau qui a précipité la décision de délocaliser à l'étranger) et, d'autre part, interdit ou gêné la valorisation de certaines ressources importantes : nous pensons particulièrement au château d'eau.

Ainsi, s'il est bien certain que le Limousin dispose déjà d'un environnement de qualité, s'il est sûr qu'il faille tout faire pour le protéger voire l'améliorer, il faut bien se garder d'en surestimer la valeur et faire en sorte que les valeurs écologistes soient un frein pour le développement local et régional. D'ailleurs, quelle sera la valeur de cet environnement quand les campagnes limousines seront complètement dépeuplées ? Or, cette perspective ne peut plus être considérée comme une simple hypothèse d'école ; c'est un danger réel et immédiat qui guette toute la moitié orientale du Limousin.

■ **Conclusion : un espace convoité**

Très peu peuplé, l'espace limousin est néanmoins fortement convoité. On pourrait même dire qu'il est d'autant plus convoité qu'il est moins peuplé. Jusqu'à présent, les coutumes locales, particulièrement laxistes, ont rendu l'espace limousin accueillant et ouvert. L'exacerbation des conflits – conflits entre usages du sol (agriculture et forêt, forêt feuillue et forêt résineuse), conflits portant sur l'appropriation de certaines ressources devenues précieuses (produits de cueillette, pêche, chasse), conflits gravissimes sur les usages d'eau, conflits entre citadins et ruraux... – risque d'avoir de sérieuses incidences sur les mentalités locales. A terme, on peut craindre une fermeture de l'espace limousin à l'instar de ce qui s'est passé dans d'autres régions comme la Sologne.

2. UNE POPULATION DE MOINS EN MOINS NOMBREUSE : HANDICAP MAJEUR OU CHANCE POUR LE LIMOUSIN ?

L'évolution démographique est au cœur de tous les débats et de toutes les études qui concernent le Limousin. Une faible densité de peuplement, des classes jeunes peu étoffées et une répartition géographique de plus en plus déséquilibrée sont autant de sujets d'inquiétude pour ceux qui ont en charge le développement régional. Cette inquiétude est-elle justifiée alors que dans une Europe de l'Ouest densément peuplée, le Limousin offre son espace plus ou moins vide et sans pollution ? Dans une Europe fortement urbanisée, le Limousin garantit une grande qualité de vie.

Le Limousin, terre d'émigration temporaire, puis d'émigration définitive, présente un certain nombre d'atouts qui peuvent en faire une terre d'immigration, non seulement pour des personnes âgées, mais aussi pour des populations jeunes à la recherche d'un environnement de qualité pour leur vie active.

1. De moins en moins d'hommes

Au cœur de la « France du Vide », le Limousin a subi un siècle de dépérissement démographique, de 1891 à 1990, à cause d'une faible fécondité (1,44 enfant par femme en 1990) et de l'exode des jeunes hommes et des jeunes femmes ; alors qu'on y dénombrait près d'un million d'habitants en 1891, on a recensé seulement 722 800 en 1990.

J.P. Larivière a bien fait l'historique de ce déclin démographique depuis la coupure majeure, due à la Première Guerre mondiale, jusqu'au recensement de 1962 où la courbe du

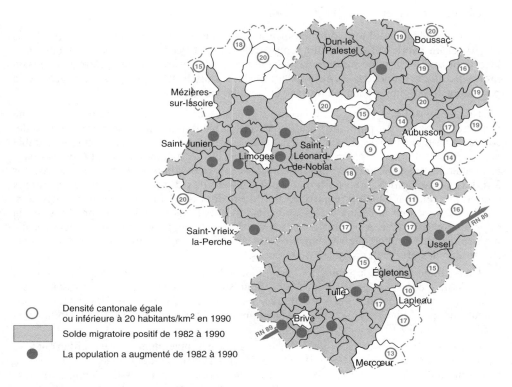

Figure 14. La population du Limousin

déclin fit une pause. L'arrivée en Limousin de 5 000 rapatriés d'Afrique du Nord et de divers migrants – notamment des agriculteurs bretons et normands – a fait croire, lors des recensements de 1968 et de 1975 au renouveau démographique du Limousin ; hélas, le déclin a repris et se poursuit (– 5 % de 1975 à 1990).

Ce dépérissement n'a pas frappé également l'ensemble du territoire régional ; il est remarquable sur les « hautes terres » où il atteint d'énormes pourcentages dans les cantons de la Montagne limousine (– 80 % de 1891 à 1990 dans le canton de Gentioux, – 75 % dans le canton de Royère, – 72 % dans le canton de Bugeat) et sur les plateaux du Sud-Est limousin (– 75 % dans le canton de Lapleau). Il est également important sur les plateaux marchois (il dépasse – 50 % dans la quasi-totalité des cantons creusois), dans la Châtaigneraie limousine, dans la Basse-Marche et même dans certains secteurs du bassin de Brive (– 63 % dans le canton de Meyssac).

C'est l'espace rural qui a été le plus affecté : en un siècle, les campagnes limousines ont perdu plus de 400 000 habitants. Les communes rurales, en 1990, regroupaient pourtant encore 48 % de la population limousine ; seule une région voisine, le Poitou-Charentes, dépassait en France cette proportion (49 %). Le département de la Creuse est d'ailleurs le département le plus rural en France : 76 % de sa population résident dans des communes rurales (26 % pour la France entière). Ce caractère rural encore très affirmé, malgré un net déclin (en 1891, la population rurale regroupait près de 80 % de la population totale et en 1962 près de 60 %), masque une constante concentration de la population régionale autour de rares pôles.

2. Limoges-Brive et « le désert limousin »

Le déclin démographique du Limousin a deux causes majeures : un bilan naturel très négatif et un exode rural resté longtemps très puissant ; cependant, les déplacements à l'intérieur du Limousin ne sont pas négligeables, aussi de vastes secteurs ruraux de moins en moins peuplés s'opposent-ils aujourd'hui à deux axes le long desquels se regroupe la population limousine, la Vienne moyenne et la route nationale 89.

Comme partout en France, le Limousin a connu après la Seconde Guerre mondiale une urbanisation croissante, puis, une diffusion de cette urbanisation. Ainsi, de Saint-Léonard-de-Noblat, à l'est de Limoges, à Saint-Junien à l'ouest, s'allonge le long de la Vienne la véritable agglomération de Limoges ; à partir d'une quarantaine de communes, on vient travailler dans la capitale limousine et utiliser ses services. Certes, la population peut aussi être attirée par Saint-Junien et par Saint-Léonard ou par les activités dont se sont dotées certaines communes, mais les navettes entre le lieu de résidence et Limoges sont majoritaires. L'urbanisation, sous la forme de lotissements et de maisons isolées, a été progressive : la population des communes proches de Limoges a augmenté depuis le début des années 60, elle n'a commencé à croître que récemment dans les communes les plus éloignées ; on a ainsi assisté à un desserrement progressif de Limoges.

Dans l'unité urbaine de Limoges (7 communes), la vague d'urbanisation ne déferle plus ; le raz-de-marée des années 60-70 n'est plus qu'un souvenir (la population progressait de 8 à 9 % par an). Au contraire, la « banlieue » n'arrive plus à compenser les pertes subies aujourd'hui par Limoges, aussi l'unité urbaine ne progresse-t-elle plus (171 689 habitants en 1982, 170 065 en 1990).

Limoges, 22e ville française, juste derrière sa voisine auvergnate Clermond-Ferrand, se dépeuple (143 725 habitants en 1975, 133 469 en 1990). Ce déclin est dû en partie à l'émigration de certains habitants vers les communes voisines, mais aussi, à l'émigration vers la région parisienne et vers les départements proches de la Haute-Vienne.

L'axe de la Vienne moyenne rassemble aujourd'hui 60 % de la population de la Haute-Vienne et près du tiers des Limousins, c'est beaucoup plus que dans les années 60-70.

Un second axe de peuplement s'allonge en Corrèze le long de la route nationale 89 sur 90 kilomètres de Brive à Ussel en passant par Tulle et par Egletons ; là sont rassemblés près de la moitié des habitants de ce département. L'agglomération briviste (64 379 habitants en 1990) est le noyau le plus peuplé et le plus dynamique de cet axe ; là, comme le long de la Vienne moyenne, l'augmentation de la population provient du solde migratoire.

Enfin, Guéret (14 706 habitants en 1990), chef-lieu de la Creuse, concentre autour d'elle près de 20 % des Creusois. Mais, partout ailleurs le déclin se poursuit, aussi de vastes étendues rurales sont-elles de moins en moins densément peuplées.

3. Une campagne en voie de « désertification »

Le Limousin a, après la Corse, la plus faible densité régionale française : 58 hab./km^2 en 1891, 43 en 1990 ; mais le dépeuplement, l'émigration et la concentration de la population ont surtout considérablement réduit les densités rurales, au point que certains secteurs deviennent des « solitudes vertes » dès que se termine la période des vacances estivales.

La densité rurale moyenne (22 hab./km^2) masque une grande diversité de situations. Une fois encore, le Limousin oriental se distingue : de Boussac, au Nord de la Creuse, jusqu'à Mercœur, au Sud de la Corrèze, les densités cantonales ne dépassent que très rarement 20 hab./km^2. Les cantons montagnards sont au cœur de la dépression démographique : Gentioux-Pigerolles avec 6 hab./km^2, Bugeat avec 7, La Courtine et Royère-de-Vassivière avec 9, ont subi un énorme dépérissement ; la présence d'activités variées (pôle touristique avec le lac de Vassivière, centre d'entraînement sportif de Bugeat, usine Ozoo-France à La Courtine, etc.) et d'initiatives diverses n'a pas suffi à retenir les habitants.

A l'échelle communale, la situation apparaît encore plus grave : près de 20 % des communes rurales du Limousin ont moins de 10 hab./km^2 mais la densité s'effondre parfois à 2 ou 3... Alors, le semis de hameaux, et donc d'activités, qui structurait le territoire régional est menacé ; les 10 000 « villages » (hameaux) limousins sont peu à peu abandonnés. Il est certain que cette évolution démographique entraîne la disparition des activités : fermes, ateliers, boutiques, services sont éliminés. Il est alors difficile de mener à bien la réalisation des projets de développement qui peuvent apparaître au sein d'une population vieillie.

4. Une population vieillie

La proportion des personnes âgées d'au moins 65 ans dans la population régionale (21,8 %) place, depuis plusieurs décennies, le Limousin au premier rang des régions européennes. Ce vieillissement n'est cependant pas un cas isolé – toute l'Europe vieillit – mais il est ici plus accentué qu'ailleurs parce que plus précoce.

Le Limousin fait partie, en France, d'un « axe de vieillissement » qui s'étend du département de l'Indre au nord à celui des Pyrénées Orientales au sud. Certes, dans ces départements, les personnes âgées ne sont pas également réparties : ainsi, en Limousin, le taux de vieillissement s'accroît avec le degré de ruralité ; si de Dun-le-Palestel, au nord de la Creuse, à Lapleau, au sud de la Corrèze, le taux dépasse 33 %, les villes semblent moins concernées. En fait, les communes urbaines limousines abritent 40 % des Limousins d'au moins 65 ans, aussi une ville a-t-elle souvent plus besoin d'une maison de retraite qu'un canton rural dépeuplé abandonné par sa population jeune.

« En mal de natalité », le Limousin apparaît donc vieilli, or, ce vieillissement s'accentue : les personnes âgées de plus de 75 ans représentaient 40 % des personnes âgées en 1954, elles en représentaient 52 % en 1990 ; plus d'un Limousin sur dix a plus de 75 ans. Ce vieillissement est d'autant plus accentué que diminue le nombre des jeunes Limousins par baisse de la natalité et par émigration et qu'existe une forte immigration de ménages de retraités, le plus souvent originaires de la région parisienne.

5. Une terre d'accueil

Longtemps terre d'émigration, le Limousin est devenu depuis les années 60 une terre d'immigration : chaque année, tandis que 8 000 personnes quittent la région, 10 000 viennent s'y installer. En 30 ans, de 1960 à 1990, les arrivées ont excédé les départs d'environ 50 000 personnes ; aussi, le déclin démographique persistant n'est-il pas dû aujourd'hui à un solde migratoire négatif mais il est engendré par un bilan naturel désastreux.

Plus étonnant encore, depuis 1975, le solde migratoire des communes rurales est devenu positif et, depuis 1982, il est supérieur à celui du Limousin tout entier (solde migratoire 1982-1990 : + 8 165 en Limousin, + 17 002 dans les communes rurales).

Les résultats globaux, comme les moyennes, donnent une image déformée de la réalité : ainsi, du nord-ouest du Limousin (Mézières-sur-Issoire) au nord-est (Boussac), puis de Boussac à Mercœur au sud, se succèdent, presque sans interruption une vingtaine de cantons au solde migratoire négatif. Les meilleurs soldes migratoires appartiennent aux cantons ruraux péri-urbains, près de Limoges ou de Brive ; partout ailleurs, selon les dynamismes locaux, le solde est plus ou moins positif mais il n'est jamais assez élevé pour compenser le déclin naturel.

Il reste que l'évolution du solde migratoire constitue un réel espoir, bien que ce solde ait diminué de moitié de 1982 à 1990 par rapport à la période intercensitaire précédente.

Les immigrants en Limousin, presque toujours français, constituent trois groupes :
– Des étudiants, de plus en plus nombreux au fur et à mesure que l'université de Limoges se dote de pôles d'excellence.
– Des jeunes ménages, souvent originaires des régions limitrophes ; ils s'installent dans, ou près, des villes.
– Des retraités ; ils choisissent les communes rurales.

Deux immigrants sur cinq exercent une activité ; on compte plus de retraités parmi eux que chez les émigrants. Ainsi, alors que le solde migratoire global est positif, le solde d'actifs est déficitaire : ce sont les retraités et les « autres inactifs » (définition INSEE) qui sauvent la balance migratoire limousine et ralentissent ainsi le déclin démographique.

■ Conclusion

La concentration de la population limousine est de plus en plus nette ; les campagnes se vident : depuis dix ans, l'agriculture a perdu environ 15 000 emplois à plein temps et, aujourd'hui, moins d'un Limousin sur sept vit dans une ferme (1 sur 4 en 1970). Cette disparition des exploitations agricoles non seulement diminue la clientèle des commerces et des divers services, mais elle menace aussi la qualité d'un espace rural jusqu'alors entretenu et géré par les agriculteurs. Or c'est cette qualité de l'espace qui a récemment attiré des hommes et leurs projets : activités industrielles, souvent de haute technologie, services de santé, tourisme… Si les villes contribuent à vivifier l'espace rural qui les entoure, le développement régional passe aussi en Limousin par le maintien de la vie dans les campagnes et par la défense de la ruralité.

3. UNE AGRICULTURE RESPECTUEUSE DE L'ENVIRONNEMENT

En un peu plus de cent ans, l'agriculture limousine est passée de la polyculture vivrière, à base céréalière, à l'élevage. Le Limousin agricole est devenu une vaste, mais hétérogène, prairie associant une « Superficie Toujours en Herbe », au caractère souvent extensif, à des prairies temporaires de grande qualité et comprenant aussi des prairies « naturelles » autrefois irriguées. La S.T.H. occupe 35 % du territoire régional, c'est un peu plus que la forêt (33 %) ; avec les cultures d'herbe, de plantes sarclées et de céréales, c'est plus de la moitié du Limousin qui nourrit les troupeaux.

Les productions animales représentent, en valeur, près de 90 % de la production agricole régionale ; c'est dire la spécialisation des campagnes limousines puisque, pour la France entière, les livraisons animales n'atteignent pas, en valeur, 50 % de la production agricole.

Cette grande spécialisation n'accorde, en général, qu'un Revenu Brut d'Exploitation inférieur de 60 % par exploitation par rapport à la moyenne nationale ; certains éleveurs ont ainsi tendance à se tourner vers de nouvelles productions tandis que diminue le nombre des exploitations. Or, si l'agriculture limousine n'a jamais eu d'effets destructeurs majeurs sur l'environnement (peu de remembrement, peu d'intrants chimiques, peu d'élevages intensifs), la disparition de nombreuses exploitations aura des effets destructeurs (fin de l'entretien des haies, et plus largement abandon des tâches d'entretien de l'espace). Dans un espace de moins en moins peuplé, le rôle de l'agriculture est prépondérant.

1. L'élevage bovin limousin : l'obsession de la qualité

Avec 432 060 « vaches nourrices » (R.G.A., 1988), le Limousin occupe en France la première place dans le classement des régions d'élevage ; il fait partie d'un grand « bassin allaitant » qui fournit en France des viandes de grande qualité distinguées par des labels. Malheureusement, la qualité de la viande n'est pas actuellement un gage de réussite économique sur les marchés européens, aussi ses productions sont-elles sérieusement concurrencées par des viandes issues de troupeaux laitiers élevés dans les trois grandes régions européennes qui fournissent les 2/3 de la viande de l'U.E. (l'Ouest atlantique, la plaine du Nord de l'Europe, l'arc alpin et ses piémonts).

La « vache nourrice » est l'élément essentiel du troupeau bovin limousin ; le plus souvent, elle appartient à la race limousine, mais elle appartient à la race charolaise à l'est de la vallée de la Creuse ou à la race Salers en Xaintrie et sur les plateaux du Sud-Est limousin.

■ La race bovine limousine

C'est vraiment au cours de la seconde moitié du XIXe siècle qu'est née cette race, à l'initiative de grands propriétaires de la Haute-Vienne et des marchands de bestiaux de Limoges. A partir de la race locale, rameau de la grande famille du bétail blond d'Aquitaine, par la sélection et une meilleure alimentation, ils mirent au point une « race d'auge » dont le *herd-book* fut créé en 1886.

On produisait alors des animaux de trait, des bœufs gras et des taurillons destinés aux marchés de Paris, de Lyon et de Saint-Etienne, puis, de nouveaux produits furent proposés à la clientèle.

Après la Seconde Guerre mondiale, tandis que disparaissait la polyculture, on se mit à cultiver l'herbe et les grandes exploitations, bientôt imitées par les autres, pratiquèrent l'élevage bovin en plein air ; il fallut alors adapter la race limousine aux nouvelles méthodes d'élevage et en faire une « race d'herbe ». L'élevage devint de plus en plus scientifique (on a créé divers organismes aujourd'hui regroupés au sein de l'Union de Promotion de la Race Limousine : UPRA France-Limousin-Sélection) ; le progrès génétique, et sa diffusion, permit le succès.

La vache limousine s'adapte à tous les systèmes d'élevage, sous tous les climats ; excellente nourrice, son lait est très riche mais peu abondant. Le taureau limousin améliore, par croisements industriels, les races locales, garantissant l'obtention de vêlages faciles et de veaux de grande qualité. Enfin, la viande limousine est exceptionnelle : elle est mûre et tendre, même avec de jeunes animaux, elle est toujours fine et savoureuse. De plus, les bovins limousins ont de hauts rendements en carcasse et en viande grâce à la finesse de leur squelette et à l'importance de masses musculaires.

La race limousine est devenue une race internationale : elle regroupe 5 000 éleveurs-sélectionneurs dans l'U.E. et elle a pu tenir son Conseil international à Fort-Worth au Texas en 1992. Il y a dans le monde un million de vaches limousines « pur sang » et deux millions de « pure race » issues de croisements d'absorption à partir de races locales.

■ Une grande variété de produits

Les étables limousines produisent plusieurs types de jeunes animaux de boucherie.

– Le veau de lait, « veau sous la mère », élevé dans tout le Sud-Ouest, ne consomme que du lait ; on l'abat lorsqu'il a 3 ou 4 mois et qu'il pèse environ 130 kg. Les marchés de Paris, du Nord et de la Côte d'Azur sont les principaux clients. Très développé entre 1945 et 1970, cet élevage était pratiqué partout en Limousin ; aujourd'hui, il se concentre autour de La Souterraine en Creuse et au pied de la Montagne limousine en Corrèze. Environ 15 000 veaux obtiennent chaque année le label « veau fermier du Limousin » ; ils sont commercialisés sous la marque « Blason prestige ».

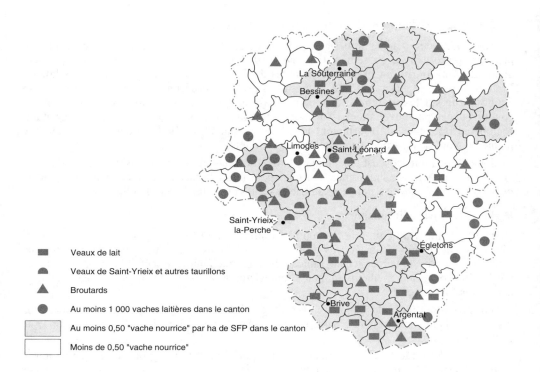

Figure 15. L'élevage bovin limousin

– Les veaux de Saint-Yrieix (veau de Lyon et veau de Saint-Etienne) sont des taurillons de race limousine ; on les élève depuis le XIXᵉ siècle pour les marchés lyonnais et stéphanois à l'initiative des bouchers-marchands de bestiaux de Limoges et de Saint-Junien. Le veau de Lyon est abattu à 10-14 mois (300-400 kg). Cet élevage, considéré comme un véritable « artisanat d'art », permet de produire une viande proche de celle du bœuf ; elle bénéficie du label « Limousin junior ». On pratique cet élevage au sud de la Haute-Vienne, au nord-ouest de la Corrèze et à l'ouest de la Creuse. Aujourd'hui, certains éleveurs produisent des taurillons plus âgés pour les marchés de l'Europe du Nord ; ils proviennent parfois d'ateliers d'engraissement créés à l'initiative de groupements de producteurs.

Les étables limousines n'élèvent plus guère de bœufs (ils étaient les sous-produits d'une agriculture non motorisée), ni de châtrons, mais elles offrent une gamme très recherchée d'animaux gras : génisses, vaches et taureaux de réforme. Ces « gros bovins » donnent des carcasses qui ont une faible proportion d'os, une faible teneur en graisse et une forte proportion de « morceaux nobles ». Ces viandes sont également commercialisées sous la marque « Blason prestige ».

Le Limousin est aussi un pays naisseur. A la recherche de nouveaux débouchés, ou contraints par l'environnement économique et social, certains éleveurs ont créé, puis développé, la production de « veaux d'Italie », broutards vendus à des ateliers d'engraissement, notamment dans la plaine du Pô.

Enfin, berceau de race, le Limousin élève des taureaux (la station de qualification de Lannaud à Boisseuil, près de Limoges suit chaque année 700 taureaux) et des génisses pour la reproduction.

Terroir d'élevage de bovins de boucherie, le Limousin a de nombreux abattoirs ; malheureusement, trop d'animaux quittent vivants la région et certains abattoirs éprouvent de grandes difficultés pour se maintenir. Très souvent, ils n'ont qu'un seul usager important (Vital-Sogéviandes à Egletons ou SOMAFER à Bessines par exemple) et une seule activité dominante (les « gros bovins » représentent 88 % de l'activité de l'abattoir de Guéret, les veaux 90 % à Argentat). On retrouve ces problèmes avec l'élevage ovin.

2. L'élevage ovin : de l'âge d'or à la crise

La France, avec un troupeau d'environ 7 753 000 brebis, fait figure de parent pauvre en face du Royaume-Uni ou de l'Espagne ; elle n'en est pas moins un important producteur de viande ovine notamment grâce à deux départements voisins, la Haute-Vienne en Limousin et la Vienne dans le Poitou-Charentes.

En Limousin, la « bête à laine » était un élément indispensable à la vie quasi autarcique des campagnes ; les animaux parcouraient les landes à bruyères et fournissaient laine et fumure et, secondairement, la viande. Le mouton, bien souvent la seule valeur marchande, perdit son rôle au début du XXe siècle, aussi le troupeau limousin qui comptait 2 millions de têtes au XIXe siècle n'en comptait-il plus que 450 000 en 1936.

Après la Seconde Guerre mondiale l'élevage ovin a bénéficié d'un renouveau remarquable. La Basse-Marche, naguère productrice de blé et de bœufs, les Dorachons, est devenue « le royaume du mouton de plein air » : trois cantons y détiennent encore le quart des brebis du Limousin. Sur les plateaux du Haut-Limousin, où avant la guerre on élevait dans les mêmes exploitations des veaux de Lyon et des agneaux de bergerie, l'élevage en plein air s'est considérablement développé. Partout, on propose des agneaux de boucherie.

Cet élevage fut tout d'abord très extensif et peu productif ; puis les éleveurs se mirent à cultiver l'herbe, ils purent alors, ayant de grandes quantités d'herbe, améliorer les troupeaux en important des béliers britanniques à partir de 1960. Ce fut l'âge d'or pour l'élevage ovin en Limousin : le troupeau de brebis-mères atteignit 523 000 têtes en 1970 dans le seul département de la Haute-Vienne ; l'abattoir de Bellac put se spécialiser et de grandes foires ovines se développer à Mézières-sur-Issoire ou à Bussière-Poitevine.

Mais, les cours de l'agneau se sont effondrés (– 37 % en francs constants de 1979 à 1987) ; le troupeau s'amenuise. L'élevage ovin limousin a traversé une grave crise ponctuée par des manifestations organisées par les éleveurs. Or, la renommée de leurs produits n'est plus à faire et la marque Baronet est une garantie de qualité. Cette difficile situation conduisit les éleveurs à s'interroger sur leur avenir (d'autant plus que la « crise de la vache folle » a entraîné une baisse du revenu des producteurs de viande, bien que l'année 1996 ait connu une envolée du prix des agneaux liée semble-t-il aux fluctuations monétaires).

3. Quel avenir pour l'agriculture limousine ?

Les régions d'élevage, et notamment le bassin allaitant qui s'étend au Nord du Massif central, souffrent tout particulièrement de la crise qui frappe l'agriculture européenne. La politique agricole menée après la guerre poussait à l'intensification et à la spécialisation, le Limousin a fondé alors son activité agricole sur les systèmes dominants bovin et ovin ; la nouvelle politique agricole met aujourd'hui en cause ce modèle productiviste : on parle d'extensification et de diversification...

Il est certain que si ces problèmes se posent en Limousin, tout ne doit pas être bouleversé ; d'une part, en règle générale, l'intensification a été peu poussée, d'autre part, certains éleveurs n'ont jamais accepté le « tout bovins » ou le « tout ovins ». Ils ont continué à élever des porcs (Nord de la Creuse, Nord du Bassin de Brive) dans des ateliers peu polluants de faible dimension ; ils ont poursuivi l'élevage des chevaux de selle (notamment autour de Pompadour) ; ils ont pratiqué diverses cultures (légumes ou tabac dans le Bassin de Brive). L'apparition de divers types de diversification n'engendre donc pas en Limousin une véritable révolution.

La diversification agricole correspond en Limousin à l'emploi de nouvelles méthodes ou de nouveaux systèmes d'élevage ou de culture tout en maintenant la spécialité dominante dans l'exploitation : à l'élevage bovin et ovin on ajoute par exemple un élevage de bisons (une « route des bisons » est proposée par le syndicat d'initiative de Bellac), des productions de petits fruits rouges (de Brive à Beaulieu-sur-Dordogne), des cultures de myrtilles (plateau de Millevaches) et surtout des vergers de pommiers.

Du Bassin de Brive aux monts de Blond, on a planté plus de 2 000 ha de vergers depuis la fin des années 50 ; il y a là quelques grandes unités spécialisées mais surtout des petits vergers de moins de 5 ha qui ont donné lieu à la création de coopératives fruitières (à Saint-Aulaire ou à Saint-Yrieix). 90 % du verger sont plantés de pommiers Golden qui donnent ici des fruits de grande qualité, les « croquantes du Limousin », destinés aux marchés français, britannique, allemand, belge ou espagnol.

La diversification agricole refuse, dans certains cas, la spécialisation environnante ; éleveurs et agriculteurs, naguère considérés comme des marginaux, ne pratiquent ni l'élevage bovin, ni l'élevage ovin : on a assisté à la création de cultures de plantes médicinales, d'élevages de chèvres, de palmipèdes gras, de gibier ou de divers animaux (escargots, lapins, kangourous nains, vigognes…).

Un autre type de diversification connaît un réel essor ; il implique une part d'activités non agricoles : il s'agit de la transformation des produits de la ferme et de leur vente (foies gras, fromages de chèvres ou de brebis) ; une charte de production garantit l'origine et la qualité des produits. Il s'agit surtout du tourisme à la ferme : avec ses fermes-auberges (encore peu nombreuses mais bien réparties sur l'ensemble du territoire), ses gîtes ruraux, ses activités de loisirs (parcours de pêche, clos de chasse, étangs aménagés notamment en Creuse), ses activités sociales (gîtes d'enfants), le Limousin est devenu un haut lieu d'un tourisme vert diffus sans pour autant ignorer les pôles touristiques comme le lac de Vassivière.

Espace « fragile », le Limousin perd actuellement au moins 700 fermes chaque année ; on pense que ce mouvement va se poursuivre puisqu'il y a actuellement 3 départs à la retraite pour une installation. Il est nécessaire, pour l'avenir du monde rural et des paysages, que l'espace disponible demeure accueillant et ouvert, mais, pour cela, la présence de nombreux paysans et indispensable. Or, malgré les aides fournies par le Conseil régional et l'Etat, les coûts d'installation et les incertitudes dues à la Politique Agricole Commune ne permettent pas d'attirer en Limousin un nombre satisfaisant de jeunes agriculteurs français ou étrangers.

4. L'INDUSTRIE LIMOUSINE : DE L'INDUSTRIALISATION À LA DÉSINDUSTRIALISATION

Le Limousin, aujourd'hui comme hier, apparaît comme une région peu industrialisée dans un Massif central qui a perdu une bonne partie de ses capacités de production industrielle depuis, surtout, la fin de la Seconde Guerre mondiale. Ce fait se vérifie très bien en considérant l'évolution de la population active secondaire.

**Evolution comparée du secteur secondaire
en France et en Limousin
(en % de la population active totale)**

Année	1911	1936	1954	1975	1990
Limousin	22,5	17,6	23,3	33,7	28,1
France	35,4	34,9	35,6	36,1	30,1

Les chiffres parlent d'eux-mêmes : au début du siècle, le Limousin possédait un retard industriel certain. Puis, l'entre-deux-guerres, la crise de la fin des années 20 a été plus sévèrement ressentie en Limousin que dans l'ensemble de la France. Depuis lors, on note un certain rattrapage et une évolution conforme, en gros, à la moyenne nationale.

Cependant, avec le recul et en ne considérant que le seul Limousin, on s'aperçoit que le poids du secteur industriel s'est maintenu à un bon niveau tout au long du siècle, en dépit de la grande crise de 1929 et de la crise actuelle. Ceci est d'autant plus remarquable que le secteur industriel a gardé depuis l'origine un **certain nombre de caractères** :

– Tout d'abord, **le Limousin a toujours été très inégalement industrialisé**. L'industrialisation n'a guère concerné que des parties restreintes du territoire. La Creuse, vue de Paris et même de Limoges, peut être considérée comme un vide industriel à l'instar de toute la moitié orientale du Limousin. Par contre, la Haute-Vienne a, de tout temps, été le département le plus industrialisé. Mais ce n'est que dans la vallée de la Vienne, entre Saint-Léonard-de-Noblat et Saillat, qu'ont été créés de véritables paysages industriels.

– **Le Limousin est une région de petites et moyennes entreprises** et le poids industriel régional doit beaucoup aux efforts conjugués de ces modestes structures.

– L'importance des P.M.E. ne doit pas laisser penser que le Limousin est une région d'industries traditionnelles plongeant leurs racines dans le XIXe siècle et qui seraient vouées à une prochaine disparition. Tout au contraire, **on a assisté à un renouvellement majeur du tissu industriel depuis les années 30** et l'on peut noter l'émergence récente de secteurs industriels devenus essentiels, y compris des secteurs de haute technologie, qui se sont développés dans de nouvelles localisations urbaines et même rurales.

1. Une industrie constituée essentiellement de P.M.E.

L'émiettement est, ordinairement, surtout le fait des entreprises travaillant dans le bâtiment, les travaux publics et le génie civil. En Limousin, l'entreprise moyenne travaillant dans ce secteur n'emploie guère que 6 ou 7 salariés et rares sont celles qui dépassent les 50 salariés.

En ce qui concerne l'industrie proprement dite, la situation est un peu similaire, même en Haute-Vienne. Dans ce département, au début des années 80, au maximum de la poussée industrielle, on comptait quelque 1 200 entreprises employant un peu moins de 38 000 salariés. Alors, les trois quarts des entreprises industrielles employaient moins de 10 salariés.

A l'opposé, il n'existe pas en Limousin d'entreprise écrasante – à cet égard Limoges est aux antipodes de Sochaux – ni même dominante comme Michelin à Clermont-Ferrand. Selon l'Atlas des Régions (1993), rares sont les usines importantes qui sont installées en Limousin. La région se situe d'ailleurs au dernier rang des régions françaises, derrière le Languedoc-Roussillon, la première région étant Rhône-Alpes, en ce qui concerne le nombre d'usines de plus de 350 ouvriers.

	Ensemble des usines			Dont usines de plus 1 000 salariés		
	Nombre	Effectifs	Poids en % pop. indust.	Nombre	Effectifs	Poids en %
Limousin	12	10 156	21,2	4	6 385	13,3
Languedoc- Roussillon	16	13 566	19,3	3	6 441	9,2
Rhône-Alpes	111	90 134	17,5	25	40 286	7,8
France	1 100	1 051 591	25,0	274	582 984	13,8

Parmi les plus grandes entreprises limousines, citons :

Firme	Secteur d'activité principal	Effectifs	
		en 1992	en 1995
Legrand* et sa filiale Davaye	Appareillage électrique basse tension	3 170	4 300
R.V.I. – Limoges	Construction automobile-Armement	1 200	1 000
GIAT Industries – Tulle	Armement	1 086	900
International Paper (Saillat / Vienne)	Papier de reproduction	763	744

* Legrand : seule multinationale du Limousin avec 20 000 salariés dans 29 pays.

Au total, la région compte aujourd'hui un peu plus de 1 000 établissements industriels ; deux seulement ont au moins 1 000 employés et 52 au moins 200. Le Limousin est donc une région de P.M.E., ce qui n'est pas en soit un inconvénient. Cette structure émiettée de P.M.E. souvent familiales plonge ses racines dans l'histoire lointaine. Elle ne s'est pas fondamentalement modifiée au XXe siècle.

2. L'industrialisation du Limousin : une geste en plusieurs épisodes

C'est au Moyen Age et à la Renaissance que se place la première grande phase industrielle et c'est en partie l'industrie qui fait la fortune de Limoges et sa renommée dans le monde. Dès le lointain Moyen Age, on trouve quelques-unes des caractéristiques de l'industrie actuelle :

– Développement d'une industrie de luxe, l'émaillerie, connue dans le monde entier.

– Transformation de toutes les matières premières locales disponibles pour en faire des objets de grande qualité destinés à l'exportation ou de petite qualité pour le marché local.

Parmi les matières premières, signalons tout d'abord les métaux – depuis le minerai de fer jusqu'à l'or ; la métallurgie s'intéressait aussi bien à la production d'outils grossiers pour le marché local qu'à la confection d'objets précieux comme les supports des émaux en or puis en cuivre. Il existait aussi les ateliers les plus divers transformant les produits dérivés de l'agriculture : peaux, plantes textiles, grains.

La seconde poussée industrielle commence à la fin du XVIIIe siècle et prend toute son ampleur à partir du Second Empire. En raison de l'absence de charbon, plus que jamais on a recours à l'énergie motrice des cours d'eau – ce sont les vallées comme la Vienne, la Gartempe ou la Corrèze qui s'industrialisent – et aux ressources locales provenant de l'agriculture, de la forêt, du sol et du sous-sol (kaolin, métaux). Les industries de transformation se développent : textile, travail des métaux (pour la production d'armes notamment), cuirs, papeterie et imprimerie. Ce qui est nouveau, c'est l'apparition de grands secteurs industriels, surtout en Haute-Vienne : l'un, la porcelaine, est une industrie de luxe, l'autre, la chaussure, est tout d'abord destiné à la consommation populaire.

Le développement industriel a été tel qu'à la fin du siècle dernier Limoges était une ville dynamique qui avait su pleinement profiter, à la différence de Clermont-Ferrand, de la première révolution industrielle.

C'est avec la Première Guerre mondiale que survinrent les premières difficultés et les premières transformations. Cette période dura jusqu'à la fin de la Seconde Guerre mondiale. Le Limousin profite alors – à l'instar de tout le Centre et du grand Sud-Ouest – de sa situation géographique par rapport à l'Allemagne. D'une part, on voit se développer les industries d'armement existantes et, d'autre part, le Limousin bénéficie de toute une série de décentralisations stratégiques ou de création d'entreprises liées à l'armement (par exemple, la C.G.E.P. et l'Arsenal aux portes de Limoges et Montupet à Ussel). Dans le même temps, la région bénéficie de replis d'industriels devant les avancées des troupes allemandes. Dans tous les cas, les localisations recherchées sont souvent liées à l'eau et ce sont, là encore, les vallées qui sont privilégiées. Par contre, dès 1919, avec l'appauvrissement de la France et des principaux pays industrialisés, puis en raison de la grande crise de 1929, les industries de luxe – comme celle de la porcelaine qui occupait dans la vallée de la Vienne, à la fin du siècle dernier, près de la moitié des effectifs ouvriers – traversent une crise très grave et il faudra attendre l'après-guerre pour les voir se rétablir et reprendre leur essor.

En effet, l'après Seconde Guerre mondiale représente une ère nouvelle en matière d'industrialisation. D'une certaine façon, le Limousin a profité au maximum des trente glorieuses qui ont, de fait, duré au moins jusqu'au milieu des années 80. Cette phase est marquée par trois faits majeurs au moins :
– Le premier est certainement la création de Legrand, entreprise emblématique du Limousin dans la mesure où c'est la seule multinationale régionale. Legrand est devenu en quelques décennies le leader mondial de l'appareillage électrique basse tension. Le groupe, en 1992, a réalisé un chiffre d'affaires de 10,2 milliards de francs grâce à des usines installées dans 29 pays. 40 % de la production française de Legrand est réalisée en Limousin où la firme, avec sa filiale Davaye, emploie quelque 3 750 salariés sur les 9 100 en métropole.

L'origine de cette entreprise est bien modeste. C'est en 1865 qu'est créée, parmi d'autres, une petite usine de fabrication de porcelaine de table qui s'est par la suite diversifiée vers la production d'interrupteurs utilisant la porcelaine. A partir de 1944, suite au repli de deux industriels du Nord de la France, l'entreprise prend de l'ampleur rapidement et devient une multinationale qui reste une société familiale contrôlée majoritairement par trois familles : Verspieren, Decoster et Garraud-Ferrier.

– L'industrialisation a été, pour la première fois, une affaire qui a concerné l'ensemble du Limousin et en particulier les campagnes. On a donc une modification sensible de la géographie industrielle régionale. Certes, les pôles industrialisés – en particulier la vallée de la Vienne en Haute-Vienne – gardent leur importance mais l'eau ne joue plus le même rôle et les friches industrielles se multiplient sur les rives des rivières. Par contre, le bassin d'emploi de Brive s'étoffe et l'on constate que les vides industriels ont tendance à se réduire. Ainsi, de 1962 à 1984, la diffusion de l'industrie dans le monde rural s'est considérablement étendue y compris en Creuse. Les effectifs salariés dans le monde rural sont passés, dans le même temps, de 8 100 à 13 000 salariés alors que le nombre d'entreprises augmentait considérablement (161 entreprises en 1962 et 218 en 1984). Il convient donc de faire un sort à l'idée d'une industrie rurale, traditionnelle et déclinante, survivant avec peine dans des campagnes reculées. Certes, ce type d'industrie existe mais il ne doit pas cacher l'émergence de petites, mais extrêmement dynamiques, entreprises travaillant dans la haute technologie.

– Enfin, nombre de décentralisations – ou délocalisations internes au Limousin – ont fortifié le secteur industriel régional et contribué à effacer les vides. Ainsi, pour la seule sous-région de Tulle-Ussel, on ne compte pas moins, en une quinzaine d'années, de 40 implantations venues de l'extérieur et représentant 20 % du tissu économique avec 2 200 salariés travaillant dans les secteurs les plus divers. Parmi ces entreprises, notons Vital à Egletons (agro-alimentaire, 400 salariés), la Société corrézienne de vêtements (confection, 250 salariés), la maroquinerie de Bort (230 salariés).

Ce n'est qu'à la fin des années 80 que l'on commence à percevoir un malaise et que la crise commence à s'imposer un peu partout.

3. Vers la désindustrialisation ?

Les signes avant coureurs de désindustrialisation étaient déjà perceptibles en Corrèze dès le début des années 80. En effet, de 1980 à 1985 seulement, 8 entreprises de plus de 50 salariés avaient cessé leurs activités annulant, en termes d'emplois, les effets des décentralisations.

De fait, dans la dernière décennie, l'emploi industriel en Limousin a sérieusement diminué et proportionnellement plus rapidement que dans le reste de la France. Dans le même temps, la hiérarchie des secteurs d'activités évoluait considérablement.

Evolution de l'emploi selon les secteurs d'activités 1979-1990 (en nombre de salariés)

	1979	1990
I.A.A.	5 519	8 256
Construction de matériel électrique	7 182	6 596
Bois et ameublement	6 440	5 716
Matériaux de construction et céramiques	6 115	5 092
Fonderie et travaux des métaux	4 485	4 312
Textile et ameublement	8 138	4 296
Constructions mécaniques	4 570	3 304
Papier-carton	3 638	3 224
Imprimerie, presse, édition	2 913	3 002
Véhicules automobiles	4 128	2 560
Cuir et chaussures	3 497	2 240
Total	**56 525**	**48 598**

Rares sont les secteurs qui ont progressé et seul celui des industries agro-alimentaires l'a fait de façon significative en prenant la première place. Cela est dû à l'implantation de nombre de firmes et au dynamisme d'autres comme Madrange (320 emplois) qui est nationalement connu pour son jambon en enlevant quelque 30 % des parts de marché.

Par contre, nombre de secteurs connaissent de graves difficultés. Parmi eux, citons celui des industries de main-d'œuvre (textile et cuir, par exemple) qui subit durement la concurrence des pays à très bas coûts salariaux et qui souffre des délocalisations. L'état des industries de l'armement et des firmes travaillant, sous une forme ou une autre, pour la défense nationale n'est guère brillant : or, cela concerne environ 70 entreprises. Les industries de luxe – porcelaine à Limoges et tapisserie à Aubusson et Felletin – connaissent de graves difficultés. Enfin, quand on sait que la COGEMA a cessé en 1995, toute extraction de minerai uranifère dans sa division minière de La Crouzille, on ne peut se montrer optimiste quant à l'évolution prochaine de l'emploi industriel.

■ Conclusion

Face à la crise, la Région réagit de toutes ses forces. C'est le Conseil régional du Limousin qui, en France, consacre la part la plus importante de son budget (plus de 20 %) aux interventions économiques directes. Limoges vient d'inaugurer un technopôle ; la multinationale locale, Legrand, en s'implantant sur le nouveau site, a donné l'exemple que l'on aimerait voir suivre par nombre d'autres entreprises.

C'est dire que l'industrie en Limousin est loin d'être condamnée. En dépit des fermetures d'entreprises qui focalisent l'attention des médias régionaux et qui peuvent créer, localement, de dramatiques problèmes aux populations, il n'y a pas de raisons pour que ne soient pas promues en Limousin les industries du futur.

CONCLUSION

LA DATAR a brossé en mars 1993 un tableau alarmant du Massif central en général et du Limousin en particulier : dix cantons ruraux de la Haute-Vienne, vingt et un cantons de la Creuse et quatorze de la Corrèze seraient « en crise » ; neuf cantons de la Haute-Vienne, deux de la Creuse et sept de la Corrèze seraient « fragiles » ; c'est dire que, isolé, peu peuplé, très agricole, le Limousin rural semble condamné à l'abandon ou, à tout le moins, à un rôle marginal. Pour sa part, l'Atlas des Régions insiste sur le faible poids industriel du Limousin (1,14 % de la population industrielle française). Le Limousin serait-il seulement une région verte et paisible, un réservoir de chlorophylle pour les citadins stressés des grandes régions économiques européennes ? Est-il encore seulement cet espace beau et pauvre que décrivait Michelet ?

De gros efforts sont cependant consentis en faveur du Limousin : l'U.E., notamment par le Plan de développement des zones rurales, l'Etat dans le cadre des contrats de plans Etat-Région, le Conseil régional avec les contrats régionaux de développement local, et bien d'autres mesures, interviennent pour favoriser le développement du Limousin. Les Conseils généraux et les villes ont la volonté de créer un environnement culturel et scientifique de haut niveau pour faire du Limousin un espace attractif : par exemple, Limoges a réalisé un technopôle, site de 195 ha, où sont accueillis les industriels et les Centres Régionaux d'Innovation et de Transfert de Technologie et l'Ecole Nationale Supérieure d'Ingénieurs de Limoges.

Cette politique volontariste prend ici un caractère particulier : le développement économique est nécessaire, il est seul capable d'attirer et de retenir les hommes, mais il ne doit pas mettre en péril la qualité de l'environnement d'une région qu'Arthur Young considérait comme la plus belle de France.

Heureusement, le tourisme et l'exploitation de la forêt permettent déjà d'envisager l'avenir avec optimisme.

Avec un chiffre d'affaires de 1,7 milliard de francs, et avec 7 000 emplois permanents, le tourisme ne se limite pas en Limousin à un simple retour d'émigrés vers le « pays vert ». On a aménagé une véritable station balnéaire et nautique autour du lac de Vassivière et équipé de nombreux plans d'eau (Bort-les-Orgues, St-Pardoux…) ; on a développé le tourisme équestre (Club Méditerranée à Pompadour). Plus récemment, on a pensé au tourisme culturel puisque le Limousin est une terre d'art et de culture où se côtoient tradition (émaux, Musée de l'Évêché à Limoges) et avant-garde (Centre d'art contemporain à Vassivière…) et parce que le patrimoine architectural est riche à la campagne (Collonges-la-Rouge, Mortemart…) comme à la ville (Tulle…).

Il reste que le tourisme en Limousin est encore à la recherche d'une véritable identité ; il est certain que la création prochaine de deux parcs naturels régionaux (Plateau de Millevaches, Périgord-Limousin) contribuera à renforcer l'image de cette activité qui attire en Limousin plus de 500 000 personnes chaque année et qui peut ainsi participer au maintien des hommes et des services, notamment dans le milieu rural.

La forêt occupe environ 33 % du territoire régional ; les hautes terres sont les secteurs les plus boisés. Les essences feuillues (chêne pédonculé, puis châtaignier et hêtre) représentent 69 % de la surface boisée ; l'extension des essences résineuses (pin sylvestre, épicéa, douglas) doit beaucoup à la politique de reboisement entreprise après la seconde guerre mondiale.

La filière-bois emploie environ 12 000 personnes dans l'abattage, les sciages (Sauviat-sur-Vige, Bourganeuf…), la trituration (pâte à papier à Saillat, panneaux de particules à Ussel), les charpentes (Eymoutiers, Bourganeuf) ou l'ameublement (Guéret, La Courtine…).

Un développement raisonnable et diversifié de la forêt et la valorisation de ses produits en Limousin peuvent jouer un rôle essentiel dans un milieu rural qui ne peut plus compter sur la seule agriculture pour accueillir et retenir les hommes et leurs activités ni pour maintenir la qualité d'un environnement préservé dans le cadre d'un développement durable.

BIBLIOGRAPHIE

Conseil régional, Préfecture de région. *Limousin 2007, deuxième phase*, Limoges, 1993, 479 p.

BALABANIAN (O.) et *al. Limousin : Corrèze, Creuse, Haute-Vienne*, Ed. Christine Bonneton, 1984, 399 p.

BALABANIAN (O.), BOUET (G.). *La Haute-Vienne aujourd'hui*, Ed. Bordessoules, Saint-Jean d'Angély, 1983, 219 p.

Chronique annuelle du Limousin dans Norois.

BOUET (G.). *L'évolution récente de la vie rurale en Limousin*, Atelier des thèses de Lille, Paris, 1979, 669 p.

BALABANIAN (O.) et BOUET (G.). *L'eau et la maîtrise de l'eau en Limousin*, Ed. Les Monédières, Treignac, 1989, 298 p.

CHAPITRE

6

MIDI-PYRÉNÉES

Robert Marconis

La région Midi-Pyrénées est la plus grande des régions françaises ; elle couvre 8,3 % du territoire national mais n'abrite que 4,3 % de la population du pays. De l'extérieur on l'identifie plus volontiers par sa capitale, Toulouse, que par ses contours exacts. Il est vrai qu'entre les huit départements réunis en 1960 pour former la circonscription administrative dénommée Midi-Pyrénées, et devenue officiellement « région » en 1972, les différences semblent l'emporter sur les solidarités. Pour les géographes habitués à d'autres découpages, cette construction a souvent été jugée bien artificielle.

Restée à l'écart de la révolution industrielle, depuis le milieu du XIXe siècle, Midi-Pyrénées a été progressivement marginalisée au sein de l'espace économique français. Sa forte dominante rurale lui venait moins d'une agriculture routinière et peu productive que de la faiblesse des industries et de l'absence de grande ville, en dehors de Toulouse. Dans ces conditions, la recherche d'un précaire équilibre entre population et ressources provoqua une dénatalité précoce et alimenta un fort exode régional : en un siècle, de 1851 à 1954, la région perdit le quart de ses habitants. Au début des années 1950, dans tous les domaines, les retards s'étaient accumulés et n'incitaient guère à l'optimisme.

Le renouveau contemporain n'en est que plus spectaculaire. La population augmente à nouveau et chaque recensement confirme un net redressement des soldes migratoires désormais positifs : entre 1954 et 1990, la région a gagné 455 000 habitants (+ 23 %). Au cours des trois dernières décennies, les processus de marginalisation anciens ont été enrayés au profit d'une dynamique nouvelle, qui a été largement impulsée de l'extérieur et doit beaucoup à la politique nationale d'aménagement du territoire. Mais ce renouveau contemporain profite essentiellement à l'agglomération toulousaine, dont le potentiel industriel et scientifique justifie qu'elle affiche désormais des ambitions de technopole à dimension européenne. L'écart qui se creuse avec le reste de Midi-Pyrénées est un problème majeur, au cœur des réflexions et des controverses actuelles. Comment corriger un tel déséquilibre sans compromettre les atouts de la métropole régionale ?

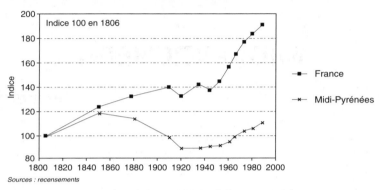

Sources : recensements

Population de Midi-Pyrénées, 1806-1990

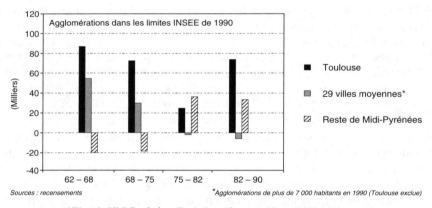

Sources : recensements   *Agglomérations de plus de 7 000 habitants en 1990 (Toulouse exclue)

Villes de Midi-Pyrénées. Evolution démographique, 1962-1990

Figure 16. Evolution de la population et des agglomérations

1.   UNE RÉGION « GÉOGRAPHIQUE » ?

Le climat de crise économique latente, qui s'est développé tout au long du XIXe siècle et jusqu'aux années 1950, n'a guère été favorable à une construction « régionale », renforçant au contraire le poids des « petits pays », repliés sur eux-mêmes et sur leurs traditions. Même

Toulouse, devenue simple préfecture au même titre que Foix ou Cahors, vit son rayonnement limité : la ville faisait encore figure de « grand village » au milieu du XXᵉ siècle, malgré ses 250 000 habitants, quand elle fut promue capitale administrative de Midi-Pyrénées, puis métropole d'équilibre.

1. Un simple agrégat de petits pays ?

Incontestablement la diversité des paysages régionaux ne contribue guère à l'affirmation d'une identité régionale forte : l'image de Midi-Pyrénées s'en trouve brouillée tant vis-à-vis de l'extérieur qu'aux yeux de ses propres habitants. Les générations passées ont dû composer avec une grande variété de conditions naturelles, perçues tantôt comme des atouts, tantôt comme des handicaps, en fonction des conjonctures démographiques, techniques, économiques et humaines, qui ont varié au cours des temps. Les villes et des villages, les réseaux de routes et de chemins, tout comme les paysages agraires, portent la marque d'aménagements anciens. Il y a là un héritage complexe, où se mêlent nature et culture, qui s'accorde difficilement parfois avec les contraintes de l'économie contemporaine.

■ Les Pyrénées

Au sud, les Pyrénées se dressent comme une barrière continue au-dessus des plaines et des plateaux de leur avant-pays. Le versant français est étroit et on atteint vite les hauts sommets, plus massifs que ceux des Alpes, dont beaucoup dépassent 3 000 mètres le long de la ligne de crête qui marque la frontière avec l'Espagne. On y accède par d'étroites vallées perpendiculaires à l'axe de la chaîne, qui portent l'empreinte des glaciations. C'est un monde cloisonné, car ces vallées ne communiquent entre elles que par des cols élevés (Aspin, Peyresourde, Tourmalet...) ; chacune a conservé son originalité et la vie s'y organise en relation étroite avec l'une des nombreuses villes qui jalonnent le piémont. Les routes qui les empruntent se terminent souvent en culs-de-sac ou conduisent à de rares passages de haute altitude, impraticables pendant la mauvaise saison. L'essentiel du trafic routier et ferroviaire avec l'Espagne passe aux extrémités de la chaîne, par le Perthus ou le Pays basque malgré l'aménagement de quelques tunnels routiers, dans le Val d'Aran (Viella, 1948) puis en vallée d'Aure (Aragnouet-Bielsa, 1976), dont les accès demeurent médiocres et difficiles en hiver. Depuis 1994, un nouvel ouvrage à péage, sous le Puymorens, en Ariège, facilite des liaisons plus directes entre Toulouse et la Catalogne. Quant aux communications ferroviaires dans la partie centrale des Pyrénées, depuis la fermeture de la ligne du Somport, une seule voie ferrée assure aujourd'hui les relations vers l'Espagne, par un tunnel aménagé depuis 1929, sous le Puymorens également.

Dans une montagne en proie depuis un siècle à une très forte dépopulation, la friche gagne au fur et à mesure que disparaissent les derniers témoins des anciens systèmes agro-pastoraux de mise en valeur. Le relais du tourisme, dont la clientèle reste très régionale, n'est pas suffisant pour enrayer le déclin. Les hivers sont moins redoutés qu'autrefois car ils apportent une neige attendue avec impatience dans les stations qui ont engagé de lourds investissements pour le développement des sports d'hiver. Mais les conditions sont plus favorables dans la partie centrale de la chaîne plus élevée et mieux exposée aux grands flux d'Ouest, que dans les Pyrénées ariégeoises dont l'enneigement peut être plus aléatoire. En été, grâce à un bon ensoleillement, la montagne offre aussi bien des attraits encore mal exploités, pour les amateurs de randonnées ou de cures thermales.

Brutale à hauteur du plateau de Lannemezan, la transition entre l'avant-pays et la montagne est ménagée à l'est par de petits chaînons calcaires S.E.-N.O. (Plantaurel, Petites Pyrénées), que les rivières traversent en cluses (Boussens, Lavelanet...). L'agriculture trouve là des conditions moins ingrates que dans la montagne, mais encore difficiles par rapport aux collines plus septentrionales des pays toulousains. Une polyculture orientée vers l'élevage bovin y accuse bien des signes d'archaïsme et une majorité d'exploitations est sans doute

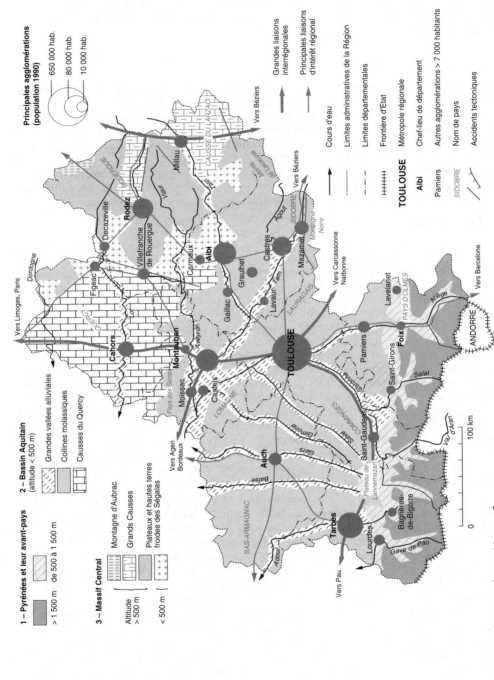

Figure 17. Une région « géographique » ?

La France dans ses régions

condamnée à terme. Sur ces marges méridionales du Bassin aquitain, entre Plantaurel et Haut-Armagnac, la dépopulation n'a pas été enrayée et le vieillissement s'aggrave.

■ Le Bassin aquitain

Entre les Pyrénées et le Massif central, s'étend la partie orientale du Bassin aquitain, vaste cuvette sédimentaire où l'on peut opposer deux grands types de paysages de part et d'autre de la gouttière que l'on suit entre Carcassonne et Agen et dans laquelle coule la Garonne à partir de Toulouse. Alors que vers le nord, s'impose une topographie de plateaux, le sud est un ensemble plus confus de collines, dont les lignes directrices sont données par quelques grandes vallées alluviales.

Au nord, les horizons tabulaires l'emportent, associés aux couches de terrains secondaires et tertiaires relevées vers le Massif central. On passe progressivement des longues échines aux versants escarpés du pays des Serres aux plateaux calcaires plus massifs des causses du Quercy, coupés de profondes vallées encaissées. Le manque d'eau et la végétation donnent à ces causses des allures très méridionales. S'ils firent autrefois figure de pays riches, terres à blé s'opposant aux Ségalas du Rouergue voisin, ils sont aujourd'hui bien déserts, voués à l'élevage du mouton dans un décor austère, quadrillé par des murs de pierres sèches, où de maigres pâturages piquetés de genévriers alternent avec de petits bois de chênes. Le contraste est saisissant avec les vallées appelées ici « rivières », célèbres par leurs méandres encaissés, qui sont le domaine du maïs et de la prairie, mais surtout des cultures délicates et réputées (vignoble de Cahors, fraises, tabac…).

Au sud au contraire, les terrains sédimentaires de la même époque sont enfouis en profondeur et recouverts par la molasse tertiaire provenant du long travail de l'érosion dans la chaîne pyrénéenne. Dans ce matériau, où dominent les argiles, ont été modelées les collines à fortes pentes de Gascogne et du Lauragais. Leur topographie souvent confuse est un facteur d'isolement, et la vie s'organise en fonction d'un semis de gros villages ou de bourgs qui, dans leur décor de briques, ont souvent des allures de petites villes tassées autour d'une halle couverte et d'un clocher. Seuls les grands cours d'eau ont pu dégager de belles plaines alluviales, avec des terrasses étagées. Celle de la Garonne se développe déjà sur une largeur de 25 km à Toulouse, après sa confluence avec celle de l'Ariège, avant de prendre plus d'ampleur encore, en Moyenne-Garonne, dans la zone où le fleuve reçoit les affluents de rive droite issus du Massif central (Tarn, Aveyron, Lot).

La polyculture ancienne des collines et des vallées s'est considérablement simplifiée, au profit des céréales (blé-maïs), sans exclure pour autant l'élevage. On oppose habituellement le Lauragais, à l'est de Toulouse, plus orienté vers la production de blé, à la Gascogne, où le maïs annonce déjà les Pays de l'Adour. Des étés plus chauds et plus secs dans la partie orientale, davantage soumise aux influences méditerranéennes et au vent d'autan, peuvent expliquer cette répartition, bien que l'irrigation soit désormais largement utilisée partout pour se protéger des variations climatiques d'une année sur l'autre. Depuis une décennie, sous la double influence d'une succession d'étés très secs et de la politique agricole européenne, on note toutefois une forte progression des oléagineux (tournesol, colza…) plus économes en eau. Les paysages, où alternaient systématiquement parcelles de blé et de maïs, s'en trouvent modifiés et se parent de couleurs plus éclatantes à certaines saisons.

Partout la vigne a beaucoup reculé. On la trouvait naguère dans une majorité d'exploitations en polyculture, souvent pour la consommation familiale ; elle se concentre aujourd'hui dans des zones bien limitées où la qualité a été systématiquement recherchée : vignobles de Gaillac, de Fronton, et dans l'Armagnac bien sûr, pour la production des eaux-de-vie.

Dans les vallées, en Moyenne-Garonne surtout, l'éventail des cultures est beaucoup plus diversifié mais la polyculture n'est pas la manifestation d'une économie autarcique comme ce fut le cas longtemps en pays de collines et de coteaux. Dès la fin du siècle dernier, dans une perspective commerciale, se sont développées là des cultures de fruits et de légumes que le chemin de fer permettait d'expédier facilement et pour un coût réduit dans la France entière. Mais les atouts d'un climat méridional sont aujourd'hui moins évidents : prunes, raisins de table, melons, tomates, fraises… souffrent désormais de la concurrence des nouveaux Etats méditerranéens de l'U.E., en particulier des productions espagnoles, qui bénéficient de conditions climatiques et sociales plus avantageuses.

■ Les contreforts du Massif central

La transition entre le Bassin aquitain et le Massif central est parfois insensible, perceptible à quelques changements dans la végétation, parfois très marquée dans la topographie quand le vieux massif, cassé et basculé, domine les plaines sédimentaires, le long des lignes de fracture (Montagne Noire, Monts de Lacaune). Avec l'altitude les conditions deviennent vite très rudes, en particulier vers le nord-est où la Montagne de l'Aubrac assure la transition avec la région voisine d'Auvergne. Dans un monde de plateaux incisés par des vallées étroites, la géologie impose de vigoureux contrastes. Aux terres froides et humides des Ségalas, autrefois vouées à la culture du seigle et du châtaignier, s'opposent les paysages célèbres des Grands Causses, façonnés dans les calcaires, paradis des amateurs de grottes et de modelés karstiques, mais peu propices à une agriculture intensive.

Dans les Ségalas du Tarn et du Rouergue, soutenue par de nombreuses industries agro-alimentaires, l'orientation vers un élevage diversifié est toujours nettement affirmée, héritière de la « révolution agricole » du début du siècle, lorsque le chemin de fer apporta en quantités suffisantes amendements et engrais. L'élevage caussenard a connu lui aussi de spectaculaires progrès en liaison avec les célèbres caves de Roquefort, passées récemment du groupe Perrier à Besnier. Partout, sur ces marges du Massif central, dans des conditions souvent difficiles, un monde paysan actif, bien encadré, s'organise pour faire face aux défis d'une modernisation parfois bien mal récompensée, mais essentielle pour l'avenir d'un département rural comme l'Aveyron, doté d'une forte personnalité humaine (R. Béteille).

Longtemps perçus comme la manifestation d'un archaïsme condamnable, dans une région qui semblait rester en marge du progrès, ces petits pays sont aujourd'hui l'objet d'attentions multiples. Qu'il s'agisse des bastides médiévales avec leurs plans géométriques, de vieux centres urbains retrouvant tout l'éclat de leurs murs de briques, ou des chaos granitiques du Sidobre et des paysages de la montagne pyrénéenne, cette « frontière sauvage » dont il faut protéger les équilibres naturels, on a redécouvert combien tout cela contribuait à une « qualité de vie » dont on ne mesurait pas le pouvoir d'attraction, non seulement sur des touristes fuyant les charmes frelatés de littoraux voués à l'urbanisation, ou sur quelques Parisiens en quête de solitudes rurales, mais aussi sur des entreprises, des laboratoires, dont les emplois ont contribué à transformer Midi-Pyrénées en une terre d'immigration, apportant les emplois indispensables à tous ceux qui aspirent à « vivre et travailler au pays ».

Cette prise de conscience a mobilisé les énergies et contribué à renforcer l'identité des anciens « petits pays » dont les spécificités semblaient condamnées par l'uniformisation rapide des modes de vie et de consommation. Mais les controverses se développent car la volonté de « préserver » un environnement souvent exceptionnel se heurte parfois à la nécessité d'offrir aussi en ces lieux des infrastructures indispensables au développement d'activités nouvelles, si l'on veut y enrayer la dépopulation et le vieillissement.

2. La genèse de la région Midi-Pyrénées

Le tableau que l'on pouvait dresser de la vie régionale au début des années 1950 suscitait bien des inquiétudes. Au-delà de leur diversité, ce qui rapprochait tous les « petits pays » que l'on envisageait d'associer pour former Midi-Pyrénées, apparaissait bien négatif. A des degrés divers ils étaient tous confrontés à de graves difficultés : déclin démographique alimenté par la dénatalité et l'exode régional, vieillissement de la population, absence de grandes industries, campagnes « léthargiques » vouées à une polyculture peu productive, villes assoupies et mal équipées. Cantonnée dans quelques petits foyers sur les marges de la région, l'industrie traditionnelle ne semblait pas en mesure d'affronter les nouvelle règles qu'imposaient l'intégration européenne et une mondialisation rapide des échanges. Quant aux activités industrielles implantées dans la région lors de la première guerre mondiale (aéronautique, chimie, électrométallurgie...), loin d'éventuelles incursions ennemies, elles s'étaient maintenues au prix d'une reconversion difficile vers des productions civiles, mais n'avaient pas eu de véritable effet d'entraînement.

■ L'ébauche d'une organisation régionale autour de Toulouse

Sans nier l'incontestable diversité des paysages et des héritages historiques, donnant au territoire régional cette allure d'une mosaïque de petits pays, on aurait tort d'ignorer cependant les solidarités nombreuses qui s'étaient tissées au sein de l'actuelle Midi-Pyrénées, depuis le milieu du siècle dernier. Ces solidarités socio-spatiales se sont construites autour de Toulouse, seule ville dotée d'équipements, de commerces et de services rares au sein d'un vaste ensemble territorial dépourvu d'autres grandes agglomérations.

Au cœur d'une région dont l'intégration dans l'espace économique national n'avait apporté que ruines et déceptions, la croissance soutenue de Toulouse a pu sembler « paradoxale » (J. Coppolani). Elle s'explique par le rôle qui fut assigné à l'ancienne capitale du Languedoc, dès le milieu du XIXe siècle : accueillir des activités commerciales et des services de haut niveau, antennes « régionales » de grandes affaires que l'on disait alors « parisiennes », qui se déployaient en fait sur l'ensemble du territoire français lorsque celui-ci fut rendu accessible par la révolution ferroviaire (R. Marconis).

Le rayonnement « régional » de la ville s'en trouva accru. Dans les campagnes proches mais aussi dans les villes situées dans un rayon de 100 à 150 kilomètres on prit l'habitude de se rendre à Toulouse, pour effectuer des achats exceptionnels, fréquenter des services rares et se frotter à une « modernité » qui fascinait ou inquiétait. C'est pendant l'entre-deux-guerres seulement que, l'amélioration du niveau de vie aidant, d'autres villes de moindre importance accueillirent à leur tour des activités tertiaires qui étaient auparavant une exclusivité toulousaine. Qu'il s'agisse de commerces, de banques, de compagnies d'assurances... les succursales ou les antennes d'affaires « nationales » s'installèrent en effet dans les villes qui jouaient déjà le rôle de « place centrale » pour un territoire assez vaste, soit par leur rôle administratif, soit par la qualité de leur desserte ferroviaire ou routière.

On vit alors se renforcer, dans l'orbite de Toulouse, un niveau original de l'armature urbaine régionale, constitué le plus souvent par les préfectures qui prirent des allures de petites capitales pour leurs départements. Ces derniers devinrent ainsi beaucoup plus que de simples circonscriptions administratives et s'affirmèrent comme le cadre d'une vie de relation active, renforçant des solidarités territoriales qui constituent aujourd'hui une des données majeures de la vie régionale. Dans certains cas, la préfecture s'imposa sans concurrente pour jouer ce rôle dans la nouvelle organisation de l'espace départemental (Auch, Cahors, Montauban, Tarbes) ; ailleurs le partage s'établit avec une autre ville importante : Albi et Castres dans le Tarn, Rodez et Millau dans l'Aveyron. Dans l'Ariège, par contre, Foix s'affirma plus difficilement du fait de la proximité de Pamiers. En 1936, ces dix villes étaient les plus peuplées de la région, mais, globalement, leur poids démographique équilibrait à peine celui de Toulouse (213 000). Elles se classaient toutes dans la catégorie des unités urbaines de 10 à 35 000 habitants, à l'exception de Foix (7 000), témoignant de la stabilité de la hiérarchie urbaine déjà en place au XVIIIe siècle, au sein de laquelle l'industrialisation n'avait pu promouvoir que trois cités de taille comparable : Mazamet (15 500), Decazeville (12 300) et Carmaux (10 500).

De fait, au début des années 60, l'ensemble du Sud-Ouest français se trouvait placé dans l'orbite de ses deux seules grandes villes, Toulouse et Bordeaux, qui dominaient de façon écrasante l'armature urbaine. Si leurs zones d'influence se recouvraient parfois, en Moyenne-Garonne par exemple, de nombreux petits pays échappaient à l'une comme à l'autre, victimes de leur isolement ou de leur enclavement, et apparaissaient comme des « espaces non métropolisés » (B. Kayser) du territoire national. C'est en fonction de cette situation que furent établis les contours de l'actuelle région Midi-Pyrénées.

■ La création de la région

En application du décret de 1955, qui prescrivait l'élaboration de Programmes d'Action Régionaux (PAR), fut décidé un découpage du pays, dont les grandes options ont été pérennisées pour donner le maillage régional actuel. On hésita un peu dans le Sud-Ouest puisque le PAR fut établi dans le cadre d'une « région de Toulouse et des Pyrénées » qui comptait dix départements, ceux qui composent aujourd'hui Midi-Pyrénées, mais aussi les Pyrénées-Orientales et les Pyrénées-Atlantiques, afin de ne pas briser l'unité de la chaîne pyrénéenne. En 1960, lorsque, pour l'essentiel, le gouvernement reprit ces cadres pour dessiner des circonscriptions administratives, placées ensuite sous l'autorité d'un Préfet de région (1964), il jugea qu'un bon fonctionnement de ses services à compétence régionale établis à Toulouse, ne pouvait s'accommoder d'un territoire aussi vaste. Bien qu'officiellement dénommée alors Midi-Pyrénées, l'ancienne « région de programme » fut amputée des deux départements pyrénéens les plus éloignés, l'un rattaché au Languedoc-Roussillon, l'autre à l'Aquitaine.

Partageant le Sud-Ouest français entre Aquitaine et Midi-Pyrénées, le législateur sanctionnait ainsi l'existence de solidarités réelles ou potentielles organisées autour des deux seules grandes villes de ces contrées : Toulouse et Bordeaux. En 1964 d'ailleurs, prenant appui sur les études de J. Hautreux et M. Rochefort, qui montraient l'appartenance de ces deux agglomérations au « niveau supérieur de l'armature urbaine française », la DATAR confirmait ce choix, dans une optique d'aménagement du territoire, en les choisissant à son tour comme « métropoles d'équilibre ».

Les préoccupations d'efficacité administrative rejoignaient les logiques économiques et sociales guidant l'aménagement du territoire et s'accordaient sur un point : la nécessité de prendre appui sur l'agglomération toulousaine, relais des administrations publiques à compétences pluri-départementales et « pôle de croissance », dont le développement volontaire devait entraîner dans son sillage petites villes et villes moyennes, puis l'ensemble du territoire régional. Toutefois, la nécessité de respecter les cadres départementaux et la volonté d'imposer cette division de l'espace français au nom de l'intérêt national, sans véritable concertation démocratique, conduisit à opter pour des limites de régions parfois contestables dans le détail.

La zone d'influence réelle ou potentielle de Toulouse s'inscrit certes assez bien dans le cadre retenu pour Midi-Pyrénées, sauf peut-être dans deux directions. A l'est, incontestablement, elle s'étend un peu au-delà dans l'Aude, vers Castelnaudary ou Carcassonne. A l'ouest, la situation est moins évidente : le Lot-et-Garonne, finalement incorporé à l'Aquitaine, subit la double attraction de Toulouse et de Bordeaux, variable en fonction des services et des équipements concernés.

Partout ailleurs, l'attraction réelle de la métropole régionale atteint plus difficilement les limites retenues. Le rattachement de l'Aveyron à Midi-Pyrénées, se trouve contrarié par l'isolement relatif de ce département qui permet à son chef-lieu, Rodez, de jouer le rôle de petite capitale. Les relations avec Toulouse y étaient – et demeurent en partie – concurrencées par l'attraction d'autres villes extérieures, mais tout aussi éloignées, Clermont-Ferrand et Montpellier.

La situation est sensiblement différente et plus controversée vers le sud-ouest, où les limites administratives ont rattaché deux villes moyennes très proches, Tarbes et Pau, à deux métropoles différentes, relativement lointaines. Il y avait là, sur le piémont pyrénéen, des solidarités anciennes qui justifiaient – et justifient toujours –, aux yeux de certains, la reconnaissance et le renforcement d'une entité « régionale » des Pays de l'Adour.

Vers l'ouest, si la place d'Auch dans l'orbite toulousaine ne prête guère à discussion, seul le respect des limites départementales a conduit à inclure également dans Midi-Pyrénées la partie occidentale du Gers, dont les affinités bordelaises sont évidentes. Au nord, par contre, la question ne se pose guère en termes de chevauchement des zones d'influence métropolitaines : si la partie septentrionale du Lot échappe un peu à celle de Toulouse, elle ne subit que faiblement celle de Limoges, au profit sans doute de la ville de Brive, rattachée administrativement au Limousin.

Quoi qu'il en soit de ces querelles sur le découpage régional, trente ans d'existence ont renforcé la cohésion de la région Midi-Pyrénées. Bon gré, mal gré, hier sous la houlette d'un Etat centralisé, aujourd'hui dans un contexte de décentralisation, chacun des acteurs de la vie économique, sociale, culturelle ou politique a pris l'habitude de « penser l'espace régional » et de poser les problèmes le concernant dans de telles limites. Tout comme le département au XIXe siècle, la région s'impose progressivement dans de très nombreux domaines au point que les géographes d'aujourd'hui, s'ils n'oublient pas la réalité d'une mosaïque de petits pays, se doivent de prendre en compte le territoire régional ainsi délimité. En son sein se nouent désormais, entre les hommes et leur environnement, des rapports complexes, que révèlent flux et réseaux divers, expression du mouvement des hommes, des marchandises, des capitaux, mais aussi des relations de pouvoirs et de savoirs. L'organisation et la maîtrise de ces flux et de ces réseaux suscitent rivalités et concurrences qui se développent à des échelles diverses, obéissant à des logiques territoriales souvent contradictoires : le petit pays, la ville, le département, la région, la France, l'Europe... le monde de plus en plus, ce que ne peuvent plus ignorer ni les agriculteurs de la région tributaires des choix de l'Union européenne ou des négociations du GATT, ni les industriels du textile de Castres ou de Lavelanet, soumis à la concurrence des importations venues de pays du Tiers Monde... C'est la géographie de demain qui se construit ainsi, dans cette confrontation permanente entre, d'une part, les réalités « locales », enracinées dans un cadre naturel aux multiples facettes et dans l'histoire des générations passées, et, d'autre part, des forces « extérieures » dont la stratégie s'élabore à d'autres échelles. Le cadre régional officiel, en Midi-Pyrénées comme ailleurs, mérite d'être privilégié pour observer, en géographe, la dynamique des acteurs et des enjeux de cette confrontation dans ses dimensions territoriales.

Dans la France des années 1950, en même temps que s'engageaient la modernisation de l'appareil de production et la mise en place d'infrastructures nouvelles, on prit conscience de la nécessité de répartir différemment les hommes et les activités sur le territoire national. Quel rôle le Sud-Ouest français et le Midi toulousain se sont-ils vus assigner dans les nouvelles stratégies économiques et territoriales qui s'élaboraient au niveau de l'ensemble du pays dans des instances désormais soucieuses de planification puis d'aménagement du territoire ? L'héritage de décennies de déclin, les retards accumulés depuis un siècle, semblaient de lourds handicaps, d'autant que l'on ne sentait pas dans cette région une réelle mobilisation des énergies locales pour promouvoir un renouveau, comme c'était le cas en d'autres lieux, en Bretagne par exemple.

2. LES PROCESSUS DU RENOUVEAU CONTEMPORAIN

On a beaucoup écrit dans les années 1980, sur le basculement qui semblait s'opérer sur le territoire français. De la « France inverse » (R. Uhrich) à la « Revanche du Sud » (A. Berger et al.), les images n'ont pas manqué pour décrire des ruptures majeures avec les tendances du passé. Alors que les régions du Nord et de l'Est, puissamment industrialisées et attractives depuis un siècle, s'enfonçaient dans une crise grave, les régions méridionales paraissaient relativement épargnées, attirant les investissements dans des activités de pointe et exerçant de multiples séductions, saisonnières ou plus durables, sur des populations plus septentrionales. L'attrait du soleil n'explique pas tout. La région Midi-Pyrénées a bénéficié de cette nouvelle conjoncture, dont les effets sont d'autant plus sensibles qu'ils contrastent avec l'évolution antérieure. On peut à son propos analyser les processus qui ont conduit à ce renversement de tendance et en mesurer l'inégale diffusion dans l'espace.

1. La redistribution des fruits de la croissance nationale

Dans un contexte de croissance vigoureuse, la région Midi-Pyrénées a incontestablement bénéficié des performances économiques du pays et de l'amélioration du niveau de vie de la population. Investissant des secteurs de plus en plus larges de la vie économique et sociale, l'Etat a procédé à une large redistribution des fruits de cette croissance au sein de la société française, mais également dans l'espace géographique. Par le jeu des prélèvements obligatoires (fiscalité et cotisations sociales) en rapide progression, des emplois et des équipements publics ont pu être créés et répartis sur le territoire national de façon relativement équitable. Qu'il s'agisse de l'éducation, de la santé, et de tous les services publics en général, la région Midi-Pyrénées en a reçu sa part, certes avec retard parfois, mais cela d'autant plus qu'il y avait en ce domaine d'importants retards à rattraper. Si l'on pouvait établir avec précision un bilan de ces transferts géographiques d'argent public, on verrait sans doute que la région a davantage bénéficié des fruits de la croissance ainsi redistribués par le biais de crédits d'Etat ou des prestations sociales, qu'elle n'y contribuait vraiment, compte-tenu de la médiocrité de son activité économique.

Cette injection directe ou indirecte de pouvoir d'achat dans la région amorça un processus de « rattrapage tertiaire », qui entraîna dans son sillage le secteur privé ou semi-public (construction, banques, assurances, commerces, services aux particuliers...). Tout cela fut déterminant dans le réveil quasi général des villes, souvent assoupies depuis longtemps, qui enregistrèrent dans les années 60, des taux de croissance inconnus jusque-là. Mais la simple redistribution socio-spatiale des fruits de la croissance économique nationale n'aurait pu, seule, impulser le développement économique contemporain et lui assurer un rythme soutenu au cours des années 80, dans une conjoncture générale beaucoup moins favorable. La politique d'aménagement du territoire a joué un rôle décisif.

2. La politique d'aménagement du territoire

En choisissant Toulouse comme capitale de la région Midi-Pyrénées et comme métropole d'équilibre, l'Etat a apporté dans cette ville des atouts dont on n'a peut-être pas mesuré l'importance sur le moment. Cela s'est d'abord traduit par l'installation d'administrations à compétences régionales, recevant progressivement des attributions exercées antérieurement par les services centraux parisiens. Cette réorganisation des administrations publiques a souvent servi de modèle à d'autres organismes tertiaires semi-publics ou privés, soucieux aussi, dans une phase de restructuration et d'expansion de leurs activités, de répartir plus rationnellement leurs services sur le territoire national. En ce domaine, les grandes dotations attribuées à Toulouse, au titre de la politique des métropoles d'équilibre ont joué un rôle attractif déterminant pour faciliter ces transferts d'activités concernant des emplois de haut niveau : Université, Centre hospitalier universitaire, infrastructures aéroportuaires, Orchestre national... Les « décentralisés », comme on les nomme parfois, hommes et entreprises, étaient moins réticents à s'implanter dans une métropole qui leur offrait un niveau de services correct, s'améliorant d'année en année, et dont les insuffisances étaient compensées par une qualité de vie, un environnement régional propice à de multiples évasions, gastronomiques, culturelles ou sportives, et par la proximité des champs de ski pyrénéens ou des plages languedociennes.

De l'extérieur toujours, on décida d'attribuer à Toulouse une « vocation » aéronautique et spatiale afin d'y localiser en priorité et de façon cohérente les établissements relevant de ces secteurs qui ne pouvaient s'étendre ou se maintenir dans la région parisienne. Une impulsion décisive était ainsi donnée aux efforts entrepris depuis longtemps par les « pionniers » de l'industrie aéronautique locale (Latécoère, Dewoitine...) et par leurs successeurs, dont les efforts venaient d'être couronnés, en 1955, par le premier vol d'un avion à réaction moyen courrier pour le transport de passagers, Caravelle. Se trouvait aussi récompensée l'action opiniâtre et peu connue des équipes de scientifiques, universitaires et chercheurs, qui attendaient beaucoup d'une synergie avec les milieux industriels d'avant-garde pour le développement de leurs laboratoires et de leurs programmes de recherche fondamentale (CIEU, 1991).

L'Etat donna l'exemple en imposant la « décentralisation » d'un certain nombre d'établissements qu'il contrôlait : des laboratoires de recherche (Centre d'études et de recherches aéronautiques), deux grandes écoles, l'ENAC (Ecole nationale de l'aviation civile) et Sup Aéro (Ecole nationale supérieure de l'aéronautique), puis le CNES (Centre national d'études spatiales) installé de 1968 à 1974, bientôt flanqué de ses filiales (Spot Image...), la D.T.R.N. (Direction des télécommunications du réseau national)...

De cette accumulation volontaire d'un potentiel puissant, associant industrie et recherche, on attendait des retombées rapides et un effet d'entraînement sur l'ensemble de la région. Impact d'une conjoncture de crise dès le milieu des années 1970, ou prévisions trop optimistes ? Les processus de développement escomptés ne se sont manifestés qu'avec retard et sont restés cantonnés essentiellement dans l'agglomération toulousaine. En 1968, l'arrivée de deux usines d'électronique, Motorola et la C.I.I. (Compagnie internationale pour l'informatique) ne pouvait faire illusion. « Greffons fragiles » sur l'industrie locale, elles recherchaient surtout, à l'origine, une main-d'œuvre féminine habile et peu exigeante, pour des opérations de câblage et de montage (P. Mazataud, *R.G.P.S.O.*, 1971).

3. Le processus technopolitain

Dans le secteur aéronautique, la conjoncture est restée longtemps incertaine. Après plusieurs opérations de restructuration, les usines toulousaines nationalisées en 1936, avaient été regroupées d'abord dans Sud-Aviation, puis dans un groupe public d'envergure nationale devenu aujourd'hui l'Aérospatiale. En effectuant le montage terminal des appareils et les essais en vol, Toulouse faisait figure de « capitale de l'aéronautique », ce que ne justifiaient ni la part des effectifs nationaux de la branche qui travaillaient dans l'agglomération, ni les activités locales de recherche et développement, dont les centres nerveux restaient en région parisienne (G. Jalabert). Succès technique incontestable, le programme Caravelle s'était heurté au protectionnisme des Etats-Unis et n'avait pu trouver de débouchés sur le marché d'Amérique du Nord : dans ses différentes versions l'avion fut produit à 282 exemplaires. Quant à la grande affaire des années 1960, l'avion supersonique franco-britannique Concorde, qui fit son premier vol en 1969, son échec commercial sema l'inquiétude dans les milieux économiques toulousains. Fort heureusement le saut technologique réalisé à cette occasion ne fut pas étranger à la réussite d'un nouveau programme européen, Airbus, associant, la France, le Royaume-Uni, l'Allemagne et l'Espagne. Les essais des premiers A300 débutèrent en 1972, et la commercialisation fut lancée en mai 1975 alors que la conjoncture du transport aérien était favorable pour cet appareil moyen courrier, économe en énergie, peu bruyant, et de grande capacité. Les premiers succès incitèrent alors à construire une véritable « famille Airbus » afin de répondre de façon cohérente à un large éventail de la demande des compagnies aériennes jusqu'au début du XXIe siècle.

Au même moment, également dans le cadre d'un programme européen, les succès des différentes versions de la fusée Ariane donnaient une impulsion déterminante aux activités spatiales toulousaines. Un pas décisif fut franchi en 1980 lorsque Matra-Espace décida d'implanter une usine à Toulouse, près du CNES, pour la mise au point et la fabrication de satellites, bientôt suivie par Alcatel-Espace. Le processus d'entraînement tant attendu, que l'on qualifia peu à peu de technopolitain, semblait enfin se mettre en route.

A la différence des appareils plus anciens, de type Caravelle, les nouvelles productions du programme Airbus font appel à des technologies avancées, ce qu'a illustré, non sans controverses, la mise en exploitation de l'Airbus A320. Tout cela n'a pas été sans conséquence sur les compétences de la main-d'œuvre et des sous-traitants. Comme celles de l'espace, les activités aéronautiques ont ainsi généré ou renforcé des synergies multiples avec l'enseignement supérieur, la recherche scientifique, des P.M.E.-P.M.I. innovantes spécialisées dans les hautes technologies, déjà installées à Toulouse, ou attirées dans l'agglomération par les marchés qui semblaient s'y développer. Dans ce jeu souvent décrit des « fertilisations croisées », comme moteur d'une dynamique technopolitaine, on put mesurer alors combien se révélait fécond le potentiel de « matière grise » accumulé sur place, à l'initiative des pouvoirs publics, dans les décennies précédentes. A l'aube des années 80, alors que sonnait l'heure de la reconversion ou des restructurations pour les industries des années de prospérité (sidérurgie, automobile...), portant de rudes coups aux régions anciennement industrialisées, on crut même y voir un modèle pour sortir de la crise générale.

Venait le temps des « technopôles », zones d'activités tournées vers le futur, pôles d'excellence où chaque agglomération s'efforça d'attirer les fleurons de la recherche et de l'industrie, sans que l'Etat n'arbitre en ce domaine comme au temps des métropoles d'équilibre, – décentralisation oblige – une concurrence parfois vive. Mais les atouts étaient bien inégalement distribués. A Toulouse, le mouvement était déjà bien engagé, et reposait sur des bases solides, au point que l'avenir de la ville semblait passer par la poursuite du processus technopolitain. Du « technopôle », zone d'activité innovante, on passait ainsi à la perspective – ou au rêve – de « la technopole », fédérant l'ensemble des projets économiques, urbains, culturels et politiques de l'agglomération, et s'efforçant de les mettre en cohérence.

3. LE DYNAMISME TOULOUSAIN ET LES ALÉAS DE LA CONJONCTURE

L'essor des industries de pointe toulousaines gravitant autour de l'aéronautique et de l'espace ne saurait faire oublier qu'elles relèvent de centres de décision extérieurs à la région, eux-mêmes soumis aux fluctuations de la conjoncture internationale. Si le bilan des années 80 est largement positif pour le développement de Toulouse, on ne peut ignorer un certain nombre de ses faiblesses et l'apparition récente de signes inquiétants.

1. L'industrie aéronautique

Dans le domaine aéronautique, l'expansion des activités du secteur public représenté par l'Aérospatiale contraste avec les déboires de l'usine Dassault victime des mesures adoptées par le groupe, pour faire face à la diminution de ses carnets de commandes militaires. La fermeture du site toulousain (1500 emplois), fut décidée en 1989. Le choc a pu être amorti car, au même moment, l'Aérospatiale remportait de beaux succès et augmentait localement ses effectifs, entraînant dans son sillage ses sous-traitants régionaux, grâce à ses deux programmes menés en coopération internationale : A.T.R. (Avion de transport régional) et Airbus.

Moins spectaculaires que ceux de la famille Airbus, les productions franco-italiennes (Aérospatiale, Alénia) des turbopropulseurs A.T.R., assemblées à Toulouse, ont répondu à l'attente de nombreuses compagnies aériennes de transport régional. Proposés en deux versions de 42 et 72 places, les A.T.R. se sont imposés sur ce marché.

Face au géant américain, Boeing, qui n'a jamais ménagé ses attaques, les Airbus ont peu à peu grignoté des parts du marché mondial, grâce à une diversification de la gamme initiale. Après les biréacteurs A300, a été proposé l'A320, commercialisé à partir de 1988 et dont 300 exemplaires étaient déjà vendus en 1992. Puis le mouvement s'est accéléré, avec l'A340, un quadriréacteur long courrier de 295 sièges, dont les premières livraisons ont été faites à la Lufthansa, en février 1993. Arrivait également sur le marché un A330, le plus gros des gros porteurs biréacteurs dont les essais avaient commencé dans le ciel toulousain en novembre 1992. Au début des années 1990, l'optimisme était donc de rigueur à Toulouse, où sont assemblés les éléments fabriqués dans différentes usines européennes (Allemagne, Royaume-Uni, Espagne, France...). L'état des commandes laissait prévoir une cadence de production d'un avion par jour sur les chaînes de l'Aérospatiale. Plusieurs facteurs sont venus contrarier ces prévisions.

La nouvelle fut âprement commentée lorsque fut envisagée la fabrication de l'A321, version allongée de l'A320 : Deutsche Aerospace qui détient 37,9 % du G.I.E. Airbus Industrie, à égalité avec Aérospatiale, obtint pour ses usines de Hambourg la chaîne d'assemblage, dont Toulouse avait le monopole pour tous les autres appareils de la gamme. Cela pouvait compromettre la progression des effectifs toulousains de l'Aérospatiale, qui étaient passés de 7 500 en 1983 à 9 140 en 1992, auxquels il fallait ajouter les personnels relevant spécifiquement des consortiums Airbus Industrie (1 950) et A.T.R. (460). Quant à la sous-traitance aéronautique régionale, bien que l'on ait toujours regretté son impact limité, elle avait aussi sensiblement progressé dans les années 1980. Concentrée pour les 2/3 dans l'agglomération toulousaine, en 1992 elle concernait 16 700 salariés répartis entre 234 établissements, dont 30 % du chiffre d'affaires total était tributaire des marchés de l'aéronautique et de l'espace (INSEE, *Relief,* n° 2, 1992).

Dans l'agglomération toulousaine chacun suit avec inquiétude l'évolution de la conjoncture internationale et la grande compétition qui oppose Airbus au géant américain Boeing. Après les records atteints en 1991, avec la livraison de 163 appareils, le nombre d'avions sortis des chaînes de montage du consortium européen a diminué pour se stabiliser autour de 120-125 chaque année de 1994 à 1996. Pour la première fois depuis une décennie, l'Aérospatiale a été contrainte de supprimer quelque 700 emplois sur son site toulousain, malgré plusieurs semaines de chômage technique. En 1995, le pessimisme était de rigueur, Airbus n'enregistrant que 83 commandes fermes pour la famille des avions assemblés à Toulouse, alors que la firme de Seattle en affichait 285, grâce au lancement de son Boeing 777. Fort heureusement, la situation s'est brillamment améliorée ensuite puisque, en 1996, compte tenu des annulations de commandes, les deux géants de l'aéronautique mondiale faisaient pratiquement jeu égal, dans une conjoncture nettement plus favorable, marquée par la signature de très gros contrats, qui semblaient annoncer une reprise soutenue de l'activité. Dans cette perspective, de part et d'autre de l'Atlantique, s'esquissaient des restructurations majeures : fusion de Boeing et Mc Donnell Douglas aux Etats-Unis, d'Aérospatiale et de Dassault en France. Dans le même temps, les partenaires européens d'Airbus préparent une nouvelle organisation visant à faire de l'actuel consortium une société industrielle intégrée jouissant d'une plus grande liberté vis-à-vis des tutelles étatiques.

D'ores et déjà, les commandes enregistrées permettent d'envisager une sensible augmentation des cadences de production qui devraient concerner plus de 200 appareils en 1988, soit un par jour ouvrable. Mais à plus longue échéance, au-delà d'une conjoncture qui rend espoir aux milieux industriels régionaux, beaucoup s'interrogent sur la place qui sera réservée dans les nouvelles structures de production aux établissements toulousains et à leurs sous-traitants.

Il en va de même pour l'autre constructeur implanté à Toulouse, A.T.R., spécialisé par les avions de transport régional, qui connaît d'importantes mutations. Il a bien réagi après une très mauvaise conjoncture en 1994 consécutive à l'accident de l'un de ses appareils aux Etats-Unis : sa gamme devrait se diversifier depuis qu'en 1996 les deux premiers partenaires, Aérospatiale et l'italien Alénia, ont été rejoints par British Aerospace, pour former un nouveau consortium AIR (Aero International Regional).

2. Les activités spatiales et les hautes technologies

On constate également une dégradation de la conjoncture dans le domaine des activités spatiales, dont le développement était largement tributaire du grand projet européen de navette spatiale, Hermès. A Toulouse, tant le CNES et ses filiales (près de 2 000 emplois), que ses grands partenaires locaux engagés dans la fabrication des satellites (Matra-Espace devenue Matra-Marconi-Space et Alcatel-Espace, comptant respectivement 1 500 et 1 350 emplois), attendaient beaucoup de cette aventure, tout comme une nébuleuse de P.M.E.-P.M.I., qui s'étaient développées depuis dix ans à leurs côtés. La déception fut grande, lorsque l'Agence spatiale européenne décida, en novembre 1992, de « réorienter » le programme Hermès, préférant explorer les possibilités d'une coopération avec la Russie dans le domaine des transports spatiaux. Tandis que les fabricants locaux de satellites semblent avoir surmonté les conséquences de ces choix, de nouvelles inquiétudes sont venues avec l'échec du premier lancement de la fusée Ariane V, en juin 1996. Le programme doit néanmoins se poursuivre et relayer les activités actuelles engendrées par les nombreux tirs réussis d'Ariane IV.

Ces retournements de conjoncture illustrent parfaitement sinon la fragilité, au moins l'extrême dépendance du processus technopolitain qui, depuis 1975, avait permis à l'agglomération toulousaine de résister relativement bien à la crise économique générale. Or, cette dégradation récente de la situation survient au pire moment pour de nombreuses P.M.E.-P.M.I., qui atteignaient, après dix ou quinze d'existence, une phase critique de leur croissance. Pour se lancer dans de nouvelles aventures, et valoriser leurs acquis, beaucoup d'entre elles sont contraintes de rechercher des concours ou des partenaires extérieurs, et le font en position de relative faiblesse. Cela se traduit parfois par leur intégration dans des groupes plus puissants, d'envergure nationale ou internationale, dont les stratégies territoriales peuvent, à terme, se révéler moins favorables aux établissements toulousains. Depuis la fin de l'année 1992, ce processus s'est accéléré affectant certains fleurons de la haute technologie toulousaine (Verilog, C.E.I.S., Bio Europe...).

3. L'informatique

Dans le domaine de l'informatique enfin, malgré les turbulences actuelles, on note quelques signes encourageants après des moments difficiles. Les premiers établissements, implantés en 1968, ont connu des destins différents. Motorola, filiale d'une firme américaine, mieux intégrée désormais dans les réseaux scientifiques et techniques locaux, devrait voir son potentiel actuel (2 300 emplois) renforcé au détriment de Bordeaux, la firme regroupant ses activités à Toulouse. Le destin de la C.I.I. a été moins brillant, affecté par des restructurations répétées en fonction des changements d'actionnaires (Honeywell-Bull, Thomson). Avec 900 emplois seulement, désormais sous le contrôle de Thomson-C.S.F., elle partage les locaux avec une autre filiale du même groupe, SYSECA (200 emplois), société de service d'ingénierie et d'informatique, sous le coup d'une forte réduction d'effectifs en 1993. Même scénario pour un établissement fabriquant des composants électroniques, implanté au début des années 80, Renix, fruit d'une association Renault-Bendix. Le retrait de la firme automobile avait stoppé net un essor qui s'annonçait prometteur, avec essaimage rare dans la région (Foix...), mais la reprise par Siemens a permis de retrouver aujourd'hui un nouvel équilibre (1 450 emplois). Enfin, fruit de la politique de prospection des collectivités locales, on attend beaucoup de l'arrivée d'une société américaine de stockage des données informatiques, Storage Tek : l'effectif initial, 73 salariés en 1995, devrait être porté progressivement à 470.

4. De nouvelles implantations

Persistent en effet des signes encourageants qui témoignent des capacités d'attraction de l'agglomération toulousaine. Si l'Etat n'a pas complètement abandonné sa politique de « délocalisations » en faveur des grandes agglomérations de province, il est désormais relayé par des collectivités locales dotées de nouvelles compétences économiques depuis les lois de décentralisation. Les collectivités territoriales de l'agglomération toulousaine ont mis en place une structure de coopération « Toulouse technopole » pour promouvoir la ville et y attirer de nouvelles activités. En ce domaine, la compétition avec d'autres métropoles du Midi français ou de l'Europe du Sud est devenue plus âpre, mais Toulouse a remporté quelques beaux succès.

En 1992, le transfert des services parisiens de Météo-France a sans doute joué pour que lui soit attribué un très puissant centre de calcul, le CERFACS (Centre européen de recherche et de formation avancée en calcul scientifique), qui était convoité par d'autres villes, et dont la présence ne saurait laisser indifférents de futurs investisseurs. De même, après d'âpres négociations, Air Inter et Air France ont choisi de « délocaliser » à Toulouse une partie de leurs services parisiens, à partir de 1993, la première apportant 500 emplois dans ses services comptables et informatiques nationaux, l'autre 350, pour son centre de recettes commerciales. Ont suivi, renforçant et diversifiant le potentiel aéronautique, les services techniques de la navigation aérienne en 1995 (500 emplois).

La médiocre conjoncture actuelle, dont on ne saurait nier les répercussions inquiétantes sur le tissu productif local, ne peut donc faire oublier l'importance des processus de développement qui s'inscrivent dans la longue durée, depuis plus de trente ans désormais, et qui ont largement modifié la vie et l'organisation de l'agglomération toulousaine. Mais ce dynamisme de la capitale régionale contraste avec les difficultés du reste de la région, où le bilan de l'évolution économique et sociale contemporaine se révèle beaucoup plus préoccupant.

4. UN DÉCALAGE ACCRU AVEC LE RESTE DE L'ÉCONOMIE RÉGIONALE

Dans ses limites INSEE actuelles (58 communes), l'agglomération toulousaine comptait 650 000 habitants au recensement de 1990, 26,7 % de la population régionale, soit un gain de 262 000 résidants depuis 1962. Tout s'est donc passé comme si la métropole régionale avait absorbé 72 % de la croissance démographique de Midi-Pyrénées au cours des trois dernières décennies. Et cette part serait plus forte encore si l'on prenait en compte, une aire urbaine plus vaste, les phénomènes de périurbanisation s'étendant bien au-delà du périmètre de l'agglomération.

Quels que soient les contrastes observés dans le reste du territoire régional, on ne retrouve nulle part des taux de croissance semblables, sur une aussi longue période. C'est que les campagnes, tout comme la plupart des autres villes, ont été affectées par des phénomènes économiques contradictoires, se manifestant sur un rythme plus heurté, qui ont fait se succéder dans le temps ou coexister dans l'espace, crises et embellies. Le bilan peut sembler globalement très médiocre.

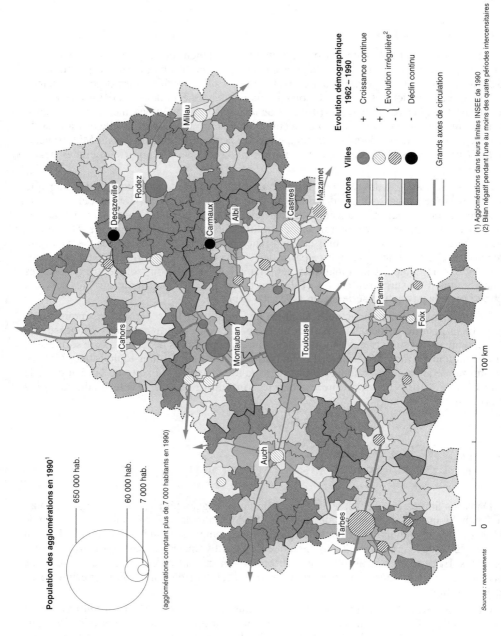

Population des agglomérations en 1990[1]

650 000 hab.

60 000 hab.

7 000 hab.

(agglomérations comptant plus de 7 000 habitants en 1990)

Evolution démographique
1962 – 1990

Villes

+   Croissance continue

+
-   } Evolution irrégulière[2]

-   Déclin continu

Grands axes de circulation

Cantons

(1) Agglomérations dans leurs limites INSEE de 1990
(2) Bilan négatif pendant l'une au moins des quatre périodes intercensitaires

Decazeville

Rodez

Millau

Carmaux

Albi

Castres

Mazamet

Cahors

Montauban

Toulouse

Auch

Tarbes

Pamiers

Foix

0   100 km

Sources : recensements

Figure 18. Contrastes démographiques

La France dans ses régions

1. Restructurations et reconversions

Tous les foyers d'industrialisation ancienne de la région ont été confrontés à de difficiles problèmes d'adaptation qu'imposaient les mutations technologiques, les diverses restructurations de l'appareil productif français, et la confrontation avec une concurrence plus âpre, contrepartie d'un élargissement des horizons économiques. Pour affronter de tels défis, l'industrie régionale partait avec de lourds handicaps, accumulés depuis des décennies : retards techniques, structures atomisées ou forte dépendance de décideurs extérieurs, absence de capitaux, gestion frileuse, isolement géographique... Rares furent les cas où l'on anticipa les adaptations indispensables ; il fallut souvent réagir à chaud, dans des situations de crise, toujours difficiles à gérer socialement, avec parfois le sentiment d'être engagé dans un processus infernal, dans lequel toute amélioration finit par apparaître comme un simple répit, en attendant une nouvelle alerte. L'aggravation générale de la situation dans les années 80 est telle que la question du devenir de ces foyers d'industrialisation ancienne doit être désormais posée plus souvent en termes de structures que de conjoncture.

Investir, innover... n'est pas toujours chose aisée dans un environnement régional traditionnellement habitué à cultiver des attitudes défensives, et à rechercher passivement aide et assistance des pouvoirs publics. Pendant longtemps, jusqu'au milieu des années soixante au moins, les remises en cause majeures ont pu être différées. La plupart des industries, implantées dans de petites unités urbaines, souvent en situation de mono-activité, bénéficiaient d'une main-d'œuvre abondante et peu exigeante récemment chassée des campagnes proches par l'exode rural, et conservant souvent des attaches familiales avec l'agriculture ; cela rendait moins douloureuses les adaptations imposées par les à-coups de la conjoncture qui se traduisaient par des réductions temporaires d'effectifs ou des périodes de chômage technique. Par ailleurs, dans le textile, l'industrie des cuirs et peaux, ou la petite métallurgie, subsistaient des « créneaux » un peu délaissés par la grande industrie, car jugés faiblement rémunérateurs, et non encore soumis à la concurrence des pays-ateliers du Tiers Monde. Cette double protection a disparu peu à peu. Le réservoir démographique rural s'est tari ou n'a plus fourni qu'une main-d'œuvre plus exigeante et, dans bien des cas, l'industrie dut faire appel plus systématiquement à des travailleurs étrangers. Presque en même temps, dans un contexte d'internationalisation accrue de l'économie, la crise contemporaine a rendu la concurrence plus âpre sur les segments de marché que l'industrie régionale avait réussi à conserver.

Plusieurs scénarios se sont alors développés, se succédant parfois dans le temps : abandon pur et simple de l'activité, marginalisation progressive de certains établissements intégrés dans de grands groupes nationaux ou multinationaux orientant leurs investissements vers d'autres régions ou à l'étranger, plan de modernisation avec réduction d'effectifs dans de nouvelles structures, souvent par intégration dans une affaire plus puissante, extérieure à la région, innovations et adaptations conduites par la fraction la plus progressiste des chefs d'entreprises locaux, en profitant des aides multiples proposées par l'Etat ou les collectivités locales. Sans prétendre à l'exhaustivité, on peut retenir pour illustrer ces différents types de mutations récentes, les exemples les plus significatifs.

2. Les bassins houillers

Les deux bassins houillers du Tarn et de l'Aveyron ont connu à des moments différents le sort de tous les Charbonnages français, confrontés aux directives de repli de la production annoncées par les pouvoirs publics en 1960 et entraînant dans leur déclin les industries qui s'étaient développées dans leur mouvance. Les premières touchées furent **les mines de Decazeville** avec l'abandon de l'exploitation souterraine dès 1966, au profit d'une découverte dont les livraisons actuelles oscillent autour de 300 000 tonnes par an. Dans une conjoncture économique générale encore favorable, la reconversion s'avéra difficile et limitée et la « zone critique » des années cinquante, fut classée parmi les... « pôles de conversion » en 1984, au moment où un coup fatal allait lui être porté : les dernières activités sidérurgiques (aciérie et tuberie) fermaient en 1987, bientôt suivies par l'usine de Vieille-Montagne, à Viviez, spécialisée dans la métallurgie du zinc. La crise hâtait la sanction d'une politique de marginalisation progressive, de désinvestissement, poursuivie depuis plusieurs décennies. Depuis 1962, l'agglomération de Decazeville a perdu 11 000 habitants, le tiers de sa population.

A **Carmaux**, l'espoir a subsisté plus longtemps et l'on comptait encore 3 400 salariés des houillères en 1973. Mais le coût du charbon extrait était jugé excessif par rapport aux cours mondiaux et, ici comme ailleurs en France, les deux chocs pétroliers ne purent enrayer un processus d'abandon. « Pôle de conversion » en 1984, le bassin vit sa production souterraine complètement arrêtée en 1987, tout comme la cokerie qu'il alimentait, au profit de l'aménagement très coûteux d'une découverte mise en exploitation en 1989, avec 600 salariés seulement. Dès 1991, la conjoncture ramenait à 150 000 t les objectifs de production initialement fixés entre 400 000 et 700 000 t, et on annonçait en conséquence la suppression de la moitié des emplois restants, dernière étape vers la fermeture définitive en 1997. Les efforts déployés pour attirer sur le site de nouvelles activités auraient créé 1 500 emplois depuis 1984, essentiellement dans des P.M.E.-P.M.I. ; mais plus de la moitié concerne plutôt l'agglomération d'**Albi** proche, qui polarise désormais le développement en s'affirmant comme une petite capitale tertiaire. En partie liées à la proximité des mines de Carmaux, certaines activités industrielles, qui s'y trouvaient implantées ont, elles aussi, décliné. La métallurgie du Saut-du-Tarn, à Saint-Juéry, qui employait encore 1 800 personnes en 1975, n'a pas résisté aux turbulences des années 1980, et six P.M.I. totalisant quelque 500 salariés, se partagent son héritage. Quant à la célèbre Verrerie ouvrière d'Albi, implantée à la fin du siècle dernier par des ouvriers verriers en lutte contre le patronat carmausin, et dont Jaurès fut l'inspirateur, elle a dû se plier aux rigueurs du capitalisme contemporain : le statut de coopérative ouvrière a été abandonné en 1989, et l'intégration dans une filiale de Saint-Gobain; s'est soldée par la perte de 40 % de ses effectifs, ramenés à 350 salariés.

3. Textile, délainage, mégisserie

Autre secteur sinistré, l'industrie textile qui animait deux petits foyers industriels actifs, spécialisés dans le travail de la laine, dans le sud-est du Tarn (Castres-Mazamet) et près des Pyrénées, en Pays d'Olmes. En 1995, tributaire des exportations à hauteur de 30 à 40 %, il concernait encore 130 entreprises de Midi-Pyrénées, totalisant 6 200 emplois, dont 2/3 dans la filature, le tissage et les apprêts, et 1/3 dans la bonneterie.

Dans le **Pays d'Olmes** autour de Lavelanet, la crise a sévi durement s'accélérant au début des années 1990 : 3000 emplois ont été perdus depuis 1980. Les efforts de modernisation n'ont pourtant pas manqué avec quelques belles réussites, parfois brisées brutalement. Tel fut le cas des établissements Roudière, qui durent passer sous la houlette du groupe Chargeurs en 1987 au prix d'une restructuration sévère pour l'emploi.

Toutes proportions gardées, la situation est peut-être moins dramatique dans le **sud-est tarnais**, car le textile n'y fait pas figure de mono-activité comme en Pays d'Olmes. La présence d'une nébuleuse urbaine importante autour de **Castres** (46 000 hab.) et de **Mazamet** (25 000 hab.) y apporte aussi un encadrement tertiaire plus diversifié. Filature, tissage et bonneterie, ont connu une forte réduction de leurs effectifs, pendant que l'industrie du délainage et de la mégisserie affrontait elle aussi une phase difficile. Les centres urbains trop dépendants de ces activités (Mazamet, Graulhet) ont vu leur expansion brutalement stoppée depuis 1968 ou 1975 et perdent aujourd'hui des habitants. Castres, au contraire, a pu faire face de façon plus efficace au déclin des industries anciennes : outre le renforcement de l'appareil commercial et des services, qui exercent un véritable contrepoids à l'attraction d'Albi dans le sud du département, la ville a bénéficié de quelques belles réussites industrielles, dans la mécanique (Renault Automation, 485 emplois) et surtout la pharmacie, grâce au développement du groupe P. Fabre, petite affaire locale devenue en trente ans un grand groupe industriel d'envergure nationale, qui emploie sur place plus de 2 000 salariés.

4. Les villes liées aux grands établissements industriels

Lavelanet, Castres, Mazamet, Graulhet, tout comme Millau avec la ganterie ou Saint-Girons pour la papeterie... sont autant de foyers industriels caractérisés chacun par de nombreuses petites entreprises relevant d'un même secteur d'activité, qui ont incontestablement souffert de l'émiettement des structures de production et d'un individualisme patronal parfois excessif, limitant les capacités d'innovation et les investissements. Mais les difficultés n'ont pas épargné non plus les agglomérations industrielles dominées par quelques gros établissements.

Tel est le cas de la zone urbaine de **Tarbes**, comme en témoignent l'apparition de soldes migratoires fortement négatifs depuis 1975 et une dégradation rapide du marché de l'emploi. Après les déboires de la construction électrique qui affecta les deux usines de Ceraver (C.G.E.) au début des années 1980 (perte de 1 700 emplois avec la fermeture totale du site de Bordères et une forte réduction d'activité à Bazet, qui ne compte plus que 170 salariés en 1993), dans un contexte de forte réduction des productions d'armements, l'inquiétude grandit sur l'avenir de l'Arsenal (GIAT-Industrie, 1 800 emplois), qui a déjà perdu plus du tiers de ses effectifs en dix ans. Quant aux deux autres grandes usines, l'une est spécialisée dans les matériels électriques ferroviaires (G.E.C. Alsthom, 1 100 emplois) et bénéficie des succès du T.G.V. ; l'autre, vouée à la production d'avions d'affaires (SOCATA, 950 emplois, à Ossun), connaît les mêmes incertitudes que le groupe Aérospatiale, dont elle est une filiale. Malgré ses avantages en période d'expansion, cette forte dépendance de grands établissements rend sans doute la vie urbaine plus sensible aux retournements de conjoncture ou aux changements de stratégies des groupes industriels ; on la retrouve dans deux autres centres urbains plus petits de ce bassin d'emploi : à Bagnères-de-Bigorre, avec les Etablissements Soulé (500 emplois) fabriquant du matériel ferroviaire, et à Lourdes où l'usine de produits électroménagers SEB emploie 500 salariés. Mais dans cette ville, il est vrai, on n'attend guère de miracles de l'industrie, l'essentiel de l'activité s'organisant autour du tourisme religieux qui fait affluer chaque année en ces lieux quelque cinq millions de pélerins.

Dans la zone pyrénéenne ou ses abords, d'autres grands établissements attirés autrefois par les ressources hydroélectriques de la montagne, ont également été victimes des stratégies territoriales mises en œuvre par les groupes industriels dont ils dépendaient ou qui en ont pris leur contrôle, à la suite de multiples restructurations. Toutes les usines d'aluminium (Auzat et Sabart en Ariège, près de Tarascon, Lannemezan) sont désormais rattachées à Péchiney et les menaces qui planent sur leur avenir depuis plus d'une décennie se précisent aujourd'hui face à la concurrence de la nouvelle usine du groupe installée à Dunkerque et des productions venues d'Europe orientale. De son côté, l'usine sidérurgique de Pamiers maintient seule la tradition de l'industrie du fer en Ariège ; désormais dans la mouvance d'Usinor-Sacilor, elle n'emploie plus que 700 salariés. Dans le Comminges, l'usine de pâte à papiers de la Cellulose d'Aquitaine a elle aussi traversé une période très difficile en 1981 : reprise par Rochette-Cenpa, elle a fait l'objet d'un important programme de modernisation, qui a permis de maintenir 360 emplois. Mais une nouvelle menace se précise non loin de là, sur le site de Boussens où s'étaient développées des activités liées à la prospection des hydrocarbures après la découverte du gisement de gaz naturel de Saint-Marcet, en 1939. En 1993, le groupe Elf-Aquitaine qui contrôle aujourd'hui ces installations générant 520 emplois a décidé leur abandon et leur transfert à Pau, où se trouve la majeure partie de son potentiel dans le Sud-Ouest, près du gisement de Lacq.

5. Quelques pôles de résistance

De cette accumulation d'exemples on ne saurait cependant conclure que les grands groupes industriels ont systématiquement joué contre les intérêts régionaux, acculant à la ruine beaucoup d'activités locales sous la pression d'une concurrence sévère, ou leur imposant des restructurations socialement douloureuses après en avoir pris le contrôle. Si le cas de l'agglomération toulousaine démontre amplement le contraire, les exemples positifs, sans doute en nombre trop limité, n'en existent pas moins dans le reste de la région. Recherche d'une main-d'œuvre peu exigeante, bonne image d'une région « où il fait bon vivre », réponse aux sollicitations d'une collectivité territoriale, réseaux de relations personnelles ou familiales difficiles à décrypter, qualité de la vie dans une petite ville moyenne bénéficiant de la proximité d'une grande métropole de province... force est de constater que l'implantation ou le maintien de certains grands établissements hors de Toulouse échappe souvent à des explications simples et à une étroite rationalité économique.

On connaît le rôle des attaches familiales dans le repli à Figeac, en 1937, d'une usine fabriquant des hélices d'avion (G. Jalabert, *R.G.P.S.O.*, 1967). L'établissement Ratier-Figeac n'a pas échappé aux difficultés qu'imposaient sa modernisation et la redistribution de son capital : il emploie aujourd'hui 800 salariés, et joue un rôle essentiel dans la vie et le devenir de cette petite ville de 9 500 habitants. Situation un peu comparable, marquée par la domination d'un seul grand établissement, ramification d'une grande entreprise nationale ou internationale, avec les usines de câblage du groupe Labinal et de Cablauto, apportant respectivement 950 et 500 dans des villes plus petites encore, mais peut-être moins isolées, entre Toulouse et Montauban : Villemur-sur-Tarn (4 800 habitants) et Labastide-Saint-Pierre (2 500 habitants).

Mais la proximité de la métropole régionale et de son potentiel tertiaire n'est pas nécessairement un élément déterminant dans la stratégie d'investisseurs extérieurs à la région. Le cas du chef-lieu de l'Aveyron, **Rodez**, l'une des villes moyennes de Midi-Pyrénées qui souffre des liaisons les plus difficiles avec Toulouse, en apporte la démonstration. Depuis trente ans l'expansion continue de l'agglomération (39 000 habitants), dotée précocement d'un district, doit beaucoup au développement dans sa périphérie des usines d'équipements automobile, l'une filiale du groupe allemand Robert Bosch à Onet-le-Château (1 400 salariés), l'autre du groupe Labinal (285 emplois) à Marcillac-Vallon.

Globalement donc, en dehors de Toulouse, si l'on peut dresser un constat de désindustrialisation affectant l'ensemble de la région Midi-Pyrénées, encore faut-il le nuancer en observant que ce phénomène s'est très inégalement manifesté dans l'espace. Tous les foyers d'industrie traditionnelle ont été touchés : souvent dans l'étroite dépendance d'un seul secteur d'activité dominant, qu'ils soient animés par une constellation de petites entreprises ou par un ou deux grands établissements, ils subissent tous désormais les conséquences démographiques de leurs difficultés économiques.

Parmi les 25 agglomérations de la région qui comptaient plus de 8 000 habitants en 1990, celles qui ont perdu des habitants de façon significative, parfois depuis vingt ans, étaient toutes caractérisées par une forte présence d'activités industrielles anciennes. Il s'agit par ordre d'importance de Tarbes, Mazamet, Millau, Decazeville, Carmaux, Lourdes, Saint-Gaudens, Graulhet, Bagnères-de-Bigorre, Saint-Girons, Figeac, Lavelanet. Dans les autres cas, lorsque le secteur industriel était moins essentiel, on constate deux types de comportements : soit les pertes d'emplois industriels ont pu être globalement compensées par le développement d'activités tertiaires (Pamiers, Castelsarrasin, Moissac), soit la dynamique tertiaire est allée de pair avec une stabilisation voire une légère progression de l'emploi industriel liée à l'implantation de quelques établissements nouveaux. Entrent dans cette catégorie, outre Castres déjà citée, pratiquement tous les chefs-lieux de départements, sauf Tarbes : Albi, Montauban, Rodez, Cahors, Foix, et dans une moindre mesure Auch. Ces constatations sont fondamentales pour nourrir la réflexion sur l'aménagement de l'espace régional.

Alors que s'affaiblissaient les foyers d'industrialisation ancienne sous les coups de la concurrence ou des stratégies d'entreprises, s'est renforcée, autour de Toulouse, grâce au développement des activités tertiaires, une catégorie de villes moyennes auxquelles les fonctions administratives assuraient déjà un rayonnement à l'échelle d'un département. Leur affirmation comme pôles tertiaires, sans doute accélérée par la décentralisation, conjuguée avec une politique plus offensive des collectivités territoriales dans le domaine économique, en ont fait des agglomérations d'accueil pour des P.M.E. industrielles, souvent à direction extra-régionale, soucieuses de s'implanter en Midi-Pyrénées, mais en dehors de l'agglomération toulousaine ou des villes trop marquées par des industries traditionnelles en crise. Le phénomène est encore très limité, mais révélateur d'un mouvement qu'il conviendrait peut-être d'encourager pour lutter contre le déséquilibre accru entre Toulouse et le reste de la région. Outre le cas de Rodez, déjà évoqué, on peut citer l'exemple de Cahors avec deux usines de câblage (Sylea, 460 emplois) et de construction électrique (MAEC, 450 emplois) et une unité des Laboratoires P. Fabre ; celui de Montauban aussi avec quelques établissements industriels de 150 à 400 salariés, témoignant du développement d'affaires locales comme les Biscuits Poult, désormais contrôlés par des capitaux belges, ou d'apports extérieurs plus récents (électronique, câblage...).

Semble ainsi s'esquisser – ou s'affirmer – une organisation régionale assez proche de certains modèles théoriques spatiaux, dans laquelle l'influence de la métropole régionale serait relayée par moins d'une dizaine de villes moyennes, réparties de façon relativement homogène, rayonnant chacune sur des territoires plus limités, dont la configuration est souvent proche du maillage administratif départemental.

6. Et l'agriculture ?

L'agriculture régionale a dû affronter le double défi de la modernisation et de la construction européenne avec de très lourds handicaps. R. Brunet, étudiant les seules « campagnes toulousaines », pourtant les moins défavorisées, qu'il qualifiait « d'attardées », en a dressé un impressionnant tableau à la fin des années 50, évoquant successivement une population affaiblie, la prépondérance de l'exploitation familiale paysanne, de médiocres producteurs et des paysans mal entourés. La mutation a été spectaculaire, et ne rend que plus douloureuses les menaces actuelles que font peser sur l'agriculture régionale la révision de la PAC.

En moyenne, c'est plus de la moitié du territoire régional (52,5 %) qui demeure voué à l'activité agricole : les proportions varient de 28-30 % dans les départements pyrénéens à 55-60 % dans les autres, Aveyron compris (59 %), à l'exception du Gers qui détient le record (75 %), et du Lot qui enregistre les effets d'un abandon déjà ancien des causses du Quercy (40 %). Entre les recensements agricoles de 1955 et 1988, alors que la S.A.U. régressait de moins de 20 %, le nombre d'exploitations a diminué de 54 %, ce qui explique l'augmentation de leur taille moyenne passée de 14,8 à 27,5 hectares pour les 87 000 unités restantes.

Ces chiffres traduisent l'ampleur des mutations enregistrées dans les structures de production, apportant des bouleversements majeurs dans la géographie humaine et la sociologie de l'espace rural en Midi-Pyrénées, où les agriculteurs sont désormais minoritaires. Les gains de productivité ont permis à la région de figurer aux premières places en France dans de nombreuses productions en livrant 60 % du sorgho, 34 % du soja, 22 % de la viande d'ovins, ou du lait de brebis, 12,5 % du maïs... mais 4 % seulement du blé, ou 5,2 % du lait de vache. Globalement, compte-tenu de son étendue (8,4 % de la S.A.U. du pays) et du nombre d'actifs dans l'agriculture (9,5 % des emplois de la branche en France), les résultats sont beaucoup plus décevants : en valeur, les livraisons de l'agriculture régionale, qui se partagent pour moitié entre productions animales et végétales, ne représentent que 5,8 % du total national.

Ces moyennes recouvrent certes des situations extrêmement variées selon les exploitations et les petites régions agricoles ; si elles ne peuvent occulter de belles réussites, dans la recherche de productions de qualité à forte valeur ajoutée, elles n'en soulignent pas moins une grande fragilité. Les handicaps liés à des conditions de mise en valeur difficiles, dans les zones de montagne en particulier, vont de pair, quels que soient les changements intervenus depuis trente ans, avec le maintien de structures de production mal adaptées aux règles d'un jeu agricole productiviste, qui se définissent désormais au plan international sans prendre suffisamment en compte les spécificités régionales d'une agriculture dont la survie conditionne largement l'avenir d'un espace rural qui concerne aujourd'hui encore, en dehors des agglomérations urbaines et de leurs couronnes périurbaines classées en Z.P.I.U., 40 % du territoire de Midi-Pyrénées et 11 % de sa population.

5. LES ENJEUX ACTUELS : LE RÉÉQUILIBRAGE DU TERRITOIRE RÉGIONAL ET SON INSERTION DANS L'ESPACE EUROPÉEN

Les responsables de l'aménagement et du développement économique régional sont confrontés à un double défi, dont les solutions paraissent parfois contradictoires. Partant du constat que l'évolution contemporaine a prioritairement bénéficié à l'agglomération toulousaine alors que le reste du territoire régional s'anémiait, ils souhaiteraient mettre en œuvre une politique volontariste visant à corriger ce déséquilibre. Mais, dans un contexte économique peu favorable, où les financements sont d'ampleur limitée, mieux répartir les chances ou les atouts entre les différentes composantes du territoire régional, n'est-ce pas courir le risque de priver la métropole régionale d'équipements indispensables au maintien de son dynamisme ?

L'expansion rapide de l'agglomération toulousaine a posé de difficiles problèmes d'aménagement et de gestion. Les efforts entrepris ont permis de rattraper une partie du retard dans le domaine des équipements et des services métropolitains de haut niveau, tout en conservant une qualité de la vie et un environnement appréciés. En 1993, l'inauguration de la première ligne d'un métro souterrain de type VAL témoigne de la volonté d'assurer un fonctionnement plus efficace d'un espace urbanisé, caractérisé par de très faibles densités, qui s'est considérablement étendu sans rencontrer d'obstacle topographique ou juridique. Mais beaucoup reste à faire pour donner à cette agglomération les moyens de s'imposer dans le concert des grandes métropoles européennes, dont certaines sont très proches. Vis-à-vis de Barcelone, elle ne peut raisonnablement espérer combler le handicap de sa taille et de son envergure économique. Par rapport à Bordeaux et Montpellier, elle peut pâtir d'un isolement géographique qui menace de s'aggraver, alors que son potentiel technopolitain lui donnerait une assez nette suprématie.

La région Midi-Pyrénées a longtemps souffert d'un relatif éloignement de la capitale et des régions actives du pays. Depuis trente ans le développement des activités technopolitaines a rendu encore plus impérative la nécessité de relations multiples, faciles et nombreuses avec des partenaires installés dans d'autres grandes villes européennes, voire plus lointaines encore.

La question des liaisons interrégionales au départ de Midi-Pyrénées est devenue un sujet de préoccupation plus aigu avec la mise en place de grands réseaux de communication modernes à larges mailles, conçus à l'échelle de l'Europe. Ces nouveaux réseaux s'inscrivent déjà dans l'espace ou sont programmés à plus ou moins long terme dans le cadre de « schémas directeurs » nationaux ou européens. Ils ont pour caractéristiques de privilégier un nombre limité de « points forts », de très grandes agglomérations qualifiées parfois d'« eurocités », seules susceptibles de générer un trafic suffisant, alors que les axes qui les composent traversent presque toujours en étrangers les régions intermédiaires, y générant souvent des traumatismes non négligeables.

En l'état actuel des réalisations et des projets, apparaît comme prioritaire la nécessité d'insérer, le plus rapidement possible, Midi-Pyrénées dans ces réseaux à grandes mailles. Or, sur ce point, on peut nourrir de vives inquiétudes. La région semble en effet menacée d'enclavement entre deux faisceaux majeurs, dont les infrastructures ont bénéficié récemment d'importantes améliorations. Les projets en cours devraient encore renforcer à brève échéance leur suprématie. Il s'agit à l'est du grand faisceau qui, par la vallée du Rhône, unit les régions rhénanes à l'Espagne, via Barcelone et l'active Catalogne, avec des ramifications déjà bien équipées vers le sud-est français et l'Italie. A l'ouest, l'axe est moins puissant, mais se dessine plus fermement avec la mise en service des T.G.V. atlantique : il capte les relations entre le nord-ouest de l'Europe, la région parisienne, et l'essentiel de la péninsule ibérique (Espagne et Portugal), largement déportée à l'ouest du méridien de Bordeaux, ce que font un peu trop oublier certaines cartes de géographie utilisant des projections trompeuses.

Dans le domaine des liaisons aériennes, la stratégie des compagnies peut également jouer contre Toulouse. Dans un contexte de déréglementation rapide, elles regroupent en effet leurs grandes lignes internationales sur quelques plates-formes aéroportuaires majeures – les hubs –, fermant les liaisons qu'elles assuraient au départ de quelques grandes villes de province, dont Toulouse. Le passage souvent obligé par Roissy ne va pas sans inconvénient pour la vie des entreprises toulousaines dont on a vu les relations multiples avec les partenaires européens.

Enfin, le désenclavement routier et autoroutier de Midi-Pyrénées souffre d'une réalisation très lente. La liaison autoroutière complète entre Atlantique et Méditerranée n'a été achevée qu'en 1982, et sa continuité assurée par le contournement de Toulouse en 1988 seulement. Si l'on peut espérer à horizon 2000 l'achèvement de la liaison autoroutière entre Toulouse, Tarbes et la côte basque, qui souffre encore de graves lacunes en Midi-Pyrénées, entre Toulouse et Lannemezan, les délais de réalisation pour Montauban-Brive et Toulouse-Pamiers paraissent plus incertains et sont l'objet de multiples controverses. Quant à Toulouse-Albi, ouverte en 1993, l'idée ardemment défendue par certains d'en faire la première section d'une future liaison directe vers Lyon via Rodez et le Massif central, n'est peut-être pas à rejeter, mais on peut douter de son caractère prioritaire pour la région, compte-tenu d'autres défis à relever.

Cette question des grands équipements de communication, qui apparaît comme un des dossiers majeurs de l'aménagement régional, est gravement compliquée car s'y affrontent de façon implicite des logiques contradictoires. Il est aisé d'empiler les projets de lignes ferroviaires nouvelles, d'autoroutes ou de tunnels transpyrénéens pour répondre aux vœux des différentes collectivités territoriales concernées. Dans le contexte actuel de crise économique aggravée, le désengagement de l'Etat et les contraintes budgétaires des collectivités territoriales ne permettent pas de faire face à de tels investissements, dont le total s'avère impressionnant, dans des délais raisonnables.

Reste donc à faire des choix. Toulouse est la seule ville de Midi-Pyrénées dont le poids démographique et le potentiel économique justifient qu'elle soit retenue comme l'un des nœuds majeurs dans les réseaux de circulation à larges mailles fonctionnant à l'échelle européenne. Son avenir en dépend sans doute largement et, au-delà, celui de l'ensemble de la région. Si l'on estime que l'insertion de Toulouse dans ces grands réseaux de transports européens est bien la priorité régionale, et doit mobiliser l'essentiel des ressources et des énergies, il faut alors repenser en fonction de cela l'ensemble des autres projets concernant les liaisons intra-régionales. Nul ne saurait nier les besoins qui existent en ces domaines, mais il convient sans doute d'éviter un saupoudrage de crédits, nécessairement limités, et la mise en œuvre de projets concurrents, dont l'effet peut se révéler désastreux.

Des atouts supplémentaires étant ainsi apportés au maintien du dynamisme toulousain, la priorité suivante est effectivement d'en assurer la diffusion dans l'espace régional. Cela peut se faire de façon désordonnée, en tâche d'huile, renforçant encore une aire urbaine déjà trop étendue, entièrement polarisée par Toulouse, dont les dysfonctionnements peuvent nuire gravement à l'image de marque de la ville. On peut imaginer un scénario plus volontariste s'appuyant sur le réseau de villes moyennes dont on a constaté l'affirmation récente. Cela suppose évidemment de renforcer l'équipement de ces villes, comme le préfigure actuellement l'implantation récente à Montauban, Albi, Rodez... d'antennes des grands établissements universitaires toulousains, qui exerçaient un quasi monopole sur l'enseignement supérieur dans la région. Cela suppose aussi de les doter de liaisons rapides et nombreuses permettant d'atteindre Toulouse en moins d'une heure, pour accéder à des services de haut niveau ou à des équipements majeurs (future gare T.G.V., aéroport international...) dont seule la métropole régionale peut espérer bénéficier.

Cette structure pyramidale, cette « métropole en étoile », n'est pas sans rappeler le scénario Paris-métropoles d'équilibre dans la politique nationale d'aménagement du territoire des années 60, dont on a vu qu'il fut essentiel pour susciter un essor spectaculaire de l'agglomération toulousaine. Le modèle est-il transposable à l'échelle d'une région comme Midi-Pyrénées à la fin du XXe siècle, dans un contexte économique fort différent et en l'absence d'un véritable pouvoir régional ? N'a-t-il pas l'inconvénient majeur de différer dans le temps les solutions aux problèmes aigus que pose dès maintenant la survie des espaces ruraux de Midi-Pyrénées ?

BIBLIOGRAPHIE

Ouvrages généraux

TAILLEFER (F.). dir. *Le Midi toulousain,* Paris, Flammarion, 1978, 314 p.

TAILLEFER (F.). dir. *Atlas Midi-Pyrénées,* Berger-Levrault, 1970.

KAYSER (B.). dir. *Atlas Midi-Pyrénées, régional et départemental,* Publications de l'université de Toulouse-Le Mirail, 8 fascicules, 1981-1984.

MARCONIS (R.) et PRADEL DE LAMAZE (F.). dir. *Représentations de Midi-Pyrénées, Atlas régional,* UTM-INSEE, Toulouse, Privat, 1995.

PRADEL DE LAMAZE (F.). *Midi-Pyrénées, de l'isolement à l'ouverture, cinquante ans de cheminement, 1946-1996,* INSEE Midi-Pyrénées, 1997, 135 p.

Tableaux de l'économie Midi-Pyrénées, Toulouse, INSEE, dernières éditions, 1993 et 1996.

Thèses

BÉTEILLE (R.). *Les Aveyronnais,* Poitiers, 1974, 573 p.

BRUNET (R.). *Les campagnes toulousaines,* Fac. des Lettres, Toulouse, 1965, 727 p.

COPPOLANI (J.). *Toulouse, étude de géographie urbaine,* Toulouse, Privat, 1954, 415 p.

CHEVALIER (M.). *La vie humaine dans les Pyrénées ariégeoises,* Paris, Génin, 1956, 1061 p.

JALABERT (G.). *Les industries aéronautiques et spatiales en France,* Toulouse, Privat, 1974, 520 p.

MARCONIS (R.). *Midi-Pyrénées, XIXe-XXe siècles, Transports-Espace-Société,* Toulouse, Ed. Milan, 1986, 2 vol., 860 et 400 p.

Autres publications

Barcelone-Toulouse Horizon 2000. CIEU, Toulouse, CIEU/Presses universitaires du Mirail, Villes et territoires, n° 4, 1992, 210 p.

CIEU. *Réseaux et territoires, L'exemple de la technopole toulousaine,* Rapport de recherche pour le Plan Urbain, 1991, 132 p.

FLAMANT (J.-C.) et LUGAN (J.-C.). *Les chemins de 2010, Midi-Pyrénées en prospective,* Rapport de synthèse, Préfecture de région Midi-Pyrénées, 1992, 85 p.

JALABERT (G.). *Toulouse, métropole incomplète,* Paris, Anthropos, 1995, 202 p.

MARCONIS (R.). *Toulouse, ville d'avenir,* In Toulouse, Encyclopédie des villes, Paris, Ed. Bonneton, 1991, pp. 245-305.

Tarn. Encyclopédies régionales, Paris, Ed. Bonneton, 1991, 432 p.

Revues

Revue géographique des Pyrénées et du Sud-Ouest, (R.G.P.S.O.) Toulouse, trimestriel, depuis 1930, Presses universitaires du Mirail.

Six pages, Midi-Pyrénées, Toulouse, INSEE, périodique.

LA FRANCE DE L'ATLANTIQUE

André Vigarié

De quelque façon, les Océans ont toujours été des espaces d'impulsions et de sollicitations. Pourquoi n'en serait-il pas de même pour l'Atlantique ? Il est le premier complexe maritime mondial pour le poids des marchandises transportées, le second pour la valeur de ces marchandises. Son rôle économique, et par conséquent politique et géostratégique, est essentiel. Comment cela n'aurait-il pas d'effet sur les territoires qui le bordent ? Sur cette France de l'Atlantique qui commence aux Pyrénées et va jusqu'au milieu de la Manche ? Car au-delà, la Haute-Normandie, qui sera partiellement intégrée à cette présentation, obéit déjà à d'autres sollicitations nationales et internationales : celles du Bassin parisien, celles du Northern Range.

Sont donc intéressées cinq régions de programme : 144 997 km^2 et 11,6 millions d'habitants (157 314 et 13,3 si l'on y intègre cette Haute-Normandie) qui tantôt s'identifient au destin national, tantôt affirment leur personnalité : 28 % du sol français, 23 % des hommes.

1. Les nuances de l'appartenance atlantique

■ **Ces régions sont d'abord marquées par leur localisation,** en petit cap de l'Eurasie, l'un des plus avancés ; et les conséquences les marquent profondément.

Climatiques d'abord : elles sont l'aire de pénétration des masses d'air maritimes dont les effets sont connus sur la température et les précipitations, sur les couvertures végétales, créant des paysages par bien des aspects caractéristiques : landes, chênaie mixte, prairies naturelles, et quand le paysan intervient, bocages fréquents au nord du Poitou.

Humaines ensuite. Ce sont des terres de migrations millénaires : celles vers l'ouest des peuples venus par les grandes voies de passage du sol français ou par les mers bordières, celles des remaniements ethniques, celtes, normands, et autres, qui ont fondé les peuplements actuels et marqué les cultures locales.

Historiques par conséquent, par la participation aux conquêtes des au-delà océaniques. Ce sont des provinces de précurseurs : les Basques ont fréquenté vraisemblablement les bancs de Terre Neuve au XVe siècle, les Dieppois la Côte d'Afrique peut-être avant. Au XVIe siècle, alors que le gouvernement royal n'était pas en mesure de lancer une grande politique de la mer, ce sont les bourgeoisies des côtes bretonnes, de Honfleur, ou de Dieppe, qui ont pris à leur compte une telle politique. Au XVIIe et au XVIIIe siècles, ces littoraux ont entraîné la Royauté dans les grandes aventures coloniales, qui ont conforté la vie maritime et portuaire des périodes suivantes.

Mais trop souvent, cette longue maritimisation a été « corticale » : elle a surtout affecté la frange côtière sauf dans quelques cas dont le plus marquant est la Basse-Seine : à cette brillante exception et à celle de rares autres estuaires, ce littoral a fréquemment manqué d'impulsions venues d'arrière-pays fortement concernés ; cela reste vrai, de quelque façon, aujourd'hui. Cependant, de ce passé marin, la France a gardé quelques équipements actifs et beaucoup de souvenirs.

■ **L'influence atlantique se retrouve dans l'économie de ces provinces de l'Ouest.**

Le paysage agraire a été bien défini par P. Flatrès : « Le trait majeur est la dispersion du semis fondamental du peuplement » ; c'est de là qu'il faut partir.

Dans les productions actuelles, l'agriculture, l'élevage et l'agro-alimentaire, favorisés par la poussée des prairies, gardent un poids très lourd. Le nombre des actifs ruraux y est le double de la moyenne française ; et leur travail ne représente que 7 % dans les P.I.B. régionaux. Ces données montrent que, quel que soit l'intérêt de divers productions de haute qualité, globalement apparût une insuffisance d'industrialisation et de tertiarisation. Cependant, dans divers secteurs, l'activité agricole dont on avait dit qu'elle ferait du Nord-Ouest « une usine à viande », masque la montée d'industries de pointe depuis deux ou trois décennies : constructions automobiles, aéronautiques, électroniques ; mais il reste que, au-delà de quelques usines puissantes, de taille européenne, la plus grosse part de la main-d'œuvre provient des P.M.I., ou de la sous-traitance ; en 1991, et cela est une tendance de longue durée, les grands constructeurs français d'avions ont distribué dans les trois régions du Nord-Ouest, 68,7 % de leurs commandes d'appareillage et d'équipements annexes : c'est à la fois un signe de qualité et de vulnérabilité. Il ne faut évidemment pas sous-estimer la capacité technologique du Bordelais, de la Basse-Loire, de diverses parties de la Bretagne, ou de la Haute-Normandie ; mais la valeur ajoutée par la production industrielle dans les P.I.B. régionaux est globalement inférieure à la moyenne nationale : environ 23 % contre 25 %. La France de l'Atlantique qui avait avant guerre ses propres domaines d'industries, parfois trop limités ou trop localisés, est peut-être venue tard à la rénovation technologique des proches décennies écoulées.

Une remarque semblable pourrait être faite pour la tertiarisation, malgré les efforts parfois étonnants faits dans l'université, dans la décentralisation des grandes écoles, dans la déconcentration des grands équipements de la région parisienne.

En fait, derrière une quantité d'exemples brillants qui témoignent de ces efforts, sur le plan global et comparativement au reste de la France, et surtout de la Communauté et des eurorégions, l'Ouest reste marqué par la relative lenteur de ses évolutions, du développement de sa richesse vive, du revenu par habitant ; les six régions ne créent que 20 % de la valeur ajoutée nationale.

On ne peut plus dire « un Ouest sous-industrialisé, sous-urbanisé, sous-équipé » ; mais dans ces domaines de création de richesses, il demeure en deçà de la moyenne de la nation. Mais il y reste des campagnes vertes, des paysages appréciés, des littoraux recherchés, l'art de bien vivre : la fréquentation touristique le prouve avec 26 % de la clientèle française de vacanciers, contre 17 % pour la Côte d'Azur.

■ **La France Atlantique est restée une grande région maritime et portuaire.**

Mise à part la Basse-Seine, qui avec ses deux ports majeurs, assure un trafic de 74 Mt (24,5 % de l'ensemble national), de Caen à Bayonne, avec quelque 59 Mt, passent 18,7 % du commerce extérieur océanique français ; à l'échelle de la nation, c'est le fait heureux de ports qui ont tous des raisons d'intérêt ; à l'échelle de l'Europe, ce sont des organismes moyens ou locaux.

Les deux estuaires de la Loire et de la Gironde dominent avec chacun leur Port Autonome ; ailleurs, les villes maritimes ont des activités régionales dont il serait vain de minimiser le rôle dans leur environnement ; ensemble, elles assurent jusqu'à 25 % des exportations françaises par mer. Leur utilité est réelle, évidemment, et la diversité de leurs fonctions est grande.

Alors, pourquoi ces ports ont-ils perdu les contacts avec les grandes routes océaniques qui ont fait la puissance du delta rhénan, du rivage Sud de la Mer du Nord, et de la Tamise ? Parce que l'intérieur des régions ne constitue pas des arrière-pays puissants, et parce qu'il n'y a pas de modes de jonction suffisamment efficaces avec les parties centrales et dynamisantes de la nation et l'Union européenne.

Restent d'autres formes littorales complémentaires : la pêche, la conchyliculture (79 % de la production nationale), les constructions navales fort brillantes, et le tourisme balnéaire.

2. La diversité des réactions devant les problèmes d'avenir

■ Chacune des régions a sa propre personnalité.

La première raison de diversité provient du cadre physique qui fait passer du Massif armoricain à la Normandie sédimentaire au nord-est, puis au-delà du seuil du Poitou, qui est une coupure, au Bassin aquitain ; dans le détail, les cellules individualisées se multiplient.

L'histoire est une seconde raison, qui a souvent opposé : le duché de Bretagne, la Normandie, le Comté d'Anjou, les féodaux poitevins, la Guyenne ; on retrouve dans ces grands fiefs bien des racines du présent. Il est aléatoire d'esquisser d'un trait l'allure de chaque région. Là encore la Haute-Normandie a ses caractéristiques originales à cause de la proximité de Paris et de la grande voie séquanienne. Trois autres régions dont l'économie est variée, restent cependant très marquées par l'agriculture : la Basse-Normandie co-héritière de l'ancien duché, est terre d'élevage, du cidre, des fromages, de l'art roman et des monuments à colombage ; la Bretagne, dont la spécificité culturelle est forte, si maritimisée dans sa ceinture dorée, tournée vers le monde celte, est déjà terrienne dans l'Arcoat ; le Poitou-Charentes, charnière ou carrefour, est tiraillé entre l'Atlantique, les pays ligériens, l'Aquitaine, et parfois le Bassin parisien. Ailleurs, où existent de grands estuaires, la mer a aidé à fixer les plus grands ensembles industriels. Les études régionales rendent compte de cette diversité des aptitudes et des richesses.

Et cependant, dans les réactions des hommes, on perçoit quelque regret de ne point appartenir à la France des grandes densités urbaines, des standards de vie élevés, des fortes productivités économiques : à la France du Bassin parisien, de l'axe transisthmique séquanien, des vieilles traditions usinières de l'Est.

■ Les grands problèmes de la France atlantique : le sentiment d'appartenance à des régions périphériques.

Périphériques par rapport à la nation d'abord, comme indiqué ci-dessus ; et ce sentiment est renforcé par l'échec des politiques d'aménagement du territoire : métropoles d'équilibre, appuis aux villes moyennes ; cet insuccès n'est sans doute que partiel, comme il sera montré, mais il faut encore aller chercher les services de très haut niveau à Paris, ou n'en pas avoir totalement.

Il est renforcé aussi par l'inefficacité des mesures de lutte contre la désertification des campagnes dans des régions à forte composante rurale ; sans doute faut-il ici aussi nuancer, mais face à de riches productions agricoles, les éléments jeunes de la population s'en vont.

Il est renforcé enfin par la gravité du sous-emploi ; des six régions ici retenues, cinq ont un taux de chômage supérieur à la moyenne française.

Périphériques ensuite par rapport à l'Union européenne. Les disparités spatiales et l'éloignement de la France de l'Atlantique par rapport aux eurorégions pénalisent l'Ouest océanique ; ce n'est pas seulement un problème de disposition géographique ou de réseaux, mais d'espace-temps et d'espace-coût, qui freine l'arrivée d'impulsions dynamisantes et les possibilités d'active participation.

Evidemment, des liens existent avec le reste du Marché commun. La Bretagne est fortement concernée, jusqu'à lui acheter 50 % de ses importations et lui vendre 60 % de ses exportations certaines années ; mais, le recours aux voies terrestres est prioritaire alors qu'elle est la province la plus naturellement maritimisée de France. D'autre part, les cinq régions ici retenues utilisent massivement les ports du Bénélux pour leurs relations d'outre-mer alors qu'elles disposent d'organismes qui pourraient assurer les mêmes services (250 000 à 300 000 t exportées, 1 200 000 t importées : c'est énorme).

Les liens avec l'U.E. ne sont donc pas les plus valorisants ; et la France de l'Ouest ne tire pas tout le parti que lui offre sa position : faut-il rappeler encore qu'elle est traversée par l'essentiel des flux d'échanges terrestres des pays ibériques avec le Royaume-Uni, et parfois avec le Bénélux (190 000 camions à Hendaye en 1991) ; cela alimente le « transmanche » ; mais pratiquement rien d'autre, en regard de la charge onéreuse des infrastructures.

C'est dans la perspective d'une meilleure valorisation de leur position géographique que ces régions de l'océan cherchent à participer au **grand projet de l'Arc Atlantique**. Il dépasse le seul territoire français puisqu'il regroupe 24 régions, de l'Ecosse à l'Andalousie, confrontées à des difficultés semblables qu'on a résumé ainsi : « rester des régions périphériques dépendantes ou adopter une stratégie d'eurorégions attirant les centres de décision ».

Dans ce contexte de la façade occidentale de l'Europe, les cinq régions françaises (la Haute-Normandie ne fait pas partie de cet Arc Atlantique) ont, face à l'océan, une position centrale qui peut présenter quelque avantage. Encore faudrait-il en prendre conscience et présenter une politique d'unité forte. Mais l'Aquitaine, méridionale, se rapproche des pays ibériques, dans l'Association Sud Europe Atlantique et dans l'Association du Monde Méditerranéen ; la Bretagne est attirée par le monde celte, c'est-à-dire surtout vers le nord ; la Basse-Normandie aimerait une réunification dans la tradition de son ancien duché avec la Haute-Normandie. Certes, cela n'empêche pas d'appuyer le projet de l'Arc Atlantique, mais avec des nuances de tempéraments, des divergences de sensibilités, alors que l'avenir est dans la relance des interrelations dans une forte collectivité d'intérêts maritimes Nord-Sud. L'actuelle politique de la Commission de Bruxelles qui vise à renforcer le cabotage européen peut agir dans ce sens ; car il est évident que la seule réussite d'un ensemble qui n'aurait qu'une disposition méridienne n'apporterait pas nécessairement les relations avec les régions vitales plus orientales de la Communauté.

La navigation côtière peut apporter un correctif aux insuffisances nées d'une localisation périphérique. Le cabotage communautaire a ici des origines anciennes (le sel, le vin, la Hanse…) ; mais en accord avec les vœux de la Commission de Bruxelles, il connaît un début de rénovation avec les liaisons (feedering) des côtes atlantiques françaises avec les grands ports du Nord : Le Havre, Felixstowe, Rotterdam… C'est un rapprochement par voies de mer avec les parties centrales à forte densité économique de la Communauté, rapprochement que certaines régions ont déjà tenté par voies de terre.

Car l'Arc Atlantique, dont participe la France de l'Ouest et du Sud-Ouest, pourrait difficilement vivre seul.

CHAPITRE

7

AQUITAINE

Serge Lerat

Comprenant les cinq départements de l'Ouest du Bassin d'Aquitaine et des Pyrénées (Gironde, Dordogne, Lot-et-Garonne, Landes, Pyrénées-Atlantiques), l'Aquitaine comptait, (estimation) 2 873 000 habitants au 1er janvier 1996, dont 116 000 étrangers sur 41 309 km^2 : avec 69 habitants au km^2, elle appartient à la France des faibles densités. 5 % des Français résident en Aquitaine sur 7,6 % du territoire national.

L'Aquitaine n'est pas une région naturelle. Le massif ancien déborde sur le Périgord dans la région de Nontron ; les Pyrénées occupent la partie méridionale des Pyrénées-Atlantiques. Certes, tout le reste est dans le bassin sédimentaire aquitain, mais très différents sont les plateaux calcaires plus ou moins fortement disséqués, du Périgord et d'une partie du Bordelais, les molles ondulations des collines molassiques de la Moyenne Garonne et la platitude des pays de sable des Landes.

Ce n'est pas une région historique. Au Sud, la Basse Navarre a fait partie du royaume de Navarre jusqu'au XVIe siècle et le Béarn a conservé jalousement son indépendance jusqu'à son union avec la France, consécutive à l'accession au trône de France de son propre souverain, Henri (Henri IV). A l'exception de l'Agenais, le reste de l'Aquitaine a été sous souveraineté anglaise, du milieu du XIIe siècle au milieu du XVe : situation exploitée par les milieux bordelais pour obtenir de Londres, le Privilège de Bordeaux, qui garantissait la vente en premier des vins du Bordelais sur le marché anglais et fut, en dernière analyse, à l'origine de l'extension du vignoble. Après le retour des diverses parties de la région au Roi de France, l'Aquitaine est restée tiraillée entre Bordeaux, Pau et même, pour certaines régions, Auch où siégeaient les intendants. A ce cadre administratif de l'Ancien Régime a été substitué, en 1789, le découpage départemental, sur lequel fut construite la région.

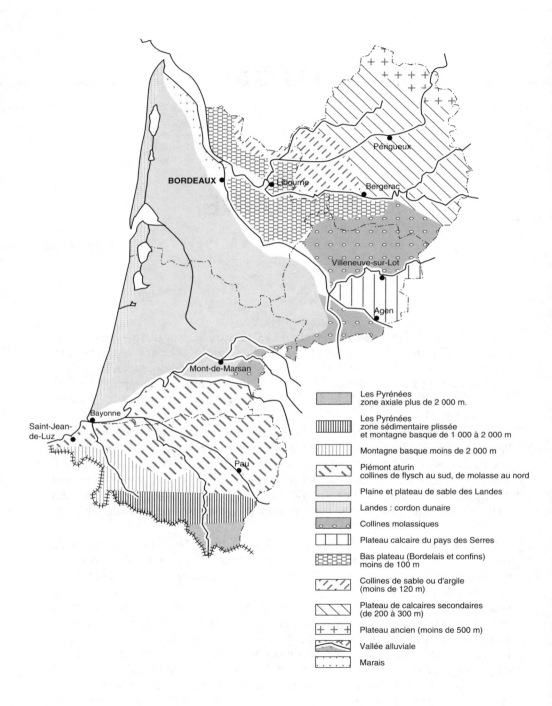

Figure 19. Les ensembles morphologiques

Légende :

- Les Pyrénées zone axiale plus de 2 000 m.
- Les Pyrénées zone sédimentaire plissée et montagne basque de 1 000 à 2 000 m
- Montagne basque moins de 2 000 m
- Piémont aturin collines de flysch au sud, de molasse au nord
- Plaine et plateau de sable des Landes
- Landes : cordon dunaire
- Collines molassiques
- Plateau calcaire du pays des Serres
- Bas plateau (Bordelais et confins) moins de 100 m
- Collines de sable ou d'argile (moins de 120 m)
- Plateau de calcaires secondaires (de 200 à 300 m)
- Plateau ancien (moins de 500 m)
- Vallée alluviale
- Marais

La France dans ses régions

1. CARACTÈRES GÉNÉRAUX

En Aquitaine vit une population plus nombreuse qu'au milieu du XIXe siècle (2 239 000 habitants en 1861), malgré une lente diminution de la population enregistrée de 1881 à 1911 (de 35 000) et amplifiée au cours de la décennie suivante (133 000) : la Première Guerre mondiale a fait des coupes sombres dans les campagnes aquitaines. Depuis 1921, à l'exception d'un léger repli de 1931 à 1936, la population s'est régulièrement accrue.

1. Une population vieillie

Depuis une vingtaine d'années, elle augmente à un rythme modéré, mais de plus en plus rapide : de 0,52 % par an pour les années 1968-1975 à 0,58 % pour les années 1975-1982 et 0,64 % pour la période 1982-1990, soit sensiblement plus que la moyenne nationale. Pourtant, au cours de ces trois dernières décennies, le taux d'accroissement naturel s'est écroulé de 0,24 à 0,05 % dès 1982. Par contre, le solde migratoire n'a pas cessé d'augmenter de 0,28 % à 0,35 % puis 0,59 %. En fait, dans nombre de bourgs et de petites villes, partent des jeunes en quête de travail et viennent se retirer des retraités.

En résulte un vieillissement de la population. Les moins de 20 ans, qui représentaient 28,7 % des habitants en 1975, n'en constituent plus que 23,3 % en 1996 ; durant la même période, la part des personnes de plus de 60 ans est passée de 22,4 % à 23,7 %. La population aquitaine est plus âgée que l'ensemble de la population française. Aussi le croît naturel est-il très faible, le taux de natalité (10,5 ‰) étant égal au taux de mortalité.

2. Un pays resté fortement rural

L'Aquitaine reste plus fortement rurale (le tiers des habitants vit dans une commune rurale) et agricole (9,2 % des actifs) que l'ensemble de la France. Mais sur le plan économique, agriculture et élevage ne procurent que 6,6 % du P.I.B. régional (au lieu de 7,7 % en 1975), ce qui est l'équivalent de 9 % de la valeur totale de la production nationale.

Les 61 500 exploitants aquitains (ils étaient plus de 98 000 en 1962) tirent 65 % de leurs revenus des cultures. A elle seule, la vigne en fournit 30 % : sur 148 000 ha, sont récoltés de 7,5 à 8,5 Mhl, dont la majorité (de 6,6 à 7 Mhl) de vins d'A.O.C., obtenus sur 132 000 ha. 565 000 ha consacrés aux céréales, dont 440 000 au maïs (donnant de 20 à 30 Mqx) et 78 500 au blé, sur lesquels sont récoltés de 20 à 30 Mqx, fournissent 15,3 % du bilan agricole. Quant aux pommes de terres, fruits et légumes, ils en donnent 11,5 %.

Sont élevés en Aquitaine, 866 000 bovins (1 013 000 en 1979) dont moins de 156 000 vaches laitières, soit un tiers de moins qu'en 1979 ; on dénombre davantage d'ovins (975 000) et 529 000 porcins. La production de viande, notamment de bovins (50 %) et de porcs (45 %) rapporte plus que celle de lait et de produits laitiers. Ajoutons que 10 % des profits des exploitants sont procurés par les élevages de volailles : en parts comparables élevages industriels de poulets, élevages fermiers d'oies et de canards pour les foies gras.

La forêt aquitaine est la plus étendue de France : 1 875 000 ha, sans compter les 23 400 ha de peupleraies : soit 12 % de l'espace forestier national. La superficie boisée est presque aussi étendue que l'espace agricole, occupant plus de 40 % du sol (28 % pour l'ensemble de la France) et même 60 % dans les Landes. Naturelle en montagne, profondément transformée par l'homme dans le Nord-Est de la région, la forêt a été créée par l'homme, à la fin du XVIIIe siècle et au XIXe dans les Landes. Plus des 9/10 de la superficie boisée appartient à des particuliers (dont un peu plus du quart, soit 345 000 ha, inclus dans des exploitations) : aussi 8 % seulement sont-ils soumis à l'O.N.F. Près des 2/3 des boisements sont constitués de conifères, en quasi-totalité des pins maritimes ; plus de la moitié des feuillus sont des chênes pédonculés et des chênes rouvres. 90 % de la superficie des pinèdes sont des futaies. Plus variés sont les modes d'exploitation des feuillus : 38 % en futaies, 36 % en taillis sous futaie et 26 % en taillis simple. Cette forêt a, en 1990, donné 4 500 000 m³ de bois d'œuvre, soit 20 % de la production française et 2 800 000 m³ de bois d'industrie, en quasi-totalité destiné à la trituration. Au total 4 700 personnes, dont 2/3 d'hommes, exploitent cette forêt.

3. Une région faiblement industrialisée

L'Aquitaine est modestement industrialisée. Sur un total de 1 054 000 personnes employées, 166 000, soit 15 %, travaillent dans l'industrie et 69 800, soit 7 %, dans la branche bâtiment, génie civil et agricole : soit au total un peu moins du quart. Ils le font dans plus de 47 000 entreprises artisanales (dont 20 000 dans le bâtiment), 17 000 établissements industriels pour la plupart de petite taille (sur 17 000, 126 seulement emploient plus de 200 personnes, dont 37 plus de 500, cela en 1987) et 24 000 entreprises de bâtiment, dont 23 000 de moins de 10 salariés. Cette industrie a, en 1990, fourni 26,7 % du P.I.B. régional (la moyenne nationale est de 30 %) et le bâtiment 6,6.

Depuis une dizaine d'années, le poids de l'industrie dans l'économie régionale s'est affaissé. Le nombre des personnes employées dans le secteur secondaire était de 298 000 (dont 212 000 dans l'industrie proprement dite) en 1975 et en 1982 (202 000 dans l'industrie) ; dans le secteur secondaire étaient employés près de 33 % des actifs en 1975 et un peu moins de 30 % en 1982. En outre l'industrie procurait 39 % du P.I.B. régional en 1975 et 37 % en 1980.

A vrai dire, la région n'a jamais disposé, à l'exception du bois, de ressources naturelles, énergie ou matières premières, importantes et celles qui ont été exploitées, s'épuisent. L'Aquitaine a perdu sa suprématie, à l'échelon national, dans le domaine des hydrocarbures. Lacq fournit certes toujours la quasi-totalité du **gaz naturel** (96,5 %) extrait en France, mais sa production a chuté de 60 % de 1978 à 1991 : de près de 11 300 Mm³ à 4 447. Alors que cela équivalait à 22 % de la consommation nationale en 1978, cela n'en satisfait plus que 8 %.

Certes, l'extraction du **pétrole** est légèrement plus forte en 1994 (955 000 t) qu'en 1978 (900 000), mais l'Aquitaine ne fournit plus que 38 % du brut national, contre 81 % en 1978 : elle est aujourd'hui nettement distancée par le centre du Bassin de Paris. La forêt landaise, autour de Parentis-en-Born, produit plus que le Nord du Béarn (Vic-Bilh) et le Tursan dont les richesses ont été découvertes dans la seconde moitié de la décennie 1970. Reste que le bilan pétrolier est aujourd'hui très déficitaire, la consommation des produits raffinés étant de l'ordre de 2,7 Mt.

Par contre, la production d'**électricité** a été fortement accrue (de 5,5 milliards de kWh en 1982 à plus de 26) au point d'excéder les besoins régionaux. 95 % de ce courant est obtenu à partir de sources d'énergie (uranium, fuel) venues d'autres régions. Tout à fait secondaire a toujours été le rôle de l'hydroélectricité (1,3 milliard de kWh), fournie en majorité par les Gaves béarnais, notamment celui d'Ossau, mais aussi par le cours inférieur du Lot et les microcentrales de l'Isle. La production des centrales thermiques classiques est devenue très faible, du fait de l'épuisement des lignites landais et de l'arrêt des raffineries girondines (Ambès, 538 MkWh) ; aujourd'hui, les 9/10e du courant aquitain viennent de l'usine nucléaire du Blayais (24,9 milliards de kWh), sur la rive droite de la Gironde, mise en service entre 1981 et 1983.

Au total, l'Aquitaine produit plus d'énergie qu'elle n'en consomme : un peu plus de 20 %. Si elle est déficitaire en charbon et en produits pétroliers (près des 2/3), la production de gaz et celle d'électricité primaire, sont supérieures de 85 % à la consommation.

Du fait de la pauvreté de la région en matières premières, **les industries de base sont très peu développées**, moins même que par le passé à la suite de l'arrêt, déjà ancien, des petites installations sidérurgiques (Pauillac, Floirac, Le Boucau) et de celui, bien plus récent, des raffineries girondines. Si plus de 15 700 personnes sont employées dans le secteur de l'énergie, la majorité l'est dans la distribution : ce qui diminue donc le nombre du personnel producteur dans l'industrie. 15 400 autres travaillent dans les industries de base, fabrication de matériaux de construction, métallurgie et chimie de base. Toutes ces branches rétribuent 16 % environ de la main-d'œuvre industrielle.

C'est peu, comparé aux **fabrications de biens d'équipement et de biens de consommation**. La métallurgie de transformation est la pièce maîtresse de l'industrie aquitaine, la construction aéronautique (13 400 travailleurs) et le travail des métaux (10 100) en sont les plus beaux fleurons, distançant nettement la fabrication d'équipement industriel et de matériel électrique (7 600). Au second rang arrivent, sur deux plans voisins, les industries de la filière bois (16 600 travailleurs, soit plus de 11 % du total) et les industries agricoles et alimentaires (28 000, soit 18,5 %). Parmi les premières, le travail mécanique du bois, c'est-à-dire la scierie, est de loin la plus importante ; parmi les secondes, les activités de traitement des céréales (dont la boulangerie-pâtisserie) devancent nettement celles liées à l'élevage. Bien moindre est la place de la chimie et de la parachimie (11 300 emplois, soit moins de 7 %) et surtout de la branche textile et des industries du cuir (9 400).

4. La place du tertiaire

Plus des 2/3 des Aquitains employés (710 000), le sont dans le secteur tertiaire : près de 465 000, soit 43,7 %, dans les services marchands et plus de 210 000 (19,8 %) dans les services non marchands. Parmi ces activités tertiaires, 33 000 personnes travaillent dans les hôtels, cafés et restaurants. Touristes et vacanciers sont accueillis dans 1 230 hôtels homologués (dont 240 à une étoile et 745 à 2), offrant 30 800 chambres ainsi que dans 720 campings et caravanings, disposant de 98 000 places ; ils peuvent aussi séjourner dans un peu moins de 1 000 gîtes. De mai à septembre 1992, ont été enregistrées un peu moins de 24 millions de nuitées, dont à peine un tiers dans l'hôtellerie. A lui seul, le littoral accueille 60 % des touristes. On compte 165 000 résidences secondaires.

L'Aquitaine, pays bordé par l'Océan sur plus de 350 km, ne s'ouvre guère vers l'extérieur par la mer. Pêcheurs et ostréiculteurs ont, en 1994, livré 20 500 t de produits sur le marché, soit 2,4 % de toute la production nationale. Guère plus importante est la part des ports de commerce dans le bilan national : 11,3 Mt, soit 3,9 %. L'ouverture sur l'étranger est beaucoup plus grande sur les itinéraires continentaux et ne cesse pas de croître : l'axe ferroviaire et autoroutier Bordeaux-Hendaye est la seconde voie d'accès à la péninsule ibérique.

Des disparités assez sensibles apparaissent entre les diverses parties de l'Aquitaine, comme le souligne l'examen des statistiques départementales. La Gironde domine très nettement l'ensemble : y résident 43 % des Aquitains et 45 % de ceux ayant un emploi (bien que le chômage soit le plus fort de toute la région) ; son agriculture procure 45 % du revenu agricole régional et près de 43 % du trafic ferroviaire de marchandises y sont effectués. Les Pyrénées-Atlantiques, où vivent un peu plus de 20 % des Aquitains et des personnes ayant un emploi, constituent l'autre ensemble dynamique, s'inscrivant pour 20 % dans la production agricole et plus de 35 % dans le trafic ferroviaire de marchandises. Bien moindre est le poids des trois autres départements, dont certains appartiennent à l'Aquitaine profonde : de 11 à 14 % de la population, un peu plus de 10 % des actifs, de 13,5 à 15 % de la valeur de la production agricole et de 6 à 8,7 % du trafic ferroviaire de marchandises. En fait, plus actifs apparaissent quelques axes : la vallée de la Garonne, celui courant de la Côte basque aux confins bigourdans à l'est de Pau, et, mais à une échelle plus modeste, la vallée de l'Isle en aval de Périgueux.

2. LA CAPITALE RÉGIONALE : BORDEAUX

Située sur la Garonne à 100 km de la mer, Bordeaux (210 000 habitants en 1990) est à la tête d'une agglomération de 40 communes où ont été dénombrées, la même année, 685 000 personnes ; parmi elles, 615 000 vivent dans les 27 communes faisant partie de la communauté urbaine (C.U.B.). La ville, née sur une légère éminence de terrains insubmersibles, située sur la rive gauche de la Garonne, est à l'origine d'une agglomération qui s'est surtout étendue sur les croupes de graves et la plaine landaise ; le fleuve, large de 500 mètres et dont le niveau varie de quatre mètres environ avec la marée est une entrave très forte à la circulation (jusqu'à 1967, il n'y a eu qu'un pont) et a gêné le développement de l'agglomération sur la rive droite. Son extension a été freinée sur la rive gauche par les grands marais, au sud de Bègles et, plus encore, au nord de Bordeaux, où de vastes espaces appartiennent par ailleurs au Port autonome de Bordeaux.

Au total, dans la partie de l'agglomération située sur la rive droite, vivent seulement un peu plus de 25 % des Bordelais, notamment dans les trois communes les plus proches, Lormont (21 500 habitants), Cenon (21 300 habitants) et Floirac (16 800 habitants). Bien plus peuplée est la rive gauche où l'agglomération s'est développée, d'abord le long des grandes routes filant vers le Médoc, le Bassin d'Arcachon, Bayonne, Mont-de-Marsan et Toulouse, ensuite sur les espaces intermédiaires. Outre la majorité de la population bordelaise, de grandes villes sont nées sur les territoires communaux étendus : Mérignac (57 000 habitants) et Pessac (51 000 habitants) sont les plus peuplées.

Le poids démographique de Bordeaux dans l'agglomération s'est fortement affaibli au cours du dernier quart de siècle (la commune de Bordeaux a perdu 56 000 habitants de 1968 à 1990) ; dans la ville, où vivait la moitié des Bordelais au début des années 1960, ne réside plus que le tiers des habitants de la C.U.B. La population des proches banlieues, qui s'était sensiblement accrue dans les années 1960 et 1970, stagne depuis une dizaine d'années ; par contre, depuis 1980, naissent des banlieues plus lointaines, dans des communes situées hors de la C.U.B., notamment sur la plaine landaise et sur la rive droite en direction de Libourne, dans une aire desservie par une voie rapide.

Au 1er janvier 1991, un peu plus de 321 000 actifs, dont 172 000 hommes, étaient dénombrés dans les 44 communes de l'agglomération bordelaise. Mais 41 600 (dont 17 400 hommes), soit 12,9 % (mais plus de 25 % des personnes de 20 à 24 ans) étaient au chômage : un peu moins de 280 000 avaient donc un emploi. Parmi eux, 210 000, soit les 3/4, exercent une activité dans le secteur tertiaire et un peu moins de 65 000 (dont 17 000 dans le bâtiment et les travaux publics) dans le secteur secondaire. S'y ajoutent 2 500 salariés du secteur primaire.

1. Les fonctions tertiaires : le centre

■ **Bordeaux est un carrefour secondaire en France.** Par le port, ne passent plus que 10 Mt environ (8,6 Mt en 1996) contre près de 15 au début des années 1970 : chute spectaculaire consécutive à l'arrêt des raffineries girondines, mais freiné par un certain redressement du trafic de marchandises générales (celui des conteneurs, qui a toujours été très faible, décline : 210 000 t). Le trafic reste déséquilibré, près des 2/3 étant enregistrés aux entrées ; de plus, l'horizon maritime s'est fortement restreint avec la disparition des importations de pétrole brut : les 3/4 des mouvements sont effectués avec un autre port français ou européen de l'Ouest. Sans tenir une place aussi importante qu'il y a une vingtaine d'années, le trafic d'hydrocarbures reste le plus gros (plus de la moitié du total) : arrivée de produits pétroliers chargés à Donges, mais aussi expédition de brut landais vers Port-Jérôme. En outre, Bordeaux exporte de notables tonnages de céréales (les produits agricoles et alimentaires constituent le quart du trafic). Alors que dans le port urbain ne viennent plus

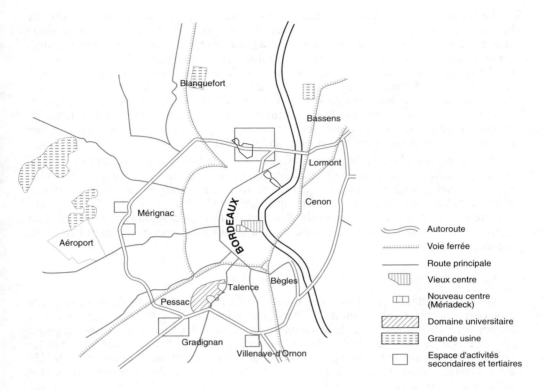

Figure 20. L'agglomération bordelaise. Communications et principaux espaces d'activité

que des navires de croisière ou des unités militaires en visite, à Bassens s'effectue le trafic le plus diversifié ; Ambès et Pauillac sont animés par les mouvements pétroliers ; Blaye expédie des céréales et le modeste trafic de conteneurs est effectué au Verdon.

A Bordeaux-Mérignac, cinquième aéroport provincial en France, on a enregistré 40 000 mouvements d'avions en 1996, ayant transporté 2 687 000 passagers et 8 300 t de fret ; les 3/4 du trafic sont effectués avec un autre aéroport français, dont les 2/3 avec celui de Paris-Orly en majorité. Parmi, les autres relations, celles vers Lyon et Marseille, ainsi que vers les Canaries et l'Ouest du Maghreb, sont les plus fréquentes.

■ **Bordeaux n'a jamais été une ville industrielle et, au fil des ans, le poids des activités tertiaires s'est accru.** Certes, les industries et les fonctions tertiaires sont présentes dans toutes les parties de l'agglomération, même celles dont la fonction résidentielle est fondamentale. Ceci dit, dans l'organisation de l'espace fonctionnel bordelais, deux lignes directrices se dégagent. D'une part, les fonctions directionnelles restent essentiellement l'apanage de Bordeaux, où elles ont en partie migré du centre vers certains faubourgs. D'autre part, des pôles d'activités industrielles, créations mais aussi résultats d'un desserrement, voire d'initiatives extérieures, et d'activités tertiaires se sont développés à la périphérie, le long de la rocade autoroutière. En résulte un grand nombre de migrations pendulaires de travail : les grandes artères routières et la rocade sont alors au seuil de la saturation.

La commune de Bordeaux est animée par les fonctions tertiaires, notamment celles de haut niveau, alors que les industries et les activités liées au port ont décliné. Dans la vieille ville, entre les cours et la Garonne, au sud de la place des Quinconces, se pressent quelques grands magasins traditionnels, le commerce de luxe, les grands cinémas, les sièges régionaux des banques et les commerces non alimentaires. Se trouvent aussi les pôles d'activités culturelles (Grand théâtre, musées, centres d'exposition), dans ces quartiers qui, par leur capital artistique et architectural du Moyen Age et du XVIIIᵉ siècle, attirent les touristes ; les grands magasins de vente des biens culturels sont fréquentés par des habitants de l'agglomération et de la région. Au nord de la place des Quinconces, dans le quartier des Chartrons, la cité mondiale du vin a été inaugurée en 1991.

A l'exception de l'Hôtel de ville qui est, du reste, à la limite du centre, les fonctions de direction ont été déplacées au cours du dernier quart de siècle, vers la périphérie de la ville, entre les cours et les boulevards. Le quartier dégradé et insalubre de Mériadeck, livré à la pioche des démolisseurs, a fait place au « quartier de l'Hôtel de Ville » : à côté d'un petit nombre de logements, ont été créés des bureaux et installés des commerces autour d'un hypermarché. S'y sont installés de grandes administrations départementales et l'Hôtel de région.

2. Les grands espaces industriels de la périphérie

Les grands secteurs d'emplois industriels et tertiaires, autres que les fonctions de direction et de commandement, sont aujourd'hui situées à la périphérie. Les activités les plus anciennes étaient nées sur la rive droite de la Garonne en aval de Bordeaux (ainsi le raffinage du pétrole à Ambès dans les années 1930) et autour de l'aérodrome de Mérignac ; dans les années 1960, des usines isolées ou groupées, avec des entrepôts, sur des zones industrielles (34 d'une superficie totale de 3 600 ha) furent implantées dans des sites dispersés, par la suite desservis par la rocade.

Une très grosse majorité de petites et de moyennes entreprises, mais aussi quelques grosses affaires (pour l'ensemble de la Gironde, 52 employant plus de 200 salariés, dont 22 plus de 500 sur un total de 6 124 dans l'industrie et 7 sur 8 919 dans le bâtiment) œuvrent à la production manufacturière. Depuis la fermeture des raffineries de pétrole (la dernière en 1986), l'industrie de base est bien modeste : centrale thermique d'Ambès, chimie de l'azote et travail du caoutchouc (Michelin). Les industries de transformation traditionnelles (textiles, meubles, petite métallurgie, industries agricoles et alimentaires) sont éclipsées par de puissantes industries de pointe, sur lesquelles pèsent des menaces de récession : aéronautique militaire et aérospatiale, électronique. La majorité des travailleurs de l'industrie œuvre à la production de biens d'équipement et de biens de consommation.

Traditionnellement, les milieux locaux ont faiblement investi dans l'industrie. Les grandes usines développées ou créées au cours des dernières décennies sont contrôlées par l'Etat (énergie, aéronautique, une partie de l'électronique) dont le rôle a été renforcé à partir de 1981, ou des multinationales dont certaines d'origine étrangère (Ford, I.B.M.). Aussi l'évolution de cette industrie dépend-elle fortement de décisions extérieures : le désengagement partiel récent d'I.B.M. en est la preuve.

Quelques secteurs de la banlieue sont plus fortement marqués par l'industrie et, dans chacun d'entre eux, une dominante industrielle apparaît. La presqu'île d'Ambès est le domaine des industries lourdes à faible valeur ajoutée : centrale thermique, chimie des engrais, caoutchouc synthétique. Sur la rive opposée de la Garonne, à Blanquefort, la grande usine Ford (3 500 salariés) fabrique des boîtes de vitesse, expédiées par route aux grandes usines de montage du groupe en Europe occidentale. Autour de l'aérodrome de Mérignac et à Saint-Médard-en-Jalles, les grandes usines du complexe aérospatial, dont la principale est celle des Avions Marcel Dassault, emploient 10 000 personnes environ. Dans la banlieue Sud-

Ouest à Pessac et à Canéjan, l'électronique est l'activité principale, devant l'Atelier de la monnaie.

3. Les nouvelles activités tertiaires de la périphérie

La croissance de la population des communes périphériques de l'agglomération et la diminution de celle de Bordeaux d'une part, l'accessibilité très difficile au centre d'autre part, ont entraîné un déplacement spectaculaire des activités commerciales vers la périphérie. Cinq aires commerciales ont ainsi été constituées autour d'un hypermarché, en bordure de la rocade et au point de départ des grandes radiales. Les deux plus importantes sont au nord et à l'ouest. A Bordeaux-Lac, au nord, à proximité des installations de la Foire internationale, ont été successivement créés, un centre de commerce de gros, un ensemble commercial de distribution et, à Bruges, une gare internationale de fret. A Mérignac, à l'ouest (et à faible distance du Nord du bassin d'Arcachon) a été implanté le centre commercial de distribution le plus important et le plus diversifié (nombreux magasins d'équipement de la maison). Moins étendues et tournées essentiellement vers la vente des produits alimentaires sont les aires commerciales aménagées au départ des routes de Paris et de Périgueux (Quatre Pavillons) de l'autoroute de Bayonne (Pessac et Gradignan) et de celle de Toulouse (Villenave-d'Ornon).

A la périphérie de l'agglomération, en bordure ou à faible distance de la rocade, d'autres fonctions tertiaires, dont certaines de haut niveau, ont été développées. Envisagé dès 1949, le transfert des activités universitaires vers la banlieue sud-occidentale (Talence, Pessac, Gradignan) a été amorcé en 1960. Sur un vaste espace de 270 hectares, dans les trois universités, d'autres établissements d'enseignement supérieur et des laboratoires de recherche, plus de 62 000 personnes travaillent et étudient sous la direction de 1 200 enseignants. Sur le territoire de Pessac, un grand ensemble hospitalier a été construit.

Si, au cours de la dernière décennie surtout, la capacité d'accueil de l'hôtellerie bordelaise s'est fortement accrue, c'est surtout du fait de nombreuses créations d'hôtels à la périphérie. Certes un peu plus de la moitié des chambres est encore située dans le centre et à proximité de la gare Saint-Jean, mais de puissants ensembles ont été constitués le long de la rocade. Près de 1 000 chambres, en majorité de haut de gamme, sont ainsi offertes dans le quartier du Lac ; presque aussi important, mais de classe plus modeste en majorité, est le parc hôtelier de Mérignac, au voisinage de l'aéroport. De moindre capacité et de standing moindre (1 ou 2 étoiles) sont les groupes d'hôtels de Pessac-Gradignan, Villenave-d'Ornon et de la rive droite.

4. Le visage de l'agglomération

Le visage des espaces résidentiels a aussi été sensiblement modifié. En effet, si les banlieues se sont considérablement étendues, avec la construction d'immeubles résidentiels et, ce qui consomme un très grand espace, celle de quartiers de villas et de pavillons, le centre de l'agglomération se transforme aussi. Une réhabilitation de l'habitat a été entreprise, à partir de 1984, dans les quartiers du vieux Bordeaux, inclus dans un secteur sauvegardé depuis 1967 ; en est résulté une certaine relance de l'activité économique. Pour permettre l'accès aux quartiers d'activités tertiaires du centre, dont une partie des rues est réservée aux piétons, tout un ensemble de parcs de stationnement, offrant plus de 10 000 places a été constitué.

Dans les quartiers péri-centraux, où les témoignages du passé sont bien plus rares, voire absents, ont été réalisées des rénovations. La plus spectaculaire est celle de Mériadeck, où sur 25 hectares, avec plusieurs niveaux de circulation, ont été construits 360 000 m^2 de planchers, dont le tiers seulement destiné aux logements. En outre, dans un nombre croissant de sites, ancien espaces industriels, voire groupes d'échoppes, sont construits des immeubles résidentiels. Les grands ensembles, plus anciens, avaient été édifiés plus loin à la périphérie, sur la rive droite de la Garonne (La Benauge) et sur la rive gauche au Nord (Le Grand Parc, quartier du Lac).

Constituée en majorité de maisons individuelles ou de petits immeubles, l'agglomération bordelaise est très étendue ; elle est par ailleurs située sur un des itinéraires majeurs de la circulation en Europe occidentale : de là, de très délicats problèmes de circulation. Entre le centre et la banlieue, outre une circulation diffuse sur les voies secondaires, les flux principaux sont canalisés sur les grandes radiales surchargées ; il en est de même dans le centre où la circulation est particulièrement dense sur l'axe des quais, circulation facilitée par le raccordement récent à la rocade. Celle-ci, longue de 45 km, qui a été achevée au début de 1994, accueille une circulation locale (de banlieue à banlieue), nationale et internationale croissantes : aussi est-elle déjà à la limite de la saturation.

Depuis le début des années 1950, le visage de Bordeaux a beaucoup changé. Déjà d'autres projets sont esquissés, d'initiative les uns municipale, les autres communautaire : réutilisation des emprises portuaires de la rive gauche, construction d'un nouveau pont dans le centre et rénovation du quartier de la Bastide, sur la rive droite.

3. LA RÉGION AQUITAINE : LES RÉGIONS DOMINÉES PAR BORDEAUX

Disposant des fonctions tertiaires les plus nobles et étant située au centre d'une étoile de relations, Bordeaux est la capitale régionale. Elle règne sans partage sur le vignoble bordelais, où Libourne (25 000 habitants) est la cité la plus peuplée, et la majeure partie de la forêt landaise, qui est un vide urbain. Des organisations régionales hiérarchisées n'existent que dans les parties périphériques de l'Aquitaine, autour des préfectures en Dordogne et dans le Lot-et-Garonne, des deux agglomérations de Pau et de Bayonne dans les Pays au Sud de l'Adour.

1. Le vignoble bordelais

Le Bordelais est le pays de la vigne : dans le département de la Gironde, partie forestière exclue, un peu plus de 76 000 hectares sont couchés en herbe, près de 80 000 sont des labours (dont 52 000 consacrés aux céréales) et 118 000 plantés en vignes. L'aire viticole, correspondant à l'appellation Bordeaux, s'identifie en effet avec la partie non forestière du département, exception faite des basses terres, dues au remblaiement post-flandrien, palus et marais. La vigne tapisse ainsi les croupes d'alluvions grossières, les graves, qui accompagnent la rive gauche de la Garonne ; elle escalade les coteaux, taillés dans les calcaires tertiaires, abrupts le long de la Garonne (Côtes de Bordeaux), à profil bien plus doux au nord de la Dordogne ; elle s'étale sur les bas plateaux calcaires de l'Entre-Deux-Mers et des confins charentais.

■ La structure du vignoble

Cette répartition spatiale traduit une évolution vieille de deux millénaires. Peu étendu était le vignoble gallo-romain. Durant la période médiévale de domination anglaise, fut planté un vignoble producteur de vin de consommation courante (pour le marché anglais), sur les terroirs proches de Bordeaux et sur ceux ourlant les cours d'eau. Ce n'est qu'à l'extrême fin du XVIIe siècle et au début du XVIIIe, que la viticulture s'orienta vers la production de vins de qualité. Le vignoble fut considérablement étendu dans le courant du XIXe siècle, au point d'approcher les 190 000 hectares à la veille de l'invasion phylloxérique.

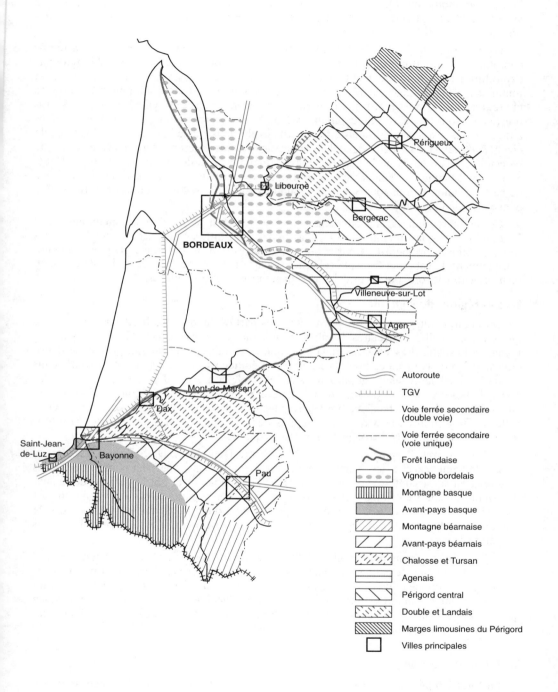

Figure 21. Les régions de l'Aquitaine

Légende :
- Autoroute
- TGV
- Voie ferrée secondaire (double voie)
- Voie ferrée secondaire (voie unique)
- Forêt landaise
- Vignoble bordelais
- Montagne basque
- Avant-pays basque
- Montagne béarnaise
- Avant-pays béarnais
- Chalosse et Tursan
- Agenais
- Périgord central
- Double et Landais
- Marges limousines du Périgord
- Villes principales

Villes : Périgueux, Bergerac, Libourne, BORDEAUX, Villeneuve-sur-Lot, Agen, Mont-de-Marsan, Dax, Saint-Jean-de-Luz, Bayonne, Pau

Dévasté par ce dernier, puis sévèrement touché par les difficultés et les crises économiques de la première moitié du XXe siècle, il a perdu beaucoup de terrain. Depuis 1970, la superficie viticole se maintient entre 100 000 et 120 000 hectares ; mais, du fait de l'augmentation des rendements, la récolte a été accrue.

Un peu plus de 13 800 exploitants cultivent la vigne ; 6 900 se consacrent, à temps complet, à la viticulture de qualité. En moyenne, on compte neuf hectares de vigne par exploitation, soit nettement plus que la moyenne française (5,5 ha). Le Bordelais n'est toutefois pas uniquement une région de grandes exploitations. Certes son renom vient de ses châteaux, qui ne possèdent pas tous de grandes superficies de vigne et dont les plus prestigieux sont aux mains de capitaux extérieurs à la région, étrangers notamment ; mais autour d'eux, gravite une foule de tout petits exploitants possédant quelques hectares de vigne. Au total, la place de la vigne dans le paysage est très différente suivant les régions : elle n'occupe plus de 60 % de la superficie, avec quelques îlots de monoculture, qu'en Haut-Médoc, de Margaux à Pauillac, autour de Bourg-sur-Gironde et de Saint-Emilion, ainsi que de part et d'autre de Langon (Sauternais, Sud de l'Entre-Deux-Mers autour de Targon et de Sauveterre-de-Guyenne).

Ces dernières années, la production a varié, en fonction des conditions climatiques, entre 2,5 et 6 Mhl, en quasi-totalité d'A.O.C., de qualités fort différentes il est vrai. 80 % sont des rouges, obtenus en majorité à partir de trois cépages dont la superficie plantée augmente constamment, le cabernet franc, le cabernet sauvignon et surtout le merlot. Le sémillon, en recul, et le sauvignon, sont les principaux cépages producteurs de blancs.

■ Les régions du vignoble

Différentes sont les orientations des diverses parties du vignoble bordelais. Une bonne quinzaine de milliers d'hectares est plantée en vigne, sur la rive gauche de la Garonne, de Langon à Lesparre. Les avancées de la forêt qui, en certains points, atteint presque le fleuve et l'extension de la banlieue bordelaise, en partie édifiée sur d'anciens vignobles ruinés dans les années 1930, individualisent plusieurs aires d'appellation. Au sud, le Sauternais donne des blancs liquoreux, dont le prestigieux Château d'Yquem ; les Graves, dont le Haut-Brion, aujourd'hui serti dans la banlieue bordelaise, récoltent des blancs et des rouges. Au nord de la Jalle de Blanquefort, le Médoc est le pays des châteaux (Margaux, Laffite, Mouton-Rothschild), producteurs de rouge de très grande qualité.

50 000 hectares de vigne sont plantés dans l'Entre-Deux-Mers. Du Sud de Bordeaux aux abords de Saint-Macaire, les Premières côtes récoltent des vins rouges au nord et des blancs liquoreux au sud (Sainte-Croix-du-Mont). Dans l'ensemble, cette production est de qualité supérieure à celle de l'Entre-Deux-Mers. Une majorité de petits paysans, pour la plupart propriétaires de leurs terres, y cultive, en parts comparables, des cépages producteurs de blanc sec et de rouge, dont une bonne partie de la vendange est livrée à des caves coopératives.

D'une bonne quarantaine de milliers d'hectares est la superficie plantée en vigne au nord de la Dordogne. Sur de petites exploitations mais aussi dans des châteaux, sont produits des vins rouges de bonne et de très bonne qualité ; le vignoble de blanc ne réapparaît que sur les confins charentais. En fait la plus grande partie de ce vignoble est plantée dans deux secteurs qui donnent les vins de meilleure qualité : le Bourgeais et, plus encore, Saint-Emilion et les communes voisines (Pomerol).

2. La forêt landaise

La forêt landaise s'inscrit dans un triangle de 10 000 km^2 dont les sommets sont à la Pointe de Grave au nord, à l'estuaire de l'Adour au sud et aux abords de Nérac à l'est. Dans ce vaste domaine, l'influence bordelaise est totale au nord d'une ligne tirée de Mimizan au sud de Bazas ; au-delà vers le sud, elle ne s'exerce directement que pour les fonctions supérieures, par l'intermédiaire des relais de Mont-de-Marsan, Dax et Bayonne pour les autres.

■ Un pays de sable

Peu accidentées, encore que dans certaines parties de leurs cours, les rivières (Eyre, Ciron, Midouze) coulent au fond de petites gorges, les Landes ne sont pas plates : aux abords de Nérac, l'altitude est voisine de 150 m. En fait, le relief (et le dessin du réseau hydrographique) s'ordonne en fonction de deux dos de terrain, l'un courant de la région de Lesparre, en Médoc, aux portes de Nérac, l'autre de ce lieu à la région de Dax : entre les deux est le bassin de l'Eyre. Plaine dans les parties les plus basses, plateau là où les rivières s'encaissent, les Landes sont une étendue de sable noir que les vents ont, au Quaternaire, poussé de l'estran vers l'intérieur, sable qui voile des structures profondes plissées (de là les gisements pétroliers). A l'état naturel l'écoulement des eaux était d'autant plus difficile que la pente est infime (moins de 1 %) ; de plus, la présence, certes discontinue, à faible profondeur, d'une concrétion noirâtre ferrugineuse, la garluche et, sur des superficies plus étendues d'un horizon plus fin et rougeâtre, l'alios, empêche la pénétration des eaux. Sauf l'Eyre, qui se jette dans le bassin d'Arcachon, les rivières n'atteignent pas directement la mer, mais débouchent dans des étangs, retenus en arrière d'un cordon dunaire qui peut atteindre près de 10 km de largeur et est plus large et plus élevé (plus de 100 m au Pilat) au nord de Mimizan.

■ Un pays boisé

Les Landes sont la forêt la plus étendue de l'Europe occidentale : plus des 9/10 de la superficie sont boisés. Si les secteurs situés à faible distance des rivières, secteurs qui sont les mieux drainés, étaient déjà boisés au XVIIIe siècle (ce que montre la carte de Belleyme), sur la plus grande partie du pays, la forêt a été créée par l'homme. A la fin du XVIIIe siècle, fut amorcé, sous la direction de Brémontier, le boisement des massifs dunaires, situés entre les étangs et la côte. Puis, au XIXe siècle (surtout après le vote de la loi de 1857) fut, après le creusement d'un réseau de canaux de drainage, les crastes, réalisé l'enrésinement de l'intérieur du pays, sous la houlette de Chambrelent et de Crouzet.

Si les chênes atlantiques et même les chênes-lièges, notamment dans l'extrême sud, ne sont pas absents, le pin maritime est omniprésent : les 9/10 des boisements landais sont des futaies de cet arbre. Si les forêts des dunes littorales sont domaniales, les 9/10 des boisements appartiennent à des particuliers, dont un grand nombre réside dans des bourgs ou des petites villes de la région. Au total, l'Office National de la Forêt ne gère que 6 % de la superficie forestière ; depuis les catastrophiques incendies de la décennie de 1940, celui de 1949 en particulier qui dévasta 400 000 hectares, toute une organisation de lutte contre le feu a été mise en place ; elle ne parvient toutefois pas à empêcher, en période de sécheresse, tous les incendies de se propager.

La production de gemme (sécrétion des résineux), qui fut le fondement de la prospérité landaise à la fin du XIXe siècle (« l'arbre d'or ») a périclité de 130 Mhl en 1920 à 80 en 1950 et à moins de 3, produits par deux usines, ces dernières années. Fournissant un revenu de misère à des métayers gemmeurs, cette production a été victorieusement concurrencée par d'autres, étrangères, puis par la fabrication chimique. La forêt est aujourd'hui en partie exploitée pour la fourniture de bois de trituration, livré aux papeteries, mises en service dans les années 1920, à Facture, Mimizan et Tartas (fabrication de papier kraft). Des scieries, sortent des bois d'œuvre, matériaux de construction et bois destinés à l'industrie du meuble. La révolution, qui était de 80 à 90 ans pour le gemmage, a été ramenée à 50 ou 60 ans en moyenne et même 40 dans les formes les plus intensives. Une sélection des graines (le pin maritime est semé) et une amélioration de l'assainissement ont par ailleurs permis d'accroître le volume de bois produit à l'hectare de 35 % en un quart de siècle.

Deux formes d'agriculture

L'espace cultivé a toujours été peu étendu (de 1 à 2 % de la superficie totale), mais a été légèrement accru depuis la fin des années 1950 : l'agriculture landaise est une agriculture de clairière. Traditionnellement, le métayer élevait quelques moutons et des volailles et faisait alterner une céréale d'hiver, le seigle, et une de printemps, le maïs. Cette agriculture peu productive, qui était plus développée dans les petites Landes (Pays de Born, Maremne, Marensin le long du littoral ; Sud du Marsan au sud ; Bazadais à l'est) a beaucoup décliné.

Une nouvelle forme d'agriculture est née au cours des dernières décennies. Les premiers pionniers, dans ce domaine, mirent en culture de vastes espaces au nord de Labouheyre ; puis la Compagnie d'aménagement des Landes de Gascogne installa, sur des périmètres irrigués, des agriculteurs repliés du Maghreb, cela entre 1956 et 1968 ; enfin, vinrent des exploitants du Bassin de Paris et même de Chalosse. Sur de grandes exploitations de plus de 100, voire plus de 200 hectares, est pratiquée la culture irriguée du maïs. Avec 90 000 hectares, le département des Landes compte la plus grande superficie irriguée en France ; à partir de forages dans les nappes profondes, totalement mécanisée et motorisée, cette monoculture donne plus de 100 qx à l'hectare voire, certaines années, plus de 120. De grandes exploitations isolées au milieu de vastes parcelles, elles-mêmes serties dans la forêt, traduisent cette grande culture dans le paysage. Il reste que des conséquences néfastes sur le milieu se font jour. L'érosion éolienne emporte les sols sableux, qui restent nus plus de six mois ; les ruisseaux arrachent des matériaux en amont et surtout apportent des rejets chimiques dans les étangs où ils se jettent, de là, phénomènes d'eutrophisation, plus sensibles dans certains étangs méridionaux.

Bien plus modestes sont les autres ressources de la région. Le **potentiel énergétique** sur lequel on avait fondé des espoirs, un peu démesurés, il est vrai, dans les années 1960, s'épuise. Seule la pression syndicale et locale a fait retarder l'arrêt de l'extraction du **lignite** d'Arjuzanx, où se posent aussi de gros problèmes de restauration des sites. Entré dans l'histoire en 1954, le **pétrole** landais s'épuise : 627 000 t ont été extraites en 1995, dont 162 000 à Parentis-en-Born et 137 000 à Cazaux et 155 000 aux Arbousiers, mis en production à la fin de 1991. Les industries, autres que celles liées à la forêt (plastiques, articles chaussants), rares et peu importantes, sont installées dans le Marensin. Au total, le Centre d'essais des Landes, à Biscarrosse, est le plus gros employeur de la région.

Le marasme et la crise de l'économie rurale, l'absence d'autres activités ont entraîné une **dépopulation sensible**. La plupart des écarts ont été abandonnés ; villages et bourgs stagnent : la densité y est tombée à quelques habitants au km^2 (moins de 1 même dans les parties les plus isolées de la forêt). Au total, dans l'ensemble de celle-ci, on compte 230 000 habitants environ, mais aucune ville. Les cités sont situées à la périphérie. Au nord-est, Bazas (5 000 habitants) est un centre tertiaire, Casteljaloux est aussi animée par l'industrie. Plus peuplées, exerçant un rayonnement plus important, mais faiblement industrialisées sont les cités landaises. Toutes deux se sont beaucoup développées depuis la Seconde Guerre mondiale : **Dax** (37 000 habitants) grâce au thermalisme et **Mont-de-Marsan** (37 000 habitants) du fait de son rôle administratif et militaire (base aérienne).

La Côte d'Argent

De la Pointe de Grave au cap sur lequel a été édifié le phare de Biarritz, court, sur 230 km, un littoral rectiligne, dont la continuité n'est interrompue que par le débouché du Bassin d'Arcachon. Cet estran sableux, dominé par des dunes vives, est battu par de fortes houles et tempêtes. C'est un milieu guère favorable aux activités humaines d'autant plus qu'il n'offre aucun abri. Tout à fait secondaire est la **pêche** à Arcachon ; les **ostréiculteurs** de La

Teste-de-Buch et de Gujan-Mestras, ainsi que ceux du Cap-Ferret exploitent des parcs à huîtres aménagés dans la partie centrale du bassin.

Le **tourisme** est devenu l'affaire principale sur cette côte. Né au milieu du XIXe siècle à Arcachon, relié dès cette époque par rail à Bordeaux, il a gagné le rivage oriental du bassin (Andernos, Arès) dans les années 1920, puis la presqu'île du Cap Ferret à partir de 1950 ; l'ensemble compte 60 000 habitants et gravite dans l'orbite de Bordeaux, dont elle tend à devenir en partie une banlieue. Développée à partir de 1920, l'ensemble Hossegor-Capbreton, aujourd'hui prolongé par Seignosse (10 000 habitants), est en fait l'extrémité septentrionale de l'ensemble touristique de la Côte basque ; y viennent des estivants originaires de régions variées. Une quinzaine d'autres stations existent, modestes pour la plupart, car les espoirs fondés sur un programme d'aménagement de la Côte aquitaine (création d'une mission interministérielle en 1967) se sont révélés démesurés. Port d'Albret et Lacanau-Océan ont été les plus transformés. Ajoutons que les étangs constituent, surtout en Gironde, des aires de nautisme.

4. LES ESPACES ORGANISÉS AUTOUR D'UN CENTRE

1. Le Périgord

Région historique, qui s'identifie avec le département de la Dordogne (9 224 km^2), le Périgord gravite dans l'orbite de Périgueux à l'exception de sa frange orientale, autour de Terrasson, qui regarde vers Brive, et de son extrémité sud-occidentale, au sud-ouest de Montpon-Ménestérol, attirée par Bordeaux. Organisation régionale, qui se constitua au XIXe siècle, à la suite du choix de Périgueux comme préfecture et de la formation d'une étoile ferroviaire autour de la ville. Périgueux règne sans partage sur toutes les communes du Périgord central et septentrional ; Bergerac et Sarlat-la-Canéda jouent le rôle de relais pour le Sud de la région.

■ Le pays

Exception faite des confins méridionaux, drainés par le Dropt, le Périgord s'inscrit dans le bassin fluvial de la Dordogne, surtout celui de son affluent l'Isle. Etroites en amont, les vallées des cours d'eau principaux s'épanouissent en aval : Dordogne en aval de Lalinde, Isle en aval de Périgueux. Entre ces vallées s'étendent des espaces de collines et de bas plateaux, dont l'altitude diminue du nord-est vers le sud-ouest. En contrebas des derniers plateaux du Limousin (plus de 200 m), qui occupent la frange nord-est du département et dans certains secteurs séparés d'eux par de petits bassins, le Périgord est surtout, autour de Périgueux et de Sarlat-la-Canéda, un pays de plateaux calcaires secondaires, ayant en certains endroits l'aspect de causse (région de Thenon). Dans l'ouest, Double au nord de l'Isle, Landais au sud, le sidérolithique voilant le calcaire, le modelé est plus doux et les terrains imperméables (étangs de la Double). Plus aéré encore est le paysage du Bergeracois, modelé dans les formations plus tendres de la base du Tertiaire.

Le Périgord est une région enclavée et aucun effort important n'a été fait, ces dernières décennies, pour remédier à cette situation. Toute navigation a disparu sur la Dordogne et sur l'Isle en aval de Périgueux dans les années 1930. Le réseau ferroviaire périgourdin a été déséquipé et seuls trois itinéraires sont encore exploités : celui de Bordeaux à Périgueux et Brive, celui d'Agen à Limoges par Périgueux et celui de Bordeaux à Sarlat-la-Canéda. Mais la circulation est peu dense sur ces lignes à voie unique (sauf Bordeaux-Périgueux) et où le relief et surtout le tracé n'autorisent pas des vitesses élevées. Enfin, aucune autoroute ne permet des liaisons vers Paris et Bordeaux, les tergiversations, pas toutes en Dordogne, quant au choix du tracé de l'autoroute Bordeaux-Lyon n'ont fait que retarder l'établissement de liens plus solides avec Bordeaux : elles s'ébauchent.

■ Forêt et cultures

L'arbre est partout présent dans le paysage périgourdin occupant 40 % de la superficie totale et même plus de 50 % dans la Double, le Landais et le Sud-Est de la région (Pays au bois de Belvès) ; de plus, nombre de parcelles sont complantées de noyers. Autochtones, les feuillus (chênes et châtaigniers) représentent les 2/3 de ces boisements, mais les pins maritimes, dont les premiers ont été introduits au début du XXe siècle, n'ont pas cessé de gagner du terrain, surtout sur les placages de sidérolithique. Appartenant surtout à une foule de petits propriétaires, la forêt périgourdine est mal exploitée (2 500 hectares seulement gérés par l'O.N.F.) et de qualité bien moyenne : sur 372 000 hectares, on compte seulement 100 000 hectares de futaie. Au total cette forêt donne, chaque année 450 000 t de bois d'œuvre (en majorité des conifères) et 400 000 t de bois d'industrie, destiné à la trituration.

Comparable à la superficie forestière est l'espace cultivé ou couché en herbe (de l'ordre de 370 000 hectares). Il est travaillé par 15 800 exploitants (dont un quart disposent de moins de 10 ha et 86 % moins de 50), propriétaires de ces terres ou, louant, en plus, quelques parcelles. Dans les grandes vallées, la forêt a pratiquement été éliminée ; dans les interfluves, cultures et prairies naturelles occupent des clairières plus ou moins étendues. Dans ce monde rural, les hommes vivent dans des villages, des hameaux et des fermes isolées ; nombre de ces exploitations ayant été abandonnées (le nombre des gens vivant sur les exploitations est tombé de 180 000 en 1901 à moins de 70 000 en 1970 et 25 000 ces dernières années), les bâtiments ont été rachetés comme résidences secondaires.

Si les cultures occupent une plus grande surface que les herbages, du reste de qualité moyenne, l'élevage, pratiqué presque uniquement dans le cadre d'exploitations en polyculture, procure un revenu un peu supérieur à celui des cultures, notamment celui des bovins pour la viande, des vaches laitières dont le troupeau diminue et des volailles, poulets mais aussi canards et oies. Sur les terres arables, notamment dans la vallée de l'Isle, est pratiquée une polyculture dont les céréales, maïs surtout, et le colza fournissent les principaux revenus. Le tabac ne se rencontre guère que dans la vallée de la Dordogne en amont de Bergerac. Enfin, les revenus agricoles les plus importants sont fournis par les cultures délicates, qui constituent de véritables îlots de spécialisation : vignoble de 15 000 hectares dans la région de Bergerac (dont 11 600 en A.O.C. autour de Montbazillac), 3 400 hectares de vergers pour les 2/3 des pommiers dans la vallée de la Dordogne en aval de Bergerac et sur les confins du Limousin (Lanouaille) fraisiers de la région de Vergt et truffes du Causse périgourdin.

■ Industries et villes

Peu industrialisé, le Périgord l'est moins qu'au début du siècle : un peu plus de 20 000 personnes travaillent dans 2 900 entreprises industrielles (dont 2 500 employant chacune moins de 10 salariés) et 12 000 dans 4 200 entreprises de bâtiment et de travaux publics, contre un total de 39 500 salariés en 1901. Les industries alimentaires, conserveries notamment, le travail du bois et la papeterie, ainsi que le textile et la fabrication des articles chaussants, sont les branches principales d'une industrie, dont un certain nombre d'entreprises rencontre des difficultés. Cette industrie n'anime qu'une partie de l'espace périgourdin. Près de 45 % des salariés travaillent dans la vallée de l'Isle en aval de Périgueux, pour le plus grand nombre à Périgueux, Neuvic-sur-l'Isle et Mussidan : industries diverses dont la petite métallurgie, la fabrication de chaussures et l'imprimerie (atelier du timbre à Périgueux). Un peu plus de 20 % sont employés dans la vallée de la Dordogne, en aval du confluent de la Vézère, autour de Bergerac (poudrerie) et de Lalinde (papeterie). Aux confins du Massif central, la fabrication de chaussures anime le Nontronnais, la papeterie (Condat-le-Lardin) la région de Terrasson.

A partir de la décennie 1950, avec le développement des déplacements en automobile, le **tourisme** a commencé à animer en été le Périgord. Français, en majorité des Parisiens, mais aussi étrangers, sont attirés par le charme des campagnes, le grand nombre de monuments (1 500 châteaux et manoirs, 400 églises romanes) et surtout la richesse des sites préhistoriques exceptionnels : Les Eyzies, Lascaux, Rouffignac. Si certains touristes ne font que passer, d'autres séjournent, dont certains à la ferme ou dans des campings. Mais, au total, les retombées sont assez modestes (6 500 chambres d'hôtels ; un peu plus de 4 000 emplois) et surtout sensibles dans le Sarladais, notamment à Sarlat-la-Canéda et aux Eyzies.

De 502 000 habitants en 1861, la population de la Dordogne était tombée à 362 000 en 1962, pour remonter en 1990 à 385 000 : avec une densité de 42 habitants au km^2, **le Périgord appartient à la France des faibles densités**. Elle reste fortement rurale (57,2 % de la population) et agricole (20 % des actifs, contre 27 % dans l'industrie et 53 % dans le tertiaire), même à la suite d'un exode rural massif. En fait partent des jeunes, alors que certaines villes, telle Bergerac, accueillent des retraités : aussi 20 % des Périgourdins ont-ils plus de 65 ans. Ces villes sont modestes. Avec 30 000 habitants (65 000 dans l'agglomération), **Périgueux** est la principale. Cité antique, puis médiévale, elle s'est développée dans la vallée de l'Isle, de Trélissac en amont à Marsac en aval, le long de ses deux petits affluents, le Manoire en amont, la Beauronne en aval, et escalade les coteaux assez abrupts qui l'encadrent, surtout celui regardant au sud. Carrefour routier (le carrefour ferroviaire a été déséquipé), la ville est animée par des activités tertiaires. De vastes espaces industriels flanquent le centre à l'ouest (ateliers de la S.N.C.F.) et l'agglomération à l'est (zone industrielle de Boulazac). De moindre importance sont Bergerac (31 000 habitants) et Sarlat-la-Canéda.

2. L'Agenais

A l'est de l'Aquitaine, la partie occidentale des pays de la moyenne Garonne, l'Agenais s'identifie avec le département du Lot-et-Garonne, à l'exception de la frange landaise vers Casteljaloux et Houeillès : espace sur lequel on dénombre 300 000 habitants environ.

Le relief s'ordonne autour des amples vallées à terrasses de la Garonne et du Lot, qui confluent à proximité d'Aiguillon ; en aval une véritable plaine accompagne la Garonne de Tonneins à La Réole. Ces larges avenues sont dominées par des interfluves peu élevés mais dont le relief de détail est très accidenté : les terrains tertiaires, d'inégale résistance et montrant un léger pendage en direction du sud-ouest ont été affouillés par une multitude de petits cours d'eau à profil longitudinal souvent tendu.

En fait, deux types de pays s'individualisent. Là où la molasse affleure, des collines aux formes douces sont dominées par des buttes, liées à des horizons calcaires isolés dans cette formation : ainsi, entre Lot et Dropt au nord et autour de Laplume et de Nérac au sud. Le Pays des Serres, entre les vallées du Lot et de la Garonne qu'il domine, est un plateau calcaire, lacéré par des vallées profondes orientées du nord-est au sud-ouest en direction de la Garonne.

L'Agenais s'individualise aussi en Aquitaine par son climat. Celui-ci est de plus en plus sec à mesure qu'on va vers le sud-est (Agen reçoit 700 mm de précipitations, Bordeaux 900) et le nombre de jours de pluie diminue. Les étés sont, avec ceux du Périgord, les plus chauds de toute la région : la moyenne des maxima est supérieure à 27°. Mais les cultures, en particulier les plus délicates, souffrent de l'instabilité de ce climat : précipitations hivernales parfois excessives, gelées tardives de printemps fatales aux cultures fruitières et sécheresse accrue provoquée par l'autan, dont les derniers souffles se font sentir à Agen et à Villeneuve-sur-Lot.

■ L'axe garonnais

La vallée de la Garonne est l'axe majeur de cette région, emprunté par les principales voies de communication. La Garonne, dont le débit a plus que doublé à la confluence du Tarn, est grossie par les modestes rivières gasconnes (Gers, Baïse) et le Lot : elle roule 660 m³/s, soit le triple de son débit à Toulouse. Certes le fleuve contribue, modestement il est vrai, à l'irrigation ; il menace la basse plaine par ses crues dévastatrices (parmi les plus récentes 7 500 m³/s en décembre 1981). Aussi les villes, sauf Agen, se sont-elles développées sur la haute terrasse et les moyens de communication modernes, voie ferrée sur la rive droite, autoroute sur l'autre ont-elles été construites dans des sites non inondables ; le fleuve est corseté de digues pour protéger les exploitations isolées de la basse terrasse.

Itinéraire de circulation entre l'Atlantique et la Méditerranée dès l'Antiquité, l'axe garonnais (qui se prolonge en Bordelais) est aujourd'hui, d'importance secondaire à l'échelle nationale. Tout trafic commercial a pratiquement cessé, notamment en amont d'Agen, sur le canal latéral qui fut construit de 1839 à 1856 : sur cette voie d'eau à faible gabarit (250 t), la très faible distance entre les écluses ralentit la circulation. Par contre, la navigation de plaisance s'y développe.

Aussi les axes terrestres jouent-ils aujourd'hui le rôle principal. La voie ferrée, mise en service en 1856 et électrifiée en 1980, est certes à faible pente mais tracée avec un trop grand nombre de courbes au pied des coteaux de rive droite : aussi les vitesses commerciales, même celle du T.G.V. (120 km/h) sont-elles moyennes. Aussi l'Autoroute des Deux-Mers, ouverte en 1980 à l'ouest d'Agen, deux ans plus tard à l'est, est-elle devenue l'axe principal, empruntée en particulier par un nombre croissant de poids lourds.

■ Un pays rural

L'Agenais reste fortement rural et agricole : près de 24 000 actifs, soit plus du cinquième du total, travaillent dans l'agriculture. Hormis la frange sud-occidentale, autour de Houeillès et les confins périgourdins et quercynois au nord de Fumel, les bois occupent de très faibles espaces. Le pays est cultivé par 14 400 exploitants, pour la quasi-totalité propriétaires de leurs terres, dont les 9/10 travaillent moins de 50 hectares et les 8/10 moins de 30. Ils tirent 70 % de leurs revenus des productions agricoles, au premier rang desquelles (plus de 25 %) les fruits et légumes : pommes, prunes d'ente pour la confection de pruneaux, fraises, melons et tomates notamment. Loin d'être négligeable est la production céréalière (4,7 Mq de maïs, 1,7 Mq de blé). La plus grosse partie des revenus de l'élevage vient de la vente de bêtes à viande, notamment de veaux.

Si la polyculture est partout la règle, des ébauches de spécialisation apparaissent. Des petits vignobles (8 100 hectares), dont plus de la moitié d'appellation, sont cultivés, autour de Duras, de part et d'autre de Marmande, ainsi que dans les coteaux qui encadrent la basse Baïse. Le tabac est surtout l'affaire de la basse vallée du Lot et de celle de la Garonne en aval du confluent du Lot, les tomates des collines situées au nord de Marmande ; la majeure partie des prunes d'ente est récoltée dans les collines du Nord du Lot-et-Garonne. La vallée du Lot, dans la région de Villeneuve-sur-Lot, est tournée vers la production de légumes, celle d'haricots verts notamment ; celle de la Garonne est le domaine des vergers et des cultures sous serres et plastiques. Plus polycultural est le système de culture des coteaux orientaux et méridionaux (place des céréales).

■ Un pays sous-industrialisé

L'Agenais est sous-industrialisé : le secteur secondaire emploie un peu plus de 26 000 personnes, soit 23 % des actifs dont près de 8 000 dans le bâtiment et les travaux publics. La majorité travaille dans les villes dont aucune, sauf Fumel, n'a une véritable tonalité industrielle : à Agen, la plus importante, à peine plus de 5 000 personnes travaillent dans l'industrie. Elles le font dans de toutes petites entreprises : sur 2 134 recensés en 1987, 1 902 employaient moins de 10 personnes et 11 seulement plus de 200 (dont 2 plus de 500) ; aucune des 3 192 entreprises du bâtiment ne rétribuait plus de 200 personnes et 3 087 moins de 10. Hormis le bâtiment, les industries agro-alimentaires, notamment les conserveries de légumes, la fabrication des chaussures (Miramont-de-Guyenne) et la métallurgie (Fumel) sont les principales branches. Traditionnellement peu développée, l'industrie avait connu une croissance lente de 1945 à 1974 avant d'être touchée par le marasme.

60 % des habitants du Lot-et-Garonne vivent dans des villes. Une série de petites cités jalonne les vallées du Lot et de la Garonne, centres administratifs et de collecte des produits agricoles, rayonnant sur de petits espaces : Marmande (7 500 habitants) et Villeneuve-sur-Lot (22 500 habitants) sont les plus peuplées. Mais toutes sont éclipsées par **Agen** (30 000 habitants dans une agglomération de 60 000). La vieille ville se tasse au pied du coteau de l'Hermitage, une avancée du Pays des Serres, entre la voie ferrée et la Garonne ; le long des rues sinueuses se trouvent les bâtiments officiels et une foule de petits commerces. A partir du centre, l'agglomération s'est développée surtout sur la rive droite et dans la partie non inondable de la plaine alluviale : elle s'étire ainsi le long de la route de Toulouse, où alternent, à Boé et à Bon Encontre, espaces fonctionnels (marché-gare, zones industrielles) et quartiers résidentiels ; elle s'insinue dans les vallées du Pays des Serres (Pont-du-Casse), dont elle escalade le rebord abrupt. Elle s'est beaucoup moins développée vers l'aval, où le rebord du Pays des Serres ourle la Garonne, et sur la rive gauche au Passage d'Agen, atteignant néanmoins l'aérodrome et l'autoroute.

Ville essentiellement de fonction tertiaire, Agen, tiraillée entre Bordeaux et Toulouse, apparaît néanmoins comme le pôle d'animation intermédiaire entre les deux métropoles régionales. Concurrencée pour certaines fonctions par les autres petites villes, elle apparaît en effet comme la capitale d'un Agenais, s'étendant de la limite du Tarn-et-Garonne en amont à La Réole en aval, mordant quelque peu sur les confins du Quercy au nord et ceux du Gers au sud. Il est vrai que la rapidité des liaisons ferroviaires et surtout autoroutières avec Bordeaux et Toulouse tend à affaiblir cette autonomie toute relative.

5. L'ORGANISATION BICÉPHALE DES PAYS DE L'ADOUR

Cette autonomie est plus forte pour le Sud de l'Aquitaine. Au sud du cours moyen de l'Adour s'étend un ensemble, à la fois sur le Bassin d'Aquitaine et la partie occidentale des Pyrénées, qui n'a aucune unité historique : le Nord, Chalosse et Tursan, est en Gascogne, le Sud appartient au Pays basque dans sa partie occidentale, au Béarn dans sa partie orientale. Depuis un quart de siècle, tentent de se constituer, autour de Pau, des Pays de l'Adour, suivant un axe Tarbes-Bayonne, matérialisé par une voie ferrée et surtout une autoroute. Mais le poids du passé est tel que la capitale béarnaise ne parvient pas à asseoir son autorité sur tout cet espace. Sauf celles du Tursan, les communes landaises regardent vers Dax et Mont-de-Marsan et, au-delà, Bordeaux ; la majeure partie du Pays basque (Labourd, Basse-Navarre) est tournée vers Bayonne. Aussi l'influence paloise n'est-elle affermie que sur le Béarn et la partie orientale du Pays basque, la Soule.

1. Le Béarn

■ La montagne

Ceci dit, montagnes et avant-pays s'individualisent. Les Pyrénées béarnaises sont une haute montagne (Pic du Midi d'Ossau, 2 884 m) dominant brutalement l'avant-pays. Les hauts sommets y dominent de 1 000 à 1 500 mètres, des topographies d'altitude peu accidentées, les « plas », vastes domaines de prairies de fauche d'alpages. Ce relief s'organise autour de vallées principales de direction subméridienne ; sauf le Bas-Ossau, modelé par la glaciation quaternaire, elles sont étroites. Ces vallées conduisent à des cols relativement élevés. Seule, celle du Gave d'Aspe, qui descend du Somport (1 632 m), est animée par un trafic international. Sur la voie ferrée à forte pente, inaugurée en 1929, tout trafic (il était du reste très faible) a cessé depuis la destruction d'un pont à la suite d'un déraillement en 1972. La construction, bien avancée, d'un tunnel routier, complété par un reprofilage (ébauché) de la route dans la vallée s'est heurtée à l'hostilité d'une partie des Aspois et des écologistes, partisans d'une réouverture de la voie ferrée. Il est par ailleurs certain que la réussite de ce projet est conditionnée par l'amélioration des liaisons routières dans l'avant-pays.

Dans ces vallées très fortement dépeuplées (on y compte 20 000 habitants environ), la vie traditionnelle se meurt. Sur 870 petites exploitations (leur superficie moyenne est de 20 hectares), presque totalement (97 % de la surface) couchées en herbe, sont élevés 16 000 bovins et 53 000 ovins (fabrication de fromage) ; les transhumants ne viennent plus. Gérées par la Régie départementale des sports d'hiver, sont les trois stations de Gourette, Artouste et Arette-La Pierre-Saint-Martin, fréquentées par des citadins de l'avant-pays et des Bordelais. Enfin 1 milliard de kWh sont produits le long des Gaves, pour la plus grande partie le Gave d'Ossau, dont la mise en valeur avait été amorcée par la Compagnie du Midi.

La montagne est un monde sans ville. Les cités, toutes modestes, situées au pied de la montagne au débouché des vallées, ont toujours été marquées par une activité artisanale et industrielle : Arudy (extraction de marbre, métallurgie) et surtout Oloron-Sainte-Marie (textiles, meubles, chocolaterie), qui compte 12 000 habitants.

■ L'avant-pays

Dans l'avant-pays, l'altitude s'abaisse du sud-est vers le nord-ouest, du sud de Pau aux portes de Dax, d'un peu plus de 450 mètres à une centaine. Dans ce relief, assez confus, du Béarn, du Tursan et de la Chalosse, trois types de relief s'individualisent. Les collines, au modelé très accidenté dans le détail dérivant d'une surface villafranchienne qui tranche le Crétacé au sud, le Tertiaire au nord, sont les points les plus élevés ; suivies par les vieux chemins, ces « serres » sont les sites de nombreux villages et fermes isolées. En contrebas courent, tout au moins au nord du Gave de Pau, de longues étendues planes correspondant à d'anciens lits quaternaires du Gave de Pau : constituées de matériaux grossiers et perméables, ces « hautes plaines » sont restées incultes jusqu'aux années 1950 : avec l'utilisation massive d'engrais et l'irrigation ce sont aujourd'hui d'excellentes terres à maïs. Plus bas encore, sont les plaines alluviales des Gaves, dont la continuité est interrompue par des petits défilés dans lesquels les cours d'eau scient de petits axes anticlinaux (ainsi à Orthez) ; la vallée du Gave de Pau, qui comporte des terrasses, est plus large que celle du Gave d'Oloron qui n'en a pas. Au pied de la montagne, cette région est bien arrosée, mais les précipitations diminuent rapidement vers le nord et le nord-est : ce qui a nécessité la constitution, en Chalosse, de réserves artificielles pour pallier les pénuries estivales.

Dans un paysage d'aspect bocager (bocage de plus en plus aéré à la suite des défrichements opérés dans les années 1960) de petits propriétaires-exploitants, vivent dans de minuscules villages ou dans des fermes isolées. La très grosse majorité des labours est consacrée au maïs (grain ; pour la semence), dont la place dans l'économie est beaucoup plus forte au nord du Gave de Pau qu'au sud : la culture motorisée et mécanisée des hybrides, avec forte utilisation d'engrais et arrosage, donne de belles récoltes collectées par de puissantes coopératives, notamment celle de Lescar. Quelques petits vignobles de qualité dans lesquels la vigne n'est jamais une monoculture, s'individualisent : Tursan et Chalosse autour de Montfort, Vic-Bilh (Madiran), Jurançon et coteaux de Salies-de-Béarn. Mais 60 % des revenus agricoles sont fournis par l'élevage des bovins (fabrication de fromages), des agneaux et surtout des oies et des canards pour la production de foie gras. Dans ces campagnes profondes, la dépopulation a été d'autant plus sévère que l'agriculture demande de moins en moins de bras, qu'il n'y a pas d'industries – la seule ressource non agricole, l'extraction du pétrole, en Vic-Bilh (113 000 t) et en Tursan (70 000 t) n'est pas peuplante – et qu'elles sont fortement enclavées.

Dans tout cet ensemble, la vallée moyenne du Gave de Pau, de Nay à Orthez, s'individualise par son dynamisme démographique et par son urbanisation accrue, surtout sensible au cours des années 1950-1980. Vivent 250 000 personnes le long de cet axe majeur de circulation, suivi par la voie ferrée, la route et, à faible distance, l'autoroute. L'industrie animait traditionnellement Nay, Coarraze (meubles) et Orthez (meubles, textiles, chaussures) ; il y a un demi-siècle, une usine d'aéronautique fut implantée à Bordes.

Mais les transformations les plus profondes furent liées à la découverte des **hydrocarbures à Lacq**. Très faible (13 000 t en 1995) a toujours été la production de pétrole, découvert en 1949. Le riche gisement de gaz naturel, repéré en 1951 (près de 300 milliards de m^3 de réserves, avec les petits gîtes découverts ultérieurement au sud de Pau) est largement une ressource du passé : la production annuelle est tombée à un peu plus de 4 milliards de m^3 (et 797 000 t de soufre) et doit s'arrêter entre 2005 et 2010. Des puissants ensembles industriels, édifiés au début des années 1960, ne subsistent que les activités chimiques. De cette époque datent la transformation des villages en cités-dortoirs, la création d'une ville nouvelle, Mourenx (7 500 habitants en 1990), la construction de routes nouvelles, mais aussi la désorganisation d'un paysage agricole, qui fut un des plus beaux du Béarn. L'ensemble gravite dans l'orbite de Pau, distante d'une vingtaine de kilomètres.

Au lendemain de la Seconde Guerre mondiale, **Pau** était une petite ville : au vieux centre, très peu étendu, s'était ajouté vers l'est un quartier aristocratique, développé au XIXe siècle pour accueillir en hiver de riches étrangers (Pau était alors une station climatique). Une petite agglomération s'esquissait, agglomération qui s'étendit beaucoup au cours des années 1950-1970. Sur la partie nord de la commune de Pau, un second centre (services administratifs, campus universitaire) fut construit au milieu de vastes quartiers résidentiels d'immeubles et de pavillons : l'ensemble atteint l'autoroute. Tout autour de la ville s'est constituée une première auréole de banlieue, où dominent les espaces résidentiels sur la rive droite à Bizanos en amont, à Billère et Lons (zone industrielle) en aval, sur la rive gauche à Gelos et Jurançon. Une deuxième couronne de banlieue se développe, plus au nord, d'accès plus facile (vers le sud, problème du franchissement du Gave longé par la voie ferrée) ; le long des routes de Bayonne à Lescar (grandes surfaces commerciales, établissements de collecte des produits agricoles) et de Bordeaux, ainsi que sur les coteaux ensoleillés regardant les Pyrénées : Morlaàs, Serres-Castet et Montardon, Gan au sud. L'ensemble compte 130 000 habitants.

Les activités tertiaires emploient un peu plus des 2/3 des actifs, soit un peu plus de 35 000 personnes auxquelles s'ajoutent les salariés du tertiaire industriel (S.N.E.A.). Outre les activités au service de la vie locale (enseignement primaire et secondaire, services privés, commerce de détail), ces fonctions tertiaires sont variées : grandes administrations départementales, tertiaire agricole (puissant centre de collecte des céréales, siège de l'association des producteurs de maïs), nœud de communication (gare desservie par le T.G.V., carrefour routier, aéroport : 544 000 passagers) et Université depuis les années 1960 (14 800 étudiants). Mais manquent les fonctions de capitale régionale. Bien moindre est l'activité industrielle, d'autant plus que le quart des salariés de ce secteur (2 500) sont, en fait, des cols blancs, chercheurs et administratifs de la S.N.E.A. Les autres sont des salariés de petites et moyennes entreprises dans les industries de transformation ; ils travaillent en majorité à Bizanos le long de la voie ferrée, dans la zone industrielle de Lons desservie par la route et la voie ferrée et le long des routes de Bordeaux et de Morlaàs.

2. Le Pays basque

Dans la partie occidentale des Pyrénées-Atlantiques, les trois communautés du Nord de l'Euskadi, ne constituent pas un milieu naturel homogène. En fait l'unité est liée à la langue, même si elle n'est plus parlée par la majorité de la population, du fait du développement de l'enseignement en français à partir de la fin du XIXe siècle et de l'installation, dans la région, de Français ne parlant pas le basque.

■ L'intérieur

Le Pays basque n'a aucune unité physique. Au sud, les Pyrénées, moyenne montagne culminant au Pic d'Orri (2 017 m) s'abaissent et se morcellent à mesure qu'on se rapproche de la mer. Dans cet ensemble confus, deux couloirs convergent vers le bassin de Saint-Jean-Pied-de-Port, d'où on accède au port d'Ibañeta, où est l'abbaye de Roncevaux. Cette moyenne montagne qui n'a, par ailleurs, aucune unité sur le plan structural, domine un piémont résultant d'un aplanissement pliocène dans le flysch crétacé : paraissant subhorizontal vu de loin, il est en fait ciselé par une foule de petits cours d'eau.

Le Pays basque est océanique : le piémont reçoit de 1 200 à 1 500 mm de précipitations par an, la montagne d'altitude supérieure à 1 500 mètres, de 2 500 à 3 000 mm. Ces précipitations sont moins abondantes en été qu'en hiver et qu'au début du printemps, mais la neige est rare sauf en Haute-Soule. Comme par ailleurs ces montagnes sont fréquemment embrumées, le paysage est toujours vert : les chênes pédonculés montent jusque vers 1 000 m ; ils voisinent, dès 400 m, avec des hêtres qu'on trouve jusque vers 1 300 m, constituant de magnifiques futaies ; au-dessus dominent les landes et les pelouses d'altitude.

L'intérieur du Pays basque est un pays fortement rural et agricole. A côté de vastes étendues, landes, friches et pacage, qui appartiennent aux communes ou à des syndicats de communes, les 5 700 exploitants, en majorité propriétaires, ne disposent que de faibles superficies (une vingtaine d'hectares en moyenne). De plus, près du quart de leurs terres sont des incultes et, sur la partie utilisée, un dixième en montagne et un cinquième dans l'avant-pays, sont labourés et surtout consacrés au maïs ; s'y ajoute en Basse-Navarre, le tout petit vignoble (200 hectares) d'Irouléguy. Plus important est l'élevage bovin (85 000 têtes) et surtout ovin (500 000) pour la production de lait, utilisé pour la fabrication de fromage. Seules, Mauléon-Licharre (3 500 habitants) et Hasparren (5 400 habitants) ont une tradition manufacturière (articles chaussants). Enfin le tourisme s'est développé au cours de ces dernières décennies : tourisme itinérant et séjour en milieu rural, climatisme (Cambo-les-Bains) et à l'automne chasse des palombes qui procure de gros revenus aux communes louant des emplacements de chasse à des citadins. Saint-Jean-Pied-de-Port (1 400 habitants) est la plaque tournante de ce tourisme.

■ La Côte basque

Près de 150 000 habitants vivent sur la Côte basque, au sud de l'estuaire de l'Adour, notamment dans l'agglomération, aujourd'hui continue, qui s'est développée au nord de Saint-Jean-de-Luz. Elle s'est constituée, à partir du milieu du XIXe siècle, autour du Vieux Bayonne et de noyaux villageois : à des îlots d'habitat traditionnel, se sont ajoutés des fronts de mer (Biarritz, Saint-Jean-de-Luz) où les villas construites à la fin du XIXe siècle, ont en partie cédé la place aux immeubles modernes. Bien plus étendus sont les quartiers résidentiels, constitués d'immeubles et surtout de maisons individuelles (villas et pavillons), qui traduisent l'expansion spectaculaire depuis 1960.

La majeure partie de la population exerce une activité tertiaire. Depuis près d'un siècle et demi (venue des premiers Espagnols vers 1840), Biarritz (29 000 habitants) vit du tourisme, aristocratique avant 1914, beaucoup plus varié socialement aujourd'hui. De même le tourisme seul anime Guéthary et Bidart (5 000 habitants). Double est la fonction des cités les plus méridionales de la Côte, dont le tourisme est la source principale de revenu : à Hendaye (11 500 habitants) malgré le développement récent de la pêche et du fait de la ruine de la profession de transitaires en douane, consécutive à la suppression des contrôles frontaliers à l'intérieur de l'U.E., dans l'agglomération, constituée par Saint-Jean-de-Luz, Ciboure et une partie d'Urrugne (près de 20 000 habitants) où travaille aussi, pêcheurs et conserveurs.

Près de 90 000 habitants vivent autour de l'estuaire de l'Adour, dont 40 000 à **Bayonne**. A partir de la vieille ville de Bayonne, ceinte de murailles, l'agglomération s'est étendue vers le sud-ouest, ainsi que le long des rives de l'Adour. Bayonne est un carrefour ferroviaire et routier, ainsi qu'un port (2,8 Mt), dont la majorité du trafic se fait aux sorties : maïs et soufre de Lacq (dont le trafic baisse). La ville est aussi animée par le commerce de détail et est un centre administratif et culturel basque. Capitale d'une petite région qui s'étend de Dax à la frontière, elle est aussi le seul centre industriel important du Pays basque : le long de l'Adour en aval du centre et surtout sur la rive droite, au Boucau et à Tarnos sont les usines (aéronautique, engrais) édifiées à la fin des années 1960 pour remédier aux conséquences néfastes de la fermeture de l'usine sidérurgique.

Le bilan global est, dans l'ensemble, assez satisfaisant. La balance du commerce extérieur, en quantité et en valeur laisse un taux de couverture de 139 %. Sauf en Gironde, où les tonnages importés sont supérieurs aux quantités débarquées, les balances départementales sont excédentaires en quantité et en valeur. Les deux tiers environ des échanges sont effectués avec les Etats de l'U.E., Allemagne et Espagne surtout. L'Aquitaine importe surtout (70 % du total) et exporte en majorité (33 %) des biens industriels, mais la vente des produits de l'agriculture, notamment des vins, est une grosse source d'exportation (33 %). Au total, l'Aquitaine vient au sixième rang, parmi les régions pour le P.I.B. et au neuvième pour le P.I.B. par habitant.

Construction administrative, l'Aquitaine correspond-elle à une région entièrement polarisée par Bordeaux ? Dans l'ensemble oui, encore que la suprématie de la capitale girondine s'affermisse mal sur une partie des franges orientales du Périgord et de l'Agenais. Par contre, la proximité tend de plus en plus à orienter Tarbes vers Pau et surtout l'influence bordelaise mord fortement au nord sur la Saintonge méridionale.

BIBLIOGRAPHIE

Ouvrages généraux

ARQUÉ (P.). *Géographie du Midi aquitaine*, Paris, Rieder, 1939, 264 p.

ARQUÉ (P.). *Géographie des Pyrénées françaises*, Paris, P.U.F., 1943, 210 p.

BARRÈRE (P.). HEISCH (R.) et LERAT (S.). *La région du Sud-Ouest*, Paris, P.U.F., 2e édition, 1969, 160 p.

LERAT (S.). *L'Aquitaine*, Paris, Larousse, 1974, 79 p.

PAPY (L.). *Le Midi atlantique*, Paris, Flammarion, 1982, 482 p.

Ouvrages sur une région de l'Aquitaine

BARRÈRE (P.) et CASSOU-MOUNAT (M.). « Bordeaux : mutations fonctionnelles et développement urbain ». *Annales de Géographie*, 1971, numéro spécial.

CASSOU-MOUNAT (M.). *La vie humaine sur le littoral des Landes de Gascogne*, Bordeaux, 1975, 1 062 p., ronéo.

CHARRIE (J.P.). *Villes et bourgs en Agenais*, Bordeaux, 1986, 806 p., ronéo.

DI MÉO (G.). « Economie et société », in *Le Béarn, Encyclopédie régionale*, C. Bonneton, 1986, 60 p.

DUMAS (J.). « Les activités industrielles dans la Communauté urbaine de Bordeaux ». *Etude de géographie économique et sociale*, Bordeaux, 1980, 842 p.

FÉNELON (P.). *Le Périgord,* Toulouse, Privat, 1982, 178 p.

GENTY (M.). *Villes et bourgs du Périgord et du Bassin de Brive*, Lille, Atelier de reproduction des thèses, 1984, 1 173 p.

LABORDE (P.). *Pays basque d'hier et d'aujourd'hui*, Donastia, Elkar, 1983, 376 p.

LABORDE (P.). *Pays basques et pays landais de l'extrême Sud-Ouest de la France,* Bordeaux, 1979, 1 044 p., ronéo.

LERAT (S.). « Bordeaux et la Communauté urbaine de l'agglomération bordelaise », Paris, *La Documentation française,* 1969, 113 p.

LERAT (S.). *Les Pays de l'Adour : structures agraires et économie agricole*, Bordeaux, U.F.I., 1963, 578 p.

PAPY (L.). *Les Landes de Gascogne et la Côte d'argent*, Toulouse, Privat, 1978, 191 p.

PIJASSOU (R.). *Un grand vignoble de qualité : le Médoc,* Paris, Tallandier, 1980, 1 473 p.

ROUDIE (P.). *Vignobles et vignerons du Bordelais (1850-1980)*, Paris, C.N.R.S., 1988, 436 p.

ROUDIE (P.). *Le vignoble bordelais,* Toulouse, Privat, 1973, 181 p.

VIERS (G.). *Le Pays basque*, Toulouse, Privat, 1975, 180 p.

CHAPITRE

8

POITOU-CHARENTES

Samuel Arlaud

Région de taille moyenne, le Poitou-Charentes n'occupe que 25 800 km^2 soit à peine 5 % du territoire métropolitain. Cependant cette superficie reste largement « suffisante » au regard de la population régionale : 1 595 109 habitants au recensement de 1990. Ce qui procure une densité très inférieure à la moyenne nationale, avec toutefois des disparités intra-régionales très importantes. En 1995, la population régionale est estimée à 1 619 000 habitants (densité : 62,7).

Formé de quatre départements, le Poitou-Charentes n'a jamais présenté une unité incontestable. Il résulte du groupement artificiel de deux départements dessinés en grande partie dans l'ancien Poitou (les Deux-Sèvres et la Vienne) et de deux départements charentais (la Charente et la Charente-Maritime). Peu de chose en réalité permettait d'unir le Poitou aux Charentes, ni l'histoire qui avait divisé en plusieurs généralités l'actuel territoire de la région, ni la culture des populations, fort différentes du nord au sud, ni même des conditions naturelles très variées.

Certes la topographie est peu heurtée, l'altitude maximale de la région atteignant tout juste 345 m (Montrollet, nord-est de la Charente), mais les paysages n'en sont pas pour autant uniformes. Le Poitou-Charentes est en fait un assemblage de régions physiques multiples. Le seuil du Poitou, isthme géologique reliant les terrains primaires du Massif central à ceux de la Vendée, sépare également les formations sédimentaires du Bassin parisien de celles du Bassin aquitain. A cela s'ajoutent les influences d'un littoral charentais long à se dessiner, où alternent aujourd'hui côtes rocheuses, côtes sableuses et marais.

La variété des conditions du milieu naturel explique donc pour une bonne part que le Poitou-Charentes apparaisse à l'observateur comme une région hétérogène. Même les nombreux changements intervenus depuis quelques décennies dans l'économie et la société n'ont pas conduit à une uniformisation des multiples visages que présente la région.

Il faut donc se défaire de cette image de « région moyenne », globalement discrète et presque terne aux yeux de certains, pour entrer dans les sous-espaces picto-charentais. On y rencontre maintes originalités qui vont bien au-delà de la seule fabrication du cognac ou d'une production beurrière et fromagère de qualité. Que sait-on en vérité des hommes qui vivent et travaillent en Poitou-Charentes, qui façonnent l'économie et l'espace d'une région trop souvent perçue comme une simple voie de passage ?

1. UN ESPACE RURAL AUX MULTIPLES VISAGES

Le Poitou-Charentes est une région rurale : 49 % des habitants vivent dans des communes de moins de 2 000 personnes. La croissance urbaine a été beaucoup moins forte qu'ailleurs. Depuis vingt ans la population rurale connaît même une progression, mais il n'y a là que le résultat du seuil statistique séparant le rural de l'urbain. Concrètement, une large proportion des campagnes continue à se dépeupler de façon inquiétante au profit des villes et des espaces périurbains.

Parallèlement, dans chacun de ces espaces, s'est mise en place une nouvelle géographie de l'emploi, caractérisée par une simplification de l'éventail des professions dans les zones les moins peuplées. La part élevée de l'emploi agricole accentue la fragilité de larges secteurs de plus en plus directement soumis aux soubresauts de l'économie agricole mondiale.

1. L'accroissement des inégalités démographiques et des problèmes concomitants

■ Une démographie peu dynamique

Avec 1,6 million d'habitants, le Poitou-Charentes n'arrive qu'en 16e position des régions françaises. Mais avec près de 800 000 habitants dans ses campagnes, il s'agit de la 7e région pour le volume de population rurale.

La croissance démographique générale est faible. La population totale du maximum de 1881 n'a été dépassée qu'en 1975. Depuis lors l'augmentation annuelle de la population a d'abord été de 0,37 % jusqu'en 1982 puis elle est tombée à 0,21 % entre 1982 et 1990. Cette évolution suit de très près celle du mouvement naturel alors que le solde migratoire est extrêmement réduit (+ 0,09 % par an entre 1982 et 1990). Toutefois des flux importants de retraités se dirigent vers le littoral charentais. Ainsi le solde migratoire de la Charente-Maritime atteint 0,30 % par an depuis 1975.

Ces migrations ne font qu'ajouter à une population régionale globalement vieillissante. Un habitant sur quatre a plus de 60 ans, alors que la proportion des moins de 20 ans n'est que de 25 %. La Vienne est le département le moins vieilli en raison des structures de formation qui attirent les jeunes vers la capitale régionale Poitiers.

Aux déséquilibres structurels de la population s'ajoutent des déséquilibres spatiaux essentiels. Près du quart des habitants vivent dans l'une des quatre agglomérations chef-lieu de département, de taille pourtant moyenne : Poitiers, Angoulême, La Rochelle et Niort.

En regard de ces relatives concentrations de population, des zones rurales de plus en plus larges sont en proie à un dépeuplement qui ne paraît pas devoir s'arrêter. A l'heure où la population totale du Poitou-Charentes n'a jamais été aussi nombreuse, on observe parallèlement une extension des espaces les moins densément peuplés.

Au début des années 1990 trois secteurs sont particulièrement touchés : le centre-nord de la région, où seul le Thouarsais est épargné, l'est et le sud des Charentes et surtout une large bande de territoire s'étirant de la Vienne orientale jusqu'aux pays de la Boutonne, incluant le Montmorillonnais, le Confolentais septentrional et les cantons situés au cœur même de la région.

Finalement en 1990, 572 communes, sur les 1 337 communes rurales que compte le Poitou-Charentes, ont moins de 26 habitants au km^2. Leurs surfaces cumulées représentent ainsi 42 % de l'espace régional, avec toutefois de fortes disparités interdépartementales : 56 % dans la Vienne contre 28 % en Charente-Maritime. La population de ces communes peu peuplées ne représente que 12 % de la population régionale et 23,5 % de la population rurale. Les petites communes de moins de 500 habitants restent très nombreuses et même celles inférieures à 200 habitants représentent déjà près d'une commune rurale sur cinq.

Cette situation démographique entraîne maints problèmes de société. Le premier est bien évidemment le vieillissement accentué de la population. Dans tel canton par exemple, près de 40 % des habitants ont plus de 60 ans. Il y a d'ailleurs concordance entre l'abaissement de la taille démographique des communes et l'augmentation de la part des personnes âgées. Les seuls services qui se maintiennent sont souvent liés à cette catégorie de population. les foyers-logements se multiplient et à l'inverse les écoles sont soumises aux regroupements pédagogiques ou bien disparaissent. L'artisanat et le commerce occupent une place modeste dans la majorité de ces villages à l'aspect suranné. Le bâti se dégrade et cela d'autant plus qu'il s'agit de fermes isolées abandonnées car dans les villages quelques opérations ponctuelles permettent parfois de réhabiliter une partie du patrimoine. Les communes elles-mêmes n'ont pourtant qu'un pouvoir limité pour changer le cours de l'évolution. Leurs budgets d'investissements sont souvent dérisoires, ne dépassant guère quelques centaines de milliers de francs, quand ce n'est pas un certain fatalisme qui empêche toute innovation.

L'état démographique de ces campagnes et les problèmes d'aménagement et d'utilisation de l'espace qu'elles connaissent sont donc étroitement liés. Ils sont même exacerbés par la prédominance de l'activité agricole dont les difficultés actuelles à se maintenir touchent la société rurale tout entière.

■ **Le déclin alarmant de la population agricole**

La population agricole familiale a perdu, au cours des années 1980, près de 25 % de ses effectifs, chiffre comparable à la moyenne française. Cette forte diminution reste cependant moins importante que dans les autres régions de l'Ouest français.

En 1988 ne subsistaient plus que 56 000 chefs d'exploitation alors qu'ils étaient encore 90 000 dans toute la région en 1970. Depuis 1988 la courbe tend à se rapprocher des 30 000 chefs d'exploitation, la chute devenant exponentielle. Toutefois la baisse du nombre des chefs d'exploitation n'explique que 21 % des pertes totales de population agricole entre 1970 et 1988. Comme pour les autres groupes sociaux, les familles agricoles sont de plus en plus réduites. Le nombre des enfants est d'abord moins important. Ensuite l'agriculteur abrite moins fréquemment qu'autrefois ses parents ou certains collatéraux. Il travaille davantage seul ou avec son conjoint. Enfin la fréquence du célibat est loin d'être négligeable. Peu important à l'approche des centres urbains, il se renforce par exemple dans le sud-est du

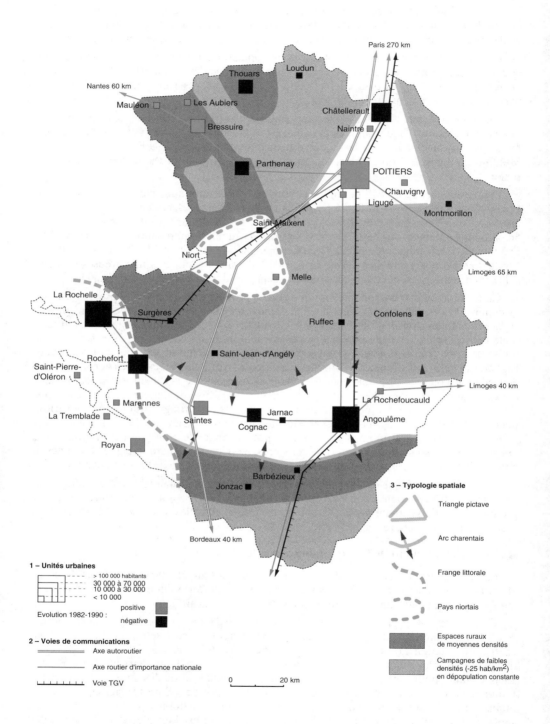

Figure 22. Les espaces picto-charentais

Légende de la figure :

Paris 270 km
Nantes 60 km
Thouars
Loudun
Mauléon
Les Aubiers
Bressuire
Châtellerault
Naintré
Parthenay
POITIERS
Chauvigny
Ligugé
Montmorillon
Saint-Maixent
Niort
Melle
Limoges 65 km
La Rochelle
Surgères
Confolens
Rochefort
Saint-Jean-d'Angély
Ruffec
Saint-Pierre-d'Oléron
Limoges 40 km
Marennes
La Rochefoucauld
La Tremblade
Saintes
Jarnac
Cognac
Angoulême
Royan
Barbézieux
Jonzac
Bordeaux 40 km

3 – Typologie spatiale

Triangle pictave

Arc charentais

Frange littorale

Pays niortais

Espaces ruraux de moyennes densités

Campagnes de faibles densités (-25 hab/km²) en dépopulation constante

1 – Unités urbaines

> 100 000 habitants
30 000 à 70 000
10 000 à 30 000
< 10 000

Evolution 1982-1990 :
positive
négative

2 – Voies de communications

Axe autoroutier
Axe routier d'importance nationale
Voie TGV

0   20 km

La France dans ses régions

département de la Vienne (cantons d'Availles-Limouzine, de La Trimouille et de Montmorillon) où plus de 8 % des chefs d'exploitation sont célibataires.

Cela augure mal de l'évolution du nombre des exploitations. Les successions familiales sont de plus en plus rares. Dans la Vienne, 20 % seulement des agriculteurs de plus de 50 ans ont un successeur désigné dans leur famille. Cette proportion est inférieure à 10 % dans de nombreuses communes situées principalement dans la région agricole des Brandes.

Néanmoins là où les évolutions démographiques négatives sont plus avancées, il existe un certain rajeunissement des cadres de l'agriculture. En moyenne le Poitou-Charentes compte près de 60 % de chefs d'exploitation de plus de 50 ans. Ce taux, supérieur à 65 % autour des principales villes, tombe à moins de 55 % dans le Montmorillonnais, le Bocage et la Gâtine des Deux-Sèvres, le Cognaçais. Il y a même une croissance en valeur absolue du nombre des jeunes agriculteurs, mais qui ne compense pas les départs des plus âgés.

Quant au salariat agricole, il a connu une baisse continuelle depuis les années 1960. Seuls deux types d'exploitations emploient encore des salariés permanents : les exploitations viticoles du Cognaçais et les exploitations de grande taille du Sud-Est de la Vienne basées sur l'élevage ovin. Mais dans ces deux cas il ne reste plus que 15 à 20 % des fermes qui ont recours au salariat permanent.

La diminution de la population agricole frappe enfin les doubles actifs. Peu importante par rapport à d'autres régions, la double activité des agriculteurs est néanmoins significative de quelques secteurs du Poitou-Charentes : le littoral où l'agriculture est souvent associée à la conchyliculture, la Double Saintongeaise où les exploitants s'embauchent dans les industries argilières ; enfin dans le Confolentais central le long de l'axe Angoulême-Limoges où se sont diffusées des industries rurales : tuileries, briqueteries, cartonneries, industries du bois et de la chaussure.

2. Les mutations différenciées des structures de production agricole

L'agriculture est un fondement de l'économie du Poitou-Charentes. Elle fournit directement du travail à 14 % des actifs. Cette proportion est même beaucoup plus élevée dans certaines zones d'emploi : 36 % dans le Sud-Charentes, 30 % en Haute-Charente ou encore 25 % en Nord-Deux-Sèvres et dans le Montmorillonnais. Toutes les mutations qui touchent le monde agricole ont donc d'autant plus de portée que les autres secteurs de l'économie sont peu développés. L'impact est économique et social mais aussi spatial. L'agriculture occupe encore 70 % du territoire régional. L'exploitation moyenne, avec 34 hectares, est ici de taille sensiblement supérieure à son homologue française.

■ Une concentration accrue des exploitations

Les restructurations foncières, importantes depuis une vingtaine d'années, se traduisent par un nombre croissant de grandes et très grandes exploitations. Les fermes de plus de 50 ha qui représentaient moins de 4 % du total en 1955 dépassent aujourd'hui 22 % et monopolisent plus de la moitié de la S.A.U. régionale. En 1988 subsistent encore 45 % de petites unités de moins de 20 ha : elles occupent moins de 10 % de la S.A.U.

Malgré cette concentration rapide, les disparités internes à la région n'ont pas été complètement gommées. Les grandes exploitations se répartissent toujours dans une zone qui prend la région en écharpe depuis l'est de la Vienne jusqu'à l'Aunis. Elles sont également dominantes dans le Loudunais et la région de Mirebeau. Les unités de taille moyenne sont surtout nombreuses dans le Bocage et la Gâtine des Deux-Sèvres, dans la Saintonge Viticole et l'Est de la Charente. Les plus petites exploitations ne se maintiennent en nombre important que dans quelques secteurs : Double de Saintonge, régions littorales, Cognaçais central, environs d'Angoulême et de Poitiers (canton maraîcher de Lencloitre).

Les zones caractérisées par un fort dépeuplement ont été plus propices à la concentration foncière. Dans le canton de La Trimouille (11 hab./km^2), 60 % des exploitations ont plus de 50 ha. C'est d'ailleurs dans cette région des Brandes poitevines que l'on rencontre le plus de fermes dépassant 200 ha. Elles s'étalent sur les interfluves où les derniers défrichements massifs ne datent que d'un siècle.

■ Une association plus fréquente des différents modes de faire-valoir

L'augmentation des surfaces s'est accompagnée d'une évolution des types de faire-valoir qui n'a pourtant pas totalement modifié les oppositions d'autrefois. Le Poitou-Charentes est à la charnière de la France méridionale où règne l'exploitation directe, et de la France septentrionale caractérisée par le faire-valoir indirect.

Le faire-valoir direct domine donc dans les Charentes, au sud d'une ligne Royan-Saintes-Confolens. Les modes indirects, surtout le fermage aujourd'hui, sont caractéristiques du Bocage et de la Gâtine. En Loudunais, dans l'Aunis et l'Angoumois on associe plus volontiers sur la même exploitation les différents modes. Le centre-est de la région (Brandes et Confolentais) forme une originalité. Les pesanteurs sociales ont longtemps limité le développement des modes mixtes. Fermage et métayage existaient mais ne se mélangeaient pas au faire-valoir direct au sein des exploitations. Les grands propriétaires fonciers n'admettaient pas que leur fermier ou métayer travaille d'autres terres que les leurs. De plus les petits exploitants directs, en général peu fortunés, n'étaient guère enviés. L'exode rural balaya ces règles archaïques. L'arrivée à partir de 1949 de nombreux agriculteurs originaires du Grand Ouest français conduisit là aussi au développement des modes mixtes. Ceux-ci bénéficient enfin depuis une dizaine d'années de la crise agricole qui limite les acquisitions foncières. Les exploitants qui s'agrandissent procèdent plus souvent par location.

■ L'inégale pression foncière

Pourtant la location des terres s'avère parfois peu aisée. A proximité des villes, sur le littoral et dans les îles, l'agriculture est en conflit avec d'autres intérêts. La côte charentaise et les marais sont les lieux où s'expriment périodiquement les désaccords entre ceux qui drainent, pour transformer les prés en parcelles de grandes cultures, et de ceux qui, plus à l'aval, vivent de la conchyliculture et reçoivent les pollutions chimiques des premiers.

A l'opposé, des superficies importantes sont en voie d'abandon. Certains espaces ont été très réceptifs aux jachères financées par la C.E.E. La Vienne fut au 3e rang des départements après avoir retiré 9 000 ha de la production durant les campagnes agricoles de 1988 à 1991. Le gel des terres atteint d'abord les espaces orientaux, les plus fragiles démographiquement et économiquement. Il devient de plus en plus difficile de distinguer les parcelles momentanément soustraites à la production de celles que l'on peut considérer comme des friches spontanées. Dans la Double, le Confolentais, le Montmorillonnais et la Gâtine, le retour à la friche est rapide depuis la fin des années 1980. Le contraste est d'autant plus frappant que ces terres délaissées côtoient souvent des parcelles cultivées intensivement.

Mais globalement, c'est l'ensemble du foncier qui se déprécie. Les terres des confins du Limousin qui avaient en 1970 une valeur supérieure à celles de la plaine céréalière du nord de la Vienne, sont en 1990 au plus faible niveau des terres de la région. L'hectare y vaut désormais moins de 10 000 F. Des exploitations ne trouvent pas preneur à 6 ou 7 000 F par hectare alors que la moyenne régionale, toutes catégories de terres confondues, s'établit à 14 000 F/ha.

3. Des productions diversifiées mais d'inégale valeur

La diversité des productions agricoles est avant tout déterminée par des conditions naturelles variées qui s'expliquent par une situation au contact de quatre grandes régions

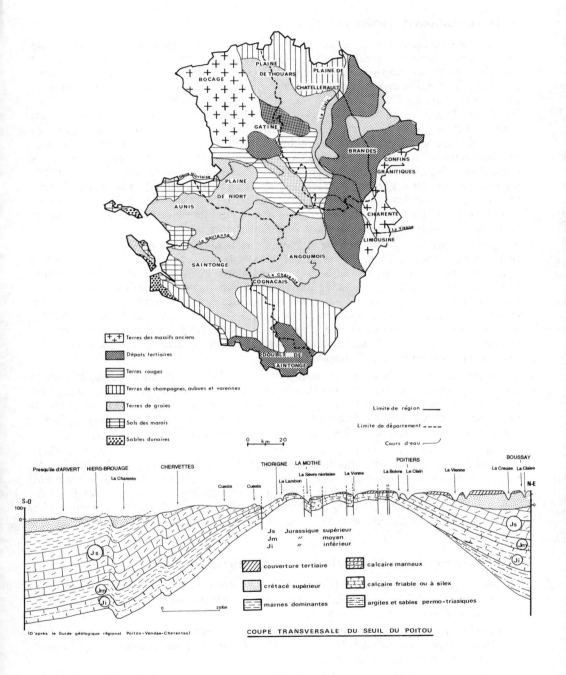

Figure 23. Sols et régions naturelles en Poitou-Charentes

géologiques. Même si les contraintes des différents milieux peuvent être en partie corrigées par l'homme, l'agriculture reste étroitement dépendante des potentialités physiques.

■ Des conditions naturelles plutôt favorables

La mise en place des reliefs et des sols s'explique en grande partie par les déplacements successifs de la ligne de rivage. Deux importantes transgressions marines de l'ère secondaire ont laissé des traces. Auparavant avait eu lieu à l'ère primaire (Carbonifère, – 340 millions d'années) l'édification de la chaîne hercynienne qui fut ensuite fortement érodée à partir du Permien et jusqu'au Trias. Après les transgressions (la plus importante se déroulant au Jurassique, la mer recouvrant alors l'essentiel de la région), l'ère tertiaire débute par les soubresauts de l'orogenèse alpine. Différents mouvements qui contribuent ainsi au soulèvement du Massif central ont une influence indirecte sur nos espaces. Provoquant une érosion intense sous un climat alors chaud, ce soulèvement entraîne la descente vers le centre-ouest d'un volume considérable de débris. Argiles, sables et sédiments divers se mélangent pour former des sols aujourd'hui peu fertiles, tels qu'on les rencontre dans la Double et dans les Terres de Brandes. Au Quaternaire les cours d'eau s'encaissent et une dernière transgression de plus faible ampleur concourt à la mise en place des golfes poitevins et charentais où subsistent à notre époque d'importants marais littoraux.

Cette chronologie géologique simplifiée montre la multiplicité des influences. Elle se traduit par la grande diversité des modelés et des sols dont la carte montre la répartition. Les terrains des massifs anciens caractérisent la majeure partie du nord des Deux-Sèvres (Bocage et Gâtine) et le centre-est de la région (Charente limousine et Confins granitiques du Limousin). Le socle affleure en certains points situés entre ces deux régions, comme à Champagné-Saint-Hilaire. Les dépôts tertiaires qui s'étalent largement en périphérie des massifs donnent des terres de qualité médiocre. Les sols des Brandes retiennent les eaux dès l'automne et jusqu'en avril-mai ; aux premières chaleurs ils se dessèchent rapidement et ne fournissent aux animaux que d'infâmes prairies.

Depuis la vallée de la Charente jusqu'au nord de Poitiers s'étendent de vastes plaines jurassiques portant des terres issues de roches calcaires, appelées groies, qui font place localement à des sols provenant de dépôts, tels que les terres Rouges à Châtaigniers de la région de Civray. Ce sont ces plaines calcaires qui offrent les paysages les moins changeants : reliefs peu heurtés, rareté des vallées, mais aussi simplification culturale.

Au-delà de ces plaines jurassiques, vers le nord et vers le sud, de petits pays aux reliefs collinaires forment une sorte de limite naturelle. Terres de champagne, d'aubues et de varennes issues des roches crétacées s'avèrent particulièrement fertiles et aisément reconnaissables par leur coiffe de bois et de forêts qui occupent les sols faits d'argile et de silex des sommets arrondis. Enfin il faut distinguer les secteurs particuliers des marais où les sols résultent plus qu'ailleurs de l'action anthropique et surtout des travaux d'aménagement hydraulique.

■ Les systèmes de production : le net recul de l'élevage

Les productions agricoles du Poitou-Charentes sont très variées mais insuffisamment valorisantes : sur 6,2 % de la S.A.U. française, on obtient seulement 4,7 % de la valeur nationale des livraisons végétales et animales.

Le relatif équilibre qui existait entre les productions végétales et l'élevage s'est modifié aux dépens de ce dernier depuis la fin des années 60. Aujourd'hui les cultures représentent 57 % des livraisons totales de la région.

L'élevage se concentre dans le département des Deux-Sèvres (hormis la Plaine de Niort) et le centre-est de la région, ce qui correspond aux secteurs des massifs anciens et de leurs proches périphéries.

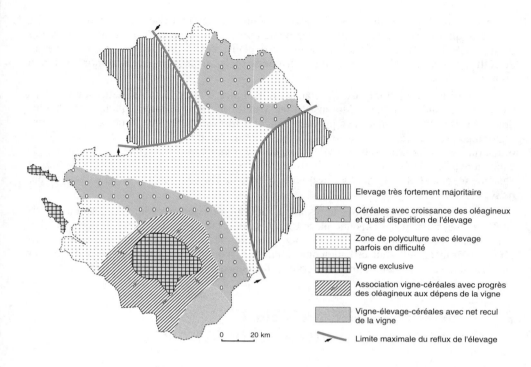

Figure 24. La répartition des systèmes de culture et d'élevage

Légende :

- Elevage très fortement majoritaire
- Céréales avec croissance des oléagineux et quasi disparition de l'élevage
- Zone de polyculture avec élevage parfois en difficulté
- Vigne exclusive
- Association vigne-céréales avec progrès des oléagineux aux dépens de la vigne
- Vigne-élevage-céréales avec net recul de la vigne
- Limite maximale du reflux de l'élevage

0   20 km

Dans le Bocage domine l'élevage de vaches allaitantes (charolaises) qui côtoie de nombreux élevages intensifs (porcs et volailles). En Gâtine les ovins s'affirment davantage mais l'élevage bovin subsiste. La relance récente de la race parthenaise connaît une certaine réussite. La production végétale originale est ici celle des pommes, autour de Mazières-en-Gâtine et de Secondigny. Dans l'autre grande zone d'élevage, en Montmorillonnais, les ovins sont partout. Dans le canton de L'Isle-Jourdain par exemple le nombre de brebis dépasse 100 000 têtes, avec des cheptels de plus de 1 000 brebis dans certaines fermes. Le Poitou-Charentes se place au 2e rang des régions françaises pour cet élevage avec un troupeau de 1,5 million de têtes. Le bassin ovin du Montmorillonnais déborde au sud dans le Confolentais. Mais peu à peu il s'efface au profit d'un élevage de vaches allaitantes principalement limousines. Les éleveurs, avant tout naisseurs, vendent leurs veaux maigres ou à l'âge de 7/9 mois. L'élevage bovin peut représenter comme dans le canton de Montembœuf jusqu'à 90 % de la marge brute standard, d'où une extrême fragilité face aux fluctuations de la filière viande.

Hors de ces deux grandes aires, l'élevage n'est pas complètement absent. Dans la basse vallée de la Charente, les Marais et l'Aunis subsiste une production laitière remise en cause par les quotas. Au sud des Charentes l'élevage est associé à la vigne et aux céréales. Enfin le Poitou-Charentes reste la grande région de production du fromage de chèvre : un tiers du troupeau national est concentré de part et d'autre d'un axe allant du Mellois au Bocage, les cantons de Lezay et La Mothe-Saint-Héray constituant le cœur du bassin caprin.

Le recul de l'élevage s'est fait au profit des cultures de céréales et d'oléoprotéagineux. Aux anciennes régions céréalières que sont les grandes plaines jurassiques et crétacées, se sont ajoutées des régions comme le Civraisien, le Mellois et même certaines parties des

Marais et du Montmorillonnais. Ce développement a été favorisé par l'introduction du tournesol qui est devenu la 3e culture régionale après le blé et le maïs. Le Poitou-Charentes produit près de 20 % du tournesol français. Cette plante s'est même insérée dans les systèmes de culture des zones viticoles, surtout en périphérie où les arrachages furent nombreux durant les années 1980.

Aujourd'hui le vignoble du Cognaçais, dont l'aire d'appellation s'étend sur les deux Charentes au sud d'une ligne Marans-Ruffec-Montbron, occupe encore quelque 90 000 ha, dont 80 000 pour le cognac. Les produits viticoles représentent ainsi la deuxième richesse régionale après les céréales. Les exploitations sont de taille souvent modeste puisque 75 % ont moins de 5 ha. Au cœur du vignoble, dans les cantons de Cognac, de Segonzac, de Châteauneuf ou de Jarnac, la vigne équivaut à 90 % de la marge brute agricole. elle fournit également l'essentiel de la richesse jusqu'aux confins du Bordelais ainsi que dans les deux îles de Ré et d'Oléron.

Au total le Poitou-Charentes après avoir subi une poussée considérable des cultures de vente, n'en accorde pas moins une place toujours importante aux différents élevages. Région peu spécialisée et en périphérie aussi bien des grandes zones d'élevage que des bassins céréaliers français, elle fait difficilement entendre sa voix mais à l'inverse elle peut en tirer bénéfice si l'avenir est celui d'une plus grande diversification des productions.

2. UNE INDUSTRIE ANCIENNE MAIS AUJOURD'HUI PEU PUISSANTE

Avec environ 28 % des actifs (B.T.P. inclus), l'industrie n'est pas le secteur économique dominant. Un peu plus de 140 000 personnes sont concernées par ces activités : 35 000 produisent des biens d'équipement, 32 000 travaillent dans le bâtiment et les travaux publics, 29 000 dans les industries de biens de consommation courante et 25 000 dans celles des biens intermédiaires. L'agro-alimentaire, secteur-clé de la région, n'emploie cependant que 19 000 personnes.

Globalement la richesse produite est insuffisante : avec 2,4 % des effectifs de l'industrie française, le Poitou-Charentes n'assure en 1991 que 1,9 % de la valeur ajoutée industrielle nationale. La structure de l'industrie est en cause. Handicapée par un manque de ressources minières et énergétiques, la région n'a longtemps compté que sur les initiatives locales. Aujourd'hui encore les deux tiers des salariés sont employés par des entreprises originaires du Poitou-Charentes. La taille de ces dernières est souvent modeste : 30 seulement ont plus de 500 salariés. La recherche privée est insuffisante et la productivité du travail inférieure à la moyenne nationale. Le personnel qualifié et les cadres manquent.

1. Ancienneté de l'industrie et variété des formes d'industrialisation

Malgré ces faiblesses, la région peut miser sur une très grande diversité des industries. Il y a peu de branches qui ne soient pas représentées. la classification la mieux adaptée reste celle proposée par J. Pinard au début des années 1970, tout en tenant compte des évolutions récentes.

■ Les difficultés du bâtiment et des industries connexes

De 1975 à 1990, le bâtiment a perdu 25 % de ses effectifs ouvriers pour arriver aujourd'hui à une certaine stabilité. La Charente-Maritime occupe à elle seule un tiers de ces salariés, principalement sur le littoral pour les constructions de résidences et les grands chantiers : ports de La Pallice puis des Minimes, ponts d'Oléron et récemment de l'Ile de Ré.

L'économie du bâtiment, dynamisée dans les principales villes de la région par la poussée immobilière des années 1950 (construction de ZUP), puis par la périurbanisation, a été ralentie depuis les années 1980. Parallèlement, la réhabilitation de l'habitat ancien constitue une activité importante, qui a de beaux jours devant elle. L'artisanat du bâtiment représente 43 % des entreprises artisanales du Poitou-Charentes.

Les activités industrielles connexes sont nombreuses. La production de matériaux de construction et de minéraux divers emploie près de 6 000 personnes. Dès les années 1930 deux grandes cimenteries ont été installées : à Airvault en Deux-Sèvres par la Société des Ciments français et à La Couronne près d'Angoulême par les Ciments Lafarge. La région possède aussi l'un des tout premiers bassins argiliers d'Europe situé dans la Double Saintongeaise. L'excellente qualité des argiles blanches permet de diversifier les débouchés : production de céramique, incorporation dans les engrais et dans une centaine de produits. Mais l'avenir du bassin argilier, dont dépendent de nombreux agriculteurs doubles actifs, n'est pas très prometteur : l'utilisation de la matière première a été longtemps dispendieuse et surtout la transformation sur place est insuffisante : 10 % seulement des matériaux expédiés sont des produits finis.

Un deuxième pôle de production des matériaux de construction existe dans le Confolentais. Autour de Roumazières-Loubert les deux sociétés T.B.F. (Tuilerie Briqueterie Française) et Coverland exploitent les argiles jurassiques et produisent plus de 10 % des tuiles et briques françaises. Freinées dans leur expansion par la construction en hauteur des années 1950/60, elles ont redressé la tête avec la croissance de l'habitat pavillonnaire et en misant sur des matériaux nouveaux : argiles expansées, modèles de tuiles plus variés...

Parmi les autres activités, la fabrication d'objets de faïence et de porcelaine tient une place non négligeable. Les argiles blanches les plus pures sont ainsi utilisées à Chauvigny dans la Vienne où l'entreprise Deshoulières emploie plus de 400 personnes. Mais actuellement ce type d'entreprise souffre de difficultés chroniques conduisant fréquemment à des licenciements.

■ **Les plus vieilles industries** de la région appartiennent à d'autres secteurs. Elles ont connu depuis quelques décennies **des fortunes diverses**. Le déclin le plus notable a été enregistré dans **l'industrie des cuirs et des peaux**. Il n'y a plus aujourd'hui que quelques entreprises dont les plus prestigieuses, localisées à Niort, sont héritières d'anciennes chamoiseries.

La fabrication des chaussures s'est mieux maintenue. Présente depuis longtemps en Charente et dans les Deux-Sèvres, elle occupe encore en 1990 près de 3 000 personnes et la part du Poitou-Charentes dans ce secteur atteint près de 5 % de la V.A.B. nationale. La Charente s'est fait une spécialité des pantoufles. Les établissements Rondinaud de Rivières envoient chaque année 15 millions de paires dans le monde entier. Dans la Vienne la marque Aigle est implantée à Ingrandes ; en Deux-Sèvres on produit davantage de chaussures classiques dans des usines en milieu rural qui dépendent étroitement de grandes maisons parisiennes. Le suivi de la mode entraîne de graves difficultés dans certaines entreprises qui n'ont pas toujours les moyens de s'adapter rapidement.

Charente et Deux-Sèvres dominent tout aussi nettement **la production textile** régionale. La Charente concentre la majeure partie de la fabrication des feutres de papeterie, du tissage de la laine, de la bonneterie. Les Deux-Sèvres et quelque peu la Vienne, sont surtout spécialisées dans l'habillement. Dans le prolongement du Choletais, de multiples ateliers ruraux sont liés aux maisons de mode parisiennes. Beaucoup emploient moins de 100 personnes, en général des femmes. Emplois peu qualifiés qui sont aussi les moins bien rémunérés de la région. Au total les industries du textile et de l'habillement regroupent encore 7 300 personnes en 1990 (11 000 en 1975), mais l'activité est très saisonnière, soumise aux variations de la mode et à la concurrence des pays d'Asie du Sud-Est.

L'imprimerie et l'industrie papetière sont aussi parmi les plus vieilles industries picto-charentaises. La tradition papetière de la Charente date du XVIe siècle. Elle avait entraîné jusqu'au XVIIIe siècle l'établissement de nombreux moulins à papier localisés sur la rive gauche de la Charente et de ses affluents, d'Angoulême à Cognac. L'implantation actuelle des usines en reste le témoignage. S'y ajoutent les papeteries du Confolentais placées sur le cours de la Vienne, celles d'Iteuil au sud de Poitiers et de Thouars en Deux-Sèvres. Le papier-carton emploie un peu plus de 5 000 personnes en 1992. Les entreprises, pendant longtemps symboliques d'initiatives locales, sont aujourd'hui intégrées au sein de groupes extérieurs à la région. On voit alors que ce qui était considéré en 1970 comme le succès d'une implantation rurale peut très vite devenir un désastre. La petite commune d'Iteuil a ainsi perdu à la fin de 1993 sa cartonnerie et avec elle plus de 150 emplois, soit 1 million de francs de taxe professionnelle, sans compter les effets induits sur les commerces ou l'école. Il est vrai que face à la concurrence les industries papetières souffrent de nombreux handicaps : situation dans des fonds de vallées difficiles d'accès posant des problèmes d'agrandissement et de rénovation, éloignement des matières premières (bois) et des principaux centres de consommation (notamment l'édition et la presse parisiennes).

Certaines entreprises obtiennent cependant de bons résultats : les papeteries de La Couronne emploient plus de 500 personnes et sont entrées dans le capital de plusieurs entreprises étrangères. La société Vieira de La Couronne est devenue le leader français du calendrier et de l'agenda publicitaire. Il en est de même dans l'imprimerie dont les deux grands centres sont aussi Angoulême et Poitiers. Mais il y a une relative atomisation en de petits ateliers de moins de 50 personnes. La seule grande usine est située à Ligugé près de Poitiers. Aubin y emploie plus de 300 personnes et a développé en 1989 un nouveau site de machines ultra-modernes qui en fait l'une des imprimeries les plus performantes de France.

■ **La modernisation industrielle des 30 dernières années** a permis le développement en Poitou-Charentes de nouvelles industries souvent issues de la décentralisation. Trois catégories d'importance inégale peuvent être discernées.

La moins créatrice d'emplois est **l'industrie chimique**, qui représente 4 000 salariés si l'on ajoute la parachimie et l'industrie pharmaceutique à la chimie de base. La chimie de base est surtout représentée par Rhône-Poulenc qui emploie 500 personnes à La Rochelle et 450 à Melle dans les Deux-Sèvres pour la fabrication de gomme xanthane exportée à 90 % vers les Etats-Unis. Angoulême et Poitiers ont aussi leurs industries chimiques : SANOFI et la Société nationale des poudres et explosifs sont implantées dans la première ville ; Europro-duction (produits de beauté, crèmes solaires…) dans la seconde.

Certaines industries chimiques sont davantage liées au milieu local : production des engrais en Charente-Maritime et surtout fabrication de caséine dans quelques laiteries (utilisation dans la charcuterie, les farines diététiques, certains produits pharmaceutiques ou encore dans la colle).

Ajoutons à cette catégorie les industries liées à la transformation des matières plastiques. La seule localisation notable dans l'industrie du caoutchouc est celle de Michelin à Poitiers (800 salariés) où sont fabriqués des pneus pour poids lourds. Dans la transformation du plastique, la répartition des usines est assez aléatoire, à l'exception d'une petite concentration entre Rochefort et La Rochelle (Foggini France, SOGEMAP) et à Ingrandes (Hutchinson).

La seconde catégorie industrielle par le nombre d'emplois est celle **du bois et de l'ameublement**. Le Poitou-Charentes joue un rôle important en France dans les industries du déroulage et de fabrication du contreplaqué.

Tant dans le travail mécanique du bois que dans l'ameublement, la dispersion d'unités de production de moins de 50 salariés est la règle. Cependant la fabrication de panneaux et de placages reste sans conteste dominée par R.O.L. (Rougier Océan Landex), vieille entreprise familiale implantée à Niort, aujourd'hui cotée en bourse, mais qui connaît de dramatiques difficultés face à la concurrence étrangère comme en témoignent les seuls effectifs niortais passés de 1 500 en 1970 à 300 en 1991. R.O.L. possède aussi de nombreuses autres unités de production en France et à l'étranger.

Les industries de l'ameublement sont un des points forts de la région mais certaines résistent mal à la modernisation de leur appareil de production. Deux entreprises emploient plus de 200 personnes : Ranger à Montmorillon (meubles) et Duvivier-Durev à Joussé (Vienne) qui fabrique des matelas. Quelques autres, salariant plus de 100 personnes, sont également très spécialisées : Buroform à Valdivienne dans le mobilier fonctionnel, Tricoire à l'Absie (Deux-Sèvres) dans l'équipement hôtelier ou encore Technibois à Saint-Sauveur (Vienne) dans les parquets et moulures.

Au total les 13 000 salariés du secteur bois et ameublement placent le Poitou-Charentes en bonne position : près de 5 % de la valeur ajoutée brute nationale de cette activité sont fournis par la région.

Les aspects les plus modernes de l'industrie régionale se retrouvent aussi dans les activités **de production mécanique, électronique et électrique**. Certes le poids global de la région est faible dans ce secteur, mais on y trouve le plus grand nombre d'entreprises dépassant 500 salariés.

La production électronique et électromécanique s'est d'abord affirmée avec les moteurs Leroy-Somer à Angoulême. D'origine locale, c'est l'une des rares entreprises de la région à développer une importante activité de fonderie, même si la grande fonderie régionale reste implantée à Ingrandes (Fonderies du Poitou où près de 1 000 ouvriers produisent chaque jour 5 000 culasses et 5 000 carters en fonte et en aluminium). A l'instar de cette dernière, mais dans d'autres domaines, les entreprises décentralisées sont nombreuses. Qu'il s'agisse de Télémécanique à Angoulême, de Jaeger à Châtellerault devenue Marelli Autronica (600 emplois) ou encore de Schlumberger à Poitiers qui, avec 850 personnes, (production de plus de 1 million de compteurs/an) possède ici sa plus grande usine.

Les industries liées aux différents types de transports sont aussi très présentes. Certaines subissent les décisions de hiérarchies extérieures à la région, comme les usines Peugeot de La Rochelle fermées en 1991, les aléas de l'aéronautique comme Sextant Avionique ou la Sochata à Châtellerault ou la crise de l'agriculture comme Howard Rotovator à Loudun. D'autres sociétés, par leur spécialisation, réussissent mieux. C'est le cas d'Alsthom à Aytré où 1 300 personnes fabriquent des rames de T.G.V., de la SOVAM à Châtillon/Thouet en Deux-Sèvres, leader européen des aérobus, ou encore de l'entreprise Heuliez implantée à Cerizay (automobiles, bus, design et carrosseries), société française ayant déposé le plus de brevets entre 1986 et 1992.

Chez tous ces fabricants de véhicules utilitaires (T.G.V., bus, aérobus) une innovation très poussée a permis l'obtention de contrats assurant plusieurs années de travail. En revanche ce qui touche directement à l'automobile, à la construction mécanique pour l'agriculture, pour le bâtiment ou à la fabrication de machines-outils subit le marasme de ces différents secteurs.

2. Les richesses de l'industrie agro-alimentaire

Ce secteur est le fleuron de l'économie picto-charentaise. Deuxième pôle d'emploi industriel avec près de 19 000 salariés en 1990, il se place en tête par la V.A.B. qu'il dégage. Avec près de 4,9 milliards de francs en 1992, il représente 21 % de toute la valeur ajoutée créée par l'industrie régionale.

Deux départements dominent par le nombre d'emplois : la Charente et les Deux-Sèvres, avec respectivement 6 000 et 5 000 salariés dans l'agro-alimentaire. Deux activités ont acquis une indéniable renommée : la fabrication du cognac et celle de produits laitiers de qualité.

■ Deux vieilles activités originales : distilleries et laiteries coopératives

Près des deux tiers de la valeur ajoutée agricole du Poitou-Charentes proviennent de **la distillation charentaise**. Le cognac assure 35 % des exportations régionales, à destination notamment des Etats-Unis, du Royaume-Uni, de l'Allemagne, du Japon et de Hong Kong.

L'originalité du cognac réside dans la double distillation qu'il subit afin d'en faire une eau-de-vie naturelle de 70°. La campagne de distillation s'étale de novembre à avril. Les meilleurs cognacs naissent dans la Grande Champagne, centrée sur le canton de Segonzac. La Petite Champagne la jouxte au sud et à l'ouest. Les Borderies plus au nord qualifient des crus également de qualité. En s'éloignant du Cognaçais par auréoles concentriques les Fins Bois, les Bons Bois et les Bois Ordinaires couvrent jusqu'aux îles et à l'Aunis.

La distillation est aujourd'hui dominée par de grands négociants qui travaillent pour des maisons de cognac réputées et peu nombreuses. Jas-Hennessy, Martell, Rémy-Martin et Courvoisier, les quatre plus grandes, fondent leur développement sur l'association avec d'autres entreprises de produits de luxe, échangeant ainsi leurs circuits de distribution (cf. le groupe L.V.M.H.). La société Jas-Hennessy représente à elle-seule 27 % du marché mondial du cognac.

Le pineau de Charentes, production satellite du cognac, prend de l'importance. En croissance continue depuis le début des années 1970, il permet de mieux réguler le commerce du cognac (le pineau est un mélange de jus de raisin non fermenté et de cognac) et ne touche pas tout à fait la même clientèle. Il s'agit donc d'un élément de diversification des revenus, notamment pour les zones périphériques de l'appellation, à l'heure où la mono-production fait courir des risques importants.

L'industrie laitière possède aussi une très forte originalité. C'est à Surgères que fut créée en 1888 la première coopérative laitière qui fit vite des émules. Plusieurs dizaines de ces laiteries furent ouvertes dans toute la région. Leur densité est forte au milieu du XXᵉ siècle dans le nord de la Charente-Maritime et la partie sud des Deux-Sèvres. En se multipliant elles ressentent la nécessité de se grouper en unions dont les partenaires apparaissent assez mobiles durant les dernières décennies. Un front commun est cependant opposé aux groupes privés extérieurs, d'autant que les coopératives sont soutenues par les banques régionales.

La politique européenne des quotas a engendré, dans cette région plutôt périphérique pour la production laitière, de très rapides mutations. La collecte du lait régresse, de nombreuses laiteries disparaissent ou sont absorbées par d'autres plus ambitieuses, et l'on observe, un siècle après, une nouvelle concentration de l'industrie laitière dans le sud des Deux-Sèvres et l'Aunis.

Aujourd'hui la coopération repose sur quelques grandes unions (Charentes-Lait, Capribeur, Lescure-Bougon ou encore Poitouraine) qui ont souvent adopté les pratiques économiques des groupes privés. Quelques petites laiteries subsistent, qui survivent grâce à une production et une transformation originales et d'excellente qualité (Echiré par exemple).

Les produits de l'industrie laitière sont extrêmement variés. Le beurre, qui bénéficie d'une appellation d'origine contrôlée, occupe une place importante dans la transformation. Les difficultés actuelles de surproduction favorisent des produits à meilleure valeur ajoutée : laits de consommation, produits frais et surtout fromages. Les laiteries du Mellois et du Civraisien se sont faites une spécialité du fromage de chèvre : ici sont transformés les deux tiers du lait de chèvre français.

■ Les autres industries secondaires

Le travail du grain, troisième industrie agro-alimentaire de la région, ne contribue que pour 9 % à la valeur ajoutée agricole. Pour l'alimentation humaine la seule entreprise notable est la biscuiterie Gringoire-Brossard de Saint-Jean-d'Angély. Dans le domaine de la fabrication d'aliments du bétail, le Poitou-Charentes occupe une place médiocre avec moins de 5 % du tonnage national. Pour le seul élevage caprin 12 % seulement des aliments sont produits dans la région.

L'industrie de la viande, en progrès dans les années 1970, subit les effets d'une législation exigeante et de capacités de modernisation modestes. Les abattoirs se sont raréfiés : les plus importants sont aujourd'hui en Deux-Sèvres, près de Saint-Maixent, à Bressuire et à Parthenay pour ce qui concerne les bovins. Ils sont souvent l'émanation de groupes plus importants situés hors région. Les abattoirs ovins sont peu puissants malgré le cheptel présent en Poitou-Charentes. Ceux qui traitent volailles et lapins voient leurs activités s'accroître grâce à la progression des exportations. Poitou-Charentes est l'une des trois grandes régions d'élevage de lapins, avec plus de 200 000 lapines-mères en 1988, soit 10 % des effectifs nationaux.

Enfin il faut déplorer le faible développement des conserveries : la viande produite l'est souvent à des fins de consommation directe en raison de sa qualité. Les conserves de champignons dont Loudun, Châtellerault et Thouars avaient développé l'activité, connaissent une grave crise sous l'effet de la concurrence des pays d'Europe de l'Est. Une seule grande société (Gorcy) prépare des plats cuisinés. Elle est implanté à Mirebeau (Vienne) et à Airvault.

En somme, hormis la distillation charentaise et l'industrie laitière, le Poitou-Charentes, qui peut se prévaloir de productions agricoles variées, n'a pas su développer une industrie agro-alimentaire diversifiée et résistante. Les structures existantes résultent le plus souvent d'initiatives locales ; elles manquent de moyens financiers leur permettant de se moderniser.

Ces faiblesses de l'agro-alimentaire sont aussi celles d'un grand nombre d'industries de la région Poitou-Charentes. La décentralisation n'a pas modifié fondamentalement la structure industrielle. Les difficultés du développement de ce secteur s'expriment par le manque crucial de cadres qui apparaît encore plus nettement dans les activités de services.

3. LA PRIMAUTÉ D'UNE TERTIARISATION INACHEVÉE

L'ensemble de la structure économique du Poitou-Charentes, la place insuffisante occupée par la recherche fondamentale et surtout appliquée, mais aussi des activités de formation trop longtemps négligées, contribuent à l'inachèvement de la tertiarisation. 62,5 % seulement des actifs travaillent dans le secteur tertiaire en 1990. Il arrive cependant que l'on atteigne 65 % dans certaines zones d'emploi mais par ailleurs la proportion peut être inférieure à 40 %. En effet les activités de commerce et de service progressent assez rapidement dans les principales villes mais connaissent une crise sans précédent en milieu rural.

1. Services et commerces

■ Les difficultés du secteur commercial

L'appareil commercial du Poitou-Charentes compte en 1990 un peu plus de 19 000 établissements : 5 000 pour le commerce de gros et 14 000 pour le commerce de détail. Dans cette dernière catégorie un tiers sont des commerces alimentaires et un cinquième appartiennent au secteur de l'habillement, du cuir et du textile. Au-delà de ces disparités structurelles, les inégalités spatiales sont aussi importantes : la Charente-Maritime concentre près de 40 % des équipements commerciaux de la région ; les Deux-Sèvres sont les moins bien pourvues avec 18 % seulement.

En raison de la place de l'agriculture, le commerce de gros alimentaire occupe un niveau supérieur à la moyenne française mais ses effectifs se stabilisent depuis 1975 entre 8 000 et

9 000 salariés. En revanche le commerce de détail alimentaire a gagné 5 000 emplois depuis 1975 (+ 50 %), essentiellement au profit des villes. Car à l'heure actuelle plus d'une commune sur trois ne possède aucun commerce alimentaire, phénomène particulièrement frappant dans la Vienne et les Deux-Sèvres.

L'essor de la grande distribution est-il totalement responsable de cette situation ? Quelle qu'en soit la réponse, il est certain que cette dernière occupe une place légèrement supérieure à la moyenne française : 97 m^2 d'hypermarché pour 1 000 habitants contre 93 m^2. Il y a en 1995, 39 hypermarchés en Poitou-Charentes dont 14 localisés dans les agglomérations de Poitiers, La Rochelle et Angoulême. L'importance des supermarchés est encore plus considérable : la densité s'élève en 1992 à 154 m^2/1 000 habitants soit environ 30 m^2 de plus que la moyenne nationale. Cette densité atteint même 178 m^2/1 000 hab. en Charente-Maritime.

Au total les différents types de commerces occupent près de 70 000 personnes soit 12 % de la population active régionale ayant un emploi. Les dix dernières années ont été marquées dans ce secteur par une succession de crises et de reprises passagères de l'emploi.

■ Les progrès récents des services

L'emploi dans les services occupe environ 260 000 personnes en 1992, dont 84 000 en Charente-Maritime, 69 000 dans la Vienne, 57 000 en Deux-Sèvres et 50 000 en Charente. Malgré l'insuffisance des services par rapport à d'autres régions, c'est dans ce secteur que l'on enregistre la plus forte croissance des emplois : + 2,8 % en 1992. La barre de + 3 % est franchie en Charente et dans les Deux-Sèvres où s'opère donc un certain rattrapage. Mais de profondes inégalités spatiales se développent. Les zones d'emploi où se localisent les pôles urbains concentrent des taux élevés d'actifs tertiaires : 63,6 % pour le bassin d'emploi de La Rochelle ou encore 64,8 % pour celui de Poitiers. A l'opposé les secteurs ruraux où les petits centres sont peu dynamiques présentent des taux extrêmement bas : 39,6 % en Montmorillonnais, 38,9 % dans le sud-Charentes et jusqu'à 35,6 % en Haute-Charente (régions de Confolens, Ruffec et Civray).

A côté des services communs à toutes les villes, le Poitou-Charentes possède quelques domaines en pointe ou présentant une certaine originalité. Le premier d'entre eux est **le pôle mutualiste niortais**. C'est à Niort que fut décentralisée dans un premier temps la Mutuelle Assurance des Instituteurs de France (MAIF). Dans son sillage s'installèrent peu à peu d'autres mutuelles pour faire de Niort la capitale française des assurances. On y trouve aujourd'hui le siège de la Mutuelle Assurance des Artisans de France (MAAF), de la Mutuelle Assurance des Commerçants et Industriels de France (MACIF) ou encore de la Société Mutuelle Assurance des Collectivités Locales (SMACL) qui assure actuellement une ville de plus de 20 000 habitants sur cinq. C'est aussi à Niort qu'est installée Inter-Mutuelle-Assistance qui occupe la première place mondiale des sociétés d'assistance. L'agglomération niortaise regroupe donc la grande majorité des 8 000 emplois régionaux du secteur des assurances, effectifs qui ont doublé depuis 1975.

Malgré des lacunes déjà évoquées dans la recherche, le second domaine fondamental est celui de **l'enseignement** et de **la formation**. Devenu priorité des instances régionales, il s'ordonne autour de quelques grands centres. Poitiers constitue le plus important avec son Université fondée en 1431 et qui offre une gamme très variée de formations. Son aire d'attraction s'est complètement modifiée depuis les années 1960 en raison de la création des Universités de Tours et de Limoges. Aujourd'hui Poitiers reçoit toujours des étudiants de Vendée ou de l'Indre, mais à l'inverse le sud des Charentes lui échappe au profit de Bordeaux. C'est pourquoi la récente mise en place de l'Université de La Rochelle ne freine pas la croissance des effectifs poitevins qui atteignent 28 000 étudiants à la rentrée 1995. Le site même de l'Université de Poitiers a connu un certain éclatement. Il y eut un déplacement de nombreuses formations du centre-ville vers un campus à l'écart de la ville puis récemment s'est ajoutée l'attraction de l'aire de formation du Futuroscope à une quinzaine de kilomètres au nord de la ville. Autour de son lycée pilote innovant, ce technopôle original a vu s'installer l'ENSMA et a reçu pour mission d'accueillir le Centre national d'enseignement à distance (C.N.E.D.). Certains instituts du campus sont eux-mêmes très tentés de migrer vers le Futuroscope.

Hormis ces deux aspects, le secteur tertiaire reste relativement banal. Tout au plus peut-on rappeler la place importante des professions de santé, notamment à Poitiers et à La Rochelle. Quelques animations culturelles méritent également une mention, qu'il s'agisse du Salon international de la bande dessinée à Angoulême, des Francofolies de La Rochelle ou encore du Festival de folklore de Confolens qui attire à lui seul 200 000 personnes chaque année. Mais ces différentes manifestations sont indissociables de l'importante activité touristique de la région.

2. Un tourisme essentiellement balnéaire

Il existe une franche opposition entre l'attraction touristique du littoral et celle des pays de l'intérieur. Le tourisme balnéaire n'est que peu bénéfique pour l'arrière-pays au-delà de 20 à 30 km. Par ailleurs, l'économie touristique de la côte charentaise n'est pas artificiellement plaquée sur l'espace littoral. Elle doit se développer en symbiose avec d'autres activités, telle que l'ostréiculture et la mytiliculture.

■ L'utilisation d'abord touristique du littoral

L'attraction déjà ancienne de la côte charentaise (les principales stations balnéaires existent dès le début du XXe siècle) est née de conditions naturelles favorables : îles et côtes continentales représentent 450 km de littoraux tantôt rocheux, tantôt sableux, parfois marécageux, qui bénéficient annuellement de 2 400 heures de soleil alors que les précipitations sont inférieures à 800 mm.

La Charente-Maritime est devenue peu à peu l'un des départements touristiques parmi les plus importants. Au sein du littoral, les îles et la presqu'île d'Arvert accueillent environ 70 % des touristes. On peut parler de surcharge touristique dans les îles : aujourd'hui reliées au continent, elles reçoivent certains jours chacune plus de 200 000 estivants alors que l'Ile de Ré n'a que 12 000 habitants permanents et l'Ile d'Oléron un peu plus de 17 000. Deux types d'hébergement prédominent : les campings qui attirent encore près d'un touriste sur deux et les résidences secondaires qui se multiplient exagérément dans les îles et autour de Royan (Saint-Georges-de-Didonne, Saint-Palais, Vaux-sur-Mer).

Seule Royan peut apparaître comme une station balnéaire d'importance, avec une clientèle un peu plus fortunée et des capacités hôtelières plus développées. Parmi les nombreuses activités touristiques, la navigation de plaisance est en plein essor. 7 ports de plaisance communaux et une quinzaine de ports mixtes existent déjà. Deux des trois grands sites de loisirs du Poitou-Charentes sont également sur le littoral : le zoo de la Palmyre et l'Aquarium de La Rochelle reçoivent chaque année respectivement 700 000 et 600 000 visiteurs.

L'ensemble des activités touristiques constitue par ailleurs un puissant stimulant pour le reste de l'économie et l'on ne saurait les dissocier par exemple de la **conchyliculture** ; nombreux étant ceux qui vivent directement ou indirectement de ces différentes richesses.

Il y a en effet ici le premier élevage français d'huîtres et de moules, qui emploie 20 000 personnes en permanence auxquelles il faut ajouter autant de saisonniers. Bouchots pour les moules et parcs ostréicoles sont installés sur les vasières littorales et les terres basses des îles et de l'estuaire de la Seudre. Des deux bassins ostréicoles de Marennes-Oléron et de La Rochelle-Ile de Ré sortent chaque année entre 50 et 55 % de la production nationale, soit 45 à 50 000 tonnes d'huîtres, élevées et conditionnées par plus de 5 000 producteurs, souvent âgés et dont plus de 30 % sont en même temps agriculteurs. Leur clientèle est essentiellement française : à 60 % parisienne, à 15 % nordiste et à 15 % originaire du sud-ouest et du centre-ouest. La mytiliculture reste une activité de complément, surtout présente dans la baie de l'Aiguillon, et dont la valeur totale n'atteint que 10 % de la production conchylicole.

■ Le tourisme intérieur : insuffisances et dispersion

La zone balnéaire représente encore 58 % des capacités totales d'accueil du Poitou-Charentes. Quel que soit le critère d'approche et le type de tourisme envisagé, la partie continentale de la région est modestement équipée. Une demande touristique jusque-là moyenne et surtout mal stabilisée dans l'espace, essentiellement passagère, n'a pas contribué à un développement de l'offre. En campagne, gîtes ruraux, chambres d'hôtes et campings sont encore peu nombreux et souvent de qualité médiocre.

Cependant depuis le début des années 1990, la situation semble se modifier. Il y a désormais une véritable politique touristique régionale, organisée autour de pôles structurants dont les deux principaux sont le Val de Charente et le Futuroscope. Ce dernier a enregistré en 1996 près de 2,8 millions d'entrées avec un allongement des visites qui s'étalent parfois sur deux jours. Sur ce site et autour de Poitiers les implantations hôtelières se sont développées à un rythme soutenu. Parallèlement à ces deux pôles il existe des pays d'accueil, organisés autour de petites villes qui ont pour mission de diffuser la fréquentation touristique à travers la région. Il s'agit d'un tourisme à dominante culturelle, le Poitou-Charentes étant la deuxième région de France pour les édifices classés et inscrits à l'inventaire des monuments historiques, parmi lesquels les édifices d'art roman.

La clientèle longtemps individuelle et familiale est devenue aussi celle de groupes (notamment en direction du Futuroscope). Elle est composée pour un quart de Parisiens et pour 30 % d'étrangers (Britanniques, Allemands, Néerlandais et Belges). Cependant le potentiel touristique mérite un important effort de mise en valeur commerciale et il est nécessaire que les capacités d'accueil soient augmentées avec une certaine logique. Celles qui existent devront voir leur qualité s'améliorer sans quoi la manne touristique (avec 7 milliards de francs, le chiffre d'affaires du tourisme régional équivaut au chiffre d'affaires du tourisme tunisien) risquerait d'être détournée vers des régions plus dynamiques, notamment en matière de tourisme vert.

4. L'ORGANISATION DE L'ESPACE EN POITOU-CHARENTES

La région Poitou-Charentes constitue un exemple d'organisation spatiale originale en France. Son armature urbaine spécifique favorise les conflits pour la domination de l'espace. La trame des voies de communication, longtemps insuffisante, ne fait qu'accentuer le phénomène. Chaque effort de modernisation du réseau a ainsi tendance à proposer une structuration de l'espace où s'imposent les visées extérieures à la région. De ce fait les disparités intra-régionales s'accroissent plus qu'elles ne s'aplanissent (*Figure 22*).

1. Un réseau de transports incomplet

■ Un seul axe de communication moderne

La liaison Paris-Bordeaux est le seul axe véritablement moderne qui inclut la région dans un maillage d'intérêt national voire européen. Pendant longtemps route et rail ont avant tout desservi Poitiers et Angoulême. Si le T.G.V., mis en service en 1990, a repris le tracé de l'ancienne grande voie et s'arrête lui aussi dans ces deux villes, il en va autrement pour l'autoroute A10. Parallèle à la nationale 10 jusqu'à Poitiers, elle s'en écarte ensuite pour relier les Deux-Sèvres et la Charente-Maritime au Bordelais, par Niort et Saintes. La mise à l'écart d'Angoulême s'est traduite par une compensation : la transformation en 2x2 voies, encore inachevée, de la Nationale 10 entre Poitiers et Angoulême. Par ailleurs la liaison Poitiers-La Rochelle devient progressivement un axe important grâce à la mise en service en 1993 d'une ligne T.G.V. Il reste pour la route à doubler la chaussée sur l'ensemble du parcours Niort-La Rochelle.

Dans ces différentes liaisons, Poitiers parvient difficilement à être autre chose qu'une simple voie de passage, au mieux une halte en direction de l'espace littoral. Piégée entre les influences bordelaise et parisienne, la ville aspire cependant à devenir un véritable carrefour.

■ L'insuffisance criante des liaisons transversales

Les projets sont nombreux depuis de longues années afin d'améliorer la desserte est-ouest. Peu ont encore abouti. Certes les voies routières existantes ont été améliorées mais la grande liaison éternellement annoncée Centre-Europe-Atlantique se fait toujours attendre. Dans le XIe Plan État-région c'est le tronçon Limoges-Angoulême-Saintes qui semble prioritaire mais pour l'heure il ne s'agit encore que d'une chaussée 2x1 voie. Cette liaison serait complétée à l'ouest par l'autoroute Rochefort-Saintes. L'autoroute Nantes-Niort après avoir soulevé de vives polémiques forme aujourd'hui un axe parallèle au littoral.

Face à ces chantiers potentiels, l'axe Poitiers-Limoges est tenu dans une relative indifférence alors qu'il constitue un véritable goulet d'étrangement pour les relations entre le Grand Ouest et le Massif central puis la côte méditerranéenne. C'est à peine s'il est doublé par un autorail sillonnant la campagne pendant plus de deux heures pour parcourir les 120 km qui séparent Poitiers de Limoges. Peut-on envisager qu'une branche de T.G.V. soit greffée sur l'actuel Paris-Bordeaux, symbolisant ainsi une intégration du Limousin dans le centre-ouest français ?

■ Un trafic portuaire et aéroportuaire limité

Puissants éléments structurants dans d'autres régions, ports et aéroports jouent un rôle modeste en Poitou-Charentes.

La région compte six aérodromes commerciaux dont quatre seulement ont des lignes régulières : Poitiers, La Rochelle, Angoulême et Rochefort. La Rochelle transporte le plus de passagers commerciaux. Poitiers progresse mais une grande partie de son trafic est toujours constitué par le flux postal.

Quant aux ports, ils subissent une crise profonde. La Rochelle-La Pallice n'est plus que le 10e port français. 70 % du trafic sont constitués d'importations (hydrocarbures, bois, pâte à papier et engrais). Les céréales dominent les exportations. La forte concurrence de Bordeaux et de Nantes s'augmente des problèmes de liaison avec l'arrière-pays. La pêche industrielle rochelaise, autrefois florissante, est aujourd'hui en crise. Les autres ports comme Tonnay-Charente (au 28e rang français) et Rochefort n'ont qu'un rôle limité.

2. Une armature urbaine originale

Le Poitou-Charentes ne possède pas de grande métropole. Avec près de 108 000 habitants au recensement de 1990, **Poitiers** est l'une des plus petites capitales régionales de France. La commune elle-même compte moins de 80 000 habitants. Surtout l'agglomération ne peut se prévaloir de dominer les autres unités urbaines de la région. Deux lui sont équivalentes, même si elles perdent des habitants alors que Poitiers en gagne : Angoulême atteint 103 000 habitants et La Rochelle dépasse légèrement 100 000. Toutes trois ont donc des aires d'influence réduites qui ne couvrent même pas l'ensemble de leurs départements respectifs, en raison des attractions bordelaise et nantaise, mais aussi à un degré moindre tourangelle et limougeaude.

Ce réseau urbain polynucléaire est renforcé par l'existence de nombreuses villes moyennes. Niort tout d'abord, en position intermédiaire avec ses 66 000 habitants, et dans son prolongement les petites villes de la Crèche (4 500 hab.) et de Saint-Maixent (9 000 hab.). Mais aussi Châtellerault et Rochefort qui ont respectivement 36 000 et 35 000 habitants. A un niveau inférieur se trouvent Royan (29 000 habitants), Cognac et Saintes (27 000 hab.).

Bressuire, Parthenay et Thouars forment dans le nord des Deux-Sèvres un triangle d'unités urbaines composées chacune de 16 000 à 18 000 habitants, où domine la fonction de centre agricole.

Enfin de petits noyaux urbains de moins de 10 000 habitants parsèment le territoire régional de façon inégale. Certains se regroupent sur le littoral : Marennes, La Tremblade, Saint-Pierre-d'Oléron ont entre 5 000 et 8 000 habitants, population largement dépassée en période estivale. D'autres petites villes se logent, entre des centres plus importants, le long du fleuve Charente puis vers l'est sur l'axe Angoulème-Limoges. Il s'agit de Jarnac ou encore de La Rochefoucauld.

Des centres isolés surgissent ici où là : Loudun (7 800 habitants), Montmorillon (6 700 hab.) mais aussi Confolens, qui a rang de sous-préfecture charentaise avec seulement 2 900 habitants.

Au total la concentration urbaine reste modeste et les aires d'attraction de faible étendue et plutôt stables. Au cours de la dernière période intercensitaire Poitiers semble pourtant connaître un certain renouveau : la population totale de l'agglomération progresse, les banlieues s'étalent à un rythme soutenu et les communes alentours voient leur population fortement augmenter. Les responsables envisagent la formation d'un axe Poitiers-Châtellerault où vivraient plus de 200 000 personnes. Mais à quel prix ?

CONCLUSION : L'ACCROISSEMENT DES DISPARITÉS INTRA-RÉGIONALES

Depuis quelques décennies l'organisation de l'espace picto-charentais a connu des mutations très rapides qui tendent vers une simplification de la typologie spatiale proposée. Quatre espaces démographiquement et économiquement dynamiques dominent l'ensemble de la région (voir Figure 22, page 184).

Tout d'abord le Triangle Pictave, ouvert à chacun des sommets, qui s'agrandit peu à peu par extension d'une aire périurbaine soumise à l'évolution de la capitale régionale. Il prend davantage en compte les espaces ruraux voisins que la seule idée d'un axe Poitiers-Châtellerault.

Le Val de Charente forme un deuxième espace de croissance qui pourrait devenir un lien transversal majeur en contrepoids des traditionnelles liaisons méridiennes qui traversent la région. Il a tendance à se prolonger vers l'est, enfonçant ainsi un coin dans les zones de faibles densités de la Charente orientale.

Le littoral doit être nettement distingué des espaces précédents. Son économie, largement fondée sur le tourisme, entraîne avant tout la croissance des petites villes situées au sud de Rochefort et dans les îles.

Enfin Niort domine un petit pays dynamique qui s'étend jusqu'au Saint-Maixentais et au Mellois, mais de tous côtés le passage à des espaces ruraux en crise se fait brutalement.

Ce phénomène est d'ailleurs facilement observable autour du Triangle Pictave et du Val de Charente. Les zones de vide relatif s'accroissent et caractériseront bientôt la moitié de l'espace régional. Les secteurs ruraux mieux peuplés tels que la Gâtine et le Bocage ne sont pas totalement épargnés. Mais, dans l'ensemble, les petites villes du bocage progressent et demeurent des pôles dynamiques à la tête d'espaces ruraux équilibrés.

N'y a-t-il pas là un exemple alternatif d'organisation spatiale sur lequel devraient porter les réflexions de l'aménagement régional, afin que ne se reproduisent pas en Poitou-Charentes des schémas trop connus par ailleurs, opposant quelques petits espaces aux populations et aux activités concentrées à de vastes secteurs délaissés ?

BIBLIOGRAPHIE

Ouvrages

ARLAUD (S.). *Héritages et mutations dans l'agriculture des zones de faibles densités du Poitou-Charentes*, Thèse, Poitiers, 1993, 459 p.

BOUHIER (A.) et Humeau (J.-B.). *L'évolution des systèmes d'utilisation du sol en Poitou-Charentes au cours des trente dernières années (1955-1985)*, Travaux du CGHS n° 14, Poitiers, 1987, 86 p. + cartes.

FENELON (P.). *Les Pays de la Loire*, Flammarion, Paris, 1972, 504 p.

PAPY (L.). *Le Midi Atlantique*, Flammarion, Paris, 1982, 428 p.

PINARD (J.). *Les industries du Poitou et des Charentes, étude de l'industrialisation d'un milieu rural et de ses villes*, Thèse, Poitiers, 1972, 516 p.

PITIÉ (J.). *Exode rural et migrations intérieures en France : l'exemple de la Vienne et du Poitou-Charentes*, Thèse, 1971, 750 p.

PITIÉ (J.). *Poitou – Haut-Poitou* (en collaboration), C. Bonneton Ed., Paris, 1983, 400 p.

PITIÉ (J.). *Aunis-Saintonge (Charente-Maritime), Présentation du milieu naturel*, C. Bonneton Ed., Paris, 1987, 55 p.

REGRAIN (R.). *Géographie physique et télédétection des marais charentais*, Thèse, Amiens, 1979, 520 p.

SOUMAGNE (J.). *Périurbanisation et espace régional en Poitou-Charentes*, Travaux du CGHS n° 10, Poitiers, 1984, 97 p. + cartes.

SOUMAGNE (J.). *Géographie du commerce de détail dans le Centre-Ouest de la France*, Thèse d'État, Poitiers, 1996, 718 p.

Articles

BERNARD (G.). Le pineau des Charentes, *Norois*, 1985, Vol. XXXII, pp. 203-222.

BETEILLE (R.), Une industrie rurale régionale : la distillation charentaise, *Norois*, 1980, Vol. XXVII, pp. 513-527.

BETEILLE (R.). Emploi et population active en Poitou-Charentes : d'une modernisation prometteuse à la crise, *Norois*, 1985, Vol. XXXII, pp. 483-496.

FOURNET (Ph.). La vie et l'économie halieutique du littoral charentais, *Géographie et Recherche*, 1985, n° 56, pp. 3-18.

GUILLAUME (J.). Les ports de commerce de l'estuaire de la Charente, *Norois*, 1983, n° 19, pp. 381-391.

SOUMAGNE (J.). Poitou-Charentes : charnière ou rupture dans l'Arc atlantique ?, *Norois*, 1993, n° 157, pp. 155-169.

Adresses utiles

C.R.D.P., Poitou-Charentes, 6, rue Sainte-Catherine, 86034 Poitiers Cedex.

Département de Géographie de l'Université de Poitiers, 97, avenue du Recteur Pineau, 86022 Poitiers Cedex.

Observatoire économique régional Poitou-Charentes (INSEE), 5, rue Sainte-Catherine, 86000 Poitiers.

Revue Norois, 97, avenue du Recteur Pineau, 86022 Poitiers Cedex.

CHAPITRE

9

PAYS DE LA LOIRE

André Vigarié

Il est difficile de donner une définition simple de cette région ; le fleuve, certes, continue à jouer le rôle essentiel de l'Anjou à l'estuaire ; la Loire n'est plus réellement l'axe unique ; il faut y joindre le réseau de la Sarthe, de la Mayenne, du Loir, des petits affluents de gauche ; en réalité, les axes structurants sont ceux, surimposés, des transports modernes. Le nom de Pays de Loire reste valable, mais sous une réalité différente de celle du passé.

Cette région est marquée par les hésitations de son origine administrative. Elle est constituée de cinq départements qui ne se ressemblent guère. Plusieurs combinaisons d'associations départementales ont été essayées jusqu'au décret de 1956 qui crée les Régions de programmes. On réunit alors :

– la Loire-Atlantique, aux limites proches de celles de l'ancien comté de Nantes, qui a déjà une forte spécificité socio-économique, sensiblement différente de celle de la Bretagne dont on la sépare malgré un solide courant de sensibilité ;

– le Maine-et-Loire, ancienne province féodale de l'Anjou ;

– le haut et le bas Maine, Sarthe et Mayenne, la première ayant des attirances avec le Bassin parisien, la seconde avec le Bassin de Rennes ;

– la Vendée, toujours marquée par le souvenir affectif des guerres de la révolution, souvenir qui s'appuie sur ses structures sociales ; elle balance entre l'Estuaire et le Pays niortais.

Le résultat est une diversité qui touche à l'hétérogénéité, ce que souligne bien l'histoire. L'Ouest supporte des traits d'hérédité bretonne : les conquêtes de Nominoé se sont arrêtées à Guérande, mais les frontières ecclésiastiques ont englobé le pays de Retz au sud de la Loire ; le centre fut le cœur de l'empire anglo-angevin dont la civilisation fut brillante, dont la politique fut dominatrice, dont le contrôle des voies méridiennes fut vigoureux ; la Vendée, dont l'un des aspects fut celui « du plus crotté des évêchés de France » n'a pas perdu son tempérament très conservateur jusqu'au fond de ses bocages ; et sur le tout s'inscrit un courant séculaire est-ouest, né de l'ouverture atlantique, historiquement marqué par le commerce du « bois d'ébène », le débarquement américain de 1917, la résistance allemande de Saint-Nazaire en 1945, etc.

Diversité culturelle et par conséquent humaine, qui renforce la multiplicité des cellules géographiques, chaque département a hérité de ses propres structures démographiques, économiques et sociales, qui ont évolué chacune selon leur rythme propre jusqu'à la situation actuelle qui garde bien des aspects de différenciation.

Cependant, il est des traits communs. On souligne d'habitude l'appartenance à une France de l'Ouest : sous-urbanisée, et cependant les taux d'urbanisation placent les Pays de Loire à mi-chemin des tendances nationales ; sous-industrialisée et pourtant, « à l'Ouest, il est survenu bien du nouveau », depuis trois décennies ; trop ruralisée, c'est assez largement vrai, mais l'économie urbaine a beaucoup progressé en divers secteurs ; trop fragmentée en multiples pays, et pourtant une politique de regroupement autour des villes maîtresses et d'une métropole dite d'équilibre n'a pas été sans effets. L'hétérogénéité est perceptible, issue du passé, des diversités géographiques, du choix d'assemblage administratif ; mais elle peut aussi être source d'originalité, de complémentarité, parfois de richesse.

Or, l'essor urbain d'après-guerre prend l'aspect d'une tentative de recomposition de cet espace et de ces populations morcelées ; un réseau hiérarchisé s'esquisse, encore incomplet ; mais il faut faire vivre ensemble, sur 32 000 km^2 de sols inégalement propices (5,9 % de la France), 3,1 millions d'habitants (5,4 %) dans lesquels 35 % ont moins de 25 ans. Et cela soulève les problèmes des Pays de Loire : celui d'une industrialisation rénovée, d'un tertiaire supérieur de commandement propre, d'un niveau de vie capable d'attirer les hommes... L'évolution est favorable ; est-elle suffisante pour préparer l'entrée dans le XXIe siècle qui sera, plus encore qu'aujourd'hui, celui des grandes constructions politiques, (celle de l'Europe), et des grandes ouvertures océaniques, (celles de l'Atlantique) ?

1. STRUCTURES URBAINES ET RECOMPOSITION DE L'ESPACE ÉCONOMIQUE

Les villes offrent dans leur aire de rayonnement des emplois, des activités commerciales et culturelles, des services ; elles s'imposent à la diversité de l'espace géographique et économique. Celles des Pays de Loire le font largement.

1. Le réseau urbain reste marqué par le morcellement

■ Il existe de grandes différences entre les taux d'urbanisation

En Mayenne (280 000 habitants) et en Vendée (522 000), ce taux s'établit autour de 44 % ; c'est grâce à la Loire-Atlantique (1 083 000) que la moyenne régionale atteint 62,5 %. Cela suggère déjà divers degrés de puissance parmi les villes ou agglomérations principales dans lesquelles réside l'essentiel des moyens de productions des biens et services, mais aussi des besoins. Trois dominent, qui ont eu des croissances inégales, mais importantes :

En milliers	1968		1990	
	Ville	**Agglomération**	**Ville**	**Agglomération**
Nantes	257	394	245	495
Angers	129	163	141	208
Le Mans	143	166	145	189

Au-dessous, il existe peu de relais urbains moyens : Saint-Nazaire, Cholet, la Roche-sur-Yon, avant le semis des petites villes à fonctions locales d'insertion dans l'espace rural.

Mais cette organisation urbaine est sollicitée de l'extérieur. Elle l'est d'abord à cause de la rivalité entre Nantes et Rennes dans le tertiaire supérieur ; cette dernière attire le Nord de la Loire-Atlantique, l'Ouest de la Mayenne et le Segréen. La Sarthe est fortement attirée aussi par la Région parisienne ; les bordures des Pays de Loire subissent l'attraction : de Tours par l'Anjou, de Niort par le Sud vendéen ; à l'inverse le Choletais étend son influence sur les Deux-Sèvres, en même temps que sur le haut bocage de la Vendée. Cela est dû à la discordance entre les limites administratives et les réseaux marqués par l'histoire de l'industrialisation et de l'économie du XIXᵉ siècle.

■ L'organisation actuelle des transports terrestres ne facilite pas le regroupement autour du seul pôle nantais qui reste excentrique *(Figure 25)*.

La voie d'eau a une fonction très limitée : le canal de Nantes à Brest est coupé et n'a plus qu'un rôle touristique. Les automoteurs de Loire (600 à 1 200 t) ne dépassent pas Bouchemaine près d'Angers. Le *Plan Loire grandeur nature* (janvier 1994) sauvegardera les paysages sans améliorer la navigation.

L'importance du rail vient prioritairement du T.G.V. ; deux voies traversent la région : Paris-Rennes par le Nord de la Mayenne, et Paris-Nantes qui est l'axe principal pour la région ; il dessert les trois villes dominantes, avec une intensité d'attraction parisienne qui décroît avec la distance jusqu'au terminus du Croisic. La circulation en site propre cesse près du Mans ; son prolongement terminal est prévu après 2000.

De même façon, deux autoroutes partent de Paris, sur Rennes, puis sur Nantes ; elles divergent à partir du Mans ; quelques voies rapides ont un rôle notable : celle du Sud de la Bretagne (Nantes-Quimper), celle, encore incomplète vers la Vendée ; la route Bleue, qui longe la côte à quelque distance, est inachevée. Il en résulte une opposition d'aptitude et de trafics entre ces grandes routes et les autres qui supportent parfois une circulation supérieure à leur capacité normale. Une carte des densités d'utilisation montre trois secteurs : l'un à très forte activité de transport en Loire-Atlantique et Vendée, avec rayonnement autour de Nantes ; les autres en étoile autour d'Angers et du Mans.

Ce système d'organisation des transports est défavorable à l'achèvement d'un réseau urbain coordonné. Les conséquences sont importantes. Deux heures sont nécessaires de

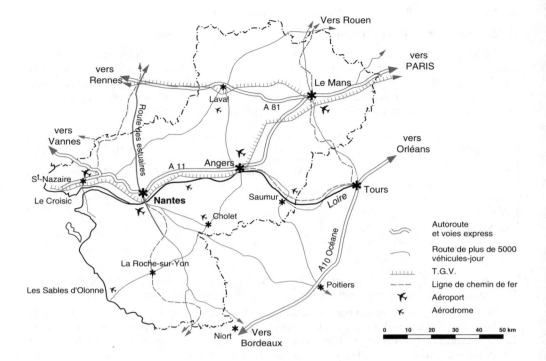

Figure 25. Infrastructures et faits principaux de circulation

Les axes puissants sont ceux de rattachement à la Région parisienne. La défaillance des grandes voies Nord-Sud est visible, malgré le trafic des routes nationales de la Vendée. La circulation intra- et interrégionale n'est pas facilitée.

l'estuaire jusqu'à Paris ; mais il en faut 5, et parfois 6, du nord de la Côte Atlantique jusqu'à Bordeaux, pour une distance comparable. Il en résulte des distorsions de l'espace-temps et de l'espace-coût. Le retard d'ouverture de la route des Estuaires, qui ne sera achevée qu'en 1999, et de son prolongement vers Bordeaux, est préjudiciable au rayonnement nantais et aux liaisons interrégionales nationales et internationales. Plusieurs milliers de camions sont en déplacement entre l'Espagne et le Royaume-Uni, qui traversent la Loire en divers points de passage, aggravant la surcharge des routes nationales non converties en voies à grand débit. Dans cet ensemble, les plates-formes pluri-modales, les centres de regroupement et de répartition des marchandises sont à la fois peu nombreux et peu puissants : ils n'ont pas d'audience supra-régionale réelle.

Par ces aspects, la région étudiée appartient bien à la moitié occidentale de la France qui s'oppose à la moitié Est où la densité de circulation atteint des niveaux très élevés.

■ **La carte de l'armature urbaine des Pays de la Loire (Figure 26) traduit à la fois la puissance des villes dans leur regroupement fonctionnel, et la limitation encore perceptible de leur organisation.** On notera : que Nantes continue l'extension de son aire de rayonnement appuyé par son aéroport (1 M de voyageurs), que son appel de main-d'œuvre et ses ventes de services se font aux dépens de cités rivales dont Angers ; que celle-ci n'a pas beaucoup étendu son influence ; qu'il y a quelques indices d'une légère régression du rôle du Mans ; que deux ensembles plus secondaires résistent contre la pénétration des

La France dans ses régions

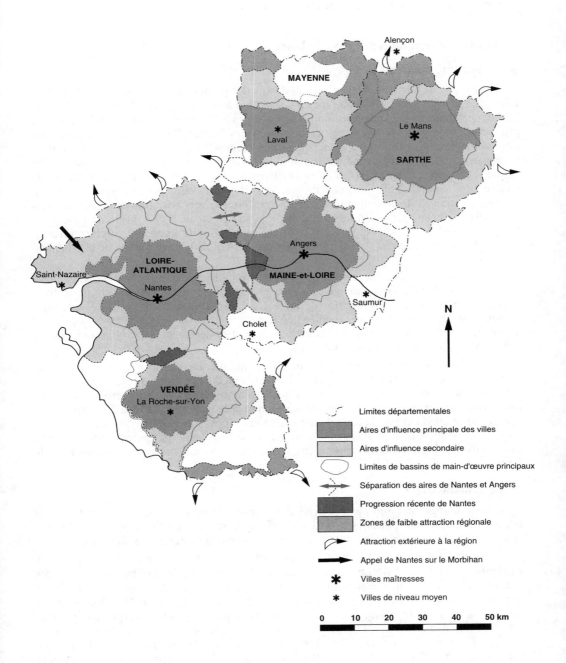

Figure 26. Organisation de l'espace régional par le rayonnement des fonctions urbaines

Noter l'expansion nantaise, mais aussi le maintien de la diversité de la Région par l'extension d'influences des autres villes maîtresses.

Pays de la Loire

grandes agglomérations : ce sont ceux de Laval et de la Roche-sur-Yon ; et enfin que sur les marges régionales, il demeure des secteurs d'hésitation.

2. Les systèmes urbains des Pays de Loire

■ Le système manceau

Il n'est pas un véritable réseau, car au-dessus des petites villes de contact rural (Saint-Calais, La Flèche, Sablé, Château du Loir), il n'y a pas de ville intermédiaire avant le chef-lieu départemental. Ce dernier domine par son poids démographique et sa fonction de production ; mais de nombreuses sociétés y sont des filiales d'entreprises parisiennes ou internationales, qui reçoivent d'ailleurs décisions, cadres, et quelquefois matériel d'usines. Cela est vrai dans le domaine industriel dont l'importance est notable. L'usine Renault (5 000 emplois) a souffert des recherches de productivité qui ont réduit sa main-d'œuvre, et de la conjoncture générale ; elle entraîne les activités de petites cités périphériques (Arnage). L'agglomération s'est réorientée sous influence extérieure vers l'électronique, les industries de contrôle : Framatome, Philips qui achève là sa principale usine internationale pour téléphone mobile (1 900 emplois), Carrière Kheops Bac (composants électroniques), Westinghouse ; et cette rénovation a gagné Sablé et La Ferté-Bernard à cause de la proximité de l'autoroute.

C'est dans le domaine des services que l'attraction parisienne a été la plus coûteuse ; mais Le Mans reste la ville des compagnies d'assurances, le siège des fonctions administratives départementales ; et l'ensemble tertiaire s'est sensiblement développé, quoique insuffisamment, dans la décennie écoulée : ce tertiaire fournit les deux tiers de la population active. Au total, la ville recrute sa clientèle dans tout le département, sauf au nord qui se tourne vers la Normandie, à cause d'Alençon.

Cependant, la capitale mancelle ne participe que médiocrement à la vie des Pays de Loire ; l'abolition des distances à l'égard de Paris crée un double risque de délocalisation : des fonctions de services qui partent, et du déversement résidentiel qui arrive, alors que l'administration locale refuse la banlieusardisation et la réduction, même partielle, au rôle de cité-dortoir à une heure de la capitale. Le dilemme est posé : le vœu le plus souvent formé est de voir se constituer un Bassin parisien auquel se rattacherait la Sarthe ; mais le risque est : « être Boulogne-Billancourt ou n'être que Laval ». Autant demeurer dans les Pays de Loire.

■ Le système angevin

Il reste marqué par son passé de cité des comtes d'Anjou dont témoignent la « ville noire », construite en schistes sombres, et le château qui domine les plaines de la Maine. Angers a gardé beaucoup de son rôle de commandement de l'un des grands fiefs médiévaux.

Sa vocation tertiaire est donc ancienne ; elle a tenté de renforcer ses services aux entreprises, où elle avait quelque retard ; mais le négoce de gros des produits horticoles, des plantes médicinales, des semences y prospère ; du passé bancaire, qui fut longtemps autonome, demeurent des sièges d'établissements financiers ; l'activité culturelle s'est renforcée avec ses deux universités (dont celle « catholique de l'Ouest ») et quelques grandes écoles (Ecole d'application du génie, Ecole des arts et métiers, etc.) ; il s'y trouve une cour d'appel. Est sensible aussi la rénovation des vieilles industries traditionnelles (textile en particulier) par l'introduction, au milieu d'autres formes, de deux secteurs qui ne manquent pas de puissance (ni de problèmes) : l'automobile, avec SCANIA (1 000 emplois), SIMPA (voitures sans chauffeurs) et activités annexes qui ont essaimé autour de la ville ; puis, et surtout, l'électronique et l'informatique : BULL qui s'est rapproché d'I.B.M., THOMSON (1 500 emplois), MOTOROLA. L'agglomération abrite un grand nombre de petites entreprises et de sous-traitants, dont à Avrillé (matériel médical, moteurs Artus...). Le bassin d'emploi regroupe 140 000 personnes pour 147 communes, avec une forte proportion dans les services.

L'organisation urbaine, là aussi, montre quelques lacunes ; il n'y a qu'une ville moyenne satellite : Saumur, dans son vignoble, mais avec laquelle les contacts restent difficiles ; la vieille bourgeoisie saumuroise protestante ne se tourne guère vers la catholique Angers, d'autant qu'il y a de vieilles traditions de rivalités épiscopales. D'autre part, le département du Maine-et-Loire a des secteurs mal intégrés à l'influence du chef-lieu : tel le Segréen qui emprunte à la Mayenne la moitié de ses salariés, ou le Choletais. Il reste à Angers son rôle de capital politique et culturel, bien que sans réel réseau urbain intermédiaire de liaison avec le rural ; par la localisation des sièges sociaux qui commandent ses activités, elle est la mieux intégrée dans la région, la moins dépensante de l'extérieur.

Ses marges d'influence urbaine à l'Ouest sont pénétrées par le rayonnement nantais.

■ Le système de Nantes : celui d'un pôle ou d'une métropole ?

Nantes a l'aire de rayonnement la plus vaste qui couvre largement le département et, pour les services très élevés, en dépasse les limites. Le bassin d'emploi représente plus de 300 000 actifs ; ce qui est considérable, et déborde vers le Morbihan, le Maine-et-Loire, la Vendée.

Le développement des activités tertiaires en est la raison principale, et en fait une vraie capitale ; c'est le résultat, en partie, de la politique des métropoles d'équilibre (1965-1975) qui n'a pas abouti totalement, mais a fait affluer les sièges sociaux d'administrations et d'entreprises, a provoqué les décentralisations de grands organismes parisiens (archives de la Société Générale, services des affaires étrangères...). Dans la ville, deux actifs sur trois relèvent de ces activités, et sont souvent de niveau moyen ou supérieur.

Les services aux particuliers atteignent une haute qualification. Le nombre des écoles d'ingénieurs (Ecole Centrale, Ecole des Mines, Ecoles Supérieure du Bois, Conservatoire des arts et métiers, Institut des Sciences Thermiques et de l'Energie, E.N. Marine Marchande, E.N. Vétérinaire, etc. Avec l'Université, c'étaient 46 000 étudiants en 1995.

Dans le domaine médical, les deux C.H.U. ont acquis une réputation nationale, voire davantage, pour les greffes d'organes, la chirurgie des os et des yeux, la cancérologie, les soins pour les grands brûlés...

De grands progrès ont été faits pour les services à l'économie, insuffisants voici une génération : contrôles techniques, expertises, banques de données, informatique, ingénierie du génie civil. La recherche scientifique, est connue par son haut niveau dans l'hydrodynamique navale, la mise au point de nouveaux engins à la mer, la propulsion atomique (arsenal d'Indret). Certains laboratoires sont de taille internationale (A.C.B. : 650 salariés dont 250 ingénieurs et techniciens de recherche, IFREMER, etc.).

De nombreux sièges d'entreprises et d'administrations publiques ou privées existent dans la ville. C'est une place de bourse et de négoce de taille supra-régionale.

Quoiqu'elles soient aussi desserrées dans la vallée de l'Erdre, affluent de droite du fleuve, ces activités sont regroupées dans un centre ville qui a su les faire coexister avec la cathédrale, la préfecture, le vieil hôtel de la Mairie qui date du XVIIIe siècle, la place Louis XVI, etc. ; ce centre a su garder l'animation des fonctions économiques modernes dans un cadre qui conserve une belle empreinte du passé.

La production de services est évidemment doublée par **un développement industriel** qui a évolué vers des formes très modernisées, mais à l'inverse de ce qui précède, la main-d'œuvre a baissé de près de 10 % par la recherche d'une plus forte productivité.

Les principaux aspects en sont les suivants :
– l'agro-alimentaire regroupe une trentaine de grandes entreprises s'appuyant souvent sur la recherche : Biscuits nantais, Tipiak (marque tapioca « Petit Bateau »), Saupiquet, Béghin-Say... ;

– la mécatronique est née de la rénovation de la tradition de mécanique par l'électronique, l'automatique, la robotique, etc. ; ce sont Matra (835 emplois) Alcatel (700) Cap Sésa Région, etc. ;

– des matériaux nouveaux sont produits pour l'aéronautique, l'automobile, les batteries électriques, les biomatériaux, la chimie ;

– la fabrication de matériels médicaux bénéficie des liaison avec les facultés et l'INSERM ;

– des constructions mécaniques plus traditionnelles demeurent : Brissonneau et Lotz, Creusot Loire, J. Paris, de même que le génie maritime, l'aéronautique (SNIAS), l'Arsenal d'Indret, la chimie pharmaceutique...

Quelle est la valeur de cet environnement d'usines puissantes, et d'ateliers souvent renommés ? D'abord, ils alimentent une sous-traitance à laquelle d'autres régions s'adressent ; et bien des productions ont une audience internationale (Airbus, engins d'intervention sous-marine des A.C.B., etc.). Pour gérer l'agglomération, la répartition à la périphérie a obligé, non sans peine, à constituer un district urbain et divers SIVOM. Mais il y a quelques points de faiblesses : la dépendance à l'égard de quelques grandes firmes extérieures, nationales ou internationales, et la vulnérabilité de cette sous-traitance de qualité, qui dépend encore d'un trop petit nombre de donneurs d'ordres locaux.

Dans cet ensemble, il ne faut pas oublier la banlieue maraîchère, traditionnelle ici, et qui, à la suite de plusieurs phases de déplacements imposés par la croissance urbaine, a fini par s'étendre dans un rayon d'une cinquantaine de kilomètres ; certains aspects ont leur célébrité : le muguet du 1er mai est envoyé à Paris à raison de plus d'un train entier.

Au total, Nantes est l'une des métropoles européennes dont la croissance est des plus rapides (selon le G.I.P. reclus).

Le système nantais est la seule organisation urbaine régionale qui soit réellement hiérarchisée et pratiquement complète. Elle s'appuie sur un réseau intermédiaire de villes moyennes : Nantes est inséparable de Saint-Nazaire qui a son complément dans l'ensemble balnéaire de La Baule, puis de La Roche-sur-Yon malgré les efforts d'indépendance vendéenne, puis de Châteaubriant, petite ville mais bassin de 35 000 emplois, et qui a organisé autour de soi un « pays » d'une douzaine de gros bourgs.

Les migrations alternantes autour de la métropole témoignent de son rayonnement économique : une part importante des quelque 300 000 salariés viennent de l'ensemble du département ; 3 200 arrivent de l'extérieur. La clientèle des services rares vient de loin également, de Bretagne Sud en particulier.

Ainsi, l'organisation de l'espace et des activités humaines autour des trois grandes villes est évidente ; elles constituent une structure essentielle de la région. Certes, le morcellement urbain demeure, mais les interrelations croissantes l'atténuent : et cette organisation fonctionnelle s'impose progressivement à l'hétérogénéité initiale.

2. LA DIVERSITÉ RÉGIONALE : LES PAYSAGES, LES PAYS, LEURS ACTIVITÉS

1. Au point de départ : les données du cadre naturel

■ **La diversité ci-dessus indiquée a des raisons géologiques et morphologiques.** Les Pays de Loire s'étendent sur trois ensembles différents : d'abord le prolongement Sud-Est du vieux Massif armoricain où dominent les sols cristallins ou schisteux durs, pauvres, sur

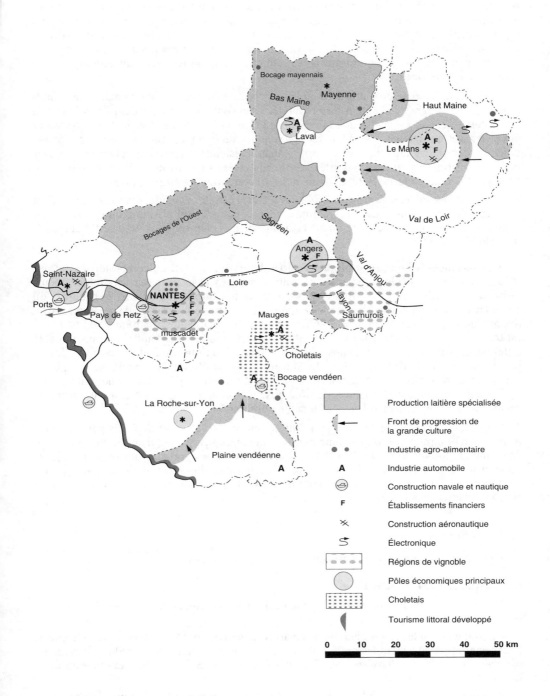

Figure 27. Répartition des activités économiques principales

Légende :

- Production laitière spécialisée
- Front de progression de la grande culture
- Industrie agro-alimentaire
- **A** Industrie automobile
- Construction navale et nautique
- **F** Établissements financiers
- ✕ Construction aéronautique
- ∽ Électronique
- Régions de vignoble
- Pôles économiques principaux
- Choletais
- Tourisme littoral développé

0 10 20 30 40 50 km

lesquels sont installés surtout des bocages ; il forme la moitié occidentale de la région ; puis ce sont les prolongements du Bassin parisien, avec les couches sédimentaires de sa bordure jurassique et crétacée inclinées vers l'est, coupant en deux la vieille province du Maine ; ces sols sédimentaires offrent de meilleures conditions culturales ; enfin, la Vendée appartient à deux ensembles, c'est son originalité : son haut bocage est hercynien, mais la plaine y est le prolongement du Bassin aquitain dont les couches secondaires viennent affleurer ici au contact de l'Armoricain.

Au total, le modelé de plateaux domine, marqué de contrastes locaux, mais sans grands reliefs ; les deux lignes de hauteur restent modérées et sont dues au rejeu des plis anciens ou à la résistance des roches : au nord, les Coëvrons (357 m) et le horst de Perseigne appartiennent aux structures normandes ; au sud, le bocage vendéen du mont Mercure n'atteint que 285 m : il demeure le refuge historique de l'esprit chouan. L'estuaire a son organisation propre avec une succession de plateaux basculés aux bords relevés qui forment les « sillons » (de Bretagne, de Guérande, de Batz) et donnent les fractures qui ont attiré la Loire.

Dans cet ensemble, les vallées, tantôt larges, tantôt étroites et guidées par la structure, ont joué un rôle humain essentiel : de regroupement, comme le Val d'Anjou, ou de séparation comme d'autres secteurs de Loire ou la Sarthe inférieure ; elles sont facteur de différenciation des cellules humaines.

■ **Les paysages végétaux soulignent cette diversité.** Ils sont un compromis entre : les influences liées à la géologie (sols acides, souvent sableux et lessivés, sur les prolongements armoricains, sols limoneux plus riches en éléments humiques des affleurements du secondaire), et les influences liées au climat qui a toujours été favorable à la vie et au travail des hommes. Ce climat pourrait être unificateur par ses dominantes atlantiques ; en réalité, il est très nuancé : océanique par sa température et sa pluviosité sur la bande côtière, mais déjà différent en Anjou, avec sa luminosité, ses automnes doux qui traînent, et avec une légère pointe de sévérité hivernale dans le Maine. Les îles offrent du maritime pur, avec d'admirables restes de landes, climaciques parfois. Les particularités climatiques entre Loire et Gironde, qui donnent des allures de Côte d'Azur trois années sur quatre, n'ont jamais été valablement expliquées, mais le tourisme sait en tirer parti.

Alors les paysages végétaux, aujourd'hui à peu près totalement dominés par l'homme, forment une marqueterie où se combinent : cultures, prairies permanentes, chênaie mixte dans une grande diversité de détail et de fragmentation des horizons qui restent toujours doux et humainement accueillants. A côté des tentatives d'unification de l'espace par les influences urbaines, c'est une autre vérité des Pays de Loire, bleus par la mer, verts par le bocage, les forêts, les vignes…

2. L'Ouest dynamique

Dynamique, il l'est sous deux aspects d'ailleurs liés entre eux.

■ L'estuaire et la vie maritime

L'estuaire est un vigoureux regroupement de quatre secteurs coordonnés dans une vie locale commune.

Ce sont d'abord les zones humides des marais constituées par les nappes de remblaiement flandriennes ; elles forment les prairies de « l'écharpe verte », maintenues volontairement en paysage rural entre les deux grandes villes de Nantes et de Saint-Nazaire, et qui vont de la Brière au lac de Grandlieu.

Au contact de la mer, **Saint-Nazaire** a développé ses équipements. C'est une ville récente : en 1859, elle ne comptait que 3 400 habitants agglomérés quand les frères Péreire ont décidé d'y faire construire les bateaux de leurs nouvelles lignes transatlantiques. Aujourd'hui, le bassin d'emploi compte 85 000 salariés, recrutés dans le pays de Retz, le Morbihan (2 900) et surtout la Brière et les marais proches, et répondant à une industrie dans laquelle dominent quelques très grosses entreprises : les Chantiers de l'Atlantique (4 000 personnes) sont le seul chantier de classe internationale qui reste à la France, et exportent paquebots de croisière, méthaniers, navires de guerre... ; la SNIAS (2 400) fournit des parties d'Airbus ; ARNO (Atelier de réparation navale de l'Ouest) travaille pour l'étranger ; là aussi la sous-traitance a pris une audience large parce que de qualité. S'y ajoute une part de diversification : production automobile très spécialisée (SIDES : voitures de pompiers ; EATON : boîtes de vitesses), aliment du bétail (France-Soja, filiale du très puissant groupe américain CARGILL)...

En revanche, il faut noter ici la lenteur de développement du tertiaire de haut niveau à cause de la réussite proche de Nantes ; cela consacre un échec de la politique de métropole d'équilibre, conçue à l'origine sur les deux ensembles urbains qui eussent encadré l'estuaire à l'amont et à l'aval par la puissance de leurs services ; pourtant, l'Université s'y est développée, ainsi qu'un petit nombre de grandes écoles (dont une formation aux « Métiers du Shipping »).

Il reste que Saint-Nazaire constitue la quatrième agglomération des Pays de Loire avec 130 000 habitants (dont 85 000 pour la ville, ce qui est un sensible développement) ; la structure de la population : 20 % de moins de 20 ans, 20 % de plus de 65 ans, est à la fois une chance et une partielle raison de freinage.

Mais **la vie portuaire de Saint-Nazaire à Nantes** fait de ce secteur le quatrième ensemble national, dit Port Atlantique. Elle a visiblement profité de ce que cet estuaire est le premier complexe industriel et tertiaire de l'Ouest de la France ; il est le premier centre de production et de redistribution d'énergie secondaire dont les points forts sont : la raffinerie de Donges du groupe ELF, qui a gardé son plein fonctionnement (9 Mt) ce qui est rare en Europe, la centrale thermique de Cordemais (3 000 mégawatts), la plus puissante de l'Ouest, le complexe de redistribution du gaz naturel, à l'origine pour le gaz de Lacq et aujourd'hui pour le port méthanier de Donges, l'un des plus modernes d'Europe, mis en service en 1980.

Les équipements maritimes actuels sont le résultat d'une succession de mesures qui ont bouleversé le paysage estuarien : par la loi de 1932, un nouveau chenal de navigation est créé ; en 1965, les deux villes Nantes et Saint-Nazaire sont désignées conjointement comme métropole d'équilibre, et la même année, l'estuaire reçoit le statut de « Port autonome » ; en 1970, le premier quai nouveau est construit à Montoir : c'est le début du transfert des trafics vers l'aval depuis Nantes ; en 1976, la décision est prise de construire le port méthanier qui entraîne le recreusement du chenal et permet l'accès de très gros navires.

Les résultats peuvent être ainsi schématisés : un estuaire, deux villes d'impulsion, trois pôles maritimes locaux ; ces derniers sont :
– Saint-Nazaire même, mais il est éclusé, il a perdu l'essentiel de ses trafics anciens et ne manutentionne moins de 400 000 t ; ses quais sont utilisés pour la réparation et l'armement des navires ;
– Nantes qui a le plus vieux site maritime et qui ne reçoit que 2,3 Mt de marchandises, mais les plus riches : fruits, légumes, sucres, et qui garde son marché des bois ;
– et l'ensemble Donges-Montoir avec sa raffinerie pour produits légers ; le trafic maritime pétrolier représente 11,4 Mt et les gaz liquéfiés : 4,4 Mt ; les vracs secs : 10,6 Mt ; ce sont pour l'essentiel des trafics captifs, largement dépendant de la politique énergétique nationale.

Le trafic total de Port Atlantique atteint 25 Mt. C'est le quatrième port de France, et le premier pour les bois et les aliments du bétail, qui disposent de très bons terminaux. Les produits énergétiques interviennent pour 70 % ; les marchandises générales (2 Mt) et les conteneurs (40 000) sont les aspects faibles des activités : l'arrière-pays est insuffisant ; mais les lignes régulières se diversifient, le *roll on-roll off* réussit bien, et le *feedering* annonce de nouveaux développements (cf. p. 156).

Cependant l'estuaire n'est qu'une partie du **littoral qui se prolonge de la Vilaine à la Baie de Bourgneuf.** Là aussi, la diversification fonctionnelle s'impose grâce à la pêche et à la mariculture ; mais le tourisme est la ressource la plus prestigieuse : la moitié des 133 km de côtes, où se trouvent 13 ports de nantisme, est faite de plages de sable, dont la plus connue est le *complexe baulois* (Pornichet, La Baule, Le Pouliguen). Ce sont 7 km de front de mer, de dunes aujourd'hui recouvertes de milliers de villas, le plus souvent riches résidences secondaires. L'ensemble est luxueux, cosmopolite ; à côté de 28 000 résidents permanents, il peut y avoir 100 000 estivants, voire 150 000 visiteurs en plein été ; « faire le remblai » (s'y promener) a une signification sociale. La métropole nantaise a investi là, pour 50 % du capital foncier, des sommes qui ont sans doute manqué pour son développement économique. Mais la plage s'amaigrit sous l'influence des courants marins : c'est une menace.

Deux ports de plaisance complètent l'ensemble à chaque extrémité de ce front touristique : il en part des courses transatlantiques célèbres ; tout est conçu pour concourir à ce caractère de station aristocratique : le casino, les golfs, le champ de courses, et même le T.G.V. qui ouvre sur Paris et le nord de l'Union européenne.

Au sud de l'Estuaire, Saint-Brévin annonce déjà les plages beaucoup plus familiales qui font la richesse de la côte vendéenne proche, grâce à un climat très doux.

■ Les contrastes de la Vendée

La Vendée a formé son territoire à partir des anciens évêchés du bas Poitou (Luçon, La Rochelle), et sa mentalité à partir des guerres révolutionnaires : celle de la Vendée militaire. Mais cela ne coïncide pas exactement avec les limites départementales ; c'est la volonté répressive de la Révolution et de l'Empire qui les a consolidées autour de Napoléon-Vendée (devenu Bourbon-Vendée, puis La Roche-sur-Yon).

Trois secteurs régionaux s'opposent :

C'est d'abord le Haut Bocage de la Chouannerie ; puis le Bas Bocage qui étale ses paysages enclos presque jusqu'à la mer, et est pénétré progressivement par la grande culture qui remonte du Sud ; enfin, c'est la plaine de Fontenay-le-Comte, elle-même entamée par le vaste marais de la Sèvre niortaise. Les marges littorales ont une vie à part, totalement modelée par le tourisme.

La Roche-sur-Yon n'unifie que partiellement l'ensemble. Ville planifiée, récente, elle surprend par l'étendue de son aire d'influence *(Figure 26)* qui couvre la moitié du département, mais avec une intensité non comparable à celle des trois villes maîtresses régionales ; le décollage industriel date surtout des années 60. Aujourd'hui, la ville ne possède que 45 000 habitants et son aire d'emplois compte 56 000 salariés : le rapprochement est significatif de son orientation ; celle-ci repose sur des industries de main-d'œuvre, largement féminine, diversifiées, mais vulnérables aux effets de récession, dans la confection surtout. Mais cette ville qui reste curieusement provinciale, n'a pas réussi à se donner un tertiaire de haut niveau : elle reste administrative et commerciale, malgré l'esquisse d'un équipement universitaire pour lequel, comme dans d'autres domaines, elle demeure sous l'influence de Nantes.

Avec le littoral s'ouvre des activités et une population différentes. Certes, il garde diverses formes d'économie traditionnelle. La pêche reste vivace avec les quartiers des Sables-d'Olonne, de l'Ile d'Yeu, de Noirmoutier, puis avec le port de Saint-Gilles-Croix-de-Vie ; ce sont 1 750 pêcheurs, rapportant 415 millions de francs de produits (c'est le double de ce que fournit la Loire Atlantique avec ses deux bonnes stations du Croisic et de La Turballe) ; la conchyliculture est très active au fond de la baie de Bourgneuf.

D'autre part, l'agriculture littorale reste assez active. Dans les marais (Bourgneuf, L'Aiguillon) le sel n'est plus produit, mais l'élevage y a gagné des prairies ; la vocation pastorale représente 71 % des productions rurales, mais avec une population d'exploitants vieillissante et qui a diminué de 29 % en 15 ans ; ce n'est pas sans gravité. Sur le revers des dunes boisées, contrôlées par l'Office national des forêts, l'horticulture s'est développée dans divers secteurs : la clientèle des résidences d'été est proche.

Le tourisme vendéen en effet s'impose avec puissance. Il est de nature familiale, à l'inverse de celui de La Baule. On y trouve tous les degrés dans les équipements d'accueil. Les résidences d'été submergent le foncier : en 1993, aux Sables-d'Olonne, il y a 8 047 de ces résidences pour 15 833 habitants permanents ; à Saint-Hilaire-de-Riez : 8 338 pour 7 437 habitants ; à Saint-Jean-de-Monts : 7 899 pour 5 909. Les dix premières stations ont 41 500 habitations secondaires avec un potentiel d'accueil de près de 150 000 estivants pour une population d'hiver de 50 000 personnes ; dans le pays de Monts, à la Faute, à Brétignoles, 80 % des maisons relèvent du tourisme.

Le camping est fort développé : 350 terrains offrent environ 50 000 emplacements sans compter le caravaning sur parcelles qui s'installe dans toute zone rurale proche de la mer ; il rapporte 1 milliard de franc de chiffre d'affaires annuel, pour une clientèle qui compte 25 % d'étrangers venus de l'Union européenne. Les colonies de vacances sont si nombreuses dans certains secteurs qu'elles ont provoqué des réactions de rejet de la part de certains estivants. L'hôtellerie offre 480 000 lits. Le plan d'aménagement des années 80 prévoyait d'atteindre des structures d'accueil pour plus d'un million de personnes : c'est dores et déjà dépassé.

Les conséquences sont, on le devine, importantes. Le chiffre d'affaires total est de 4,5 à 5 milliards de francs, et fait de ce tourisme la première industrie départementale, d'autant que les fonctions induites se multiplient, telle que celle de la firme Bénéteau, première européenne pour les bateaux de plaisance.

Ce n'est pas sans quelques difficultés, évidemment. L'équipement tertiaire est de fonctionnement saisonnier, et il faut faire appel à quelques villes de l'intérieur pour le compléter : à Challans pour les soins hospitaliers par exemple ; l'emploi suit les pulsations estivales. Le réseau routier fait difficilement face aux périodes d'afflux massifs. Les communes littorales s'endettent pour assurer des équipements urbains non proportionnés à la population permanente, qui paie l'essentiel, et qui, au surplus, est complétée par des retraités de niveau social moyen.

Le littoral est devenu un petit monde à part dont l'évolution est rapide depuis deux à trois décennies : il est en contraste avec le reste du département et même avec les Pays de Loire où les populations rurales sont encore abondantes et n'ont pas le même dynamisme.

3. Les sous-régions à dominante rurale

■ Les bocages, paysages traditionnels de l'Ouest

De la Mayenne à la Vendée s'allonge une longue traînée de paysages aux parcelles encloses de haies vives, à vocation prioritairement pastorale, largement héritée du passé.

Au nord, ce sont les bocages mayennais, puis angevin, ou segréen qui vont jusqu'à la Loire, seulement coupés par le pays de Laval où la polyculture s'est imposée. Au sud, ce sont les Mauges dans la partie méridionale desquelles se développe l'économie choletaise. Dans les deux cas, la limite orientale est celle des terrains sédimentaires des marges du Bassin Parisien. Ce sont là les vieux bocages, sur le socle primaire, où l'habitat est dispersé, où la grande propriété nobiliaire ou bourgeoise recule pied à pied.

Plus à l'ouest, en Loire-Atlantique surtout, sont les bocages récents, du XIXe siècle, constitués en plus grandes parcelles aux dépens des landes ; ils sont davantage soumis aux influences urbaines de Nantes et de l'estuaire.

Ce sont des espaces dévolus à une économie d'élevage.

La partie toujours en herbe dépasse 30 % des surfaces agricoles utiles (S.A.U.) dans le Segréen, et peut monter jusqu'à 60 % dans l'Embouche de l'Erve, malgré la révolution fourragère qui a rentabilisé la vocation pastorale par l'introduction de cultures. Le lait est la spéculation dominante mais vulnérable : l'imposition des quotas laitiers a eu des répercussions douloureuses.

Ces bocages ont été longtemps des réserves de main-d'œuvre industrielle, surtout après 1945, et le sont encore partiellement : aujourd'hui, ils constituent les régions de plus faible densité des Pays de Loire, au milieu desquelles se maintiennent quelques villes moyennes ou petites, qui résistent par quelques industries, quelques services : Laval, Mayenne. L'évolution du Segréen le montre : la fermeture des mines il y a une génération fit perdre 2 000 emplois, regagnés en partie par de petites firmes de mécanique, de travail du cuir et du bois. Mais l'ensemble continue à se vider au profit d'Angers et de Nantes : il est des secteurs qui ont perdu 30 à 35 % de leur main-d'œuvre agricole depuis 1982.

Plus près de Nantes, l'influence urbaine est plus forte quant aux productions : il s'y trouve des élevages de bisons et d'autruches, et les œufs de ces dernières sont exportés à l'étranger.

La Mayenne dans son ensemble est assez caractéristique de cette évolution. Elle est le plus rural des cinq départements, et le moins peuplé, le seul qui n'ait pas retrouvé son niveau de population d'avant 1900.

Le bas-Maine est une terre d'émigration traditionnelle, celle des « horsains » colporteurs du XIXe ; mais aujourd'hui, l'excédent naturel des naissances ne compense plus les départs ; le vieillissement des ruraux devient préoccupant : 50 % de la S.A.U. appartiennent aux gens de plus de 50 ans. L'agriculture occupe encore plus de 20 % de la population active alors que la proportion n'est que de 11 % dans les Pays de Loire.

Cependant, surtout depuis une génération, pénètrent les petites industries de main-d'œuvre : matériels pour l'automobile, constructions électriques et électroniques (Moulinex, Alcatel, Radiotechnique, disques laser...). Laval (50 000 habitants) a un rôle d'entraînement, et son I.U.T. de biologie appliquée reste dans la perspective d'une rénovation des méthodes pastorales ; après Mayenne (13 500 habitants), l'organisation urbaine tombe au niveau des gros bourgs.

■ Les pays de vignobles : un autre style agricole

Les vins de Loire sont de vieilles traditions : Nantes les exportait avant le XVIIIe siècle. Le Pays nantais offre ses blancs essentiellement : ce sont les Muscadets aux terroirs minutieusement classés : V.D.Q.S. de Sèvre et Maine (la Maine est ici un petit affluent de la Sèvre nantaise), des coteaux d'Ancenis. Le Grosplant n'a pas tout à fait le même prestige, mais sa réputation reste grande. La production s'est développée devant le succès des 20 dernières années : elle est passée de 350 000 hectolitres à 769 000 pour le premier vin, à 296 000 pour le second.

Le Maine-et-Loire apporte la réputation du Saumurois et des coteaux de Layon. Chacun a ses crus propres : les derniers ont leurs blancs sucrés, leur chaume et quart de chaume dont la production est très limitée (2 500 hl) mais très recherchée ; le premier a ses rouges, dont les Champigny. Les vignobles tourangeaux de Chinon et de Bourgueil débordent un petit peu aux limites de l'Anjou. La production totale dépasse un million d'hectolitres.

L'économie et la morphologie sociale se trouvent modifiées par les vignobles. Les vignerons ligériens, parmi lesquels demeurent quelques notables, sont d'humeur indépendante, souvent conservatrice ; le vin est souvent une monoproduction, soumise aux aléas du marché. Les parcellaires sont morcelés dans un paysage où la vigne peut couvrir de grandes étendues. Le négoce tend à se concentrer, guetté par des capitaux extérieurs. La fierté des producteurs nantais et angevins est d'exporter de 20 à 25 % de leur production dans l'Union européenne, et même jusqu'au Japon.

■ La « Vallée », le « Val » : l'Anjou de la douceur de vivre

Entre la rive gauche abrupte du Saumurois, et la rive droite fragmentée en buttes et collines du Beaugeois, la vallée de Loire entre en Anjou avec ampleur et sérénité. Elle y partage son lit avec l'Authion dont elle est séparée par un bombement longitudinal de sables granitiques ; elle inonderait l'ensemble de ses crues s'il n'y avait les levées ou turcies, digues qui enserrent le cours du fleuve, et dont les premières datent du XIe siècle. Ce risque d'inondation explique que l'occupation humaine est relativement tardive, et est le fait d'une petite paysannerie vivant sur un parcellaire très fragmenté, mais aux productions chères : plantes d'herboristerie, légumes, semences ; le département fournit 35 % de la production nationale de « champignons de Paris », et les « caves » de la vallée y contribuent. Le tuffeau donne au moindre portail de ferme une élégance aristocratique que l'on accuse par quelque arcature et des piliers.

Car c'est déjà la Loire architecturale des châteaux (Saumur), des abbayes (Saint-Maur, Cunault) ; sous le climat lumineux des automnes doux et durables, le tourisme de Gennes-les-Rosiers, de Chênehutte-les-Tuffeaux exploite des paysages splendides où les boires de la Loire sont aménagées en plan d'eau de petit nautisme. Tout concourt à donner à ce Val d'Anjou la réputation du bien-vivre qui profite au reste du département.

■ Les « campagnes » mancelles, fort différemment, sont une mosaïque de petites régions agricoles sur terrains sédimentaires ; « campagnes », ce sont des paysages ouverts auxquels l'influence du Mans donne une relative unité humaine. L'élevage domine encore ; mais par comparaison avec le bocage qui les limite au Nord et à l'Ouest, on observe moins d'herbages, et davantage de cultures de céréales et plantes industrielles ; l'aspect pastoral se diversifie, avec les bovins, les porcs, les productions de basse-cour (comme les poulets de Loué). La couronne laitière du Mans est encore bien perceptible à l'est et au sud jusque vers les plateaux de Saint-Calais où elle se mêle aux vergers du Val de Loir, où apparaissent déjà les caves troglodytiques.

L'ensemble reste fragmenté en cellules qui ont encore peu de contacts mutuels : Saulnois, Bélinois, plaine d'Alençon, Champagne mancelle. Les capitaux extérieurs n'ont pas pénétré cette agriculture diversifiée, mais ont multiplié sur le pourtour septentrional les usines petites et moyennes.

Ces dominantes rurales, que soulignent les paysages, sont les héritages combinés de l'histoire, de la géographie, d'une adaptation des hommes dont le style de vie n'évolue parfois que lentement. Elles restent un trait attachant des Pays de Loire.

4. Le cas choletais

A cheval sur les Mauges (Maine-et-Loire), sur le haut bocage vendéen, et encore sur la pointe Nord des Deux-Sèvres, c'est un milieu rural dans lequel se sont multipliés dans le passé, avec une fine dissémination, de petits ateliers ; aujourd'hui, parfois, des usines importantes se regroupent autour de gros bourgs qui ont cru par attraction de la main-d'œuvre, en particulier autour de Cholet (55 000 habitants), qui a réellement l'allure d'une petite capitale locale ; son bassin d'emploi est développé : 80 000 salariés, auxquels il faut joindre 20 000 vendéens.

Les établissements de cette industrialisation originale, bien intégrés dans le paysage, ont été durablement maintenus en ateliers de moins de 50 employés, pour des raisons sociales dans le passé, puis syndicales souvent après, avec un recrutement féminin longtemps dominant, mais qui a diminué : il n'est plus que de 44 % en 1991.

Il faut en rechercher la raison dans l'évolution des productions qui, jugées après un délai de quelques décennies, témoigne d'une belle faculté d'adaptation. Au milieu du XIXe, ce sont les « fabriques » de tissage du coton (mouchoirs, draps...) comme il en existe dans d'autres campagnes françaises ; puis autour de 1888, le travail du cuir apparaît, c'est un premier renouvellement avec le maintien des petits ateliers utilisant la main-d'œuvre du bocage, mais aussi, de quelque façon, la maintenant ; la fabrication de chaussures se développe, avec tous les degrés de qualités pour toutes sortes de clientèles : c'est déjà l'effet d'une perception des marchés. Une troisième phase apparaît avec la période des crises 1929-1945 ; sont introduits : les constructions mécaniques, le travail du bois et des meubles, les plastiques...

Cela témoigne d'une mentalité ouverte de la part de la bourgeoisie qui dirige ce secteur : paternaliste face à la main-d'œuvre, dynamique, prompte aux initiatives, aidée par une population d'origine paysanne docile, peu revendicative parce qu'elle préfère s'employer plutôt que de migrer.

Aujourd'hui, le Choletais est ouvert sur le monde extérieur, et est pénétré par de nouveaux processus de production. Cholet est une petite ville animée et très vivante, aux usines nombreuses (Thomson 1 000 emplois, Michelin 800) ; elle fabrique du matériel informatique, des circuits imprimés ; elle a lancé autour d'elle l'impression sur bois déroulés ; Beaupréau, Chemillé ont une certaine diversité recherchée dans le matériel pour automobiles, le traitement sous vide, etc. Du côté vendéen, Jeanneau, aux Herbiers, est une usine de taille européenne pour la fabrication des bateaux de plaisance et a été rachetée par Beneteau (cf. p. 216), formant un groupement d'importance mondiale ; Mortagne-sur-Sèvre, Montaigu restent dans la tradition choletaise.

La vitalité et la réussite sont réelles : on a souvent cherché à copier ce modèle pour relancer des régions déprimées, sans beaucoup de succès ; les conditions spécifiques n'étaient pas réunies, d'autant que ce Choletais a ses faiblesses : il s'y trouve aussi une part d'industries traditionnelles vulnérables en cas de crise, et la pénétration de grandes firmes internationales, de quelque façon, atténue l'originalité héritée du passé.

Ainsi s'esquisse une autre particularité des Pays de Loire : d'un côté la grande diversité des aspects locaux, de l'autre, la relative unification de l'espace par les aires de rayonnement des villes maîtresses, et de quelques autres en dessous d'elles.

Entre ces deux tendances, un lien étroit, qui explique le maintien des uns, et la progression des autres : les hommes et leur travail quotidien.

3. LES HOMMES ET LES TENDANCES GÉNÉRALES DE LA VIE ÉCONOMIQUE (Figure 27)

La population est nombreuse (3 124 000 personnes), marquée de mobilité dans ses caractères, assez vulnérable souvent dans sa prospérité : la région qui a ses raisons d'importance (5e par le peuplement, 2e par l'agriculture, 4e par l'industrie et sa politique d'innovation) est cependant encore la 7e par le taux de chômage.

1. Les traits de la démographie

■ Chaque département a ses traits propres

La Loire-Atlantique domine avec 1 083 000 habitants : elle est la seule qui n'ait pas sensiblement connu de recul entre les recensements de 1921 à 1946 ; elle en avait à cette dernière date 665 000. Après, la croissance est rapide et assez régulière : c'est l'effet de la poursuite d'une industrialisation qui a commencé au milieu du XIXe siècle, et dont l'estuaire a été le lieu de regroupement.

Le Maine-et-Loire (719 000) a eu un développement assez semblable après 1936, et au total assez puissant, après une longue stagnation de trois quarts de siècles de domination rurale. Les deux départements du Maine (517 000 et 280 000) ont au contraire connu une régression de population très accusée que seule la Sarthe a su rattraper grâce à l'industrialisation du Mans, puis de ses pourtours. La Vendée a un comportement plus original ; elle sort de la Révolution et de l'Empire dans la ruralité la plus totale (383 000 habitants en 1851) ; puis, avec la réussite de sa fonction administrative, elle croît autour de son chef-lieu planifié, et connaît vingt ans de prospérité démographique avec 440 000 personnes en 1911 ; puis elle recule très vite autour de 370 000, et reprend à partir de 1954 pour atteindre à la fin 522 000. Les raisons de ces divergences de comportements sont dans les différences de réactions à l'industrialisation, et à l'urbanisation consécutive, qui n'ont pas atteint les régions ni aux même dates, ni avec la même intensité ; elles sont aussi dans les mouvements migratoires et dans la poussée de peuplement après 1945.

La carte des densités, résultat de ces évolutions, souligne les faits urbains, mais montre aussi deux axes où ces densités sont fortes : l'un va de l'estuaire au Choletais et englobe Nantes, l'autre, plus discontinu, comprend les agglomérations du Mans, d'Angers, et rejoint la basse Loire : ils suivent la ligne du T.G.V. et l'autoroute A11. Il y a certes quelques concentrations secondaires : autour de Laval, du Saumurois, de La Roche-sur-Yon... En fait, cette carte obéit à des influences économiques qui ont été indiquées ; il faut y ajouter deux autres éléments d'explications :

– les taux de natalité ; ils sont partiellement en discordance avec les densités : les vieux bocages ont souvent des densités faibles et un nombre de naissances élevé : jusqu'à plus de 1,6 % ; c'est l'inverse en régions urbaines, et assez curieusement, dans les régions de grande culture des pays sédimentaires : campagnes Mancelles, Est du Maine-et-Loire, Sud de la Vendée, ainsi, que – et cette fois dans le bas bocage – sur une large bande qui longe la côte, mais qui dépasse nettement les seuls secteurs du tourisme maritime ;

– puis la mobilité ; elle est forte et elle compense souvent les effets des fortes natalités. Le processus de « désertification » des campagnes – le mot est ici sans doute excessif – continue, au profit non des villes elles-mêmes, mais de leur périphérie. Mais il est quelques traits spécifiques : l'Est de la Sarthe s'accroît par desserrement de la région parisienne, et il est des indices qui font penser que ce mécanisme commence à gagner Angers ; des effets semblables sont perceptibles sur l'axe du Mans à Rennes.

Le solde migratoire intra-régional montre que la Loire-Atlantique reçoit 27 600 migrants entre les deux derniers recensements, mais en laisse partir 24 800 qui, par moitié vont vers la Vendée et le Maine-et-Loire : il y a nette compensation ; ce dernier département reçoit 18 200 personnes, mais en perd 24 000 dont la moitié va vers le Pays nantais. La Vendée acquiert un peu plus qu'elle ne donne. Quant au solde migratoire extérieur, pour deux départements, il est positif : ce sont les deux de l'Ouest : les autres perdent, même la Sarthe.

■ Les hommes au travail

Il convient d'abord de situer les Pays de Loire dans le contexte national dans lequel ils représentent : 5,4 % de la population globale, 4,7 % du P.I.B., 8,5 % de la valeur ajoutée dans l'agriculture, 4,9 % dans celle ajoutée par l'industrie, 4,2 % pour les services ; déjà s'esquissent des orientations et des retards.

Dans la Région, **le taux d'activité** est de 38 %, légèrement supérieur à la moyenne nationale : mais **la composition de la population active** fait apparaître quelques faiblesses de structure : l'agriculture retient 10,3 % des emplois, contre 7,8 % en France ; l'industrie en mobilise 25,2 % contre 24,7 % sur le plan français, et le bâtiment-travaux publics 7,7 % contre 7,5 %. Mais le tertiaire est plus faible, même dans le commerce (10,9 % contre 11,7 %), et dans les services (27,8 % contre 29,5 %). Il apparaît donc globalement un léger déficit de tertiairisation, ce qui n'est pas vrai pour la basse Loire.

La comparaison des effectifs de salariés dans les années récentes laisse percevoir un sensible renforcement dans les productions agro-alimentaires qui comptent 43 000 emplois, et qui apparaissent donc bien comme une des grandes vocations de la région, puis dans quelques secteurs traditionnels : fonderies, travail des métaux, constructions mécaniques ; mais aussi une très forte poussée de croissance dans les services marchands, les transports, et les professions du tourisme. Ces constations montrent certaines directions du développement d'ensemble compte tenu des corrections à établir à cause de la recherche de productivité dans les secteurs les plus modernes déjà indiqués ; mais le recul est net dans les activités minières, dans le textile, la confection, la fabrication des meubles..., qui sont vulnérables ; et cette vulnérabilité affecte, comme cela a été indiqué pour le Choletais, d'abord les emplois féminins, ce qui est également vrai en Vendée littorale, dans le Sud segréen, dans le pourtour Nord du Maine.

La répartition spatiale de cette population active fait apparaître les bassins d'emploi dont on a déjà vu qu'ils soulignent les villes économiquement dominantes. Une vingtaine de ces bassins de plus de 10 000 salariés s'individualisent ; les plus grands ont été indiqués ci-dessus : ceux de Nantes (300 000), Angers (140 000), Le Mans (123 000), Saint-Nazaire (85 000), La Roche-sur-Yon (55 000), Laval (51 000) etc. De quelque façon, cela révèle sous l'angle du travail, la puissance d'attraction des villes qui contrôlent l'espace et l'organisent autour d'elles. Il reste assez peu d'étendues non polarisées : elles n'existent que comme des couronnes assez loin autour du Mans et de Laval, et dans le Nord mayennais ; ailleurs, elles marquent les vieux bocages, avec quelques taches dans les Mauges et entre le Choletais et La Roche-sur-Yon : là sont les lacunes de l'attraction urbaine.

De façon générale, **le niveau de la qualification professionnelle est moyen**, et inégalement réparti. Partout, il est en net progrès ; en 1990, il y a 40 % de cadres en plus comparativement à 1982 ; pour l'agglomération de Nantes, la progression est de 45 % ; et de 36 % pour celle de Saint-Nazaire ; elles avaient acquis, dans ce domaine, déjà quelque avance, car c'est là que se rencontrent les plus forts regroupements d'équipements pour la formation des hommes, la plus grande concentration d'écoles d'ingénieurs et la fréquentation universitaire la plus élevée ; mais l'organisation des universités touche maintenant, non seulement les trois villes maîtresses, mais aussi leurs antennes de décentralisation ; la recherche reste cependant nettement concentrée.

La main-d'œuvre étrangère est peu nombreuse : moins de 2 %, sauf dans le Choletais où elle dépasse de peu ce pourcentage.

2. Les mutations des formes économiques traditionnelles

■ **L'économie régionale se transforme de façon importante,** comme ailleurs, mais avec ses spécificités, **pour des raisons qui sont soit conjoncturelles, soit structurelles.**

Les premières sont liées aux récessions successives des années 1980 et jusqu'à 1993. Ont le mieux résisté les secteurs traversés par des voies rapides, autoroutes et T.G.V. : elles sont des axes de dynamisation du Mans à la basse Loire. C'est autour de ces voies que l'on constate : non pas l'absence d'entreprises en difficultés, mais leur plus fréquente reprise par des groupes nationaux ou internationaux, ce qui s'est traduit par une sensible perte de commandement régional sur l'emploi. Ce processus de substitution, parce qu'il touche souvent d'assez forts effectifs, a masqué les créations nouvelles, moins puissantes mais plus nombreuses ; elles sont quand même inférieures en nombre à la moyenne nationale sauf en basse Loire qui, à elle seule, a attiré 40 % de ces nouvelles entreprises.

Il est d'autres causes, plus profondes, touchant des branches anciennes qui s'adaptent selon leurs propres opportunités. A l'issue de l'ensemble de ces transformations, avec quelque recul, force est de constater que les rapports de puissance et de richesse créés par les diverses branches ont été modifiés depuis 20 ans ; dans le P.I.B. (qui est de 325 milliards de francs en 1993) les activités primaires (agriculture, pêche, mines) ne représentent plus que 6,4 %, l'industrie 25,9 %, le bâtiment et les travaux publics 5,8 % ; mais on constate une hausse sensible du commerce (11,6 %) et très forte des services à l'économie (35,2 %) et des services non marchands (15,1 %) ; cela signifie que, dans la mesure, importante, où elle est en cause, la conjoncture de difficultés a davantage touché le primaire et le secondaire, alors que la tertiairisation continuait, sans doute avec quelques perturbations, sa progression.

Ce sont là des tendances générales qu'il faut confirmer par une étude par branche.

■ L'évolution des milieux agricoles

La transformation la plus profonde est le recul en nombre des agriculteurs. Entre les deux derniers recensements, ce nombre passe de 170 000 à 148 000 et les exploitations de 120 000 à 96 000 ; la concentration se poursuit aux dépens des petites et des moyennes : celles de plus de 70 hectares ont augmenté de 171 % en Loire-Atlantique et en Maine-et-Loire ; mais la Mayenne résiste à cette tendance.

L'accroissement unitaire des S.A.U. conduit plus facilement aux progrès techniques, permet une plus forte mécanisation, et en retour diminue l'appel de main-d'œuvre, puis pousse au départ les nombreux exploitants qui ne peuvent pas faire face aux investissements ; le vieillissement s'aggrave : 20 % seulement de ceux qui restent ont moins de 35 ans, ce qui est moins que ce que cette classe d'âge représente dans la démographie. Enfin cette évolution accompagne une orientation sensible vers la grande culture.

Evidemment, il est bien des nuances régionales derrière ces traits généraux. Des secteurs résistent : les vignobles, le Val d'Anjou ont leur cheminement propre ; le Beaugeois avec ses cultures riches et ses champignonnières, la Mayenne du Nord avec ses pesanteurs sociologiques, évoluent peu ; les GAEC pastoraux des vieux bocages tendent à conserver quelque chose des vieilles structures, s'ils les transforment sur le plan de la gestion.

Les productions aussi évoluent. La région est la première de France pour la viande (18,8 % du total national), la seconde pour le lait. En Loire-Atlantique, département le plus marqué par la différenciation des productions, la répartition de ces dernières donne : 199 300 ha pour le lait, 38 900 pour la viande, et 48 400 pour les deux associés ; cela fait 70,7 % de la S.A.U., mais seulement 51,7 % des unités de travail humain (U.T.H.) ; les autres aspects, pour près de la moitié du travail par conséquent, sont : 23 400 ha pour le polyélevage, 41 300 pour culture et élevage, 16 000 ha pour le vignoble.

Chaque secteur géographique à ses propres réactions. Les bocages se sont essayés à l'élevage porcin, mais ils ont été freinés par la puissance incontestée des marchés de vente bretons ; il en est de même pour la volaille où les réussites ont été celles des productions de qualités sous label connu : Challans, Loué, Craon. L'horticulture et les vergers ont été une autre voie souvent assez facile et heureuse de diversification (fruits d'Anjou, du Loir...). Et surtout, il faut noter les fronts de pénétration de la grande culture à partir des terres argileuses ou des régions sédimentaires vers les bocages *(Figure 27)*, au point que J. Renard *(op. cit.)* s'interroge sur l'évolution vers un modèle beauceron pour l'Est de la Sarthe et le Sud de la Vendée : cela exigerait une formation agro-technique plus poussée. Une céréaliculture conquérante n'est sans doute pas un avantage absolu pour la Région. Elle aggraverait l'opposition entre terres à viande et terres à blé, avec ses conséquences sociales ; elle renforcerait la dépendance déjà forte à l'égard de la Politique Agricole Commune (PAC) : l'établissement des quotas laitiers a fait disparaître 30 000 vaches laitières ; et les réglements récents sur les céréales, les oléagineux, et les protéagineux ont fait mettre en jachère 95 000 ha, compensés, il est vrai, par une prime totale de 1,38 milliard de francs. Le revenu agricole se maintient (110 000 F par tête en 1989) ; mais l'économie rurale change, et parfois le paysage cultivé aussi ; la soumission aux aléas des marchés s'alourdit. Malgré un bilan globalement brillant, les campagnes demeurent fragiles, alors que de 1985 à 1996, l'agro-alimentaire a augmenté son emploi de plus de 20 %. Cela montre les nuances de l'évolution.

■ Une région qui poursuit sa rénovation industrielle

La révolution mécanicienne du milieu du XIXe et de la première moitié du XXe siècle s'est localisée sur la basse Loire et quelques grandes villes : c'est là que se trouvent l'essentiel des 340 000 emplois salariés actuels dans des activités qui se sont bien renouvelées.

Plusieurs facteurs se sont révélés favorables pour la reconquête industrielle d'après-guerre. Ce fut d'abord la disponibilité de main-d'œuvre par les excédents d'une population rurale acceptant des salaires limités ; cette disponibilité tend à se réduire aujourd'hui, même en Mayenne. Les caractères de cette main-d'œuvre se sont modifiés. Le nombre des actifs baisse sensiblement de 1975 à 1990, d'abord dans la Sarthe, puis en Loire-Atlantique. Cela est dû d'abord à des changements structurels (automatisation, accroissement de productivité…) ; mais aussi aux récessions successives : celle de 1991-1993 a coûté 8 % des emplois. Puis les usines changent ; la diversité des branches industrielles léguée par le passé a été utile : elle a offert tout un éventail pour des adaptations nouvelles ; mais inversement elle a laissé des formes attardées dans une civilisation technique qui évolue vite. D'autre part, la région a révélé une réelle capacité d'innovation due en partie à un vaste réseau de P.M.E. et de P.M.I. qui assurent 30 % de l'emploi industriel ; leur emploi se développe alors que les grands établissements ont perdu 15 % de leur main-d'œuvre. Enfin, les disponibilités d'énergie n'ont pas fait défaut : la basse Loire est un centre principal de redistribution pour les hydrocarbures, le charbon, l'électricité d'origine thermique.

L'industrie apporte 71,5 milliards de valeur ajoutée (4e de France) ; les secteurs où cette valeur par salarié sont les plus élevés forment une bande qui suit la Loire de Saumur à Saint-Nazaire, où se regroupent constructions mécaniques, électriques, électroniques, produits chimiques et pharmaceutiques… Il faut y joindre Le Mans. Ce sont les secteurs de grandes villes ; et cependant, dans ces dernières, la population active secondaire est en proportion plus faible parce qu'elles ont fait leur percée tertiaire ; mais là où l'industrie résiste en milieu rural, la part d'emploi secondaire est forte : 30,5 % dans le Segréen, 30,8 % dans le Sud de la Sarthe, 37,5 % dans le Nord de ce même département, 29,3 % en Mayenne ; et 41,7 % pour le Choletais et la Vendée orientale.

Il est donc paradoxal de constater que les secteurs les plus ruralisés sont ceux qui ont les taux d'industrialisation les plus forts.

Des secteurs traditionnels ont connu parfois de fortes perturbations. Des chantiers navals ont disparu, qui étaient de réputation internationale : la fermeture de Dubigeon-Normandie à Nantes a été ressentie comme une perte de patrimoine séculaire ; avec l'arsenal d'Indret et les usines de la SNIAS, la basse Loire a perdu, dans les années 80, 4 578 emplois ; et cela a entraîné des difficultés en cascades à cause de la sous-traitance. Les vieilles industries de main-d'œuvre ont aussi souffert. Celle de la chaussure rapportait, en 1987, 6 milliards de francs de chiffre d'affaires, procurait alors 29,4 % de la production nationale et exportait à proportion de 66,8 % ; le textile, avec 5 milliards de vente de vêtements et de confection, fournit encore 10 % de la production française et exporte à 80 % ; mais dans les deux cas, il apparaît un sensible déclin. Les usiniers conçoivent les nouveaux modèles, mais font fabriquer au Maroc, et aujourd'hui en Europe de l'Est. Le poids global de ces deux secteurs dans la production industrielle régionale ne cesse de baisser passant en huit ans de 18,1 % à 15,7 %. Et cependant, les productions du Choletais et des Mauges gardent leur notoriété ; elles s'appuient sur des marques qu'on a su lancer : Newman, Bigchef, Eram… ; l'industriel travaille tantôt à façon, tantôt pour son compte : mais, et là est le point délicat pour la région : « il crée, il vend ses idées, il les fait réaliser ailleurs ».

En compensation, des branches nouvelles ou rénovées se développent ; c'est au prix de bien des efforts évidemment : de recherche, de productivité accrue, de sorte que les effectifs de main-d'œuvre ne suivent pas ; la réalité sociale se dissocie alors de la réalité économique. Les grands secteurs dynamiques ont été évoqués ci-dessus dans l'étude régionale :

– L'électronique, l'informatique, les télécommunications, l'appareillage ménager emploient 9,2 % de la population active industrielle ; cela paraît peu, mais la valeur ajoutée est élevée ; les implantations de grandes firmes extérieures à la région se sont multipliées.

– L'industrie automobile (4,8 %) n'a qu'une seule grande marque française largement enracinée dans les Pays de Loire (Renault) ; mais d'autres, dont étrangères, y ont des montages ou des fabrications partielles, ne serait-ce que pour avoir des implantations dans l'Union européenne ; et de nombreuses petites et moyennes entreprises, spécialisées dans les véhicules de sports, de luxe, d'usage industriel, se sont localisées en fonction des bassins de main-d'œuvre ou des « effets de milieu » valorisants. De façon générale, les constructions mécaniques, au sens strict, en plus de l'automobile, utilisent le travail de 24 148 personnes (7,1 %) : elles sont l'un des grands domaines de production. Elles se sont maintenues dans la conjoncture de récession.

– L'industrie aéronautique connaît les difficultés conjoncturelles déjà mentionnées ; mais elles font partie de l'un des grands secteurs de l'économie nationale ; elles entraînent dans leur sillage une foule de sous-traitants.

L'énumération de ces aspects de la dynamique régionale ne peut pas être exhaustive ; il faudrait citer, celle des outillages pneumatiques (Georges Renault), celle de la première usine française de fer blanc (J.J. Carnaud), d'appareillage de signalisation (Lacroix) etc.

Cet aspect de la rénovation et des innovations dans les productions a entraîné bien des répercussions. Les Pays de Loire se rapprochent progressivement de la structure économique nationale par le poids de leur secteur secondaire : ils ne sont plus « la plus industrielle des grandes régions rurales » ; une nouvelle répartition s'est établie entre le primaire, le secondaire et le tertiaire ; mais cela s'est fait avec un reclassement des diverses branches : les biens intermédiaires croissent en importance (caoutchouc, plastiques, cellulose, métaux semi-ouvrés…), alors que d'autres secteurs de produits finis reculent, face à d'autres qui montent.

Au total, cela traduit une ouverture plus grande sur les marchés extérieurs ; mais cela même, qui est favorable, peut avoir aussi ses inconvénients. La pénétration, en deux ou trois décennies, de grandes firmes nationales ou internationales pose le problème ci-dessus évoqué de la capacité régionale de commandement et de l'état de dépendance économique. Ces grandes sociétés, au nom souvent prestigieux, obéissent à des stratégies de groupes, sans référence aux situations locales ; et en cas de crise sociale ouverte, les négociations sont plus difficiles avec des Conseils d'administration placés à Paris ou à l'étranger. En terme de nombre d'entreprises, en 1990, 77 % des grands établissements de la région ont leur siège social à l'intérieur des Pays de Loire, et n'utilisent que 69 % de la main-d'œuvre employée ; cela signifie que 31 % de l'emploi – une personne sur trois – sont soumis à des décisions extérieures, à des structures d'autorité lointaines. Evidemment l'importance des faits ci-dessus indiqués est variable selon les secteurs techniques, mais aussi géographiques. Les capitaux étrangers ont été souhaités, pour aider au rééquilibrage industriel de l'Ouest en général et des Pays de Loire en particulier ; il a été dit que le rachat d'entreprises locales en difficulté a été l'un des processus usuels, fréquent au milieu des années 80, puis qui s'est ralenti après. Deux types d'implantation apparaissent aujourd'hui : celui des complexes urbains d'abord, Angers compte aujourd'hui neuf entreprises de financement extérieur (Motorola, IBM, Oll Margen qui sont toutes trois américaines ; mais il en est d'autres) ; Le Mans en a seize ; la basse Loire en possède le plus grand nombre : 29, dont General Mill qui a racheté Biscuits nantais (B.N.), York (industrie du froid), Svenska Cellulosa, Halmstadt Järnwerks (aciers spéciaux). Le second type d'implantation est celui des bocages, du Nord surtout, où il y a encore quelques disponibilités de main-d'œuvre. Les capitaux des Etats-Unis dominent, mais pratiquement à égalité avec ceux provenant de l'Union Européenne. Ils ont contribué à la recomposition du tissu industriel sur la base de nouvelles technologies.

Il est cependant un secteur qui échappe pratiquement à cette pénétration extérieure : le bâtiment, et pour une part, les travaux publics ; il fut important : 68 311 salariés et petits patrons ; son développement s'explique d'abord par la multiplicité des petites et moyennes entreprises travaillant pour les résidences secondaires des divers types de tourisme ; mais existent aussi quelques grands établissements d'ingénierie pour grands travaux, dont le siège est local (à Nantes en particulier) qui couvrent tout l'Ouest et obtiennent des contrats à l'étranger. Cependant, c'est un des secteurs où la récession a été des plus sensibles.

■ La tertiairisation dans les Pays de Loire

L'un des traits marquants des changements intervenus est la régression de l'emploi dans l'agriculture et l'industrie, mais avec en compensation, un fort développement dans le tertiaire qui atteint 61,5 % de la population active ; une première répartition apparaît ci-dessous, par rapport au total de ce tertiaire :
- commerce : 18,7 %, ce qui correspond à la moyenne nationale ;
- services marchands 40,8 % (pour la France : 41,4 %) ;
- services non marchands : 31,5 % (en France : 30 %) ;
- transports et télécommunications : 9,9 %.

Ces statistiques comprennent les chefs d'entreprises et les patrons ; il est possible de suivre les progrès de cette tertiairisation à travers le salariat : celui-ci, dans les quatre dernières années, augmente de 17 800 dans les services (dont 9 800 dans les services aux particuliers) et de 9 300 dans les commerces. Cette évolution profite à la fois aux entreprises, donc à l'économie générale, et aux particuliers, donc aux conditions quotidiennes d'existence.

Dans les services, l'ingénierie est largement présente, on l'a vu ; mais deux ensembles dominent : la basse Loire où Nantes et Saint-Nazaire se partagent les cabinets d'études techniques qui regroupent la moitié des salariés, et juridiques ou comptables ; puis Laval dont les effectifs dépassent ceux d'Angers et du Mans. La situation est semblable pour le « tertiaire des entreprises industrielles », celui correspondant aux bureaux d'études des usines ; la Mayenne s'affirme là aussi face à la Sarthe et au Maine-et-Loire.

Dans les activités financières et bancaires, quelques traits originaux font apparaître la région comme bien équipée : les dépôts bancaires, 172 milliards de francs se placent au sixième rang de France (mais au 15e per capita). Evidemment, toutes les grandes banques nationales sont présentes ; seule Nantes en possède deux étrangères et dispose aussi de tous les grands établissements de crédit et des banques populaires de l'Ouest ; mais si elle n'a plus de banques d'origine locale, elle possède : le premier marché national des bois, un établissement financier de développement régional (SODERO) dont l'influence déborde largement sur l'Ouest, un Institut de participation pour investissements (IPO).

Ce regroupement sur la ville métropole n'est pas sans montrer des insuffisances pour le reste de la région, ce qui explique que les services financiers ne représentent que 3,6 % des salariés (contre 4,6 % en France), et que les crédits distribués soient encore limités à 81 000 francs par habitant (7e rang national) dont proportionnellement moins encore pour les entreprises : cela ne facilite pas le renouvellement économique général pourtant notable ainsi que cela a été montré.

La même inégalité de répartition apparaît dans la recherche et le développement : l'investissement annuel n'y dépasse guère 2 milliards, ce qui ne place la région qu'au 14e rang ; cet investissement est faible comparativement à ce qui est fait ailleurs : avec 152 chercheurs professionnels pour 100 000 habitants, le retard encore est perceptible.

Et cependant, la basse Loire, et plus spécialement Nantes, sont devenues de grands centres pour la recherche pure et appliquée. C'est l'un des aspects des déséquilibres au sein de la région même si d'autres villes ont leur spécificité dans cette recherche.

Les services aux particuliers font apparaître des caractères semblables. La formation des hommes repose sur une organisation universitaire qui a maintenant des points d'appui dans toutes les villes dépassant 50 000 habitants. Les grandes écoles d'ingénieurs sont cependant regroupées sur Nantes et Angers, dans une étroite coordination avec la recherche. Il en est de même pour les équipements médicaux et sanitaires : ils sont partout présents, mais les secteurs de haute spécialisation sont dans la basse Loire.

Enfin, l'essentiel des **installations de tourisme et de loisirs** se regroupe sur le littoral. Les deux départements maritimes retiennent 87 % de ces activités, les paysages de l'intérieur et le nautisme de rivières attirent le reste… Les Pays de Loire gardent cependant une position estimable dans l'ensemble national : la clientèle française dépasse 3 millions de touristes.

Ces tendances économiques générales relevées à travers toutes les formes d'activités, de travail, de productions des Pays de Loire, soulignent une fois encore la diversité des aptitudes, l'opposition des facultés naturelles, le rôle dominant des villes, et par le caractère moyen plusieurs fois rencontré, la mesure et l'absence d'excès d'une région qui a tant de mérite pour s'attacher les hommes, et qui, de quelque façon, résume les avantages du Nord et du Sud : puisqu'elle est ligérienne.

CONCLUSION : L'AVENIR DES PAYS DE LOIRE

Les régions de programme sont devenues, avec leur Assemblée régionale, leur préfet de région, leur administration propre, leur part d'autonomie de gestion, leurs contrats de plans, des structures d'organisation du territoire et de planification économique. Leurs pouvoirs ont été accrus par la loi de décentralisation de 1983. Le décret de 1956 qui a décidé de la composition des Pays de Loire a fixé des limites à l'intérieur desquelles des décennies de fonctionnement ont déjà orienté et un peu consolidé cette entité territoriale, qui manquait initialement d'unité.

Cela n'a été possible et ne le sera plus encore qu'en dominant les oppositions et les contrastes, en utilisant la faculté valorisante de la diversité, en surmontant les inégalités de développement, afin de donner, par l'accès à l'emploi et aux services, des conditions favorables d'existence pour tous les habitants. Pour ce faire, la région est encore confrontée à un certain nombre de défis.

■ **La domination de ses faiblesses internes**

Domination pour éviter les tensions entre les cellules constitutives, les migrations qui vident ici pour surcharger plus loin les banlieues urbaines ; domination aussi pour que les aptitudes régionales soient conformes aux demandes de l'économie et de l'évolution nationales. Quelles faiblesses ?

Celles des conditions de travail d'abord.

La productivité reste faible. Le P.I.B. régional n'atteint par habitant que 57 % de celui de l'Ile-de-France, et est de 13 % inférieur à la moyenne française ; il reste lié à une trop forte participation des activités agricoles, sans doute ; mais l'industrie ne crée qu'un peu plus du quart de la richesse régionale ; le tertiaire, en progrès, demeure un peu au dessous de la tendance générale de la nation. Et cela se résume dans le déficit suivant : la richesse créée par emploi est à 9 % en dessous du reste de la nation.

Celles de l'insuffisance de valeur ajoutée, qui en découle.

Certes, les Pays de Loire sont en tout premier rang pour l'agriculture (V.A.B. 8,9 % voir les statistiques générales) ; ils ont une bonne position pour la valeur de la production du tertiaire (5e rang), mais *per capita*, c'est insuffisant, car la population est nombreuse.

Cependant, des éléments très positifs sont à souligner : la valeur ajoutée brute dépasse la moyenne française dans l'agro-alimentaire, dans la fabrication de biens intermédiaires et dans celle des biens usuels de consommation. La région doit donc réussir aussi ailleurs : dans les domaines dont dépendent la maîtrise et l'acquisition d'encore plus de nouvelles technologies, avec davantage de formation des hommes, et plus de développement de la recherche pure et appliquée.

Celles des déséquilibres régionaux.

Il faut passer d'un dynamisme atlantique, celui de la basse Loire, et en partie de la Vendée, à une croissance partagée et mieux répartie. Ce n'est possible que par la création d'encore plus d'entreprises dans les secteurs où leur nombre, leur densité, leur variété sont encore insuffisants ; mais là encore, il apparaît une nuance favorable : les entreprises y vivent plus longtemps qu'ailleurs.

Celles des insuffisances des réseaux de transports.

La forte centralisation des axes à grande puissance sur la région parisienne a des effets heureux ; son exclusivisme est préjudiciable, parce qu'il n'est pas compensé par des voies rapides interrégionales en particulier vers Bordeaux, par un réseau inter-urbain facilitant les interrelations d'emplois et de services.

■ D'autres défis : une plus grande participation aux courants d'échanges extérieurs

Evidemment, les Pays de Loire participent au commerce international. Leur bilan global est déficitaire ; en 1993, année médiocre mais représentative, le taux de couverture est de 96,5 % ; cependant, cela est dû aux importations énergétiques à signification nationale ; sans les sources d'énergie, le taux varie de 110 à 120 % ; et la part régionale dans l'ensemble français coît grâce aux ventes de l'agro-alimentaire ; les liens avec l'Union Européenne ont bénéficié de la suppression des droits de douanes (1er janvier 1993) et justifient 67 % des sorties (Allemagne, Royaume-Uni, Italie...). Mais la dépendance à l'égard des marchés augmente les aléas et retient les exportateurs potentiels.

C'est pour une part une question de mentalité ; peu d'entreprises exportent : de 13 à 14 % d'entre elles le font, avec une forte inégalité dans les résultats, car 1 % de ces entreprises réalise 40 % du chiffre d'affaires extérieur ; 60 % n'ont jamais exporté. Pourtant, là aussi, il existe des zones de lumière : les constructions mécaniques en tirent le quart de leur revenu ; les constructions électriques et électroniques : 10 % ; et des exemples individuels sont à citer, tel celui des remarquables constructions de bateaux de plaisance (Bénéteau, Jeanneau), qui placent la France au premier rang d'Europe ; ou encore, les Chantiers de l'Atlantique, ainsi que cela a été signalé. Cette ouverture plus large sur le monde extérieur rejoint la question de l'Arc Atlantique.

Enfin le défi du genre de vie : le plus vivre, le mieux vivre pour aboutir au bien vivre, car il existe encore des inégalités et des distorsions dans les niveaux d'existence.

Le salaire moyen des Pays de Loire est inférieur à la moyenne nationale : de 12,5 %, et de 4,1 % si l'on exclut Paris. Cette faiblesse ne se traduit pas toujours par une perte de puissance d'achat : les prix sont un peu inférieurs à ceux du niveau français ; mais il est des domaines où ces prix sont fixés pour toute la nation : l'énergie, les télécommunications. Certes, d'autres facteurs interviennent, dont les facilités d'accès à la culture, aux loisirs : beaucoup a été fait, tout ne l'a pas été, dans les bocages en particulier.

Ce sont beaucoup de défis pour gagner l'avenir, mais l'écart entre l'acquis et le possible n'est peut-être pas si large qu'on ne puisse le combler. En trente ans, la région a réussi son évolution industrielle ; en vingt ans, elle a renouvelé ses technologies et rénové son potentiel de recherche. Pourquoi ne pourrait-on pas penser que ces avantages puissent être étendus à l'ensemble de son territoire ?

BIBLIOGRAPHIE

Ouvrages collectifs et revues

ATLANTIS, *Bulletin de liaison du programme Atlantis,* périodique.

IGARUN, *Atlas des Pays de Loire,* Paris Ed. Technip., 1973-1976, 30 planches ; coordination : VIGARIE (A.)

INSEE, *Revue économique et sociale des Pays de Loire,* périodique (Nantes). D'autres revues également.

INSEE, *Référence Pays de Loire,* trimestriel.

Préfecture des Pays de Loire, *Atlas de cartes,* avril 1992, Nantes, 20 planches.

Revue NOROIS, Arc Atlantique, numéro spécial n° 157, janvier-mars 1993, Poitiers.

INSEE, DRE, IGARUN, URA 915, *Observatoire de la dynamique des localisations dans les Pays de Loire,* Nantes, Direction : RENARD (J.) ; plusieurs fascicules.

INSEE, *Région des Pays de Loire : l'année économique et sociale,* Nantes.

CNRS, URA 915, INSEE, *Atlas social des Pays de Loire,* Fascicule V, Ed. Presse de l'Université du Maine, Le Mans.

Ouvrages particuliers et articles

CABANNE (C.). *La région nantaise, problèmes économiques et perspectives,* thèse, Nantes, 1978.

CHAUVET (A.). *Porte nantaise et Isolat choletais,* thèse, Nantes, 1985.

FLATRES (P.). « Pour une délimitation de l'Europe Atlantique », in *Paysage et Société,* Mélanges offerts à A. BOUHIER, Poitiers, 1990, p. 7-14.

MARTRAY (J.). « Nous qui sommes d'Atlantique », Rennes, *Terres de Brumes,* 1991, 97 p.

RENARD (J.). L'Arc Atlantique : réalité, enjeux et stratégie, *Norois, n° 157,* Poitiers, janv.-mars 1993, p. 7-17.

VIGARIE (A.). « Organisation urbaine et aménagement des Pays de Loire », *Statistiques et Développement,* INSEE, Nantes, 1976.

VIGOUROUX (P.). « La Façade atlantique à l'épreuve des faits », in *Référence Pays de Loire,* janvier 1993, INSEE, Nantes.

Adresses utiles

Conseil régional des Pays de Loire, service Information, 1, rue de Loire, Hôtel de la Région, 44000 Nantes.

Port autonome de Nantes et Saint-Nazaire, 15, Quai Ernest-Renaud, 44100 Nantes.

INSEE Pays de Loire, 105, rue des Français libres, 44000 Nantes.

CHAPITRE

10

BRETAGNE

Gilbert Le Guen

Réduite aux quatre-cinquièmes de la région historique du même nom, la Bretagne n'en garde pas moins une solide personnalité dont l'étude des fondements naturels et humains permet de comprendre deux traits contradictoires : l'attachement à une économie de la terre et de la mer ancrée dans l'histoire, et la volonté récente mais vigoureuse de moderniser radicalement ces formes d'économie ancienne en assurant par ailleurs l'essor des formes nouvelles d'économie urbaine.

1. LES FONDEMENTS DE L'ORIGINALITÉ BRETONNE

Péninsule atlantique prolongeant à l'ouest le vieux monde rural armoricain, la Bretagne a connu, plus que ce dernier, l'influence de la mer, dans l'histoire, mais aussi la révolution démographique qui a bouleversé les campagnes.

1. Une péninsule atlantique massive

■ Pays de la mer ou bout du monde

Large péninsule s'enfonçant de 250 km dans l'Atlantique, la Bretagne a vu son destin associé à la mer depuis que les bâtisseurs de mégalithes ont abordé ses côtes, précédant de quelques millénaires les immigrants celtes qui allaient conférer son originalité ethnologique à l'ouest du pays. Plus tard les ports ont bénéficié du commerce actif avec l'Ibérie et l'Europe du Nord-Ouest. Mais la centralisation progressive de l'Etat français auquel la Bretagne est intégrée au XVIe, puis le développement industriel de la France du Nord-Est, ont fait de la péninsule un bout du monde dont l'éloignement allait favoriser la conservation d'une culture originale mais aussi l'accumulation de retards économiques. Devenue « région périphérique » de l'U.E., elle s'intègre à ce titre dans l'**« Arc atlantique »**, sorte de syndicat de régions défavorisées par leur situation, unies pour obtenir l'aide communautaire.

■ Un littoral très varié

La péninsule est cernée d'un littoral fort long (de 1 000 à 3 500 km selon les méthodes de mesure !) dont le tracé sinueux et la variété sont l'héritage des failles et basculements tertiaires, pour les lignes directrices, des variations quaternaires du niveau marin pour le détail. Submergeant la frange d'un massif ancien buriné par l'érosion, la transgression flandrienne a accentué la sinuosité du trait de côte en multipliant les rias – ici rivières ou abers –, encaissées et linéaires au nord (Rance, Aber Wrac'h), basses et ramifiées au sud (Etel, Morbihan). L'importance des marées (13 m à Saint-Malo) découvrant ici de vastes estrans sableux, là des plates-formes à écueils, la vigueur des vents et des courants édifiant des cordons littoraux (Audierne, Gâvres) qui barrent localement des marais (Dol), ont contribué à accentuer la diversité d'un littoral offrant ainsi de multiples possibilités d'installation aux hommes.

■ Un climat océanique

La proximité de la mer, jamais éloignée de plus de 60 km, est ressentie sur toute la péninsule ouverte aux flux venus d'un océan réchauffé par la dérive nord-atlantique. Le climat breton n'est pas sans aspects déplaisants : fréquence des perturbations et des vents, parfois violents, des pluies (150 j/an) qui n'apportent pourtant que des hauteurs d'eau le plus souvent inférieures à 1 m et n'évitent pas certaines périodes de sécheresse estivale. La douceur thermique est plus agréable, surtout en hiver où l'on compte moins de 40 jours de gel. Un tel climat favorable à la chênaie-hêtraie l'est aussi à l'herbe. Il explique la régularité des nombreux petits cours d'eau aux crues de saison froide ; l'ampleur de ces dernières est limitée par la taille des fleuves : trois atteignent 100 km (Rance, Aulne, Blavet) et la Vilaine 225 km. Si le climat océanique s'étend partout il admet des nuances : le littoral, aux hivers plus doux et aux étés plus lumineux, surtout au sud, est accueillant aux plantes méridionales (figuier, mimosa), aux primeurs et aux touristes. La « Montagne » (monts d'Arrée, Montagnes Noires) doit à son altitude, bien faible, un accroissement de pluies et de rudesse hivernale. Le Bassin de Rennes, plus continental, a des étés un peu plus chauds et secs.

■ Ar Mor et Ar Goat

C'est en partie par son influence sur le climat et sur les possibilités agricoles, mais beaucoup plus par les activités maritimes qu'elle a suscitées, que la mer est à l'origine de l'opposition traditionnelle entre pays de la mer **(Ar Mor)** et pays du bois **(Ar Goat)**. Elle ne reflète pas seulement le contraste entre un paysage plus ouvert et un paysage de bocage, mais celui entre un littoral plus peuplé et plus urbanisé, aux activités plus diversifiées et un intérieur moins occupé, moins riche, moins différencié qui prolonge au cœur de la péninsule les campagnes de l'ouest armoricain.

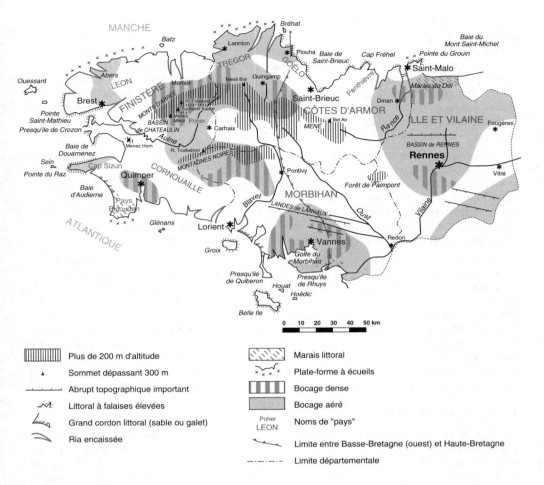

Figure 28. La Bretagne. Croquis de localisation.

2. L'Extrême-Ouest armoricain

■ La pénéplaine armoricaine

La Bretagne constitue une bonne partie du Massif armoricain, massif dont ni l'altitude moyenne (104 m), ni les points culminants (Roc'h Trévézel, Tuchenn Kador, 383 m), ni l'allure d'ensemble du relief n'évoquent la montagne. L'uniformité d'ensemble de cette pénéplaine, qui se résout en « un moutonnement de croupes surbaissées » (Couvreur) procède d'une succession d'aplanissements de la fin du Primaire, où ils arasèrent les plis hercyniens, jusqu'au Tertiaire où se succédèrent phases de décomposition chimique et phases de déblaiement mécanique sous climats chauds. Le Tertiaire connut aussi les mouvements tectoniques qui soulevèrent et bombèrent dissymétriquement l'ouest breton – le versant court plongeant vers la Manche – et affaissèrent la Bretagne orientale ; ils s'accompagnèrent de failles et de basculements, accidentant les plateaux et délimitant littoraux et bassins intérieurs (Rennes, Châteaulin). Au Quaternaire revint l'empâtement des formes, par les coulées de head, mais aussi la mise en valeur des différences de dureté des roches là où subsistaient des racines de plis hercyniens et où naquit un relief appalachien (sud de Rennes). Cette histoire explique le paradoxe d'un relief calme dans son ensemble, accidenté dans le détail : les bas plateaux du Trégor, du Léon, de Cornouaille y alternent avec des bassins schisteux peu profonds (Rennes, Châteaulin) ; mais les premiers sont coupés d'escarpements de roches dures, parfois dominés de sommets résiduels aux formes lourdes (Menez Hom, Menez Mikel) ou de chicots schisteux (Roc'h Trévézel) ; ils sont burinés de nombreuses vallées dégagées dans les roches tendres ou incisées dans les plus dures. L'abondance des formes en creux, qui fit la fortune de l'expression « relief en creux », est à l'origine du pittoresque mais aussi des difficultés de circulation.

L'héritage géologique se trouve aussi dans la nature acide et imperméable des sols développés sur des roches schisteuses ou granitiques. Ceux nés sur les grès et schistes pourpres, ou ceux conservés sur les interfluves mal drainés, restes des aplanissements tertiaires, sont très médiocres et portent le plus souvent des bois et des landes. Mais ceux formés sur les schistes briovériens ou carbonifères des bassins ou sur les limons des plateaux du nord sont bien meilleurs. Au demeurant, le recours aux amendements marins puis au chaulage a sensiblement modifié les aptitudes naturelles de ces sols.

L'ingéniosité humaine n'a pu pallier, en revanche, la faiblesse des ressources minérales de ce massif ancien. Les innombrables gisements connus (Atlas de Bretagne), trop peu rentables, ne donnent lieu qu'à une petite production de fer (33 000 t) et d'andalousite (50 000 t, la première d'Europe). L'industrie extractive s'exerce surtout dans les carrières de kaolin (Ploëmeur, Plémet, Quessoy) dont la production – 80 % de celle de la France – est utilisée hors de la région, ainsi que dans les carrières de granit d'Ille-et-Vilaine et des Côtes d'Armor à partir desquelles des entreprises artisanales (4 000 actifs) fournissent des matériaux de voirie, de construction, des cheminées et des monuments funéraires. L'existence de ces ressources, non négligeables, n'a toutefois pas compensé l'absence de charbon, ressentie au XIXe, ni celle du pétrole vainement cherché en mer d'Iroise au cours des années 1970.

■ Un bocage très altéré

Davantage que le relief, le bocage a longtemps été le signe le plus tangible de l'appartenance bretonne à l'ouest armoricain. Ce paysage boisé doit peu aux forêts : elles ne couvrent que 9,8 % du sol, n'atteignant qu'exceptionnellement une dimension notable : forêt de Paimpont, mythique Brocéliande. Les landes d'ajonc et de bruyère couvrent autant d'espace que les bois, malgré une réduction de 60 % depuis le XIXe. L'aspect boisé tient aux multiples haies vives plantées autour des parcelles, le plus souvent ici sur un talus souligné d'un fossé. La variété du maillage des haies, ici dense et irrégulier, là aéré et géométrique, a pu s'expliquer par la diversité des périodes de formation. Plus mystérieuses sont restées les lacunes du bocage observées sur le littoral – champs ouverts laniérés de la baie de Saint-Brieuc, talus non plantés du Léon, murets de pierres du littoral atlantique – ou dans l'intérieur : « méjous » ou champagnes réunissant nombre de parcelles ouvertes au sein d'une clôture commune et parfois associés à un habitat groupé en rangées (rues, barres). Mais ces menus paysages ouverts sont peu de chose à côté de ceux créés depuis 1960 par l'abattage de milliers de kilomètres de talus, le plus souvent dans le cadre d'opérations de remembrement répondant aux nécessités de la mécanisation agricole. En 36 ans, sur 1 273 000 hectares, le parcellaire a été remodelé, les chemins ruraux réduits et refaits, les haies remplacées par des clôtures métalliques, électrifiées ou non. L'opposition des défenseurs du patrimoine et l'apparition de phénomènes d'érosion des sols ont ralenti la destruction du bocage dans les dernières années, conduit à sauvegarder des haies importantes, voire à en replanter. Néanmoins le bocage dense ne subsiste plus guère que dans une moitié de l'Ille-et-Vilaine, autour du golfe du Morbihan et dans quelques cantons du Trégor et du pays de Carhaix. En Bretagne centrale, sur des horizons très dégagés, haies reliques et tas de souches témoignent seuls de l'existence de l'ancien paysage. L'habitat dispersé, en maisons isolées ou hameaux, demeure la règle, pourtant, même si le semis ancien se voit perturbé par la prolifération récente d'un habitat non agricole en milieu rural.

■ Une société traditionnaliste

Même si la rapidité de certaines évolutions du monde rural peut donner à penser le contraire, la société bretonne, d'origine rurale en majorité, reste attachée aux traditions. Elle est volontiers conservatrice en politique, même si la « vague rose » de 1981 y fut plus forte que dans l'ouest intérieur (M. Phlipponneau). Sans doute peut-on voir là l'influence persistante de l'Eglise s'exerçant surtout au travers de l'école privée (40 % des élèves) et des organisations de jeunesse (J.A.C., patronages). Elle témoigne aussi, surtout à l'ouest, d'un attachement au petit « pays » d'origine, héritage de l'histoire médiévale (Trégor, Léon, Cornouaille, Penthièvre), parfois domaine ethnologique (Pays bigouden), jamais unité naturelle (Flatrès). A un niveau supérieur elle reste fidèle à l'opposition entre Haute et Basse-Bretagne. La **Haute-Bretagne**, francophone – c'est le pays **gallo** pour les Celtes – s'organise autour des deux capitales ducales (Rennes et Nantes). A l'ouest d'une ligne Plouha-Vannes, la **Basse-Bretagne**, topographiquement la plus élevée, est le domaine de la langue bretonne. Cette langue celtique, héritage du gaulois régénéré par l'immigration bretonne, n'a cessé de reculer devant le français, langue ducale d'abord puis, surtout, langue de l'école publique et instrument de promotion sociale depuis la fin du XIXe (Flatrès). Elle n'est plus guère comprise que par 400 000 personnes, parlée par 250 000, par beaucoup moins de manière usuelle. Le recul accéléré de la langue a suscité, en réaction, la revendication de son enseignement, celle-ci participant d'ailleurs à un effort plus général de sauvegarde de la culture celtique entrepris par de nombreux cercles plus connus des touristes par leurs manifestations folkloriques que par leurs recherches. Le mouvement culturel procède lui-même, parfois, d'une revendication identitaire plus politique, celle du mouvement breton qui, depuis un siècle, par la voix de multiples petits partis, éphémères mais renaissants, réclame une autonomie, voire une indépendance bretonnes.

Curieusement, cet attachement au pays, fondé sur le respect du passé, a contribué, à partir des années 1950, au succès des idées développées par le CELIB pour assurer la construction de l'avenir breton. Ce comité, réunissant chercheurs et responsables politiques et économiques, a élaboré le premier programme d'action régionale adopté en France (1956). L'opinion régionale l'a ensuite soutenu, parfois avec éclat, dans sa lutte pour la mise en œuvre de ce programme, comme elle a soutenu, plus tard, la commission de développement régional ou l'établissement public régional dans leur défense des intérêts bretons. Cette même attitude explique aussi l'écho favorable rencontré par les associations de défense du patrimoine naturel dans leur lutte contre la pollution des eaux continentales ou marines (« *Eaux et Rivières* ») ou pour la préservation du milieu régional : la « *Société d'études et de protection de la nature en Bretagne* », fondée dès 1953, a pu ainsi multiplier les réserves naturelles, obtenir le classement et la protection de nombreux sites et la création du Parc naturel régional d'Armorique. L'action de ces sociétés n'a pas manqué de stimuler celle de nombreux comités de défense locaux dont la promptitude à s'insurger contre des opérations de remembrement, d'implantations industrielles ou immobilières, a pu apparaître, parfois, comme un obstacle aux mutations économiques en cours.

3. Une mutation démographique rapide

Trente ans ont suffi pour faire d'une population majoritairement rurale et agricole, minée par l'exode, une population en essor, malgré un dynamisme naturel réduit, et une population dont la ruralité n'est plus qu'illusoire, tant ses structures économiques ont été bouleversées.

La croissance retrouvée

Alors que, depuis 1911, la Bretagne se dépeuplait par émigration, depuis 1954, elle a gagné un demi million d'habitants. Elle atteint aujourd'hui son maximum démographique (2 855 000). Moins rapide que celle de la France, sauf de 1975 à 1982, cette croissance surprend par la part qu'y prend l'immigration depuis 1968 : 45 % du progrès total. Il ne s'agit pas d'un afflux d'étrangers qui ne forment qu'1 % de la population régionale – dont 1/3 groupé à Rennes –. L'immigration, en provenance de l'Ile-de-France et des régions proches, est surtout composée d'actifs de plus de 30 ans et de retraités, le nombre de ces derniers (34 000) équilibrant presque celui des départs de jeunes (20-29 ans) entre 1982 et 1990. Ces deux derniers mouvements, s'ils tendent à s'annuler arithmétiquement, contribuent au vieillissement régional.

Faible vitalité et vieillissement

Jadis facteur exclusif du progrès démographique, l'excédent naturel ne l'explique plus qu'à 40 % en 1995 ; il s'est réduit de moitié en 30 ans. Pourtant la mortalité a baissé ; l'espérance de vie masculine, naguère très inférieure à la moyenne nationale, rejoint celle-ci (72,4 contre 73,6 ans) ; la mortalité infantile est désormais faible (4,2 ‰). Mais l'indice synthétique de fécondité, longtemps supérieur à la moyenne (2,9 en 1968), est tombé au-dessous de celle-ci, plus bas que dans l'ensemble de l'Ouest (1,73). En 20 ans, alors que le nombre des mères potentielles augmentait de 22 %, celui des naissances chutait de 20 %. Cette réduction des naissances a impliqué celle des moins de 20 ans : de 33,5 % en 1968 leur proportion est tombée à 25,4 % en 1995 et atteindra 20 % en 2020. Pendant ce temps la part des plus de 60 ans augmente, l'allongement de la vie s'ajoutant à l'immigration de retraite : de 22 % aujourd'hui, elle devrait s'élever à 31 % en 2020. Mais, déjà, dans bien des cantons les vieux sont plus nombreux que les jeunes.

Une ruralité illusoire

Avec 40,7 % d'habitants d'un espace à dominante rurale, selon la nouvelle définition de l'INSEE, la Bretagne est parmi les régions les plus rurales de France. C'est l'héritage d'un passé récent : en 1954 encore, les 2/3 des Bretons vivaient à la campagne, dans un des mille bourgs ou des cent mille écarts-maisons isolées ou « villages » de quelques habitations – qu'on y rencontrait. C'est aussi la conséquence d'un courant d'immigration qui, depuis 1975, compense le déficit naturel. Mais cette immigration a surtout bénéficié aux petits centres ruraux favorisés par une industrialisation récente et, plus encore, aux communes périurbaines qui réunissent 22 % de la population régionale et manifestent le plus de dynamisme démographique ; dans le monde rural profond elle est surtout une immigration de retraite qui contribue à la dégradation du bilan naturel. Le doublement des migrations alternantes de travail, depuis 1975, dans le monde rural, souligne aussi sa dépendance accrue à l'égard des villes. Ainsi l'importance statistique de la population rurale dissimule, en réalité, une rétraction vigoureuse de l'espace « rural profond » et un bouleversement de la société des campagnes.

D'un monde paysan à une société tertiaire

En 40 ans l'effectif de la population active employée n'a guère varié (1 072 000 en 1995), mais sa répartition s'est radicalement modifiée. Jadis majoritaire, le secteur primaire n'occupe plus que 10 % des actifs, alors que le tertiaire a vu sa part s'élever de 27 à 65 %. L'industrie a sensiblement progressé, fait original en France. Pourtant, malgré cet indiscutable bouleversement, la comparaison du poids relatif de l'emploi breton dans l'emploi national montre, qu'en 1990 comme en 1954, la Bretagne se singularise par l'importance de ses activités agricoles et maritimes – et des industries agro-alimentaires induites – plus que par celle des nouvelles activités industrielles et tertiaires dont l'essor a accompagné celui des villes.

Evolution de la structure de la population active (1954-1990)

Activités	% de la population active régionale		% de la population active nationale	
	1954	1990	1954	1990
Ensemble	100	100	5,7	4,7
Primaire	50,9	10,8	10,6	9,5
Industrie	20,2	26,7	3,2	4,2
dont I.A.A.	5,7	9,7	2,6	5,9
Tertiaire	27,2	61,5	4,3	4,5

2. LE MODÈLE AGRICOLE BRETON

En trois décennies la Bretagne a adopté un modèle d'agriculture intensive familiale associée à l'industrie agro-alimentaire. Sa réussite a fait d'elle la première région agricole de France, non sans poser de multiples problèmes (Canevet).

1. La première région agricole française

Sur 6 % de la surface agricole utilisée en France, la Bretagne fournit 13 % de la production nationale (39 Md F), sa suprématie s'affirmant surtout dans les productions animales (87 % des livraisons finales) mais aussi dans quelques productions légumières : artichauts, choux-fleurs, épinards, pois, haricots... L'importance de la production reflète celle du travail humain : 84 % des terres sont en labour-cultures fourragères et prairies temporaires surtout – ce qui autorise de fortes charges de bétail et permet une production à l'hectare double de la moyenne nationale (22 400 F). L'intense consommation de travail (1 U.T.A. pour 20 ha) s'accorde avec la proportion encore élevée d'actifs agricoles (9 %) qui ne donne pourtant qu'une faible mesure de l'importance humaine de l'agriculture dans la vie régionale : en ajoutant à ces actifs leurs familles, les retraités, les salariés de l'industrie, du commerce, du transport et des multiples services œuvrant pour l'agriculture (mutualité, crédit, conseil, soins vétérinaires, enseignement) c'est entre 1/5 et 1/4 de la population qui dépend de sa prospérité.

Principales productions agricoles bretonnes (1995)

	Unité	Quantités	% France
Viande de porc	1 000 t	1 109,6	55,8
Viande de volaille	"	841,8	42
Viande de veau	"	82,8	32
Viande de gros bovins	"	197,1	13,4
Lait	hl	50 050	20,2
Œufs	Millions	5 618	46,7

Source : DRAF 1996.

2. La révolution agricole contemporaine

La puissance de l'agriculture contemporaine contraste vigoureusement avec le retard affiché 40 ans plus tôt par une polyculture paysanne offrant à de trop nombreux exploitants des conditions de vie médiocres : 15 % bénéficiaient de l'eau courante et 50 % de l'électricité. La révolution agricole qui s'est opérée a revêtu de multiples aspects.

■ La mutation de la population paysanne

En 40 ans la population agricole s'est réduite des 3/4 et ne forme plus que le 1/5 des ruraux. Ce déclin tient à l'exode et à la dénatalité mais aussi aux lois d'orientation agricole qui ont favorisé la mutation professionnelle des jeunes et la retraite des vieux (240 000 indemnités viagères de départ en 25 ans, 6 800 demandes de préretraite depuis 4 ans). Le départ des hommes a entraîné la disparition des 2/3 des exploitations, surtout celles de moins de 20 ha jadis prépondérantes. Si de très petites subsistent, comme exploitations de complément ou de retraite, les exploitations moyennes, dépassant de plus en plus souvent 50 ha, occupent désormais les 3/4 de l'espace agricole et fournissent 85 % de la production. Plus encore, dans ce pays d'élevage intensif où la superficie n'est pas très significative, un quart des exploitations dépassent 40 unités de développement économique – équivalent de 60 ha de céréales. Malgré cette évolution la Bretagne n'en reste pas moins un pays d'exploitations nombreuses (62 000) employant à 93 % une main-d'œuvre familiale.

Cette transformation considérable du monde des exploitants s'est opérée sans traumatisme grave parce qu'elle s'est accompagnée d'une amélioration du niveau de vie – 63 % des ménages agricoles jouissent de tout le confort dans l'habitat et 96 % ont une automobile – et d'une modification des mentalités : à partir des années 1960 se multiplient les agriculteurs formés par la J.A.C., adhérents au C.N.J.A. où se prône le progrès technique, l'ouverture économique, l'aménagement des structures, revendiquant parfois de manière violente leur droit à un revenu décent et affirmant leur volonté de promotion sociale. Un autre facteur de progrès réside dans l'effort de formation professionnelle mené par 76 établissements d'enseignement agricole, accueillant 18 000 élèves chaque année ; en 1995, 1/3 des chefs d'zxploitation avaient au moins une formation secondaire agricole, contre 5 % 15 ans plus tôt. L'amélioration qualitative de la population agricole a beaucoup plus que compensé sa réduction quantitative, en la rendant plus encline à la modernisation technique.

Population active et exploitations agricoles (1955-1995)

	1955		1995		Variation
	1 000	**%**	**1 000**	**%**	**%**
Actifs	543	–	93	–	– 83
Exploitations	196,9	100	62	100	– 68
dt – de 5 ha	60,2	30,5	14,2	22,9	– 76
de 5 à 20 ha	109,7	55,8	13,4	21,6	– 87
+ de 20 ha	26,3	13,4	22,9	36,9	– 13
de 50 ha et +	0,7	0,3	11,5	18,6	+ 1542

Sources : INSEE RGP 1954 et RGA 1955, DRAF 1996.

■ La modernisation des techniques de production

L'intense mécanisation – quadruplement des tracteurs devenus deux fois plus nombreux que les exploitations, apparition d'engins nouveaux : moissonneuses-batteuses, ramasseuses-presses, ensileuses – a fortement poussé au remembrement et à l'abattage des talus. Elle n'a pas été la seule manifestation du souci croissant de productivité : recours massif aux amendements calcaires et aux engrais-nitrates surtout – drainage de 100 000 hectares, irrigation d'autres, contrôle laitier et insémination artificielle privilégiant par exemple la race Frisonne-Holstein (69 % du troupeau) ont concouru au progrès des rendements ; celui des prairies a doublé et celui des vaches laitières plus que triplé entre 1955 et 1990.

La modernisation a accompagné la spécialisation, dans l'élevage pour 4/5 des exploitants, mais surtout au sein de l'élevage : éleveurs laitiers, les plus nombreux mais en diminution, éleveurs de bovins pour la viande, notamment de veaux et de taurillons, et, surtout, éleveurs de porcs et de volailles, ces dernières étant tantôt volailles de chair, tantôt de ponte. Eleveurs de porcs et aviculteurs ne possèdent que 16 % des exploitations mais 46 % de celles de grande dimension économique ; ils gèrent souvent des cheptels de plusieurs centaines de porcs et milliers de poules. Il s'agit en général d'élevages « hors-sol », dont la dimension est sans rapport avec la superficie exploitée car les aliments sont achetés à l'extérieur. De telles méthodes, si éloignées des formules traditionnelles, ont surtout séduit de jeunes agriculteurs, manquant de terres mais n'hésitant pas à emprunter des capitaux pour répondre massivement à la demande de l'industrie et de la grande distribution.

■ L'organisation des marchés et la coopération

Intensification et spécialisation de l'agriculture ont beaucoup accru sa dépendance du marché. Elle lui réclame aliments, engrais, matériel et services variés (financiers et techniques). La valeur de ces consommations intermédiaires excède les 2/3 de celle des livraisons, la consommation d'aliments animaux y entrant pour beaucoup – 16 Md F, le tiers de la consommation nationale –. Elle lui demande aussi d'absorber l'essentiel d'une production dont le 1/5, déjà, ne trouve de débouchés qu'à l'extérieur de la France, U.E. surtout.

La prise de conscience de cette double dépendance explique l'intérêt précoce des agriculteurs pour l'amélioration des transports ferroviaires, puis routiers et enfin maritimes : création du port « légumier » de Roscoff. Surtout, elle les a conduits à concevoir de nouveaux modes de commercialisation en imaginant – dès 1961 – le premier marché légumier au cadran installé en France, à Saint-Pol-de-Léon : les légumes, au conditionnement normalisé, y sont vendus aux enchères publiques ; la perception d'une taxe permet au gestionnaire de pratiquer des prix de retrait et d'organiser des campagnes publicitaires. Saint-Pol a suscité des émules dans les autres régions légumières (à Paimpol et Saint-Méloir, reliés électroniquement au premier) puis des imitateurs chez les producteurs de viande : le dernier marché au cadran du porc, à Plérin, traite 4,2 millions de bêtes par an. Cette révolution commerciale a impliqué l'organisation de groupements de producteurs qui contrôlent désormais l'essentiel de la production légumière, horticole, bovine, porcine et celle de poulet de chair. La tendance au groupement, chez des agriculteurs réputés individualistes, s'est d'ailleurs exprimée très tôt par la constitution de CETA – celui de Loudéac fut un des premiers en France –, puis de CUMA (826) et enfin de GAEC dont la fréquence (5 600) est plus forte que dans bien des régions. Elle s'est traduite aussi dans l'essor des coopératives.

Modestes et dispersées encore dans les années 1950, en dehors de celles regroupées dans l'Office central de Landerneau, les coopératives ont connu, dès les années 1960, une croissance et une concentration rapides, dans un climat de rivalité idéologique et de compétition avec le secteur privé industriel, dont la puissance naissante menaçait l'indépendance des éleveurs. Emulation et nécessités du marché les ont conduites à

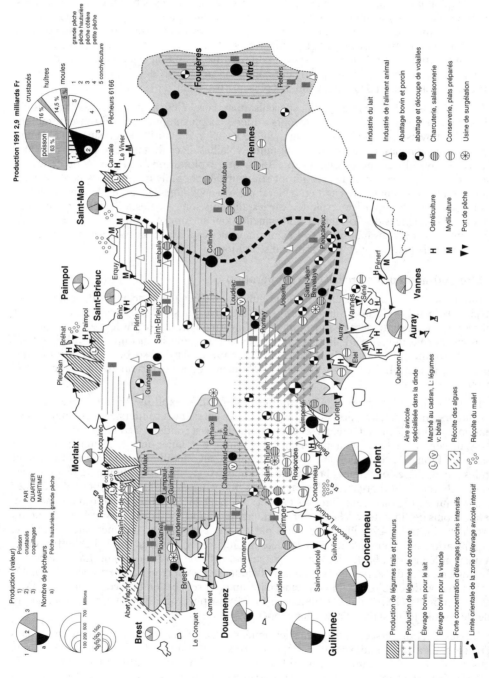

Figure 29. Agriculture, pêche et industrie agro-alimentaire

La France dans ses régions

s'intéresser non seulement à la commercialisation mais à la transformation industrielle des produits agricoles (voir ci-après) ainsi qu'à la formation de leurs adhérents, voire à la recherche technologique. Le besoin de capitaux importants requis pour la réalisation de leurs objectifs les a amenées, par fusion, absorption, restructuration à édifier de puissantes unions coopératives (COOPAGRI, UNICOPA, CECAB...) qui sont parmi les très grandes entreprises économiques bretonnes (Canevet).

Trois grandes coopératives bretonnes en 1995

UNICOPA (Morlaix) : 6,5 Md F de C.A. 3 100 salariés.
Activités principales : laiterie, abattage et découpe des volailles, surgélation, aliments du bétail, charcuterie.

COOPAGRI (Landerneau) : 8 Md de C.A. 3 700 salariés.
Activités principales : approvisionnement, collecte céréalière, surgélation, aliments du bétail. Participations dans l'industrie du lait, de la viande et des ovoproduits.

CECAB (Theix) : 6 Md F de C.A. 3 500 salariés.
Activités principales : conserverie de légumes, production d'ovoproduits, surgélation, aliments du bétail, découpe de volailles...

Sources : Canevet et Bretagne Economique 1996.

3. La nouvelle industrie agro-alimentaire

En 1995, avec 48 000 actifs qui, dans plus de 550 établissements, fournissent 30 % de la valeur ajoutée industrielle et 40 % des exportations de la Bretagne, l'I.A.A. est la première branche industrielle régionale – hors bâtiment –. A la différence d'autres activités, d'essor récent comme le sien, elle procède largement de l'initiative régionale et reste ancrée dans le monde rural.

■ Une industrie récente

Au milieu du XXe, les conserveries de poisson (sardine et thon, morue) ou de légumes (haricots verts, pois) constituent avec quelques biscuiteries et charcuteries l'essentiel d'une modeste industrie alimentaire développée, sous influence nantaise, sur le littoral atlantique et en Cornouaille. Malgré des crises successives et au prix d'innovations récentes (filetage du poisson, surgélation, plats cuisinés, soupes, viennoiserie) cette industrie traditionnelle a retrouvé son importance humaine (9 800 salariés dans 160 usines) mais ne contribue qu'à 18 % de la production en valeur des I.A.A. Le progrès de ces dernières, depuis les années 1960, est celui de l'industrie de la viande, du lait et de l'aliment du bétail étroitement dépendantes de l'élevage intensif. L'industrie de la viande (58 % de l'emploi) est davantage une industrie d'abattage de porcs, volailles, bovins, pratiquée dans quelques-uns des plus grands abattoirs européens (Bigard, Kermené), qu'une charcuterie néanmoins bien représentée (Stalaven, Onno). L'industrie du lait (12 % de l'emploi) traite 1/5 de la production française pour fournir du beurre, de la poudre, de la caséine mais assez peu de fromage (emmental) et de produits fermentés frais. L'industrie de l'aliment du bétail (40 % de la production nationale des aliments pour porcs et volailles) doit son importance, moins à la main-d'œuvre qu'elle emploie (7,5 %) qu'à son rôle historique dans l'essor de l'élevage et du commerce maritime.

■ Une industrie d'initiative régionale

Ces nouvelles et puissantes industries sont bien souvent nées d'initiatives locales très modestes : charcutiers, négociants, minotiers, ce qui explique la persistance de nombreuses petites affaires familiales. Mais, à partir de 1970, les impératifs du marché ont conduit à la concentration : 80 % de la production du lait ou de l'abattage des porcs et volailles sont assurés par moins de six groupes. Cette évolution a favorisé la pénétration des capitaux extérieurs sans supprimer la prépondérance des capitaux locaux, notamment en raison de la place des coopératives dans l'industrie : 50 % de l'abattage des porcs, 40 % du travail des fruits et légumes, 45 % de la fabrication des aliments. Les grands groupes coopératifs sont devenus de grandes firmes industrielles, gérant directement des usines ou participant seulement à leur capital, mais presque toujours caractérisées par leur polyvalence (viande, lait, surgélation, aliments) et leur spécialisation dans les premiers stades de transformation. Les groupes privés, le plus souvent régionaux, sont davantage restés fidèles à leur spécialité primitive : abattage des volailles pour Doux (7 500 emplois en 13 sociétés), lait pour Entremont ou Bridel – racheté par Besnier –, aliment du bétail et produits intermédiaires pour la pharmacie chez Guyomarc'h qui, après son intégration dans Paribas, s'est séparé de ses activités d'abattage et de découpe de volailles.

■ Une industrie rurale

Il est symbolique que le siège social de plusieurs de ces groupes privés ou coopératifs se trouve en milieu rural : Guyomarc'h à Saint-Nolff, CECAB à Theix, Doux à Châteaulin. Il est plus important que de nombreux établissements industriels se trouvent dans des centres ruraux (Lamballe, Loudéac, Carhaix, Locminé) voire de simples villages : Collinée, Bignan, Pleucadeuc (1380 hab.) où trois usines, dont une créée par un actionnariat local, ont apporté 400 emplois et renversé le cours de la démographie (Couvreur). La répartition de l'industrie en milieu rural s'est faite en rapport avec les grands axes de circulation – surtout pour l'alimentation animale traitant des matières pondéreuses – et, plus encore, avec la spécialisation des bassins d'élevage : laiterie et alimentation des veaux en Ille-et-Vilaine et dans le Bas-Léon, abattage bovin dans le Vitréen, abattage porcin et charcuterie dans le pays de Lamballe et du Mené ainsi qu'en Cornouaille, abattage et découpe des volailles dans le pays de Carhaix et le Morbihan central. Plus encore au niveau local qu'au niveau régional, l'I.A.A. est enracinée dans un milieu rural qui lui offre ses matières premières et sa clientèle, ses travailleurs et ses capitaux.

4. Problèmes posés par la révolution agro-alimentaire

■ L'accroissement des disparités au sein du monde agricole

En simplifiant abusivement la tradition géographique n'a longtemps retenu, en Bretagne, que l'opposition entre une « Ceinture dorée », mince et fragmentaire, et le reste du pays, domaine d'une polyculture pauvre. La révolution agricole a fortement remis en cause cette vision. Désormais se distinguent des *foyers de dynamisme* où des spéculations intensives, menées par des exploitants bien formés, s'appuient sur un réseau commercial et industriel dense : Léon et bassin de Châteaulin où les élevages intensifs sont venus s'ajouter aux traditionnelles cultures légumières, au nord-ouest ; Vitréen et Fougerais plus orienté vers l'élevage et l'abattage bovin, à l'est, et, dans la Bretagne médiane, le grand Y associant le Trégor oriental (légumes et élevages intensifs), le Penthièvre et le Mené devenus la première région de production et d'abattage de porcs en France, le pays de Loudéac parmi les premiers novateurs, le pays de Carhaix et le Morbihan central, naguère réputés pour leur pauvreté et devenus grands producteurs et abatteurs de volailles. A l'opposé de ces foyers de développement agricole, apparaissent des *régions en stagnation*, voire en régression, conjuguant ici crise démographique et difficultés naturelles (monts d'Arrée), là attraction urbaine et orientation vers d'autres activités que l'agriculture (tourisme) : littoral atlantique, pays du sud de Rennes.

La révolution agricole a aussi accru *les disparités sociales* au sein du monde agricole. Elle a favorisé l'émergence de 6 à 8 000 entrepreneurs agro-industriels – tel A. Gourvennec, ancien leader syndical, devenu chef de la plus grande exploitation européenne individuelle et président de la B.A.I. –. Le plus souvent dirigeant de grands élevages intensifs, avec une main-d'œuvre salariée et des capitaux empruntés, ces productivistes résolus qui assurent les 2/5 de la production régionale, ont été les moteurs de la révolution mais sont de plus en plus contestés par les exploitants familiaux. Ceux-ci (80 % de l'ensemble) forment un groupe hétérogène : la diversité de leurs orientations (laitière, petits élevages spécialisés, légumes, polyculture) s'ajoute à celle de leur réussite. Certains ont acquis une relative aisance, beaucoup sont en difficulté pour s'être modernisés trop tard ou trop inconsidérément. A ces deux catégories s'ajoute celle des « marginaux » (30 %) contribuant à 5 % de la production : retraités, ouvriers-paysans, bouchers, ostréiculteurs ; leur présence peut marquer fortement la vie agricole là où ils représentent plus du 1/3 des exploitants : littoral de la Rance, du Trégor, de l'Atlantique, pays de Rennes. Ils ne sont guère concernés, en revanche, par les périodiques remises en cause du « modèle breton » d'agriculture.

■ La fragilité du modèle breton

L'éclatement du monde paysan souligne les difficultés rencontrées dans l'application d'un modèle visant à accroître la production et le revenu agricoles en maintenant une forte proportion d'exploitants familiaux. L'augmentation des livraisons sur un marché solvable presque saturé, aboutissant à des crises de mévente – parfois en rapport avec des événements internationaux : guerre du Golfe, dévaluations, crise de la vache folle –, justifiant une politique communautaire de limitation des productions, a provoqué une stagnation, voire un recul du revenu agricole depuis une décennie. Ce problème, connu de toute la France, est particulièrement aigu dans une région où le résultat d'exploitation est laminé par l'importance des consommations intermédiaires et des charges financières liées aux emprunts, quand la forte consommation de travail abaisse encore la rémunération de celui-ci. La maigreur des salaires versés par l'industrie agro-alimentaire, trop cantonnée dans les stades de première transformation, n'est qu'une mince consolation. Aussi, bien des agriculteurs cherchent-ils des ressources complémentaires dans de micro-élevages (lapins, visons), la culture biologique ou le tourisme rural. Ce dernier, encore peu développé (3 300 gîtes, 1 400 chambres d'hôtes, une centaine de fermes étapes, auberges...) offre des perspectives mais réclame de la part des agriculteurs une formation particulière et une attention vigilante à la préservation du milieu naturel menacé par la révolution agricole.

La nouvelle agriculture a non seulement entraîné la disparition du bocage mais aussi contribué à la pollution des eaux superficielles, profondes et même littorales. L'abus d'engrais, l'épandage mal contrôlé des effluents d'élevage et d'industrie d'abattage ont multiplié par 5, en 15 ans, la teneur des eaux en nitrates et phosphates. Dans bien des lieux d'élevage porcin intensif on a dû maintes fois interdire la consommation d'eau potable, recourir à des coupages d'eaux de provenance diverse, voire édifier des usines de dénitrification. Dans 71 cantons les épandages d'azote exèdent 170 kg/ha – norme communautaire – et, depuis 1994, 6 700 élevages ont demandé un diagnostic en vue de leur mise en conformité avec les nouvelles règles de protection de l'environnement. Simultanément, agriculteurs et chercheurs étudient les projets de transformations des lisiers et fientes en produits commercialisables. Mais la lutte contre la pollution ne manquera pas d'augmenter les charges financières agricoles, donc, dans une conjoncture maussade, de réduire les revenus et précipiter les abandons. Aussi, sous sa forme la plus productiviste, le modèle breton se trouve-t-il contesté à la fois par les exploitants familiaux qu'il tend à évincer et par les non-agriculteurs inquiets de la dégradation de leur cadre de vie.

3. LA PERMANENCE ET LE RENOUVELLEMENT DE LA VIE MARITIME

Sans être aussi primordiales qu'on le dit parfois, les activités maritimes sont très spécifiques de la Bretagne et remarquables par leur variété, en rapport avec celle du littoral : exploitation des ressources marines, activités portuaires et touristiques s'y succèdent, voire s'y concurrencent.

1. L'exploitation des ressources marines, la pêche

■ Les productions littorales

Depuis la disparition des marais salants, l'activité extractive se limite à la production de sable pour les travaux publics, de sables coquilliers et de tangue pour l'agriculture et, surtout, de **maërl** (50 000 t), minuscule algue incrustée de calcaire dont les gisements (de 0 à – 25 m) s'étendent entre Belle-Ile et le Cap Fréhel ; il constitue une des matières premières traitées par le groupe TIMAC à Saint-Malo.

La récolte des algues – **goëmon** breton – après avoir perdu de son intérêt pour la chimie minérale (iode), en a retrouvé pour la parachimie et l'industrie alimentaire consommatrices d'alginates extraits des laminaires. Des petites usines du Léon et de Saint-Malo, un centre de recherches du Trégor (Pleubian) s'intéressent à la valorisation d'une récolte de 68 000 t, réalisée à 80 % dans le Léon ; elle pourrait être 100 fois supérieure n'était la concurrence internationale. Des perspectives nouvelles pourraient aussi s'ouvrir à la culture d'algues alimentaires, déjà tentée par une quinzaine de petites exploitations, ou par la production de phytoplancton expérimentée à Houat.

Cette nouvelle forme d'aquaculture reste mineure par rapport à la séculaire ostréiculture, née sur le littoral atlantique au XIXe, étendue à celui de la Manche ensuite. Si ce dernier a vite adopté l'huître creuse, le sud est resté longtemps attaché à l'huître plate, plus recherchée, dont le naissain récolté dans les rivières de Crach et Auray était engraissé dans les parcs établis de Pénerf à Bélon ; plus que la creuse cette huître plate a subi les deux sévères épizooties qui se sont succédées en 30 ans. La production, tombée à 12 000 t en 1972, n'a dû son relèvement qu'au progrès de l'huître « gigas » (33 000 t en 1990) ; elle est assurée par 4 000 actifs répartis principalement dans les quartiers d'Auray, Vannes, Paimpol et Cancale où l'élevage a remplacé l'ancien dragage des huîtres sauvages. La mytiliculture, quant à elle, n'a pris son véritable essor qu'après 1950, dans les baies du Mont-Saint-Michel, de l'Arguenon, de la Fresnaye et de Saint-Brieuc, lorsque des immigrés charentais sont venus y installer leurs bouchots. Elle fournit 1/3 de la production nationale mais son extension se heurte à la pollution des eaux littorales et à la concurrence d'autres activités littorales (ostréiculture, tourisme…), problème connu dès le début par les essais d'élevage de palourdes dans les abers finistériens ou le Morbihan. L'élevage de crustacés et de poisson a suscité plus de déceptions, malgré la présence de sites intéressants et les efforts des chercheurs de l'IFREMER. Les réussites techniques, dans l'élevage des salmonidés par exemple, ont trop souvent abouti à des échecs économiques, les coûts de revient excédant ceux de la concurrence norvégienne, thaïlandaise ou chilienne.

■ La pêche

Demeurant le principal fournisseur de poisson, la pêche n'est plus qu'une activité secondaire dans la région : 4 700 emplois de marins, qui en induisent 15 000 dans l'industrie et le commerce, une production halieutique égale à 5 % de celle de l'agriculture. Mais elle assure à la Bretagne une place exceptionnelle en France : 30 % des pêcheurs, 45 % de la valeur du poisson et 76 % de celle des crustacés. La pêche bretonne est d'abord remarquable par son extrême diversité de produits (poissons variés, crustacés, coquilles), de techniques (lignes, filets, chaluts), de structures (artisanale, industrielle) qui résultent de la coexistence d'une **petite pêche** (55 % des pêcheurs) pratiquée dans les eaux littorales par des bateaux rentrant chaque jour au port, d'une **pêche côtière** impliquant des sorties de 2 à 4 jours vers des eaux plus profondes, d'une **pêche hauturière** (25 % des pêcheurs) menée par des chalutiers artisanaux ou industriels dans les eaux britanniques ou norvégiennes, en des « marées » d'une à quatre semaines, et d'une **grande pêche**, industrielle, pratiquée des mois durant dans les eaux tropicales ou subpolaires.

La diversité de la pêche explique à la fois sa dissémination géographique, quand il s'agit de la petite pêche, peu exigeante en installations et capitaux, et sa concentration quand il s'agit de la pêche hauturière ou de la grande pêche. Le littoral nord, **Saint-Malo** excepté, où le chalutage hauturier a modestement remplacé la grande pêche en déliquescence, est surtout le domaine d'une petite pêche au poisson frais, crustacés et coquilles Saint-Jacques, stimulée par la demande urbaine et touristique régionale. Le littoral au sud de Quiberon se consacre désormais plus à l'ostréiculture et au tourisme qu'à la pêche (1,5 % de la production régionale). C'est, en définitive, le littoral cornouaillais, entre Douarnenez et Lorient, qui assure les 4/5 de la production bretonne avec les 4/5 de la flotte hauturière. Au déclin des anciens grands ports de pêche saisonnière, comme **Douarnenez** et **Audierne**, s'oppose la vitalité de ceux du **pays Bigouden** où le quartier de **Guilvinec** (4 ports sur 20 km) est au premier rang national pour la valeur de la production. Celle-ci tient à la nature et à la fraîcheur des produits (langoustine, baudroie) apportés par une pêche artisanale côtière ; mais une évolution récente, imposée par la raréfaction des ressources locales, se dessine en faveur du chalutage hauturier. Celui-ci règne à **Lorient** (2e port français) où il est responsable des 2/3 des apports (29 000 t en 1996). Il y dispose d'un port rationnellement conçu en 1926 (Kéroman), doté d'un bon équipement commercial. Mais sa rentabilité a chuté, avec l'éloignement progressif des zones de pêche, et sa production aussi (merlu, cabillaud, lieu) : elle a baissé de plus de moitié depuis 1975, une partie des prises de ses chalutiers étant toutefois débarquée dans des bases britanniques, quitte à être acheminée par route vers le marché lorientais ensuite. Le déclin de **Concarneau** (3e port français, 28 700 t en 1996) a été moins sensible, mais peut-être plus menaçant dans une ville extrêmement dépendante de la pêche. Ancien port sardinier et thonier, reconverti au chalutage il y a 50 ans, conservant une pêche côtière notable, Concarneau doit son originalité à son armement à la pêche thonière tropicale : 138 000 tonnes d'albacore et de listao, extraites de l'Atlantique ou de l'océan Indien ont été débarquées, pour la plupart, en terre étrangère. Mais cette importante activité est actuellement très menacée par la faiblesse persistante du cours international du thon.

Les difficultés des grands ports traduisent celles de la pêche en général. Si la réduction des 4/5 de l'effectif des pêcheurs a, depuis 1950, n'a pas nui au progrès de la production jusqu'en 1977 (211 000 t) celle-ci s'est ensuite effondrée (137 000 t en 1996). La chute récente des cours a aggravé cette évolution, mettant en cause la vie de bien des armements et des ménages de pêcheurs. La raréfaction de ressources surexploitées, la politique communautaire de sauvegarde de ces ressources, le développement de la concurrence entre pays aux niveaux de vie et régimes sociaux différents, ont certes affecté tous les pêcheurs de France. Ceux de Bretagne ont subi, en outre, les inconvénients de leur double éloignement des zones de pêche hauturière et des plus grands marchés de consommation. Pour conquérir ces derniers, ils n'ont pas su se doter d'une organisation commerciale efficace ni conserver une industrie agro-alimentaire puissante, à la différence des agriculteurs. Mais l'amélioration indispensable des systèmes de commercialisation et de valorisation des produits de la pêche se heurte, il est vrai, à la diversité et à la dissémination géographique qui en font l'originalité, comme elles font celle des activités portuaires.

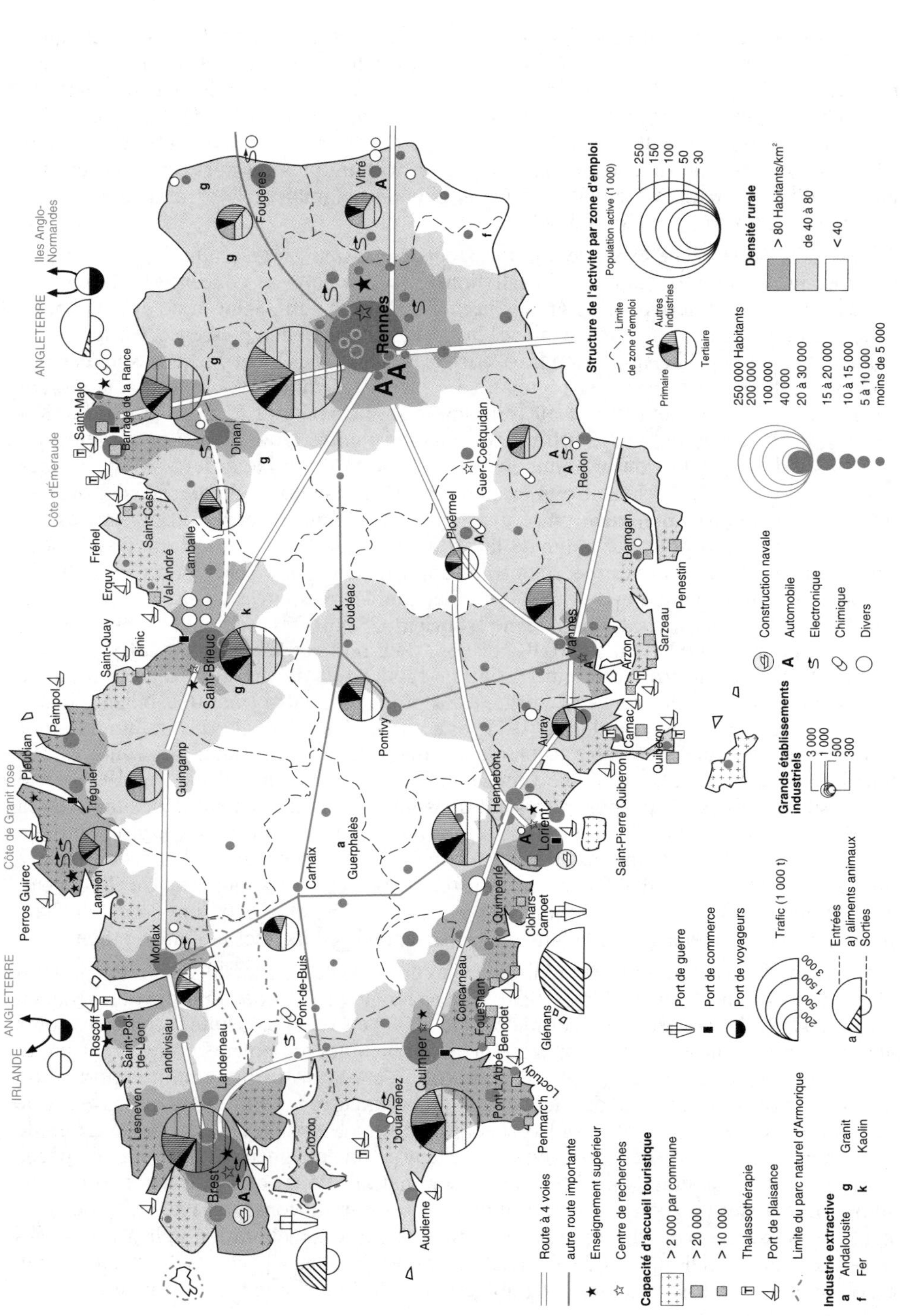

La France dans ses régions

Figure 30. Population, tourisme, ports et industries

IRLANDE ANGLETERRE

Iles Anglo-Normandes

ANGLETERRE

Côte d'Emeraude

Côte de Granit rose

Structure de l'activité par zone d'emploi

Population active (1 000)

250
150
100
50
30

Limite de zone d'emploi

IAA   Autres industries

Primaire   Tertiaire

Densité rurale

> 80 Habitants/km²
de 40 à 80
< 40

250 000 Habitants
200 000
100 000
40 000
20 à 30 000
15 à 20 000
10 à 15 000
5 à 10 000
moins de 5 000

Construction navale
A   Automobile
Electronique
Chimique
Divers

Grands établissements industriels

3 000
1 000
500
300

Trafic (1 000 t)

3 000
1 500
500
200

Entrées
a) aliments animaux
Sorties

Port de guerre
Port de commerce
Port de voyageurs

Route à 4 voies
autre route importante
Enseignement supérieur
Centre de recherches

Capacité d'accueil touristique

> 2 000 par commune
> 20 000
> 10 000

Thalassothérapie
Port de plaisance
Limite du parc naturel d'Armorique

Industrie extractive

a Andalousite   g Granit
f Fer   k Kaolin

Rennes
Saint-Malo
Barrage de la Rance
Dinan
Fougères
Vitré
Guer-Coëtquidan
Redon
Ploërmel
Damgan
Penestin
Sarzeau
Vannes
Auray
Carnac
Quiberon
Saint-Pierre Quiberon
Arzon
Hennebont
Lorient
Quimperlé
Clohars-Carnoët
Concarneau
Fouesnant
Bénodet
Pont-l'Abbé
Loctudy
Glénans
Quimper
Douarnenez
Audierne
Crozon
Penmarc'h
Pont-de-Buis
Châteaulin
Carhaix
Guerphalès
Guingamp
Pontivy
Loudéac
Saint-Brieuc
Binic
Saint-Quay
Lamballe
Val-André
Erquy
Fréhel
Saint-Cast
Paimpol
Tréguier
Perros Guirec
Lannion
Morlaix
Roscoff
Saint-Pol-de-Léon
Landivisiau
Lesneven
Landerneau
Brest
Pleudan
Côte de Granit rose

2. Les activités portuaires

Appréciées à l'aune du seul trafic commercial (7 Mt pour la région) elles apparaissent étonnamment réduites dans une région de tradition maritime, qui fournit encore 1/3 des équipages français et ne compte pas moins de 21 ports ! Ceux-ci, le plus souvent en fond de ria, sont inadaptés à la navigation moderne malgré les efforts menés par plusieurs, au XIXe, pour se doter de bassins à flot. L'absence d'industrie lourde régionale a freiné leur développement jusqu'à ce que l'agriculture nouvelle vienne leur offrir quelque trafic : importations de soja, manioc, mélasses pour la fabrication d'aliments animaux, d'amendements calcaires, d'engrais, exportation de légumes et viandes. Le port en eau profonde de Roscoff, créé en 1972 à la demande des exportateurs agricoles du Léon, est devenu le port des ferries vers l'Irlande et l'Angleterre. Son trafic (530 000 t et 625 000 passagers), aujourd'hui menacé par celui du tunnel sous la Manche, reste singulier par rapport à celui des trois premiers ports bretons dont l'activité commerciale n'est pas toujours l'élément essentiel de la vie maritime : Lorient (2,5 Mt), Brest et Saint-Malo (1,8 Mt).

Ainsi à **Lorient**, la Marine nationale, héritière de la fonction militaire née au XVIIIe, demeure le premier employeur même si le port n'abrite plus que des sous-marins (arsenal, base aéro-navale, hôpital, école des fusiliers). La réduction de la fonction militaire, entre les deux guerres, fut compensée par la création de Kéroman qui fit de la pêche un élément essentiel de la vie portuaire (voir ci-dessus). La reconstruction de la ville, anéantie par la guerre, a permis l'aménagement d'un nouveau port de commerce sur le polder de Kergroise, les anciens bassins étant réservés à la plaisance et au transport des passagers dans la rade et vers Groix (400 000). Le trafic de ce nouvel outil est devenu le premier de région mais la récente chute des entrées d'aliments animaux trop prépondérants a montré sa fragilité.

On retrouve à **Brest** la même pluralité fonctionnelle et une prépondérance encore plus nette de la « Royale » : elle assure le tiers des emplois urbains (arsenal, préfecture, hôpital, école navale, base sous-marine nucléaire). La qualité de la rade, profonde et bien abritée, au contact immédiat de la plus grande voie maritime d'Europe, a très tôt intéressé la marine de guerre mais les restrictions que celle-ci a imposées à l'usage de la rade ont freiné l'essor du port de commerce autant que la nature rurale de l'arrière-pays et l'absence d'industrie portuaire lourde. La crise du trafic pétrolier a déçu l'espoir de la ville de devenir une grande station de réparation navale, entretenu par la construction de trois grandes formes de radoub. La pêche reste très secondaire, malgré l'aménagement récent d'une criée, et, dans l'attente d'une fréquentation assidue par les paquebots de croisière, l'activité touristique reste limitée à celle du port du Moulin Blanc. Au total, la vie portuaire brestoise, trop longtemps dominée par la fonction militaire, ne paraît pas à la mesure de ce site exceptionnel.

A **Saint-Malo**, la fonction militaire ancienne ne contribue plus qu'à la beauté du site qui a favorisé l'installation de deux ports de plaisance et attiré les paquebots de croisière. La situation, dans une zone touristique réputée, à l'orée d'un couloir de pénétration vers le Sud explique le nombre de voyageurs vers les îles anglo-normandes et britanniques (960 000). En s'aménageant pour l'accueil des grands ferries de la B.A.I., le port entend maintenir ce trafic malgré la concurrence du tunnel sous la Manche, source de difficultés pour la compagnie. La fonction touristique coexiste depuis longtemps avec la pêche et le commerce. La pêche a régressé mais s'est transformée, les chalutiers remplaçant les terre-neuvas. Le commerce, en progrès depuis 1970, est mieux équilibré qu'ailleurs : aux importations d'hydrocarbures et d'aliments animaux s'ajoutent celles des marchandises diverses des ferries, du bois et du granit destiné aux industries régionales et, surtout, du maërl et des engrais réclamés par l'usine Timac sise sur le port. Malgré les craintes, l'essor d'une fonction industrielle portuaire n'a pas nui à la fonction touristique, la plus spécifiquement malouine.

3. Le tourisme littoral

Si la vie maritime paraît menacée dans ses aspects les plus traditionnels, elle est au contraire stimulée par l'essor contemporain du tourisme littoral.

■ La grande affaire du littoral

Souvent présenté comme le deuxième secteur de l'économie bretonne, après celui de l'agro-alimentaire, le tourisme est malaisément appréciable en termes d'emplois et de valeur ajoutée. La mesure du seul flux touristique français par l'INSEE, en 1991, place la Bretagne au 2e rang des régions, après la Provence, pour le nombre de journées de vacances d'été (61 M) et au 4e rang pour celui des vacances d'hiver, d'octobre à avril (10 M). En ajoutant à ces vacanciers les étrangers et les personnes venues pour moins de 4 jours, ce sont sans doute quelque huit millions de visiteurs qui ont fréquenté la Bretagne. A 80 % ils sont venus en été – 50 % en juillet et août – moment où ils ont été, selon les lieux, de 2 à 10 fois plus nombreux que les autochtones. De telles densités ne s'observent que sur le littoral qui accueille 90 % du flux autour de ses 163 plages et 114 ports, dans les 2/3 des résidences secondaires de la région, les 4/5 des places de camping et la totalité des hôtels 3 et 4 étoiles, Rennes mise à part. Même les gîtes ruraux sont surtout nombreux dans les cantons littoraux ce qui souligne le rôle capital de la mer dans la vie touristique bretonne.

■ Un tourisme familial et français

La clientèle estivale des côtes bretonnes se recrute aux 2/5 dans un rayon de quelques heures de déplacement routier ou ferroviaire : Ile-de-France (30 %), Bretagne (21 %), Pays de la Loire et Centre (14 %). Elle est, aux 3/4, formée de Français d'aisance moyenne ou modeste qui préfèrent les campings et meublés aux hôtels mais, surtout, les résidences secondaires (21 %) ou celles d'amis et de parents (37 %). La clientèle étrangère, formée surtout de Britanniques et d'Allemands, mais aussi maintenant de Belges, Espagnols et Italiens, hante davantage les hôtels et campings de qualité dont elle assure le 1/3 de la fréquentation. La nature et les préférences de la clientèle se traduisent dans l'évolution de la capacité régionale d'accueil : les résidences secondaires, multipliées par 7 en 40 ans, en offrent la moitié ; les camps ont quadruplé le nombre d'emplacements (87 000). L'hôtellerie, en revanche, malgré une augmentation de 100 % de ses lits dans les catégories supérieures reste moins représentée qu'en d'autres régions.

■ Stations et côtes

L'augmentation de la capacité d'accueil, consécutive à celle de la fréquentation, s'est traduite par la diffusion quasi-générale de l'habitat touristique sur le littoral à l'exception de quelques fractions protégées (cap Fréhel, cap Sizun, cordon de Gâvres). Mais elle est surtout frappante dans les nombreuses stations, souvent anciennes mais revigorées, parfois très récentes (Arzon), dont plusieurs offrent des capacités d'accueil de plus de 20 000 personnes. De style fort divers, ces stations sont tantôt de vraies villes, dotées d'un équipement urbain, hôtelier et ludique important (Dinard, Saint-Malo, Perros-Guirec), tantôt des plages bordées de villas et d'hôtels, des ports de plaisance, jouxtant un bourg (Quiberon, Carnac, Fouesnant). La croissance de certaines les a parfois réunies en micro-conurbations (Dinard, Saint-Briac, Saint-Lunaire, Lancieux ou Binic-Etables-Saint-Quay-Portrieux). Plus souvent leur concentration sur quelques dizaines de kilomètres a abouti à la constitution de « côtes » dont la vocation touristique est devenue essentielle sinon exclusive : côte d'Emeraude, accueillant 120 000 personnes, côte de Granit rose (55 000), baie de Quiberon (100 000) et presqu'île de Rhuys (80 000) où Arzon a bénéficié de la seule opération immobilière de grande envergure sur le littoral breton : 1 200 logements en bordure du nouveau port du Crouesty.

■ Perspectives du tourisme

Source d'activité fondamentale, le tourisme souffre de sa double concentration dans le temps et l'espace. L'engouement pour de nouvelles pratiques ludiques permet toutefois d'espérer un étalement de la fréquentation dans le temps et une fidélisation de la clientèle. La navigation de plaisance – 176 000 bateaux en 1996 – ou l'usage de la planche à voile bénéficient ici de vents fréquents, de ports et sites d'évolution nombreux, d'écoles de voile réputées (centre nautique de Glénans, Quiberon), du prestige de marins fameux. Leurs pratiquants fréquentent la région, non seulement en été, mais aussi pendant les petites vacances d'hiver ou de fin de semaine. Une autre clientèle est recherchée par la thalassothérapie, imaginée il y a un siècle à Roscoff, mais dont l'essor ne date que de 1964, avec la création par L. Bobet, à Quiberon, d'un complexe de soins et d'accueil. Dix autres instituts ont suivi, accueillant 54 000 curistes, généralement aisés, en 1990 ; 20 sont en projet. Une préoccupation voisine a depuis quelques années conduit à l'aménagement de 25 terrains de golf – là où seuls Dinard et Saint-Cast en possédaient – pour répondre à l'engouement d'une clientèle masculine fortunée. La multiplication de ces équipements fort consommateurs d'eau et d'espace n'a d'ailleurs pas manqué d'inquiéter les défenseurs du milieu naturel. Cette nouvelle activité, pour le moment largement littorale, pourrait contribuer au progrès du tourisme dans l'intérieur, autre problème régional. L'Ar Goat offre des sites (Huelgoat, Guerlédan), des monuments préhistoriques ou historiques, des cités de caractère méritant une fréquentation touristique accrue. Parmi les efforts de promotion du « tourisme vert » (sentiers de randonnée, aménagement de forêts, parcs, plans d'eau, amélioration de la capacité d'accueil) le plus singulier est le développement du nautisme fluvial pratiqué depuis 1964 sur 600 km de canaux et rivières. Il intéresse, notamment, une clientèle étrangère assez aisée qui prolonge volontiers sa croisière par un séjour sur le littoral. Cette activité peut profiter aux villes de l'intérieur (Rennes, Redon, Josselin) qui, comme les autres, ont fait un effort de mise en valeur d'un patrimoine architectural parfois remarquable (Dinan, Vannes, Quimper, Fougères) et s'attachent à attirer un tourisme de passage en multipliant congrès, salons, expositions et festivals souvent en rapport avec la vie économique et culturelle régionale.

A l'encontre de cette volonté de développement du tourisme sous toutes ses formes, redoutant les effets pervers des déferlements saisonniers, les défenseurs du patrimoine régional s'insurgent périodiquement contre des aménagements jugés intempestifs (ports de la Forêt-Fouesnant, de Trébeurden) ou l'insuffisance de maîtrise de la prolifération de l'habitat touristique. Leur action, particulièrement celle menée à l'initiative de la S.E.P.N.B., a abouti à la protection de nombreux sites, à la restauration de certains menacés par la sur-fréquentation (Pointe du Raz, Pointe du Grouin), à l'élaboration d'un schéma d'aménagement du littoral breton – dans les années 1970 – dont s'inspire, pour ses acquisitions, le Conservatoire national du littoral. Elle a aussi conduit à la création de 28 réserves naturelles, et, dès 1969, à celle du *Parc naturel régional d'Armorique* visant à concilier les préoccupations de sauvegarde d'un milieu et de promotion d'un tourisme à forte connotation culturelle. L'expérience a montré les limites d'une telle action se heurtant souvent aux impératifs de développement des nouvelles formes de l'économie agricole et urbaine.

4. LA NOUVELLE ÉCONOMIE URBAINE

Essor touristique et mutation agricole ont été historiquement associés à l'émergence de la nouvelle économie urbaine privilégiant l'industrie et, surtout, le tertiaire.

1. L'industrialisation contemporaine

■ La croissance et la diversification industrielles

Depuis 1954, l'emploi industriel régional a progressé de 25 % (50 000), même après 1975, contrairement à la tendance française. Ce progrès, qui en fait le 2e secteur d'emploi (25,7 %), s'est opéré malgré le déclin d'**activités anciennes** : le bâtiment, toujours première branche d'emplois, en raison de sa forte structure artisanale, a perdu l'écrasante prépondérance des années 1970, le marché immobilier apparaissant quelque peu saturé (65 % de logements ont moins de 40 ans). La construction navale, militaire à 75 % (arsenaux de Brest et Lorient), a régressé de 30 % et n'a pas grand avenir. L'industrie de la chaussure, naguère gloire de Fougères, fournit moins de 2 500 emplois, surtout à Vitré. D'autres industries ont mieux résisté au temps : la mécanique agricole, l'ameublement, l'imprimerie qui doit une partie de son importance à la puissante entreprise de presse et d'édition **Ouest-France** (1 300 salariés), la papeterie qui se partage entre fabrication de papier à cigarettes et de cartonnages mais a parfois opté pour la fabrication de films en polypropylène (**Bolloré**, n° 1 mondial) ou d'emballages plastiques réclamés par l'I.A.A.

Les principales branches de l'industrie bretonne

	Emploi 1990		Valeur ajoutée 1992
	1 000	%	%
Ensemble, sauf énergie	273,5	100	100
I.A.A.	61,5	22,5	25,2
Bâtiment, génie civil	77,0	28,1	20
Construction navale	14,9	5,4	6,2
Construction automobile	17,5	6,4	6,3
Electronique, électricité	18,1	6,6	10,8
Chimie, plastiques	12,9	4,7	7,8

Source : INSEE. RGP 1990, Tab. Ec. Bret. 1996.

Le progrès est surtout dû à l'implantation d'**industries nouvelles** tantôt agro-alimentaires et d'initiative régionale – elles ont été évoquées précédemment –, tantôt diverses et d'initiative extérieure dans le cadre de la décentralisation industrielle : fabriques de joints industriels (Saint-Brieuc), de briquets à gaz (Redon), ateliers de confection dont beaucoup ont périclité (pays de Fougères). L'industrie automobile est la plus typique de ces industries : née dans l'agglomération rennaise avec l'installation de deux usines **Citroën** (1954-62) elle y emploie 12 000 salariés recrutés aux 2/3 dans un rayon rural de 80 km. L'installation ultérieure d'une tréfilerie **Michelin** à Vannes et d'une fonderie **Renault** à Lorient semble sans grand rapport avec l'industrie rennaise. L'industrie électronique est venue peu après l'automobile, attirée par la présence de main-d'œuvre et, surtout, de grands centres de recherches créés par l'Etat : CNET à Lannion, CCETT et CELAR à Rennes. Procédant d'initiatives de firmes plus nombreuses (**Alcatel, Thomson, Matra**) elle s'est implantée dans une dizaine de sites de la Bretagne septentrionale, privilégiant toutefois les trois pôles de recherche : Lannion, Rennes, Brest.

Un aspect plus nouveau du développement industriel est l'apparition, dans des villes et villages autour de Rennes notamment, d'entreprises de sous-traitance automobile (sièges, joints, pièces moulées) et d'entreprises de haute technologie électronique souvent d'initiative locale, parfois étrangère (**Canon, Mitsubishi**). Ce mouvement d'industrialisation diffuse rejoint celui engagé par le groupe **Rocher** (parfumerie, cosmétologie) répartissant ses trois établissements (1 500 emplois) en milieu rural et contribuant à l'essor régional de la parachimie attirée par ailleurs par les ressources en matières premières (algues, hydrolisats de poisson, lactose, cystine) ou l'existence d'une forte clientèle (laboratoires vétérinaires).

■ Les problèmes de l'industrie bretonne

La croissance industrielle a répondu aux vœux du CELIB sinon aux attentes de toutes les communes aménageuses de zones d'activités. Mais le résultat reste insuffisant : la Bretagne ne produit que 3,4 % de la valeur ajoutée par l'industrie française et, dans 12 de ses 18 zones d'emploi, l'industrie – hors bâtiment – ne mobilise que moins de 20 % des actifs. Au retard historique se sont ajoutés de multiples freins au développement : éloignement et coût des transports ; pénurie énergétique : 2 % seulement des besoins sont couverts par la production régionale fournie aux 3/4 par la centrale marémotrice de la Rance (500 M.Kwh) ; manque de capitaux et prépondérance de la petite entreprise, génératrice de modestes salaires. Ce dernier trait n'est pas sans rapport avec l'originalité du « modèle industriel breton » (M. Philipponneau) caractérisé par l'essaimage des nouveaux établissements industriels dans de nombreuses villes, petites ou moyennes, au bénéfice d'un meilleur équilibre géographique sinon d'un développement plus vigoureux. Mais l'apparition d'industries nouvelles s'est aussi accompagnée de celle de grands groupes extra-régionaux (C.G.E., P.S.A.) qui contrôlent 70 % de l'électronique et 90 % de l'automobile. Cette irruption, facteur de progrès technique et d'élévation des salaires, a eu aussi ses inconvénients. La crise de l'industrie téléphonique est venue rappeler au Trégor les risques de la prépondérance trop exclusive d'une industrie et d'une firme. Le renouvellement de l'industrie bretonne, nécessaire, n'est donc pas allé sans accroître sa fragilité et sa dépendance de la conjoncture internationale.

2. La prépondérance croissante des services

Plus encore que l'industrialisation, le fait majeur des trente dernières années est l'affirmation de la prépondérance du secteur tertiaire qui fournit, en 1995 les 2/3 de l'emploi et du produit régional. Mais cette prépondérance, qui demeure légèrement inférieure à celle observée dans la France entière, est un trait banal en pays développé où les services ont un rôle essentiel.

■ Les services administratifs et sociaux

Une légère surreprésentation du personnel administratif en Bretagne tient à l'existence, à côté de l'administration publique classique, d'une administration des affaires maritimes et d'une forte représentation de la défense nationale (Marine de guerre, région militaire, écoles militaires de Coëtquidan). Elle tient aussi à l'importance du personnel enseignant – dont un bon tiers relève de l'enseignement privé – qui répond à une forte demande de formation : la Bretagne est au 2e rang régional pour la proportion de plus de 15 ans poursuivant des études. L'essor de l'enseignement s'est traduit non seulement par la multiplication des collèges et lycées mais aussi par celle des établissements d'enseignement supérieur qui accueillent 85 000 étudiants dans 4 universités, 6 I.U.T. et une quinzaine de grandes écoles.

■ Commerce et transports

Le progrès global de l'emploi dans le commerce et les transports a été moins net que dans les services, mais des modifications importantes ont affecté chacune des branches. Le progrès de l'hôtellerie et de la restauration, stimulé par le tourisme, a compensé le déclin des cafés. Le petit commerce rural a largement disparu au profit des grandes surfaces qui assurent ici 90 % du commerce général et alimentaire et dont la région fut le berceau de quelques grandes enseignes (Leclerc, Rallye, Intermarché). Les supermarchés, sans doute mieux adaptés à la dimension des villes, y sont mieux représentés que les hypermarchés, moins fréquents que dans le reste de la France. Dans le monde des transports, la marine marchande a perdu les 3/4 de ses emplois en 30 ans (4 250 en 1990), les chemins de fer voyant aussi régresser les leurs, la fermeture de lignes d'intérêt local s'ajoutant aux soucis d'accroissement de productivité. Si le trafic des voyageurs a bénéficié de l'électrification du réseau, puis de l'apparition des T.G .V., celui des marchandises reste un des plus faibles de France, victorieusement concurrencé par un trafic routier dont le volume par habitant est, lui, supérieur de 30 % à la moyenne nationale. Le succès du transport routier, dont les effectifs ont triplé en 30 ans et dont quelques-unes des 2 300 entreprises sont parmi les premières de France, tient à sa bonne adaptation aux besoins d'une clientèle diffuse d'entreprises agro-alimentaires et halieutiques. Son progrès tient aussi à l'application du **plan routier breton** (1969) qui a doté la région d'un bon réseau de voies express et amélioré quelques autres axes (Rennes-Châteaulin, Roscoff-Lorient). L'essor du transport aérien, bien que réel et répondant en principe aux besoins d'une région périphérique, reste insuffisant pour assurer la rentabilité de 8 aéroports, dont 3 seulement comptent plus de 200 000 passagers (Brest, Lorient, Rennes). Plus significatif est le progrès de l'emploi dans les télécommunications qui traduit, d'une part, l'amélioration des équipements de transmission (téléphone, télex, minitel, « autoroute électronique » vers Paris), d'autre part, l'implantation à Lannion et Rennes de grands centres de recherches en télécommunications.

■ Le nouveau tertiaire au service des entreprises

Avec ces centres de recherche, on entre dans le domaine des nouvelles activités tertiaires dont la présence, modeste en termes d'emplois, est capitale pour l'avenir économique. L'activité financière, jadis réduite et banale, a triplé ses effectifs en 30 ans en ajoutant des banques spécialisées à un réseau de banques de dépôt nationales et régionales au sein duquel le secteur mutualiste a une large part (Crédit mutuel, agricole, maritime). Les services aux entreprises, jadis inexistants, sont désormais nombreux : entreprises de main-d'œuvre temporaire ou de formation, nées de la crise, mais aussi bureaux d'études et de conseils juridiques, financiers, informatiques, publicitaires. Plus important encore est l'essor d'activités de recherche, menées par une cinquantaine de centres, surtout publics, dont certains, déjà plusieurs fois évoqués, ont acquis une réputation internationale dans les domaines des télécommunications (C.N.E.T. et C.C.E.T.T.), de l'informatique (IRISA), de l'océanographie (IFREMER) ou des biotechnologies (INRA). Le regroupement de quelques-uns de ces centres autour de l'Université scientifique de Rennes I a constitué, avec 3 500 chercheurs, le noyau du technopôle de **Rennes-Atalante** auquel se sont agrégées des entreprises de haute technologie (3 377 emplois). La réussite de l'opération, désormais étendue à trois sites voisins, avec de nouvelles orientations (biotechnologie, santé), a stimulé l'émulation de Brest puis Vannes, désireuses elles aussi de se doter de technopôles. Peut-être est-on ainsi à l'aube d'une nouvelle étape du développement économique breton conduisant à une affirmation encore accrue de la place des villes dans ce développement.

Le tertiaire dans l'emploi breton (1962-1990)

	1962		1990		France 1990
	1 000	%	1 000	%	%
Ensemble	342	31,9	644	61,4	64,3
Commerce	88	8,2	121	11,5	12,1
Transports	48	4,5	60	5,7	6,4
Services	206	19,2	463	44,1	45,6
dont hôtels, cafés, restaurants	28	2,8	39	3,7	3,3

Sources : INSEE. RGP 1962 et 1990, % de la population active totale.

3. L'urbanisation contemporaine

Industrialisation et tertiarisation ont impliqué une vigoureuse croissance urbaine ; la population des villes (1,6 M hab.) a doublé en 30 ans, atteignant 57 % de la population régionale. La croissance urbaine a procédé du gonflement des villes anciennes qui ont parfois débordé sur la banlieue (Rennes, Brest, Lorient, Saint-Brieuc) ou suscité des satellites (18 autour de Rennes), mais aussi de la transformation de nombreux bourgs et stations balnéaires. Ce dernier processus explique l'abondance des **petites villes** (moins de 10 000 hab.) : 101 des 125 unités urbaines bretonnes. Parfois villes de banlieue, petites stations (Binic, Carnac), petits ports (Paimpol, Audierne), ce sont surtout des centres ruraux régnant traditionnellement sur leurs pays (Tréguier, Dol, Saint-Pol-de-Léon), éventuellement devenus foyers industriels (Lamballe, Loudéac, Carhaix, Ploërmel). Ils ne diffèrent pas fondamentalement des **centres locaux** (10 – 30 000 hab.) qui, mis à part deux ports de pêche (Concarneau et Douarnenez) et deux stations balnéaires (Dinard, Perros-Guirec), sont des sous-préfectures dotées de plus de prestige historique et de plus d'attraction commerciale. L'originalité de chacun tient souvent à son activité industrielle, ancienne ici (Fougères et Redon), nouvelle là (Lannion, Dinan), ou très liée à la révolution agricole (Pontivy, Guingamp). Au **niveau supérieur de l'armature urbaine** se trouvent cinq agglomérations moyennes et deux grandes. Saint-Brieuc (84 000), Quimper (66 000), Vannes (46 000) ajoutent à leur fonction préfectorale un rôle de centre commercial, culturel et touristique. L'industrie, ancienne et renouvelée à Saint-Brieuc (métallurgie, joints, charcuterie), tard venue à Vannes (tréfilerie, plastique, agro-alimentaire), associe à Quimper la tradition (faïencerie, vêtements) et l'innovation (électronique, papeterie Bolloré). Moins administrative, trop peu industrielle, Saint-Malo vit surtout de son tourisme, de son port et de ses retraités. L'agglomération de Lorient (115 000) s'est aussi développée autour de son port. Malgré sa réputation de ville ouvrière, elle souffre moins d'une pénurie d'industrie que de sa trop forte dépendance de la marine militaire. On retrouve ce défaut à Brest (201 000 hab.). Mais l'existence d'un arrière-pays dynamique, l'industrialisation nouvelle (électronique), la création d'une université (20 000 étudiants) et celle d'un puissant centre de recherches océanographiques (IFREMER, 750 chercheurs) sont ici des facteurs de rééquilibrage. Le développement brestois ne menace guère celui de Rennes (245 000 hab. dans une aire urbaine de 456 000) dont la proximité croissante de Paris a favorisé l'industrialisation récente (automobile, électronique, imprimerie, bâtiment). Mais la ville demeure à 80 % un grand centre tertiaire : administration régionale et départementale, fonctions judiciaire et universitaire (50 000 étudiants) contribuent avec son important équipement médical, commercial et culturel à assurer son rayonnement. Un nouvel avenir dépend, peut-être, de la réussite de l'effort de développement conjoint de la recherche et des industries de haute technologie, mené dans le cadre de *Rennes-Atalante*. Malgré sa prépondérance, Rennes voit son influence limitée à l'extrême-ouest par celle de Brest, au sud-ouest par celle de Nantes. Sa situation excentrée, dans la région, contribue à accentuer la singularité d'un système urbain résolument périphérique : 17 des 22 villes de plus de 10 000 hab. se trouvent sur le littoral, 2 sur la frontière orientale ; l'intérieur ne disposant, en dehors de la capitale, que de très petites cités. Cette répartition géographique des villes, qui souligne le rôle de la mer dans l'histoire urbaine bretonne, retentit sur l'organisation interne de l'espace régional.

4. Les villes et l'organisation de l'espace breton

Dans un espace souvent présenté comme uniforme et dont, seul, A. Meynier a tenté une analyse approfondie, la nature et l'influence des villes apparaissent comme de bons critères de définition de sous-ensembles régionaux.

Ainsi, **les plateaux riverains de la Manche**, du Léon au pays de Dol, de vieille réputation agricole fondée sur la qualité des sols, la douceur du climat, l'orientation spéculative précoce, sont-ils structurés autour d'anciens centres ruraux (Lesneven, Saint-Pol, Tréguier, Guingamp, Lamballe, Dol). La mer y a, certes, favorisé l'éclosion de ports (Morlaix, Lannion, Paimpol, Dinan, Saint-Malo) mais la faillite du commerce maritime puis de la grande pêche les ont plongés dans le marasme jusqu'à l'apparition d'industries allogènes ou du tourisme. Cet Ar Mor reste largement paysan et la relative fortune de Saint-Brieuc, au contact de la Haute et de la Basse-Bretagne, doit autant à ses rapports avec les campagnes centrales qu'à ceux entretenus avec les plateaux du Trégor, du Goëlo et du Penthièvre.

A l'opposé, **la frange atlantique de Brest à la Vilaine**, est le pays de la mer qui s'y insère en de profondes découpures. L'agriculture, qui lui doit ses spéculations légumières pour la conserverie, a moins évolué qu'ailleurs, en dehors du Bassin de Châteaulin. La mer a fait naître la pêche et les conserveries, les ports de guerre et leurs arsenaux, le commerce maritime et le tourisme au développement impétueux, en bref une vie urbaine intense. Mais les industries maritimes sont en difficulté et leur destin angoisse les deux grandes cités que sont Brest et Lorient. Nées tardivement de la volonté de l'Etat, entièrement tournées vers la mer, malgré leur importance, elles n'ont pu se donner les fonctions centrales qu'assument Quimper et Vannes, capitales historiques.

Entre ces franges littorales différemment urbanisées, la **Bretagne centrale** (1/7 de la population sur 1/3 du territoire), doit sa faible densité (souvent inférieure à 25 hab./km^2), à l'exode, au vieillissement, à la prépondérance écrasante de l'agriculture et à la pauvreté du système urbain dont les petits centres (Pontivy, Carhaix, Ploërmel) voient leur influence limitée par celle des villes périphériques. C'est pourtant ce monde, de relief plus heurté et de climat plus rude, que la révolution agro-alimentaire a le plus bouleversé, d'abord à l'ouest, puis dans le Morbihan oriental où s'est manifestée récemment l'influence de grands entrepreneurs locaux (Guyomarc'h, Rocher) et, plus lointaine, celle de Rennes.

La région de Rennes, dont les limites débordent beaucoup celles du Bassin, est, par contraste avec les précédentes, organisée en auréoles autour d'une seule ville. L'influence de celle-ci s'exerce sur une soixantaine de kilomètres, relayée à la périphérie par celle de petits centres industrialisés (Fougères, Vitré, Redon). Sur ce quart de la Bretagne, l'agriculture occupe encore 10 % des actifs, plus dans l'élevage bovin que dans les élevages hors-sol ; elle a favorisé l'essor d'une industrie du lait et de la viande, mais l'apparition de l'industrie automobile et électronique a davantage marqué la région. Celle-ci bénéficie d'avantages certains : jeunesse et dynamisme démographiques, haut niveau de formation d'une population riche en cadres, concentration de l'enseignement supérieur et de la recherche, des pouvoirs de décision, facilités de relations avec les autres parties de la Bretagne et avec l'Ile-de-France. L'exploitation de ces avantages ne va pas sans inquiéter parfois la Bretagne occidentale redoutant l'essor de Rennes aux dépens d'un désert breton.

BIBLIOGRAPHIE

CANEVET (C.). *Le modèle agricole breton*, Rennes, P.U.R., 1992, 397 p.

COUVREUR (G.) et LE GUEN (G.). *Bretagne, Guides géographiques régionaux*, Paris, Masson, 1990, 235 p.

FLATRES (P.). *La Bretagne, La question régionale*, Paris, P.U.F., 1986, 183 p.

LE RHUN (Dir.). *Géographie et aménagement de la Bretagne*, Morlaix, Skol Vreizh, 1994, 240 p.

MEYNIER (A.). *La Bretagne, Atlas et géographie de la France moderne*, Paris, Flammarion, 1984 (2e éd.), 293 p.

GUEGUEN (B.) et *al.* « La région Bretagne », Rennes, *Ouest-france*, 1980, 128 p.

PHLIPPONNEAU (M.). « Géopolitique de la Bretagne », Rennes, *Ouest-France*, 1986, 254 p.

PHLIPPONNEAU (M.). *Le modèle industriel breton 1950-2000*, Rennes, PUR.

Atlas

Atlas de Bretagne, Rennes, Oberthur, 1975, 69 planches.

Atlas de Bretagne, Rennes-Morlaix (Institut culturel de Bretagne, Skol-Vreizh), 1990, 64 p.

Sources statistiques

INSEE, Direction régionale de Bretagne-Rennes.

– Tableaux de l'économie bretonne (annuel)

– L'espace breton, Dossiers d'Octant, n° 27, Rennes, 1993, 177 p.

DRAF (Direction Régionale de l'Agriculture et de la Forêt).

– Tableaux de trajectoires, Bretagne, Annuaire 1996, Rennes, 167 p.

Revues

Historiens et géographes, n° spécial : Bretagne clés en mains, 1988, n° 318, 450 p.

Réalités industrielles, n° spécial, décembre 1989.

Périodiques à consulter

Octant (INSEE, Rennes) – *Norois* (Poitiers) – *Cahiers économiques de Bretagne* (CREFE, Rennes) – *Bretagne économique* (C.R.C.I., Rennes) – *Le Marin* (hebdomadaire, Rennes).

SIGLES UTILISÉS

B.A.I. : Bretagne-Angleterre-Irlande

C.C.E.T.T. : Centre commun d'études de télévision et télécommunications

CECAB : Centrale coopérative bretonne (Vannes)

CELAR : Centre électronique de l'armement

CELIB : Comité d'études et de liaison des intérêts bretons

CETA : Centre d'études techniques agricoles

C.N.E.T. : Centre national d'études des télécommunications

C.N.J.A. : Centre national des jeunes agriculteurs

COOPAGRI : Coopérative des agriculteurs bretons (Landerneau)

CUMA : Coopérative d'utilisation de matériel agricole

GAEC : Groupement agricole d'exploitation en commun

I.A.A. : Industrie agro-alimentaire

IFREMER : Institut français de recherche pour l'exploitation de la mer

INRA : Institut national de recherche agronomique

IRISA : Institut de recherches en informatique et systèmes aléatoires

J.A.C. : Jeunesse agricole chrétienne

U.D.E. : Unité de développement économique

U.E. : Union Européenne

UNICOPA : Union des coopératives agricoles (Morlaix)

U.T.A. : Unité de travail annuel

CHAPITRE

11

L'AMÉNAGEMENT RÉGIONAL

André Gamblin

1. LE DIFFICILE ÉQUILIBRE RÉGIONAL

1. Le territoire français est particulièrement déséquilibré

La répartition de la population française est plus déséquilibrée que dans la plupart des autres pays européens. Paris et le... désert est une première originalité mais il y en a d'autres.

■ **Le déséquilibre entre Paris et... le reste**

Les **causes** sont nombreuses. La centralisation parisienne qui s'est poursuivie pendant des siècles sous tous les régimes n'est pas la cause unique. Le déséquilibre ne résulte pas seulement de l'importance de Paris, il a pour cause aussi la faiblesse des densités du reste largement liée à la faiblesse de la natalité de ce pays au XIXe siècle et durant la première moitié du XXe. La France est sous peuplée. Si la France avait la même densité que la Belgique, elle compterait plus de 180 millions d'habitants ; cela donnerait près de 170 millions d'habitants pour le « reste »... Rappelons ce qui a été dit au chapitre 1 du premier tome : en Europe du Nord-Ouest il est tout à fait exceptionnel de voir les densités rurales tomber en dessous de 100 et les différences entre milieu rural et milieu urbain se sont considérablement estompées. La France est le résultat d'un double paradoxe : une capitale considérablement développée au milieu d'un pays sous peuplé.

Il y a une troisième raison, d'ordre politique. Dans certains pays voisins, une activité économique intense a permis à la bourgeoisie urbaine de développer le pouvoir des villes face aux princes ou même, comme aux Pays-Bas, dans une république ; ces villes ont ainsi acquis de la force, se sont habituées au pouvoir. Ailleurs, à l'inverse, le maintien d'unités politiques plus petites permettait à des princes le développement de nombreuses capitales dont ils entretenaient jalousement le rayonnement.

Les **conséquences** en sont fâcheuses.

– **Le dépeuplement des campagnes** est une plaie qui frappe particulièrement la France. Jusqu'à une époque très récente, l'industrie était à la campagne ; il n'est pas possible, le plus souvent, d'avoir une densité importante à la campagne avec seulement les agriculteurs ; et c'est devenu encore plus vrai avec l'évolution des techniques agricoles ; le tourisme n'est qu'un faible recours. Les campagnes européennes sont peuplées parce que l'industrie ou les services s'y sont maintenu ou que des urbains, travaillant dans la ville proche, y habitent. Ces ruraux ou ces nouveaux ruraux utilisent des services qui ont pu rester sur place ou bien les services des villes proches. Ces nouveaux mécanismes ne peuvent se développer que si l'espace est resté suffisamment peuplé.

– Quand des villes relativement importantes ne sont pas très éloignées les unes des autres, **les mécanismes de la conurbation** se mettent en place ; les villes échangent leurs services : si un service ne se trouve pas dans l'une, on peut le trouver dans une autre et, le plus souvent, une hiérarchie s'établit dans la localisation selon les niveaux de service. Or la qualité des services, que ce soit pour la vie économique ou pour la vie courante, est de plus en plus nécessaire ; c'est elle qui devient le critère majeur de la localisation des activités. Là encore ces mécanismes ne se mettent en place que si des villes sont suffisamment nombreuses, actives, hiérarchisées et soutenues par des campagnes peuplées.

■ L'importance des périphéries

L'autre originalité de la population française est d'être « périphérique ». Les plus fortes densités sont le long des frontières et elles sont plus fortes encore du côté est, continental, que du côté ouest, maritime, ce qui est, à première vue, paradoxal. De même, les villes susceptibles d'être des métropoles sont à la périphérie et les plus importantes : Lyon, Marseille, Lille, sont du côté est. L'accent a été mis sur cette particularité au chapitre 1 du tome I car ce fait est essentiel et il doit être une des bases de la réflexion sur l'aménagement du territoire. Le « rejet » vers les périphéries est, en partie seulement, une conséquence de la présence parisienne qui a empêché le développement de métropoles importantes dans un rayon de l'ordre de 150 à 200 kilomètres mais c'est aussi l'attrait de faits périphériques : l'équerre rhénane à l'est, la mer à l'ouest. L'importance moindre de la périphérie maritime est exceptionnelle : dans la grande majorité des pays, la population a même trop tendance à se concentrer sur les littoraux.

Dans le débat Paris – régions, il faut se souvenir que les régions sont souvent trop peu peuplées et que les espaces les plus peuplés et les plus urbanisés sont à la périphérie et principalement à l'est, côté continent.

2. La notion de rééquilibrage doit être considérée avec prudence

Il est assez logique d'évoquer, à propos de l'aménagement du territoire, le terme de rééquilibrage. Derrière ce mot, il y a celui d'égalité et, aussi, de fraternité ; c'est également un souci, légitime, pour les élus locaux. Mais c'est une notion qu'il faut manier avec la plus grande prudence.

Après avoir concentré, parisianisé, il serait néfaste de tomber dans l'autre extrême : le saupoudrage d'actions locales dans le but – pas toujours dépourvu d'arrière-pensées électorales – de satisfaire tout le monde.

Aménager, c'est savoir choisir, créer des **inégalités spatiales**. Il importe – et c'est souvent la première tâche – de fortifier certains espaces, de leur faire atteindre des seuils quantitatifs et qualitatifs en dessous desquels leur rôle moteur sera inefficace. La révolution actuelle des localisations est liée, d'une part, à la révolution des transports des personnes, des marchandises, des données et, d'autre part, mais les deux phénomènes sont liés, au rôle moteur des villes-métropoles.

Mais, en même temps, les responsables de l'aménagement régional doivent faire en sorte que les résultats ne profitent pas seulement au point fort mais aient des retombées sur les autres espaces. **Créer des points forts et, à partir de là, créer des hiérarchies.**

Aménager c'est avoir le courage de choisir des hiérarchies dans l'espace et des priorités d'action dans le temps. C'est aussi prendre conscience des profondes et rapides révolutions actuelles, techniques et politiques, et avoir le courage d'en tirer toutes les conséquences.

2. LES POTENTIELS RÉGIONAUX

Le découpage régional n'a pas manqué de susciter des critiques. D'autant plus qu'on lui reproche souvent d'avoir été élaboré depuis Paris, sans consultation des responsables, sans prise en considération de facteurs importants.

– Les régions ne sont-elles pas trop nombreuses, donc trop petites pour être efficaces et pour prétendre à une certaine place face à Paris et, aussi, face aux autres divisions administratives de l'Europe ?

– Leurs limites ont-elles été judicieusement choisies ?

– Et enfin, ce qui semble la question la plus importante : la France a-t-elle des métropoles pour ses régions ? Et des métropoles ayant un poids suffisant face à Paris et face aux autres métropoles européennes ?

1. Les régions ne sont-elles pas trop nombreuses, trop petites ?

■ Le poids des régions

Les régions sont, à l'image de la France, peu peuplées. 7 seulement comptent entre 5 et 2,5 millions d'habitants ; 13 entre 2,5 et 1 million ; 2, le Limousin et la Corse ont moins de 1 million d'habitants. 15 régions sur les 22 régions métropolitaines ont moins de 2,5 millions d'habitants. La population moyenne des Länder allemands dépasse 5,5 millions ; le Bade-Wurtemberg frôle les 10 millions, la Bavière compte 11 millions et Nord-Rhénanie-Westphalie atteint 17 millions d'habitants.

Le P.I.B. (chiffres de 1990 en millions d'ECU) de Nord-Rhénanie-Westphalie est supérieur de peu à celui de l'Ile-de-France mais ceux de la Bavière ou du Bade-Wurtemberg sont très au-dessus de la deuxième région française, Rhône-Alpes. D'ailleurs, dans les statistiques européennes, on subdivise les Länder ; ainsi pour Nord-Rhénanie-Westphalie : Düsseldorf, 101 978 millions d'ECU, Cologne, 71 969, Münster, 37 454 ; alors que, à l'inverse, on regroupe parfois des régions françaises.

P.I.B., 1990, en millions d'écus

Ile-de-France	263 728	Nord-Rhénanie-Westphalie	278 868
Rhône-Alpes	87 119	Bavière	214 197
PACA	64 042	Bade-Wurtemberg	190 188
Nord –Pas-de-Calais	53 758		
Pays de Loire	44 097	Province d'Anvers	29 268
Auvergne	17 899	Hollande méridionale	51 435
Franche-Comté	16 815		
Limousin	9 362		

Mais si l'on compare avec les « régions » d'autres Etats, les différences de P.I.B. ne sont pas criantes ; ainsi, la Province d'Anvers ou la Hollande méridionale.

Ce sont les budgets régionaux qui accentuent le plus les écarts. En 1991, la région Nord – Pas-de-Calais a un budget de 3,6 milliards de francs alors que le budget du Bade-Wurtemberg est de 150 milliards. En Espagne, la Catalogne dispose d'un budget supérieur à celui de toutes les régions françaises réunies.

Mais plus encore, sans doute, les régions des pays voisins ont, depuis longtemps, l'habitude de vivre, de s'organiser dans leurs limites actuelles. En France, les régions sont des créations récentes et on peut s'interroger sur leur identité. Mais, surtout, le pouvoir régional est difficile à faire passer dans les mentalités ; quoiqu'on pense. Après mai 68, lorsqu'il fut question de donner aux Universités une large autonomie, on sentit comme vaciller une base : comment ! chaque Université aurait son examen... aussitôt, on s'inquiéta de la quasi-impossibilité de trouver des équivalences ; supprimer des concours nationaux ? cela paraissait inconcevable. La décentralisation n'est pas seulement une affaire de textes, elle doit se faire dans les esprits, souvent même dans le subconscient.

Certains ont pu se demander parfois (à tort sans aucun doute) si cette petitesse des régions françaises n'était pas une application par Paris de l'adage « diviser pour régner ».

■ Agrandir les régions ? en diminuer le nombre ?

Les projets pour une diminution du nombre des régions ne manquent pas ; ils envisagent généralement une réduction à 10 voire 8. Le but, donner plus de poids à chaque région et avoir à la tête de chacune une métropole suffisamment forte.

Ces projets agrandissent généralement la région parisienne en lui adjoignant des départements ou des morceaux de départements de la couronne ; ce qui reste des régions de la couronne est rattaché à des régions périphériques. La Picardie, par exemple, disparaît ; le sud (Compiègne, Beauvais, vallée de l'Oise) est rattaché à la région parisienne tandis que le nord, avec Amiens, est rattaché au Nord – Pas-de-Calais. Ces regroupements vers une région parisienne sont conformes à une réalité mais ils officialisent, confirment le déséquilibre au profit de Paris. Ils enlèvent aux villes de la couronne une place qui leur a été donnée et la cohabitation, à un rang mineur, dans une autre région ne manquerait pas de provoquer beaucoup de heurts.

Au sud, une grande région incluant Bordeaux et Toulouse ou une autre grande région méditerranéenne allant de Perpignan à Nice seraient-elles préférables à la situation actuelle ?

A l'ouest se pose toujours le problème de la Bretagne et des pays de la Loire Maritime. Rattacher à la Région parisienne la partie nord-est des Pays de la Loire et fusionner le reste des Pays de la Loire avec la Bretagne. Le débat n'est pas nouveau.

2. Des limites remises en cause

■ La région a plusieurs villes importantes ; le partage de leurs zones d'influence, la hiérarchisation sont difficiles.

Les cas sont nombreux. Dans le Nord – Pas-de-Calais, une bonne dizaine de villes au moins ont beaucoup tardé à accepter, avec beaucoup de réserves (si tant est même qu'elles l'aient fait), la prééminence de Lille. En Lorraine, entre Metz et Nancy, c'est la coupure historique entre une Lorraine du nord plus tournée vers les pays rhénans et une Lorraine du sud plus tournée vers Paris. En Champagne, une autre opposition historique entre Reims et Troyes. En Picardie, c'est l'opposition entre Amiens et Saint-Quentin, sans parler du Sud qui, avec Compiègne, Beauvais ou Creil, se tourne vers Paris. Dans la région Centre, il y a deux pôles importants : Orléans et Tours. En Bretagne, Rennes, à l'extrémité ouest, cède la place à Brest. En Pays de Loire, Angers a des prétentions face à Nantes. En Aquitaine, des espaces échappent à Bordeaux : l'Agenais avec Agen ou les Pays de l'Adour avec Tarbes et Pau. En Languedoc-Roussillon c'est un alignement de villes qui ont des prétentions face à Montpellier. Dans les Bouches-du-Rhône, à l'extrémité est, l'histoire et d'autres facteurs, opposent Nice à Marseille. En Rhône-Alpes, malgré sa force, Lyon se trouve en présence d'une autre grande ville Grenoble ; sans parler de Chambéry, d'Annecy ou même de Genève.

On sent souvent une sorte de malaise dans l'« aveu » qu'une métropole a des difficultés à s'affirmer. Certes, cela peut résulter de la faiblesse de celle-ci. Mais ce malaise n'est-il pas, parfois, une réaction centraliste à la française ? Dans de nombreux cas, il faut plutôt s'en réjouir ; c'est que la métropole n'est pas la seule grande ville, que d'autres villes sont capables d'avoir des zones d'influence. Midi-Pyrénées n'a qu'une seule grande ville et c'est justement un des problèmes de cette région. Il faut aussi, tout en plaçant comme priorité le fait qu'une métropole doit franchir des seuils quantitatifs et qualitatifs, concevoir des partages de fonctions et cela est difficile pour qui est habitué au centralisme.

La construction de réseaux de villes est facilitée actuellement par les progrès des transports, autoroutes, télécommunication, T.G.V. ; il est possible d'établir des liens sur des distances beaucoup plus considérables. Ceci est une évolution de la plus haute importance dans un pays de faible densité comme la France. A condition que la volonté politique ne fasse pas défaut, ni l'imagination.

■ **Un élément de la région s'intègre mal**

– Cet élément (ou ces éléments) sont trop à l'écart pour des raisons multiples : la distance, le manque d'infrastructures de transport, l'orientation des principaux axes de circulation dans une autre direction, des frontières plus ou moins conscientes, pouvant dater de très longtemps.

– La capitale régionale n'est pas assez active pour étendre sa zone d'influence jusque là ; elle peut même être ressentie comme un adversaire.

– A l'inverse, c'est la capitale d'une région voisine qui étend jusque là sa zone d'influence.

Les trois cas de figures agissent souvent simultanément.

Dans le Nord – Pas-de-Calais, la zone la plus active est le centre où Lille se localise ; les deux extrémités : l'ouest (le littoral) et l'est doivent lutter à la fois pour se rattacher au centre tout en étant soumises à des forces centrifuges. En Picardie, le sud, Compiègne, Beauvais, la vallée de l'Oise se tournent vers Paris tandis que Saint-Quentin et l'Aisne tendraient plutôt à · regarder vers la Champagne ; par contre, Reims étend difficilement son influence vers le sud. En Franche-Comté, Belfort et Montbéliard se tournent plus vers l'Alsace que vers Besançon. L'influence de Dijon ne s'étend pas jusqu'à l'Ouest de la Bourgogne, le département de l'Yonne regarde davantage vers Paris tandis qu'au sud, le Maconnais se tourne vers Lyon. En Aquitaine, Agenais et Pays de l'Adour échappent assez largement à l'influence de Bordeaux. Les Pays de la Loire s'étendent vers le nord-est et l'influence de Paris y contrebalance celle de Nantes.

Il est fréquemment arrivé que l'on ne puisse trouver une capitale assez forte pour avoir une influence sur toute une région ; c'est bien l'un des principaux problèmes français.

3. La France a-t-elle les métropoles pour ses régions ?

C'est, finalement, la question essentielle.

Les 22 régions ont été délimitées en se basant essentiellement sur les zones d'influence des villes, les zones polarisées. Des géographes ont pu critiquer, parfois vigoureusement, les divisions adoptées parce qu'elles ne tiennent pas compte de certains critères géographiques ou historiques. Mais les zones d'influence urbaine sont un critère géographique et, avec l'évolution des localisations que l'économie vient de connaître, c'est bien ce fait qui, actuellement, joue le rôle principal. La ville-métropole est le moteur essentiel du développement.

Or, la structure urbaine est une des faiblesses de la France. On retrouve toujours : Paris et... En 1963, on n'avait pu trouver que 8 « métropoles d'équilibre » : Lille, le doublet (à créer) Nancy-Metz, Strasbourg, Lyon, Marseille, Toulouse, Bordeaux, Nantes. On en rajouta ensuite 4 autres puis, on ne parla plus de métropoles d'équilibre. Seules trois unités urbaines atteignaient ou frôlaient le million d'habitants : Lyon, Marseille et Lille et la plupart des études s'accordaient pour reconnaître que seule Lyon avait une envergure européenne.

Une estimation récente, basée sur les zones d'emploi, renforce le poids démographique des grandes villes mais cette base est très criticable et l'influence d'une ville ne se pèse pas uniquement en nombre d'habitants. Lyon et Marseille dépassent 1,5 million, Lille dépasse le million et, avec la partie belge de la conurbation, frôle 1,5 million ; Toulouse et Bordeaux s'approchent du million, Nantes dépasse 700 000, Montpellier et Rennes dépassent le demi-million, Strasbourg, Rouen, Nancy, Caen et Clermont-Ferrand s'en approchent.

Actuellement, il ne s'agit plus seulement d'un rapport Paris – ville de province, il s'agit de savoir si les villes sont capables d'avoir un rôle directionnel sur leur région et si certaines d'entre elles sont capables de faire le poids face aux autres métropoles européennes : l'aménagement ne peut plus être uniquement hexagonal.

Devant cette carence, une des actions prioritaires est de faire émerger des métropoles capables d'offrir des services de haut niveau, capables d'attirer sièges et équipes directionnelles. Dans ce domaine il faut faire preuve d'imagination car c'est une action qui va à l'encontre de beaucoup d'habitudes. Cette action devra aller dans le sens de métropoles multipolaires pour pallier à la déficience de la situation actuelle mais aussi ne pas choquer les particularismes. Les grandes villes étant périphériques, c'est vers la périphérie qu'il faudra chercher les solutions. On développera ce point plus loin, l'action doit avoir deux objectifs conjoints et non contradictoires : centricité et excentricité.

La critique à l'égard des tracés des limites est, souvent, justifiée. Mais leurs auteurs ont eu beaucoup de difficultés à se conformer à des zones d'influence de pôles parfois peu actifs aux contours flous. Ils n'ont pas voulu donner à la région parisienne son véritable poids ; cela aurait sans doute soulevé une tempête de protestations. Peut-être ont-ils, cependant, trop recherché des égalités : pas trop d'écarts entre les superficies ; peut-être aussi ont-ils cédé à la tentation de distribuer beaucoup de titres de capitales, plus qu'il n'en existe. Il faut ajouter que, en 1963, les règles de l'économie et des localisations étaient très différentes de ce qu'elles sont devenues dans les années 90 ; raison de changer, diront certains.

Depuis quelques décennies, les régions ont-elles vu leur pouvoir augmenter face à Paris et face aux décideurs ?

3. LES RÉGIONS EXISTENT-ELLES ?

1. L'évolution du poids de Paris. Paris trop grand ou Paris trop petit ?

■ Le poids considérable de Paris : un lieu commun...

La population de l'Ile-de-France frôle les 11 millions. Un temps, il fut décidé que cette population ne devait plus croître puis on estima que ce chiffre n'était pas encore suffisant ; on penche aujourd'hui pour dire qu'il ne devrait pas dépasser 12 millions. Quel chiffre pour avoir un rôle mondial ?

Ce chiffre paraît d'autant plus élevé que le reste du pays est sous-peuplé ; mais, et pour la même raison, il doit être d'autant plus élevé que le reste du pays manque de places urbaines susceptibles de remplir certaines des fonctions supérieures. C'est là une des contradictions françaises qu'il faut vaincre.

Cette population comprend près de 60 % des dirigeants administratifs, financiers et commerciaux ; 60 % également des ingénieurs et cadres de l'informatique. 55 % de la recherche des entreprises se font dans la région parisienne et là se concentrent les trois cinquièmes des chercheurs ; Rhône-Alpes arrive ensuite avec... 9 %. L'Ile-de-France – qui ne représente pas toute la région parisienne – produit plus de 29 % de la Valeur Ajoutée Brute nationale avec 22 % des actifs français. En 1996, 24,2 % des créations d'entreprises se sont faites en Ile-de-France. Paris paie la moitié des taxes sur les chiffres d'affaires, les deux tiers des impôts sur les bénéfices. Sur les 500 premières firmes françaises, 382 ont leur siège social à Paris alors qu'en Allemagne, les sièges des 100 plus grosses firmes se répartissent sur 44 villes (D. Noin). Le quart du trafic du téléphone se fait à Paris. La place financière de Paris représente 91,3 % de l'ensemble français (J. Labasse). Une longue litanie connue, qui pourrait être plus longue encore. Et, cependant...

■ Il faut, encore, donner plus de poids à Paris...

On a si souvent répété que Paris pesait trop lourd, qu'il peut sembler paradoxal, ou indécent, de se demander si le poids de Paris est suffisant et, plus encore, de suggérer un renforcement du poids. Et cependant. bien que possédant 90 % des sièges sociaux des banques françaises, la place financière parisienne est bien légère face à New York, Tokyo, Londres, Hong Kong ou Francfort. Paris attire peu les sièges sociaux ou les représentations des sociétés étrangères ; 31 des 50 premières entreprises étrangères ont une direction en Europe, en 1984 ; 2 seulement sont à Paris (J.F. Drevet). Les charges d'établissement, les difficultés de circulation, d'autres facteurs, font que les entreprises préfèrent des villes plus petites. Les aéroports de Paris ne sont qu'au 7e rang mondial derrière Dallas, peu avant Atlanta, à une époque où le hub aérien est un élément primordial du développement. Il est souhaitable, pour l'ensemble du territoire, que Paris renforce sa puissance au plan financier, au plan décisionnel international.

Mais se pose alors une question triple où les trois interrogations sont interactives : est-il nécessaire d'augmenter encore la population parisienne, le seuil quantitatif doit-il être placé aussi haut et est-il nécessaire de concentrer toutes les fonctions supérieures d'un Etat en une seule métropole ? L'Europe fourmille de contre-exemples. Les Pays-Bas ont deux capitales et une troisième ville, Rotterdam, a de larges pouvoirs économiques au plan mondial ; aucune des trois métropoles ne dépasse de beaucoup le million d'habitants. En Allemagne, Bonn, Berlin, Düsseldorf, Munich, Francfort, Hanovre (et la liste n'est pas exhaustive) se partagent les fonctions supérieures.

Dans de nombreux grands pays, la capitale politique n'est pas la capitale économique : Italie, Etats-Unis, Brésil, Australie,...

Mais les caractères si spécifiques des densités et de la répartition de la population française rendent ardue la mise en place d'une solution. Pour franchir un seuil quantitatif suffisant dans un pays insuffisamment peuplé, il paraît souhaitable de s'orienter vers la mise en place de métropoles polynucléaires, de réseaux de villes, d'axes urbains. Les progrès des télécommunications et la réduction du temps de parcours grâce aux autoroutes, à l'avion, au T.G.V. (et la France est, avec le Japon, le pays le mieux placé pour ce dernier point) sont des éléments, une donne nouvelle, capables d'apporter des solutions. A la double condition que l'on apprécie bien l'importance et les conséquences de cette transformation et que les différents acteurs soient attentifs à ce que ces nouveaux moyens ne favorisent pas une accentuation de la centralisation et n'étendent la banlieue parisienne au-delà de 200 kilomètres du Parvis de Notre-Dame.

2. Après des décennies de décentralisation, le pouvoir régional a-t-il augmenté ou diminué ?

■ Une autonomie relative

Cette deuxième question peut paraître, elle aussi, paradoxale et indécente, après plusieurs décennies de décentralisation et toutes les mesures prises pour donner plus de pouvoirs aux régions et aux organismes locaux.

Les assemblées régionales et locales sont, désormais, consultées et participent à l'élaboration des plans, des Projets et des études. Elles ont acquis des autonomies financières, budgétaires, décisionnelles.

Mais les décisions les plus lourdes dépendent toujours de l'accord et des financements centraux, sans parler de la mondialisation qui « exterritorialise » les décisions.

■ Les premières décentralisations ont-elles vraiment profité aux régions ?

Les premières mesures de décentralisation ont porté essentiellement sur l'industrie. Lors des années 50 à 70, beaucoup considéraient encore l'industrie, la production, comme la base de la richesse. Mais déjà – on le voit mieux aujourd'hui, et cela s'affirme de plus en plus – la conception, le financement, le transport des biens et des données, la commercialisation apportent davantage de valeur ajoutée et de puissance.

Cette décentralisation industrielle a profité surtout aux régions proches de Paris, celles du Bassin parisien, et assez paradoxalement, elle a contribué à renforcer des espaces entrant (en grande partie à cause de cela) dans l'orbite parisienne.

Elle a dégagé des terrains dans l'agglomération parisienne, qui en manquait, et ces terrains ont été occupés par des bureaux, voire des laboratoires. Là encore Paris a ainsi pu accroître son rôle directionnel. De plus, cela a supprimé en grande partie des banlieues ou des arrondissements rouges et, du même coup, certains problèmes politiques. Les rues Jules-Guesde, Jean-Jaurès, Vaillant-Couturier, Henri-Barbusse, Victor-Hugo ou Anatole-France ont donné asile aux sièges sociaux ou aux bureaux des grandes sociétés.

Les entreprises ou établissements qui ont quitté Paris n'étaient généralement pas celles qui avaient le plus haut niveau de technologie. D'autre part, le plus souvent aussi, il ne s'agissait pas, en cette période de développement industriel, de véritable délocalisation mais d'extensions d'établissements qui n'auraient pu trouver à Paris les terrains et les facilités de circulation nécessaires. Dans la grande majorité des cas, les établissements installés en province étaient des organes d'exécution ; la recherche, la gestion, la direction, se maintenaient à Paris. Même la direction locale peut rester semi-parisienne avec des responsables séjournant à Paris 2 à 3 jours par semaine ou même continuant d'avoir leur résidence principale à Paris.

Certes, les régions y ont gagné des emplois et, aussi, des équipements et des services mais les emplois ne sont pas – en moyenne – les plus qualifiés. Par ailleurs, quand s'installe, ce qui est souvent le cas, de gros établissements, par exemple des unités de production automobile, la mono-industrie arrive avec ses risques en cas de récession de la branche et les P.M.I. locales deviennent dépendantes de ces unités.

■ Les pouvoirs perdus, les nouveaux pouvoirs

Pendant ce temps, deux catégories de faits agissaient dans le sens de la perte des pouvoirs locaux. Les concentrations d'entreprises et la mondialisation de l'économie enlevaient progressivement aux régions une large part de leurs pouvoirs décisionnels pour les transférer à Paris ou ailleurs, dans le monde. D'autre part, une action gouvernementale celle-là, les nationalisations, transféraient à Paris, la direction de nombreuses entreprises. Le cas du Nord – Pas-de-Calais est un exemple parmi d'autres. Les entreprises étaient en majeure partie d'origine locale, financées par des capitaux locaux, dirigées par des responsables locaux : le textile, le charbon, la sidérurgie, l'agro-alimentaire. Usinor est passé de Valenciennes à la rue de Madrid puis à la Défense. La direction des Charbonnages et surtout celle de la carbochimie ont été aspirées par Paris. L'agro-alimentaire est passé en grande partie entre les mains de sociétés étrangères. Le textile s'est dilué dans des groupes extérieurs à la région.

Les régions seraient-elles devenues de simples lieux d'exécution des directives venues de Paris ou d'un autre point du globe. N'a-t-on pas accepté, assez facilement, semble-t-il, de limiter son action à offrir aux investisseurs le meilleur accueil possible, un accueil meilleur que celui offert par un nombre considérable d'autres espaces concurrents.

D'autre part, les finances locales sont assez légères et il faut, très souvent, obtenir la participation de l'Etat pour entreprendre une action...

*

* *

Disons cependant que cette vue est un peu trop pessimiste. Désormais, les pouvoirs régionaux sont une réalité. Et malgré des heurts, les régions ont déjà eu la possibilité de se façonner et d'apprendre à vivre.

Désormais, il y a un pouvoir central, un pouvoir européen, des pouvoirs économiques de plus en plus extérieurs et... un pouvoir régional.

4. LE RÉAMÉNAGEMENT RÉGIONAL

L'évolution des pouvoirs, celle des techniques et les réalités françaises demandent un réaménagement continu du territoire.

Celui-ci devrait tenir compte :
– De la répartition spatiale des populations et des pouvoirs. En France : le noyau dur parisien, la couronne parisienne, légère, et le reste réparti principalement sur les périphéries avec une nette prépondérance de la périphérie est-continentale sur la périphérie ouest-maritime. En Europe, l'existence de l'équerre rhénane et de ses continuations : l'Angleterre à l'ouest, la Suisse et l'Italie du nord au sud.
– De la construction européenne.
– De l'évolution des critères de localisation des développements et de leur hiérarchie, notamment le rôle des métropoles, le désir de services et d'un environnement de qualité et, enfin, la révolution des transports et de la mondialisation de l'économie.

Ce réaménagement devrait avoir un double objectif : recentrage et excentricité ; deux termes non contradictoires et devant être menés de pair.
– **Recentrage** : souder des éléments souvent périphériques et souvent sans liens entre eux ; tout en densifiant la place parisienne mais en évitant, en diminuant même, sur Paris, tout ce qui peut y être évité ou diminué.

Le **centrage sur Paris** est nécessaire mais il faut un **recentrage des régions françaises** entre elles et à l'intérieur d'elles-mêmes.

– **Excentricité** : puisque le peuplement est périphérique, au lieu de considérer cela comme un écueil, jouer, au contraire, cette carte ; carte européenne, surtout du côté est et carte maritime du côté ouest.

1. Recentrage

Il s'agit de renforcer des liens entre les régions et entre les villes françaises. On a toujours régulièrement tissé une toile d'araignée avec pour centre Paris. Cette toile est nécessaire pour le développement de Paris mais le « reste » a été longtemps laissé à l'écart et la toile a attiré aussi tous les flux européens dans le mini-ring parisien des boulevards dits extérieurs. Il eut fallu détourner depuis longtemps ces flux dans un grand ring ou des axes non parisianisés. Mais l'intérêt principal de ces axes n'est pas là ; ils doivent resserrer les liens entre les régions elles-mêmes et avec l'étranger. En sachant bien que ces axes seront quasi inutiles si leur construction ne s'accompagne pas d'un renforcement des régions et des métropoles.

■ Le renforcement d'un arc interne

Les grands axes de circulation de l'Europe, les très fortes densités, l'« équerre » ou la « banane », entourent la tache claire que fait la toile d'araignée française : cela forme un **arc externe**. En France, les plus fortes densités, après celles de la région parisienne, esquissent, en bordure des frontières continentales, une sorte d'**arc interne**, parallèle à l'arc externe. L'intérêt de la France est de renforcer **SON arc** : Le Havre/Dunkerque – Paris (en contournant largement la capitale) – Lorraine – Alsace – Bourgogne – région de Lyon – région de Marseille – Nice.

La partie nord de cet arc est très différente de la partie sud :

– **Au nord,** il n'y a pas ou il y a peu d'obstacles liés au relief. La direction des cours d'eau (Escaut, Meuse, Moselle, Rhin) qui coulent vers le nord mais aussi celle des grands axes de circulation qui relient Paris à une métropole régionale ou à l'étranger, sont perpendiculaires à l'axe de l'arc qui, de ce fait, n'existe pratiquement pas. Il n'y a presque pas de relations entre Nord – Pas-de-Calais, Champagne, Lorraine, Alsace : chacun regarde vers Paris ou vers l'étranger. Et le phénomène se reproduit même à l'intérieur de chacune des régions, entamant largement leur propre cohésion.

L'absence de relief permet d'envisager de nouveaux tracés. Pour décharger la concentration de trafic qui s'est faite dans le seuil de Bapaume : on construit A16, Boulogne – Amiens – Paris et la rocade littorale, achevée entre Dunkerque et Boulogne ; le T.G.V. Paris – Lorraine – Alsace est programmé.

Mais il s'agit encore d'axes perpendiculaires à l'arc, de l'étranger vers Paris, trop souvent appelés « couloirs » et étudiés comme tels sans se soucier de leurs retombées locales ou régionales. Vont dans le sens de la construction de cet arc : A26 : le Tunnel – Dijon, l'interconnexion du T.G.V. qui contourne Paris. Pourquoi pas un arc interne de navigation intérieure, franchissant enfin les seuils par Seine-Escaut, Seine-Est et le couloir Saône-Rhône ?

– **Au sud,** les conditions sont presque inverses car, d'une part, le relief canalise les axes de circulation et l'axe principal suit le couloir Saône-Rhône, parfois très étroit. D'autre part, les grands flux sont méridiens et leur direction correspond, ici, avec l'axe de l'arc. Sur cet axe, le relief localise de grands carrefours.

L'aménagement, la centricité en sont facilités mais une augmentation de capacité dans la vallée du Rhône se heurte à des difficultés ; on construit deux autres axes parallèles à travers le Massif central, grâce, en partie, aux Limagnes et à travers les Alpes grâce, en partie, au sillon alpin et à la vallée durancienne ; ces axes seront plus lents mais ils ont un intérêt majeur : vivifier les bordures montagneuses du couloir rhodanien : Massif central et Alpes.

Cet arc interne est déjà bien équipé : T.G.V., presque entièrement, autoroutes, lignes aériennes ; il faut encore le renforcer, pour qu'il soit pleinement polymodal, de la voie d'eau (liaison Rhin-Rhône).

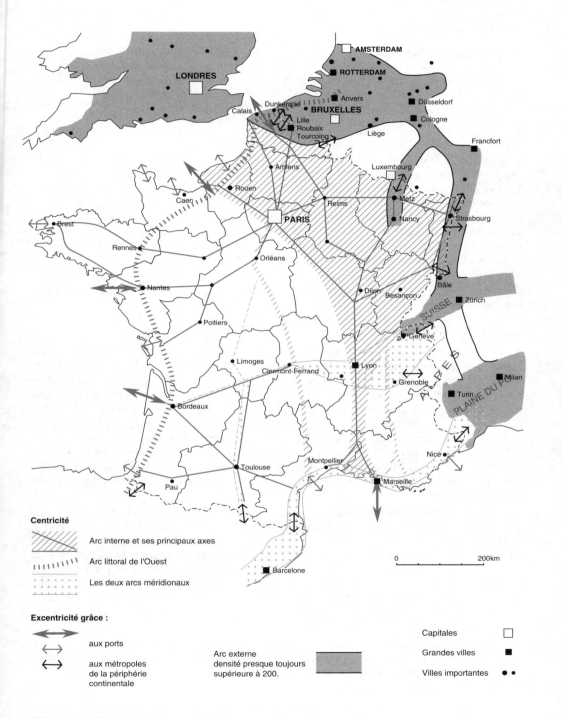

Figure 31. Recentrage et excentricité

Légende de la carte :

Centricité

- ///// Arc interne et ses principaux axes
- \|\|\|\|\| Arc littoral de l'Ouest
- :::::: Les deux arcs méridionaux

Excentricité grâce :

- ↔ aux ports
- ↔ aux métropoles de la périphérie continentale

Arc externe densité presque toujours supérieure à 200.

- Capitales ☐
- Grandes villes ■
- Villes importantes ● ·

Villes indiquées sur la carte : LONDRES, AMSTERDAM, ROTTERDAM, Anvers, Dunkerque, Calais, BRUXELLES, Düsseldorf, Cologne, Lille, Roubaix, Tourcoing, Liège, Francfort, Amiens, Luxembourg, Rouen, Caen, Reims, Metz, Nancy, Strasbourg, PARIS, Brest, Rennes, Orléans, Dijon, Besançon, Bâle, Zürich, Nantes, SUISSE, Poitiers, Genève, Limoges, Clermont-Ferrand, Lyon, Grenoble, Milan, ALPES, Turin, PLAINE DU PÔ, Bordeaux, Montpellier, Nice, Toulouse, Pau, Marseille, Barcelone

0 — 200km

Mais il faudrait qu'on le conçoive aussi comme un moyen de liaison entre les régions ou un moyen, pour les régions, d'entrer en contact avec l'étranger et pas seulement comme un « couloir » de traversée.

■ L'arc littoral de l'Ouest

Le troisième ensemble de fortes densités est à l'ouest, le long des littoraux. Or, il est insuffisamment – et anormalement – sous développé. La France doit fournir beaucoup d'efforts pour essayer de remédier à cette situation, pour **redéployer ses littoraux**. L'autoroute des littoraux aurait du être terminée depuis quelques décennies. Elle est, heureusement, en cours de construction et quelques éléments sont en service. Son but est double. D'abord, relier les ports entre eux pour qu'ils échangent leurs services ; nous l'avons souvent dit : une des forces des ports bénéluxiens c'est que si un usager ne trouve pas le service dont il a besoin dans l'un, il sait qu'il le trouvera dans un autre port pas trop lointain. Une synergie portuaire est nécessaire et, là encore, la réduction des distances doit jouer favorablement. Le deuxième but, renforcer un axe très fréquenté : Péninsule ibérique, Ports français, Europe du Nord-Ouest, Iles britanniques par le Tunnel. Les ports français doivent savoir profiter de cette opportunité : l'entrée de la péninsule ibérique dans le Marché Commun, celle du Royaume-Uni et la percée du Tunnel reportent vers l'ouest, vers les littoraux français, un flux européen appelé à se développer.

Pourquoi aussi appeler cette route « des estuaires » : encore une vue incorrecte ; nous l'appelons « des littoraux » car, à partir de Calais, la France et le Benelux se terminent sur la mer par un delta.

■ Les arcs méridionaux

La France méridionale avait longuement pâti. L'Atlantique, depuis la Renaissance, l'avait emporté sur la Méditerranée ; le fer, le charbon et aussi, au début, l'hydroélectricité lui ont fait défaut ; puis les capitaux ; le relief ne se prêtait pas à une circulation lourde ; la première conception d'une Europe à six était essentiellement rhénane. Progressivement, les vents ont tourné tandis que les régions qui avaient profité de la houille et du fer « vieillissaient ». Le Canal de Suez, les colonisations, le pétrole, plus récemment, le recentrage de l'Europe vers le sud ont redonné de l'importance à la Méditerranée. La place prise par l'environnement, le soleil ou la neige ; l'importance récente de cultures que permettent le climat et l'irrigation ; le développement du tourisme ; le poids primordial des industries légères, de la matière grise, des technopôles et des technopoles. Tous ces facteurs permettent un rééquilibrage de la France vers le sud.

– Un **arc littoral méditerranéen**. De la Catalogne, avec Barcelone, à la Plaine du Pô, avec Turin et surtout Milan, s'est affirmée une des parties les plus dynamiques de l'Europe. La France occupe, dans cet arc, une position médiane ; elle se doit d'y tenir sa place. L'existence de cet arc ne se matérialisera plus par des flux massifs de marchandises et la mondialisation de l'économie concentrera moins les flux sur l'arc lui-même ; les aéroports jouent un rôle primordial et aussi les ports. Mais des synergies doivent néanmoins s'établir, par exemple entre les chercheurs, entre les technopôles, entre les métropoles, Montpellier, Marseille-Aix, Nice et entre les villes moins importantes. Ne doit-on pas craindre, actuellement, un trop grand essaimage et une prolifération des technopôles ?

Cet arc se confond, en son centre, avec la partie méridionale de l'arc interne ; il faut également profiter des synergies possibles et le renforcement de cet arc interne sera profitable à la partie méditerranéenne de la France.

– Un **deuxième arc plus septentrional**.

Un espace très dynamique entoure la métropole lyonnaise ; il participe activement à l'arc interne. Même dynamisme vers l'est, le long de la bordure alpine avec Grenoble, Chambéry,

Annecy, la vallée de l'Arve, l'avant-pays génevois et à l'intérieur des Alpes avec le développement du tourisme.

L'avenir de ces espaces peut être considéré avec optimisme.

Plus loin vers l'est, les Suisses prennent le relais. La France considère avec attention un éventuel prolongement vers l'ouest, à travers le Massif central, en direction du Bassin aquitain ; Saint-Etienne est proche de Lyon ; Clermont-Ferrand devient un carrefour ; est-ce un moyen pour élargir l'arrière-pays du port de Bordeaux et éviter à Toulouse de rester entre deux axes de circulation ?

■ Recentrages et mentalités

La décentralisation implique des recentrages car il faut mettre en place des synergies nouvelles et des synergies hiérarchisées. L'évolution de l'économie mondiale a les mêmes implications. Sans l'établissement de synergies hiérarchisées, c'est l'isolement et l'écrasement. Cela exige des partenaires des prises de responsabilité, des renoncements, beaucoup de connaissances et aussi d'imagination.

Les pages qui précèdent abondent en suggestions de géographes, hommes de terrain. Les résumer ici serait les appauvrir.

Certains recentrages se font à l'intérieur même d'une région, d'autres entre régions limitrophes (par exemple, la « France de l'Atlantique » présentée par André Vigarié), d'autres encore peuvent déborder les frontières nationales.

Les succès de la Bretagne démontrent que l'on peut effectuer des progrès substantiels sans autoroute (mais avec de bonnes voies rapides et avec le T.G.V.) et sans très grande métropole. Il y a quelques décennies seulement, on évoquait notamment la pauvreté de son sous-sol et de ses sols pour expliquer les retards. Aujourd'hui, la Bretagne est une des régions françaises qui a le plus évolué ; ses victoires dans les domaines de l'agriculture, de l'agro-alimentaire ou de la haute-technologie sont remarquables. Les infrastructures, le réseau urbain et même les conditions naturelles ne sont que des éléments de la mise en valeur. C'est qu'il y a un élément déterminant, sans lequel les autres agissent mal, ce sont les mentalités.

Celles-ci sont présentes dans un espace donné ; leur analyse, ce qui les fait naître, les active ou les met en sommeil est une étude essentielle où doivent s'associer historiens, sociologues, psychologues, politologues, économistes et… géographes.

2. Excentricité

Puisque le peuplement principal de la France, Paris mis à part, est périphérique, il faut en tirer les conséquences et s'efforcer d'en tirer profit.

Il faut que Paris ne craigne pas des velléités centrifuges.

Il faut, sur la Périphérie continentale, s'arrêter de dire : « cette ville est bloquée par la frontière » ; c'est l'attitude inverse qu'il convient d'adopter : la frontière devrait ouvrir l'horizon, augmenter les potentialités.

Sur la Périphérie maritime, l'objectif est de revaloriser les littoraux.

■ Du côté de la périphérie est-continentale

Il est dans l'ordre des choses de rechercher des synergies de part et d'autre d'une frontière. Une frontière crée des déséquilibres ; des interactions nombreuses naissent de ces déséquilibres, guerrières, économiques. Aujourd'hui, avec l'Europe, beaucoup de ces déséquilibres disparaissent, les conditions économiques et techniques changent et il faut repenser les relations transfrontalières.

La France s'est trop souvent contentée d'un « rôle » passif, ce dont profitaient, davantage, les états riverains. On continue encore trop souvent aujourd'hui à méconnaître ces régions voisines et à négliger la spécificité des régions frontalières françaises. Ce n'est pas rationnel ni utile pour l'ensemble français.

Un cas particulièrement intéressant est celui des plus importantes métropoles de la France ; elles sont toutes proches des frontières continentales ; il faut s'efforcer d'en faire des euro-métropoles. C'est le meilleur moyen de leur faire franchir les seuils quantitatifs et qualitatifs qu'elles n'ont pas encore franchis et c'est aussi un des meilleurs moyens pour étoffer la position française.

Dans la moitié nord de cette périphérie, peu d'obstacles physiques et peu de kilomètres entre la frontière et la grande ville. A Lille, à Nancy-Metz, à Strasbourg, des métropoles multipolaires et des réseaux sont possibles avec des villes françaises, belges, luxembourgeoises et allemandes. Des synergies se mettent en place en Saar-Lor-Lux-Trèves/Palatinat occidental (37 500 km^2, 4 858 000 habitants) ; des pourparlers avancent entre Français, Belges wallons et Belges flamands pour l'élaboration d'une eurométropole autour de Lille de 1,5 million d'habitants. Des synergies agricoles, industrielles, touristiques se mettent aussi en place.

Et cela ne doit pas faire craindre une Europe des régions qui détruirait les identités nationales.

■ Du côté de la périphérie ouest-maritime

Les ports français souffrent d'une accumulation de facteurs peu favorables. Est-il normal que l'ensemble des ports français aient un trafic marchandises égal à la moitié de celui des ports bénéluxiens ? Alors que la France est si bien pourvue en façades maritimes.

Certes, les artères rhénanes sont responsables, mais en partie seulement, des « détournements de trafics » vers le Benelux ; la France fait – un peu – figure de finisterre.

Mais la France est un des rares pays à ne pas avoir mis sa capitale dans un port et y comprend-on bien ce qu'est la mer ? La France n'a aucune place portuaire. Certes les arrière-pays des ports sont souvent légers mais on a bien tardé à unir ports et arrière-pays par les moyens multimodaux de transports modernes ; ce n'est d'ailleurs pas encore terminé.

Quant à la route des littoraux, improprement appelée « route des estuaires », sa construction vient à peine de commencer. Quant à la flotte française, elle s'estompe très fortement (elle se relève un peu) et ne pèse plus guère sur les politiques maritimes.

Les trop célèbres conflits sociaux et aussi des politiques commerciales trop timides ont donné aux ports des images de marque péjoratives : manque de fiabilité, en un moment où c'est le mot-clé ; prix trop élevés.

L'industrialisation portuaire s'est heurtée à beaucoup d'opposition ; les grèves des dockers contre la privatisation des quais n'en sont qu'un aspect. Combien de responsables ne croyaient-ils que les ports étaient réservés aux industries lourdes !

Les conflits des dockers semblent à peu près réglés (mais pas dans tous les ports) ; les infrastructures de liaison terrestres sont devenues bonnes ou correctes ; la route des littoraux progresse. Elle doit contribuer à établir, ici également, des synergies. Si un service n'existe pas dans un port, il faut pouvoir faire appel, facilement, à un port voisin, fusse-t-il étranger. Après la réforme en grande partie réussie de la manutention, il faut développer les services commerciaux, créer des relais qui vont regrouper ou disperser les marchandises dans l'intérieur. Les industries portuaires sont encore une carte à jouer ; Dunkerque vient de le prouver.

En présence des révolutions économiques actuelles qui affectent tous les domaines, structures, localisations, le rôle de l'Etat, face aux régions, est de plus en plus essentiel. Pour développer l'emploi, une de ses priorités doit être le choix des grandes orientations économiques du pays et le déploiement des mesures adéquates. Quels sont les types d'activités agricoles, industrielles ou de services qui lui paraissent convenir le mieux et quelles structures. Quels sont les lieux qui paraissent le mieux convenir aux implantations de ces activités. L'aménagement du territoire est une priorité plus que jamais vitale.

Mais un aménagement **du** territoire, doit être, en fait, un aménagement **des** territoires : il importe de bien connaître les spécificités des territoires, des régions et d'en tenir compte. Aménager, ce n'est pas égaliser, disperser, saupoudrer mais avoir le courage de hiérarchiser, consolider des points forts en pensant aux seuils critiques qualitatifs et quantitatifs, nécessaires pour qu'ils agissent et – en tentant de résoudre la contradiction apparente – veiller aux retombées dans le voisinage de ces points forts pour ne pas refaire une métropole et le désert. Enfin, c'est en s'extériorisant, tout en améliorant sa centralisation (là encore, il ne doit pas y avoir contradiction), en ne prenant pas Paris comme unique place forte, que la France revalorisera son territoire.

A côté de l'Etat et en collaboration avec lui, les régions deviennent des acteurs qui doivent prendre en main leur avenir. Les responsables de chaque région doivent, eux aussi, définir les options économiques qui conviennent le mieux et œuvrer en conséquence. Comme la France, les régions doivent centraliser en renforçant la puissance de leur métropole ou de plusieurs dans quelques cas ou d'un réseau de villes ; en ciblant ce qui convient le mieux à la spécificité bien définie de **leur** territoire ; le choix de ces options est capital. Mais, par ailleurs, elles doivent s'extérioriser en créant des liens, des synergies, avec les voisins et, pour les régions frontalières (frontières terrestres ou maritimes), qui sont en majorité, des liens et des synergies avec l'étranger.

De tels bouleversements supposent des changements profonds dans les mentalités ; ils sont en train de se faire.

CHAPITRE

12

DÉPARTEMENTS FRANÇAIS D'AMÉRIQUE

Jean-Pierre Chardon

La Guadeloupe, la Martinique et la Guyane font partie de cette « France du lointain » qui double la superficie terrestre de l'Hexagone mais multiplie par trente sa zone économique exclusive maritime. Dans cet ensemble, les trois D.F.A. (Départements Français d'Amérique) apportent 94 000 km^2 de terres, 300 000 km^2 d'espaces maritimes et 950 000 habitants. Groupés dans une région, ces trois entités devenues départements d'Outre-Mer depuis la loi du 19 mars 1946, forment un ensemble hétérogène : deux îles à l'espace réduit portant de fortes charges humaines (850 000 habitants), tandis que la vaste enclave continentale guyanaise n'a encore que 150 000 habitants regroupés sur un liséré côtier en marge d'un intérieur forestier vide et parfois mal connu. Ce sont des espaces éloignés de leur centre de décision parisien, mal développés, aux sociétés plus inégalitaires que celles de la France. Longtemps méconnus des Français, les « Domiens » ont la réputation de n'être que des assistés, étiquette que modifie à peine, et pour un temps, les exploits sportifs ou la notoriété littéraire ou artistique d'un ou d'une de ces enfants lointains de la République. Si la France transfère en fonds publics plus d'une quinzaine de milliards de francs par an vers ces terres, elle reçoit une grosse part de leur épargne et le solde très bénéfique de leurs échanges. Ces trois D.F.A. permettent aussi à la France d'avoir un pied dans « l'arrière-cour » des Etats-Unis, de disposer d'un lieu pour concrétiser une politique spatiale ambitieuse, bref de jouer dans la cour des Grands, ce que le seul vieil hexagone gaulois ne pourrait lui permettre.

Comme les autres DOM-TOM, les D.F.A. sont jugés ou se jugent à travers un emboîtement d'espaces qui, selon l'échelle choisie, les valorise ou les complexe. Pour les îles voisines, ce sont des espaces attractifs d'où les Domiens émigrent encore en nombre vers une métropole à la richesse nettement plus affirmée. Avec la nouvelle identité européenne qu'on leur octroie, ils subissent une nouvelle périphérisation au sein de partenaires encore plus nombreux et moins connus que leurs collègues d'Outre-Mer. Après un demi-siècle de départementalisation, les DFA ont l'opportunité d'élargir leur problématique identitaire : le pari est séduisant mais risqué.

1. LES ANTILLES

1. Deux îles « au soleil » menacées par les cyclones et façonnées par le volcanisme

La Martinique et la Guadeloupe font rêver les amateurs de vacances exotiques. Leur climat est un des traits majeurs de leur identité. Tropical, il ignore le froid (moyenne annuelle de 23°) ; ce sont les pluies qui le rythment en opposant une saison dite sèche, le « carême » (de décembre à mars) à « l'hivernage », beaucoup plus humide, surtout de juillet à octobre. Mais l'irrégularité reste forte sous un ciel dans lequel le soleil brille en moyenne plus de 2 500 h par an. Cette image idyllique est fortement nuancée par le danger cyclonique qui, d'août à octobre, guette ces îles comme l'ensemble du bassin caribéen. Ces puissantes machines thermiques, nées au large des îles du Cap Vert, dévastent les îles par leurs vents (parfois plus de 200 km/h), l'intensité de leurs pluies (300 à 1 000 mm en 24 heures), qui brisent les cultures, inondent les côtes et les zones basses, détruisent infrastructures et habitations. Le cyclone Hugo (septembre 1989) a causé plus de 6 milliards de francs de dégâts en Guadeloupe. Le cyclone Luis (septembre 1995) a ravagé Saint Martin et Saint Barthélémy. Grâce à de bonnes prévisions et à l'efficacité du plan ORSEC, ces catastrophes naturelles font peu de victimes.

Ces deux îles ont une armature volcanique. La Martinique est ramassée sur ses 1 080 km^2 dans des dimensions qui n'excèdent guère 60 km. Ce petit espace est montagnard par l'escarpement de ses formes, l'exiguïté de ses plaines, la profondeur de ses courtes vallées. Le 8 mai 1902, la montagne Pelée (1 397 m) a asphyxié de ses nuées ardentes les 28 000 habitants de Saint-Pierre et du Prêcheur, au nord de l'île. Cette violence s'est renouvelée en 1929, alors que du haut de ses 1 467 m, la Soufrière de Guadeloupe a causé plus de frayeur que de dégâts lors de ses éruptions récentes (1956, 1976). L'une comme l'autre sont désormais très surveillées par l'Institut de physique du globe installé sur leurs flancs ou à proximité.

Au centre de la Martinique s'étale la seule véritable plaine de l'île qui sépare les vigoureux édifices volcaniques septentrionaux (Pelée, Pitons du Carbet) des mornes surbaissés méridionaux. Les côtes s'opposent par leur morphologie. A l'est, battues par la houle atlantique et précédées d'une étroite plate-forme continentale parsemée d'îlots, elles sont découpées, de part et d'autre de la presqu'île chantournée de la Caravelle. A l'ouest, la côte caraïbe est plus régularisée, bordée de hautes falaises tranchées par des failles et bordées par une mer profonde. La vaste baie de Fort-de-France est ourlée d'une côte à mangrove. Un contraste climatique familier de l'arc antillais renforce cette opposition. La disposition méridienne du relief, orthogonale au flux des alizés, provoque un effet d'obstacle qui humidifie la côte orientale ou côte au vent et dessèche la côte occidentale, côte sous le vent. L'altitude renforçant la pluviométrie, le Sud de la Martinique reçoit moins de 1 500 mm de pluie par an tandis qu'au nord, à 600 m d'altitude, il tombe plus de 5 000 mm.

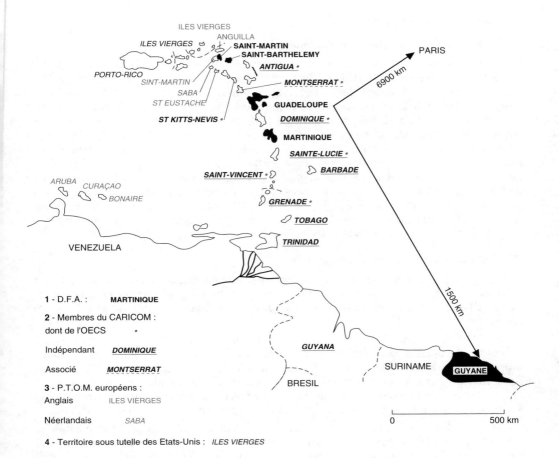

Figure 32. Les DFA dans l'espace caribéen

Au sein de l'archipel guadeloupéen, les similitudes avec la Martinique se retrouvent dans la Basse-Terre volcanique ; mais là, les plus fortes altitudes sont au sud (Soufrière) avec des formes puissantes (dôme de la Madeleine, puy en cratère) et des sources thermales. Une forêt dense, toujours verte, tapisse l'ensemble au-dessus de 600 m. La Grande-Terre et l'île de Marie-Galante offrent des traits différents. Des calcaires tertiaires et quaternaires font prédominer les plateaux étagés par des failles, au nord de la Grande-Terre. Les « hauts » de Marie-Galante et de la Désirade sont marqués par des dépressions fermées (dolines) et des vallées sèches, tandis que la Pointe de la Grande-Vigie offre de hautes falaises blanches.

La région la plus originale est celle des Grands Fonds. La couverture calcaire, bombée et soulevée, a été érodée en un réseau de buttes convexes sculptées par un lacis de vallées temporaires coulant par grosses pluies. Une forêt sèche caducifoliée, dégradée en taillis et mitée par les cultures, souligne la moindre pluviosité de cette région. Cette sécheresse s'accentue dans les dépendances ; le carême y est long et sec, l'arbre se fait rare et les cactées apparaissent. Les Saintes sont un archipel volcanique très découpé ; Saint-Barthélémy et Saint-Martin ont été profondément érodées ; caps rocheux et baies sableuses s'y succèdent, ainsi que plusieurs lagunes, anciens marais salants.

2. Une démographie dynamique

■ Transition démographique et flux migratoires

Au recensement de 1990, la Martinique portait 360 000 habitants (333 hab./km^2). Cette charge humaine rappelle celle de la Barbade ou de Puerto-Rico. Comme la Guadeloupe, l'île a connu un essor rapide dans l'après-guerre, suivi d'une quasi-stabilité entre 1967 et 1982 due à une nette baisse de la fécondité doublée d'un exode massif qui gommait l'excédent naturel (30 750 sur un gain de 31 006 personnes). Le solde migratoire est quasi nul (+ 256). Cette situation nouvelle résulte d'un équilibre entre des départs encore nombreux de jeunes et des retours d'émigrés en retraite ou avancés dans leur carrière, augmentés d'immigrés métropolitains souvent qualifiés, mais aussi parfois en quête d'un emploi plus agréable à attendre sous le ciel antillais que dans la grisaille d'Europe. S'y ajoute l'inévitable contingent de Caribéens (Haïtiens, Saint-Luciens) venus occuper les emplois délaissés par les locaux. En Guadeloupe, la situation est semblable, n'était l'exception de Saint-Martin. Les Dominicains remplacent les Saint-Luciens. Saint-Martin s'est gorgée d'immigrants venus à la fois d'Europe et des îles voisines (Anguilla, Saint-Kitts, Haïti) ; sa population a quadruplé en huit ans.

■ Une concentration qui se périurbanise

La population des Antilles françaises porte en elle la marque de la colonisation. Elle est en grande majorité noire avec un très fort métissage, peut-être plus accentué en Martinique. Là, les Blancs locaux y sont aussi plus nombreux et constituent un puissant groupe socio-économique.

En Martinique, une diagonale prenant en écharpe l'île avec 12 communes (sur 34) de Schoelcher à l'ouest à Sainte-Marie, à l'est, concentre 71 % de la population, soit la même proportion qu'en 1982. Mais Fort-de-France est saturée, sa banlieue proche (Schoelcher, Lamentin) progresse beaucoup moins que la périphérie (Saint-Joseph, Case Pilote, Ducos). Le Sud-Est de l'île apparaît encore plus dynamique grâce à la modernisation de son principal axe routier. Par contre, le Nord avec Saint-Pierre, sa capitale martyre, continue de dépérir.

En Guadeloupe, le même phénomène s'inscrit dans un espace différent. La population se concentre au cœur du « papillon » : 11 communes sur 34 retiennent 78 % du total contre 76 % en 1982. Cette zone constitue une diagonale de Sainte-Rose à l'ouest à Saint-François vers l'est, polarisée autour de l'agglomération pointoise (Baie-Mahault, Pointe-à-Pitre, Abymes, Gosier) qui, à elle seule, renferme 46 % des Guadeloupéens. Pointe-à-Pitre étouffe dans ses 266 hectares communaux, tandis que sa périphérie se gonfle à l'est comme à l'ouest. Le Nord de la Grande-Terre stagne ou régresse comme la côte Sous-le-Vent en Basse-Terre. L'agglomération de Basse-Terre se desserre plus qu'elle ne croît. Quant aux cinq dépendances, les trois proches se vident (Marie-Galante) ou stagnent (Désirade, les Saintes) tandis que Saint-Barthélémy (+ 65 %) et surtout Saint-Martin (+ 253 %) explosent.

■ Un niveau, un cadre et un mode de vie plus contestés dans leurs inégalités que dans leur base institutionnelle

Si les Antilles françaises jouissent d'un des plus hauts niveaux de vie de la Caraïbe (autour de 50 000 F par an et par habitant), elles sont en retard sur la moyenne française, leur indice n'atteignant que 45. Dans ce retard réside l'essentiel des griefs des deux communautés à l'égard de la métropole. Leur société est plus inégalitaire que celle de l'Hexagone et il y est impossible de connaître les revenus réels. Pour combler ce retard, la recherche de la parité sociale avec la métropole a toujours été préférée à l'essor économique, sans doute parce que c'est une solution plus aisée qui se réclame de la justice sociale, s'appuie sur l'unanimité infaillible de tous les élus antillais, mais permet aussi d'éluder les changements de structure et les pratiques héritées d'un passé que tout le monde déclare vouloir abolir, mais dont beaucoup continuent de profiter.

La situation de l'emploi est très médiocre : plus d'un quart de la population active est officiellement au chômage (80 000 pour les deux îles ; ce sont à 55 % des jeunes et des femmes). Les deux tiers sont inscrits à l'A.N.P.E. Les actifs sont à 80 % des salariés partagés à part égale entre le secteur privé et le secteur public ; ce dernier se subdivise en emplois d'Etat (30 000) et emplois des collectivités territoriales dont les trois quarts sont communaux. Un sous-emploi important subsiste dans l'agriculture et le bâtiment. Le tiers du revenu global des ménages provient des prestations sociales. Plus de 60 % des ménages sont propriétaires de leur logement dont le tiers est en bois. L'équipement courant se banalise, les Antillais se motorisent et les jeunes sont presque tous scolarisés. L'équipement médical est dense et de qualité mais la situation sanitaire des immigrés reste médiocre. Le bilan de la départementalisation est nettement positif dans la matérialité des situations du plus grand nombre. Mais il laisse globalement insatisfaite une partie de l'opinion antillaise.

Le statut des îles est actuellement remis en cause par un large éventail politique local, non pas dans une perspective d'indépendance, mais dans le sens de la demande de reconnaissance d'un fait collectif, quasi national pour chaque île, au sein d'une entité française à qui l'on reproche de rester une et indivisible. Après de nombreux efforts pour se caribéaniser tout en restant françaises, à tout le moins francophones, les Antilles françaises s'inquiètent désormais d'une européanisation octroyée, sans alternative. Périphérie de la France, elles se voient attribuer une nouvelle périphérisation avec des îles qu'elles ignorent et qui n'ont guère de traits communs avec elles.

3. Une économie extravertie soutenue par les transferts

Une analyse rapide des comptes économiques des Antilles françaises met en valeur la forte extraversion de leur économie. Les importations représentent plus de la moitié de leur P.I.B. ; cette dépendance est très déséquilibrée : les ventes ne couvrent que le sixième des achats en Martinique et le dixième en Guadeloupe. Au sein de ces économies, les administrations publiques, tant d'Etat que territoriales, alimentent le P.I.B. pour plus de 16 %, consomment plus du quart des ressources, fournissent le quart des emplois et la moitié des rémunérations salariées. L'économie des Antilles françaises laisse ainsi apparaître un fort écart entre son potentiel productif et son niveau de fonctionnement. Cet écart est comblé par les transferts publics que le statut de ces îles légitime. Les îles s'inquiètent de la mise en place du Marché unique européen. Le POSEIDOM (Programme d'options spécifiques à l'éloignement et à l'insularité des DOM) proposé par la Commission de Bruxelles est une loi-cadre qui engage politiquement, juridiquement et financièrement les communautés européennes vis-à-vis des DOM. En reconnaissant leur retard structurel et la réalité régionale, elle ouvre la porte à l'existence de spécificités possibles qui ne sauraient toutefois contrarier le fonctionnement de ce marché unique. La France s'efforce de convaincre ses partenaires de l'Union Européenne, de pérenniser la reconnaissance de ces spécificités.

■ Un avenir agricole menacé

Par héritage colonial, l'agriculture antillaise est avant tout exportatrice. Mais ses produits ne sont plus compétitifs et le Marché unique européen implique la disparition, à terme variable mais certain, de toute protection sur le marché français, leur seul client. Peut-elle alors « s'intérioriser » ? Les marchés insulaires sont limités et ouverts à la double concurrence de l'Europe et des îles voisines. Dans une économie de plus en plus tertiairisée dans ses revenus, ses pratiques et ses dépenses, un repli agricole ne peut être évité mais doit être organisé pour en atténuer les conséquences sociales. L'agriculture a marqué la société antillaise et modèle encore les paysages. Dans chaque île, un cinquième de la population vit encore de l'agriculture et de la pêche. Aux yeux des Antillais, ces activités sont le symbole d'une certaine autonomie nourricière, mythe socio-culturel qui hante toute collectivité insulaire. La sauvegarde de ces secteurs participe plus désormais du domaine socio-politique que de la seule économie dans laquelle ils se marginalisent inexorablement.

Les deux secteurs traditionnels, cannier et bananier, sont inquiets. Le premier offre des situations contrastées selon l'île choisie. La Martinique a abandonné toute ambition sucrière au-delà de l'avenir incertain de son unique usine (Le Galion) qui alimente le marché local. La canne à sucre sert à fabriquer le rhum agricole pour lequel la Martinique possède une excellente image de marque. Toutefois la saturation du marché européen des alcools et la définition ambiguë du rhum adoptée par la C.E.E. laissent planer des menaces sur les débouchés.

La Guadeloupe ne possède plus que deux sucreries (une en Grande-Terre, Gardel, et l'usine de Marie-Galante). Ne serait rentable qu'une seule usine broyant 800 000 à 1 000 000 de tonnes de cannes par an (700 000 t actuellement) sur un terroir restructuré et irrigué. A retarder cette concentration socialement cruelle mais économiquement nécessaire, les autorités locales font payer à leurs contribuables le prix exorbitant d'une reconversion inéluctable.

A priori, le secteur bananier jouissait d'une meilleure situation. Fragilisé par les cyclones (1979, 1980, 1989) et le lourd endettement des producteurs, il risque désormais sa survie sur le marché européen au sein duquel les bananes antillaises affrontent celles d'Amérique latine, moins chères et parfois de meilleure qualité. Dans les deux îles, cette culture occupe 16 000 hectares, fait vivre près de 40 000 personnes et constitue la première exportation ; 10 % des planteurs réalisent les trois quarts de la production alors que trois-quarts des planteurs ne fournissent que 15 % de la production. La diversification agricole est évoquée et tentée depuis des dizaines d'années. Mais elle porte sur des produits issus de structures similaires à celles des produits traditionnels et à destination des mêmes marchés. La culture du melon se développe pour des débouchés à contre-saison. Les cultures florales sont dynamiques mais limitées, de même que l'aquaculture (écrevisses).

Les élevages restent décevants, trop extensifs, sauf en aviculture. Cultures vivrières (racines bulbes) et maraîchères fournissent plus du quart de la production agricole finale sur 4 000 hectares. Mais ce secteur est encore trop informel. La pêche fournit quelques milliers d'emplois mal rémunérés. Elle anime les côtes mais ne satisfait que la moitié des besoins des îles. Son expansion est limitée par un stock halieutique proche médiocre. Elle est menacée par la marginalisation de ses acteurs et la mort lente de ses lieux privilégiés.

■ **Fragilités et limites de l'industrialisation d'import-substitution**

L'industrie n'a guère de bases rationnelles sur place : très peu de ressources naturelles, une énergie entièrement importée et chère, des marchés limités, une mentalité d'entrepreneur trop rare, des coûts de fonctionnement alourdis par l'éloignement des clients et des fournisseurs, la productivité d'une main-d'œuvre plus coûteuse que celle des îles voisines. Cette industrie se limite à des établissements de petite taille (moins de 10 salariés), concentrés dans le secteur agro-alimentaire, celui des matériaux de construction. Les emplois dépassent de peu 5 000 dans chaque île et se concentrent dans des zones industrielles attenantes à chaque agglomération dominante. La gamme sectorielle reste étroite et fragile ; les capacités exportatrices (ciment, provende) sont limitées et les débouchés instables.

Le bâtiment et les travaux publics ont été stimulés depuis 1986 par une loi de défiscalisation généreuse sur les investissements en Outre-Mer. Une poignée d'entreprises de plus de 50 salariés, souvent filiales de groupes métropolitains, accaparent les grands chantiers face à une pléthore d'entreprises artisanales locales au nombre très fluctuant, à la main-d'œuvre peu qualifiée, sous-payée, volatile car immigrée, à l'efficacité technique insuffisante doublée d'une grande fragilité financière. Les deux îles ont de gros besoins en logements sociaux.

■ Une tertiairisation protéiforme et vitale

La classe moyenne, titulaire des emplois publics, a un fort appétit de consommation qui anime un **secteur commercial** diversifié. Il s'est modernisé par la mise en place de grandes surfaces et de centres commerciaux rassemblant de nombreuses boutiques, à l'abord de la principale agglomération, avec une aire de chalandise couvrant parfois toute l'île. Le petit commerce, surtout alimentaire, est marginalisé, par une concurrence extérieure associée à des capitaux locaux. Le commerce spécialisé se diversifie et l'article de luxe se banalise, donnant à ces îles une infrastructure commerciale unique dans les Petites Antilles.

A moyen terme, le secteur le plus prometteur paraît être **le tourisme**. Cette activité, qui a longtemps laissé l'opinion locale indifférente, reste mal mesurée. L'hébergement reste d'abord hôtelier (3 800 chambres en Martinique, 10 000 en Guadeloupe), mais les autres modes (gîtes ruraux, locations) se développent. Les visiteurs sont plus de 300 000 en Martinique, plus de 600 000 en Guadeloupe (dont la moitié à Saint-Martin). Les deux tiers viennent de France, le cinquième d'Amérique du Nord, le reste d'Europe (Italie, Allemagne, Suisse). Ce tourisme est concentré sur la côte sud de la Grande-Terre, à Saint-Barthélémy et Saint-Martin pour l'archipel guadeloupéen, la baie de Fort-de-France et la côte méridionale pour la Martinique. Il génère plus de 10 000 emplois directs et indirects, et plus de 3 milliards de francs de chiffre d'affaires dans les deux îles. A ce tourisme de séjour court (6 à 7 jours) s'ajoutent les nombreux visiteurs qui ne sollicitent pas l'hôtellerie mais dépensent pour se distraire, se nourrir et circuler. Quant au tourisme de croisière, il est de clientèle surtout nord-américaine et débarque pour quelques heures 400 000 excursionnistes à Fort-de-France et 300 000 à Pointe-à-Pitre. Les Antilles françaises offrent les mêmes attraits que leurs voisines avec l'ajout d'une atmosphère française tropicalisée. Mais le professionnalisme des responsables et des prestations doit s'améliorer afin de justifier un niveau de prix perçu comme élevé par une clientèle qu'il faut savoir fidéliser.

La desserte aérienne et maritime est primordiale pour ces îles. La problématique la plus brûlante concerne les liaisons avec la métropole. L'héritage colonial et le soutien sans faille de l'Etat à la compagnie Air France ont longtemps donné à celle-ci un monopole des liaisons transatlantiques. Depuis juillet 1986, d'autres transporteurs français (Corsair, A.O.M., Air Liberté) se sont établis sur ce faisceau et ont conquis la moitié du million et demi de passagers qui l'empruntent. La déréglementation aérienne devrait permettre l'arrivée de transporteurs européens. Par contre, la desserte de l'Amérique du Nord reste limitée à partir des deux sas de San Juan et de Miami. Les deux aéroports du Raizet et du Lamentin accueillent chacun 1 500 000 passagers et préparent leur extension pour en recevoir le double à la fin du siècle. Au sein de l'archipel guadeloupéen, la desserte aérienne s'étiole face à sa rivale maritime moderne, efficace et moins chère pour les dépendances proches (les Saintes, Marie-Galante, Désirade). Mais l'avion garde sa suprématie pour desservir Saint-Barthélémy et Saint-Martin, de même que pour relier la Martinique.

Les échanges extérieurs s'appuient sur des infrastructures portuaires modernes. Chacun des deux ports a dépassé le cap des 2,5 millions de tonnes dont une majorité aux entrées avec une forte proportion de fret conteneurisé. Chacun d'entre eux s'équipe pour le transbordement régional et la valorisation de sa zone industrialo-commerciale. Pointe-à-Pitre s'efforce de promouvoir son Centre Euro-Caraïbe d'activités (C.E.C.A.), plate-forme logistique multimodale qui voudrait s'insérer entre l'Europe et la Caraïbe. Le trafic maritime est dominé par la C.G.M. qui a le monopole du transport de la banane sur des navires sophistiqués (P.C.R.P. : navires porte-conteneurs réfrigérés polythermes) qui, chaque semaine, relient les Antilles aux ports atlantiques français. La récente privatisation de la CGM et son rachat par un groupe libanais risque d'autant plus de modifier ce schéma que le volume du fret bananier est aléatoire (cf. ci-dessus p. 276). Chargeurs Delmas et Marfret desservent les ports méditerranéens.

Ce commerce extérieur est polarisé à 65 % sur la métropole. Les échanges entre les deux îles et avec la Guyane complètent ces flux français. L'Europe (Allemagne et Italie surtout) fournit 15 % des besoins. La part de la Caraïbe reste marginale (2 à 3 %) et concerne des achats d'hydrocarbures (Trinidad) et des produits agricoles (Dominique, Sainte-Lucie). Le déséquilibre en valeur est inquiétant. Le taux de couverture dépasse à peine 17 % en Martinique pour tomber à 9 % en Guadeloupe où il s'est dégradé de moitié depuis dix ans par stagnation des ventes face à un doublement des achats.

4. Deux îles sœurs plus dissemblables qu'il n'y paraît

■ Une collectivité martiniquaise qui doit gérer au mieux son espace vital

Pour le visiteur pressé, les deux Antilles françaises se ressemblent. En réalité, elles présentent de singuliers contrastes entre elles et en leur sein. Le premier tient à l'unicité et à la taille de la Martinique. Point d'archipel d'où un contrôle plus aisé de ce qui arrive du voisinage, souhaité ou non. La charge humaine spatiale est 40 % plus élevée qu'en Guadeloupe. A l'extérieur l'image de la Martinique est forte, liée souvent à quelques traits historiques : le souvenir de Joséphine de Beauharnais et la visite des ruines de Saint-Pierre sont les points forts de l'escale des croisiéristes. L'espace martiniquais est organisé autour de l'agglomération foyalaise dont la commune de Fort-de-France est la tête et le cœur. Cette macrocéphalie grignote l'espace rural par une « rurbanisation » qui hypothèque tout espoir d'autonomie véritable aux autres communes. Celles du Nord végètent. Saint-Pierre n'a pu surmonter le drame de 1902 et n'a pas encore su ou pu tirer un parti touristique suffisant de son drame. Les craintes sur l'avenir de la culture bananière menacent tout le Nord-Est et le Centre-Atlantique. Par contre, la partie méridionale de l'île s'efforce de récupérer une partie du trop plein foyalais et de valoriser ses attraits touristiques. Mais ces oppositions micro-régionales vont s'estomper avec l'amélioration constante mais coûteuse des infrastructures, qui accroît la fluidité théorique d'un espace qui tend à devenir une île-ville. Mais la dure réalité vécue de l'espace-temps montre les dangers dispendieux d'encombrements croissants. Ils sont liés à une motorisation élevée (parc de plus de 150 000 véhicules) mal répartie socialement et spatialement qui, à certaines heures, menace la communauté insulaire d'asphyxie. Les responsables martiniquais doivent dès maintenant réfléchir à un schéma et une pratique de circulation qui brise le binôme banal nouvelles routes/parc croissant. La communauté martiniquaise va donc devoir gérer au mieux son espace utile, celui où elle vit, travaille et circule tant. Cette limite physique n'est pas encore assez consciente dans l'opinion locale qui, depuis trente ans, lui avait trouvé un exutoire dans l'immigration. La Martinique va devoir inventer un schéma à long terme de ville-île dans ses structures et ses modes opératoires. Il lui faut établir des relations nouvelles, souples avec l'intérieur proche (la Caraïbe), renouvelées avec le lointain (l'Europe, le Monde, la France aussi). A cette globalisation spatiale répond une certaine unicité de la collectivité martiniquaise qu'A. Césaire, avec d'autres, revendique comme nation. Ses caractéristiques apparaissent dans leur spécificité par rapport à la Guadeloupe. Encore mieux que l'île sœur, la Martinique incarne la Caraïbe française au sein de la région. Près d'un demi-siècle de départementalisation s'ajoutant à trois siècles de colonisation française quasi ininterrompue, ont modelé les Antillais dans un système original de références sociales, de valeurs et d'attitudes que certains rejettent ou voudraient modifier, mais que personne ne nie.

■ Un archipel guadeloupéen dont la diversité est plus un handicap qu'un atout

La Guadeloupe frappe par sa diversité. Les espaces ruraux y sont encore nombreux, marqués par la crise de l'économie de plantation. Les terroirs canniers du Nord et du Centre de la Grande-Terre souffrent et se vident. Un vaste programme d'irrigation s'y met en place. Mais il doit servir d'appui à une nouvelle agriculture. Encore faut-il trouver les hommes

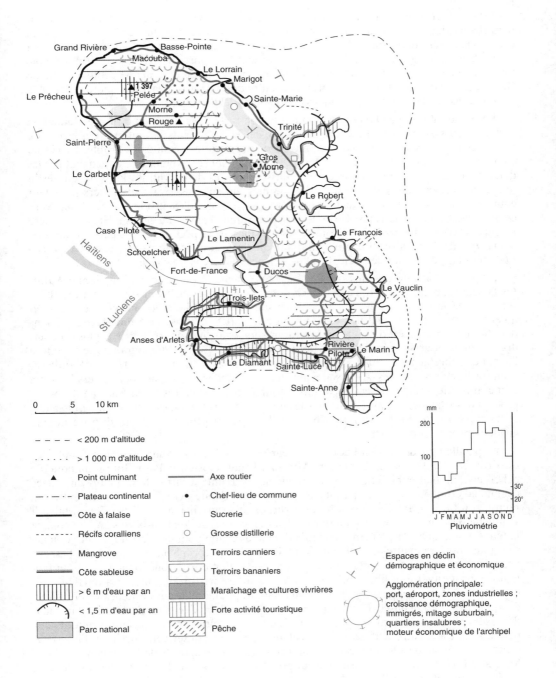

Figure 33. La Martinique

Départements français d'Amérique

jeunes, motivés, bien formés qui animeront cette agriculture moderne mais familiale, coopérative sans doute et qui devra bien connaître, si ce n'est maîtriser, ses marchés avant de choisir ses cultures.

L'agglomération pointoise, dévoreuse d'espace, devrait miter inexorablement par périurbanisation la S.A.U. du Nord-Est de la Basse-Terre comme celle des Grands Fonds. La Côte sous le vent demeure archaïque. Les plans de développement n'y ont jamais vraiment démarré et le danger est grand d'en faire un espace de plus en plus marginalisé. Le pôle touristique de Deshaies demeure loin de l'animation pointoise et l'énergie géothermique de Bouillante reste une prouesse scientifique, alors que la Basse-Terre en quête d'activités devrait utiliser les vertus thérapeutiques de son potentiel thermal.

Le monde des dépendances est original et contrasté. Que va devenir **Marie-Galante** la rurale ? Son système actuel n'est plus fonctionnel et ses enfants la quittent. On y rêve de tourisme original sans trop savoir ni pouvoir définir cette originalité. La facilité d'accès au « continent » guadeloupéen met l'île devant un choix dont ses habitants ne détiennent pas les déterminants. Le marché unique qui s'esquisse entre les deux Antilles lui offre un destin nouveau d'escale dans cet ensemble. **Les Saintes** ont su conserver deux piliers pour leur équilibre ; la pêche y demeure active et le tourisme y est plus d'excursion que de séjour. Mais ce qui réussit à Terre-de-Haut, Terre-de-Bas, plus rurale, l'envie. Le cyclone Hugo a accéléré le lent déclin de la **Désirade** qui vivote de ses pensions, de sa pêche et de ses petits troupeaux. L'arrivée de l'eau potable par canalisation de Guadeloupe peut permettre à ses 1 600 résidents d'agrandir leur cheptel et de se lancer dans le maraîchage.

La problématique des îles du Nord est une dérive à peine guadeloupéenne. **Saint-Barthélémy** la blanche a, jusqu'alors, su choisir ses visiteurs et maîtriser son foncier exigu. En sera-t-il toujours ainsi ? L'île sait rappeler à son tuteur qu'elle a été autrefois suédoise et qu'elle est très proche des Etats-Unis. Quant à la partie française de **Saint-Martin** (52 km^2 d'un total de 86), elle est devenue un foyer touristique aux taux de croissance explosifs depuis dix ans, tant pour ses résidents que pour ses visiteurs. L'essor démographique répond à l'appât de gains faciles en dollars pendant que la communauté d'origine a été vite débordée et les infrastructures saturées. Avec son équivalent néerlandais, cet espace dérive vers le destin d'une autre île Vierge, de ces « paradis » touristiques insulaires de la Caraïbe du Nord, proches des Etats-Unis, ouverts à toutes les libertés, à tous les trafics, à toutes les croissances et excroissances. Saint-Martin apparaît de plus en plus hors de la double norme guadeloupéenne et française.

Le papillon guadeloupéen bat en son cœur pointois. Mais ce centre a besoin d'unité ; ce quadrilatère limité par Le Lamentin, Morne-à-l'Eau, Gosier et Petit-Bourg, manque de cohérence, de hiérarchie entre ses divers éléments. Pointe-à-Pitre étouffe dans un espace communal étriqué, Abymes s'éparpille en périphéries urbaines, Gosier reste tiraillé entre son bourg, son littoral hôtelier, ses « fonds » ruraux et sa marina si pointoise. Baie-Mahault s'enfle de résidences aisées tout en se cherchant un centre. Si Pointe-à-Pitre s'impose comme la tête économique, Basse-Terre détient la double direction politique territoriale et étatique, sans toutefois être maîtresse en Basse-Terre. Face à la macrocéphalie martiniquaise, l'espace guadeloupéen manque de hiérarchie dans son articulation et son fonctionnement. Il lui faut trouver un nouvel équilibre spatial et une pratique territoriale autre. La particularité d'archipel doit devenir une force et non un handicap, une addition de richesses et non un éparpillement de dépenses. Les îles proches doivent stabiliser leur population et éviter leur dépersonnalisation tout en se spécialisant. L'île Guadeloupe doit se recentrer autour d'un pôle majeur ; le Centre euro-caribéen d'activités peut symboliser cette position d'interface, reflet d'un double destin européen et américain avec tant d'apports de la lointaine Afrique. Mais il faut alors prévoir un destin décent pour la ville de Basse-Terre, si celle-ci perdait sa prééminence politique. Elle doit devenir la capitale de la Basse-Terre, le passage obligé pour les visiteurs de la partie la plus originale de la Guadeloupe. Elle est suffisamment éloignée de

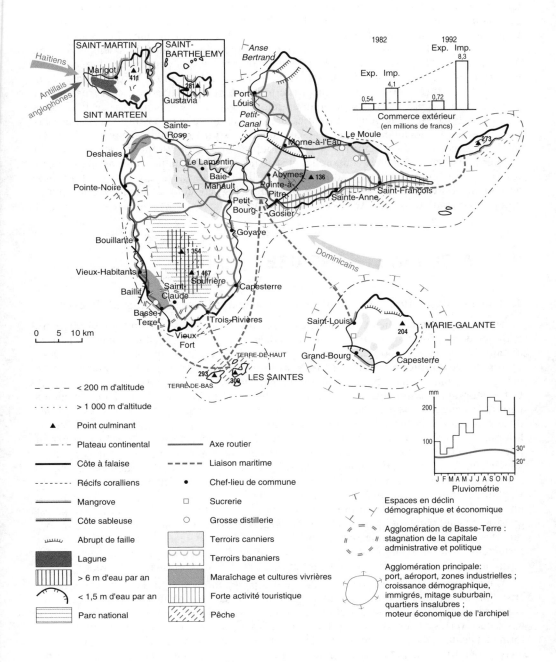

Figure 34. L'archipel de la Guadeloupe

Légende :
- – – – – < 200 m d'altitude
- · · · · · · > 1 000 m d'altitude
- ▲ Point culminant
- – · · – Plateau continental
- Côte à falaise
- – – – – Récifs coralliens
- Mangrove
- Côte sableuse
- Abrupt de faille
- Lagune
- > 6 m d'eau par an
- < 1,5 m d'eau par an
- Parc national
- Axe routier
- – – – Liaison maritime
- ● Chef-lieu de commune
- □ Sucrerie
- ○ Grosse distillerie
- Terroirs canniers
- Terroirs bananiers
- Maraîchage et cultures vivrières
- Forte activité touristique
- Pêche

Espaces en déclin démographique et économique

Agglomération de Basse-Terre : stagnation de la capitale administrative et politique

Agglomération principale : port, aéroport, zones industrielles ; croissance démographique, immigrés, mitage suburbain, quartiers insalubres ; moteur économique de l'archipel

Commerce extérieur (en millions de francs)

1982 : Exp. 0,54 — Imp. 4,1
1992 : Exp. 0,72 — Imp. 8,3

Pluviométrie

Départements français d'Amérique

Pointe-à-Pitre pour en être autonome, commander une Côte Sous-le-Vent revivifiée, être la porte d'un parc national attrayant, le lieu de services obligé des Saintois.

Il est toujours tabou d'évoquer les différences entre Martinique et Guadeloupe ainsi que leur vieille rivalité. Cela fait partie de la regrettable opacité des problématiques antillaises. Le géographe choisira d'insister sur les dissemblances de l'espace vécu. Durant l'époque coloniale, la Martinique a été le relais entre la métropole et la Guadeloupe. Les Martiniquais sont de moitié plus nombreux à vivre en Guadeloupe que les Guadeloupéens le sont en Martinique (6 000 contre 4 000 en 1982). Leurs entreprises y sont dynamiques, la réciproque guadeloupéenne étant moins fréquente. En Guadeloupe, l'action de Victor Hugues et le drame de Delgrès ont marqué un enracinement plus profond de certaines idées émancipatrices, reprises en écho lointain et déformé par les « événements » de 1967 et les rudes années 80 en Guadeloupe. La caricature est tentante d'opposer une Martinique plus réaliste à une Guadeloupe ombrageuse, coléreuse mais plus velléitaire, moins unitaire. Le même destin d'île-ville attend-t-il la Guadeloupe ? Si le terme lointain est similaire, la différence tient aux modalités temporelles et spatiales. La Guadeloupe a plus d'espace et cela lui donne du temps. Pourquoi alors ne pas collaborer davantage entre les deux îles, additionner les efforts et les expériences au lieu de les dédoubler et perdre ainsi la masse critique nécessaire de crédibilité vis-à-vis de l'extérieur ?

2. LA GUYANE FRANÇAISE

1. Une immensité forestière sur un vieux socle quadrillé par de puissants fleuves

Aux marges du continent sud-américain, la Guyane française s'étend sur 91 000 km^2, entre les degrés 2 et 5 de latitude Nord et les degrés 52 et 54 de longitude Ouest. Elle n'est qu'un élément du vaste bouclier guyanais qui s'étend entre l'Orénoque et l'Amazone. Deux autres fleuves bornent la Guyane : le Maroni à l'ouest et l'Oyapock à l'est. La limite méridionale, mal définie, correspond aux monts Tumuc Humac, grosses buttes de granit. Cette géographie contraste fortement avec celle des Antilles françaises. Deux éléments naturels frappent le visiteur ; le premier est une côte basse ourlée de mangroves et bordée d'eaux boueuses ; le second concerne l'immensité forestière qui ne s'interrompt que sur le littoral, en clairières de savanes et de marécages. Ces derniers, appelés « pri-pri », couvrent plus de 400 000 hectares sur des argiles marines quaternaires qui, à l'est de Cayenne, empêchent toute installation humaine durable sur la côte. A l'ouest, jusqu'au Maroni, les savanes prédominent sur ces argiles mélangées de sables. A travers cette bande d'une vingtaine de kilomètres de large, le socle pointe quelques collines ; la région de Cayenne est un ancien archipel rattaché en presqu'île par une sédimentation dynamique. Le rivage est quasi rectiligne, régularisé par le courant des Guyanes portant au nord-ouest ; les eaux sont turbides, provenant de l'Amazone et enrichissant un large plateau continental. La côte est fortement envasée, rendant son utilisation maritime d'autant plus problématique que cet envasement est très variable, formant des bouchons au débouché de chaque fleuve.

L'intérieur guyanais est constitué de vieilles pénéplaines sur un des plus vieux socles cristallins du globe, surmonté d'inselbergs isolés. Séismicité et volcanisme sont ici inconnus. Au nord, des collines schisteuses cisaillées de failles sont alignées avec des granits évidés et des roches vertes en reliefs trapus (montagne de Kaw). Au centre, le massif central guyanais forme un château d'eau avec un ensemble de collines en demi-orange, séparées par un réseau quasi géométrique de petites rivières ou criques, qui lui donne une allure de relief en ruche. Plus au sud, la pénéplaine reste mal connue sous son manteau forestier troué de quelques reliefs isolés.

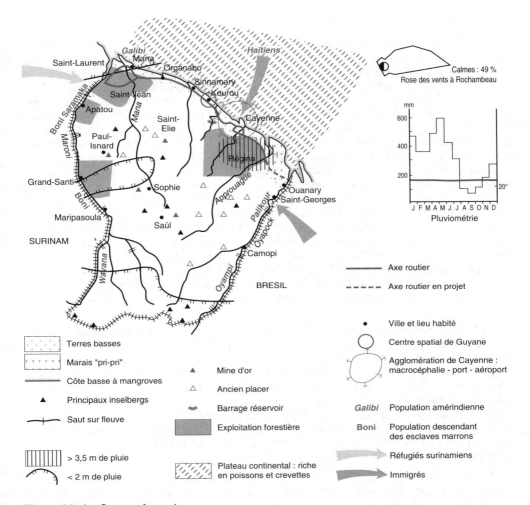

Figure 35. La Guyane française

Une hydrologie puissante et ramifiée constitue les seules voies de pénétration. Les fleuves ont de multiples rapides, un débit irrégulier et se prêtent mal à un aménagement hydro-électrique. Ils résultent d'un climat équatorial à deux saisons : une période de moindres pluies couvre la période d'août à décembre, tandis que le reste de l'année connaît de fortes pluies, sauf en mars. La pluviométrie est beaucoup plus variable (de 2 à 4 mètres d'eau) que ne le laisserait supposer l'ambiance très humide, peu ventilée mais ignorant le danger cyclonique.

La forêt dense est la parure naturelle de la Guyane. Elle est très riche en espèces mais d'un intérêt économique limité. Sa somptuosité masque sa fragilité et la médiocrité des sols qui la portent. La minéralisation du bouclier procure des richesses (or, tantalite, bauxite) mais en gisements limités, trop dispersés et proches d'Etats mieux pourvus (Vénézuela, Guyana, Surinam, Brésil).

2. La double marque coloniale et carcérale d'un peuplement limité en liseré côtier

En 1990, la Guyane comptait plus de 114 000 habitants (72 700 en 1982, 56 000 en 1974 et 44 000 en 1967). La croissance démographique s'accélère : les 150 000 sont désormais atteints. Les Amérindiens (Galibis de la côte, Palikours, Wayanas et Oyampis de l'intérieur) ne sont plus que quelques milliers ; plus nombreux sont les descendants d'esclaves « marrons » (Boni et Saramacca) installés le long du Maroni. La colonisation de plantation esclavagiste a laissé sa palette complexe de gens de couleur qui constituent la majorité des Guyanais. Par contre, l'épisode tragique du bagne, du milieu du XIXe siècle à 1947, n'a guère laissé de descendants de ce qui était un mouroir et a transformé la Guyane en une gigantesque prison affublée d'une légende détestable. La départementalisation a fait venir des métropolitains dont un fort contingent de militaires (2 180 hommes dont 680 pour la protection du Centre spatial guyanais). Quelques centaines de Laotiens des hauts plateaux (les Hmongs) sont arrivés dans les années 70, mais c'est la construction de la base spatiale de Kourou qui a bouleversé la démographie guyanaise. De nombreux Colombiens puis, de plus en plus, de Brésiliens et d'Haïtiens ont été attirés par les chantiers de la base. Les derniers travaux ont accru les besoins de main-d'œuvre bon marché, parfois en situation irrégulière. En huit ans, le nombre officiel d'étrangers a doublé et constitue 30 % de la population. S'y ajoute un nombre incertain d'illégaux brésiliens et haïtiens. Depuis 1986, les troubles intérieurs du Surinam voisin ont poussé plusieurs milliers de Boni et de Saramacca à se réfugier dans la région de Saint-Laurent du Maroni. De récents accords ont permis le retour chez eux de la majorité de ces réfugiés.

Cette forte immigration a un impact certain sur la natalité qui, avec un taux de 28 ‰, est très supérieure à celle des Antilles (16 à 18 ‰). En 1990, les immigrés ont fourni 44 % des 3 200 naissances. Ils ont du mal à s'intégrer dans la société guyanaise, alors qu'ils sont indispensables, tant pour l'économie du pays (agriculture, bâtiment et travaux publics), que pour la commodité de l'existence de nombreux Guyanais (personnel domestique, secteur informel). Leur marginalisation éclate au niveau du logement et de la scolarisation. En Guyane, le taux de chômage est moindre qu'aux Antilles (12 % contre 25 %). Les emplois sont tertiaires à 70 % ; les agents de l'Etat sont 4 000, dont la moitié d'enseignants ; les collectivités territoriales fournissent 3 000 emplois et le R.M.I. est attribué à plus de 3 000 personnes, dont 75 % de femmes.

Ce dynamisme démographique, issu d'un fort excédent naturel et d'une grande turbulence migratoire, perturbe l'équilibre d'une société guyanaise dont la recherche identitaire a encore plus de mal à s'affirmer qu'aux Antilles. Au plan spatial, la polarisation se poursuit. De Cayenne à Saint-Laurent, se concentrent 90 % de la population sur une étroite bande côtière. L'intérieur reste vide ; le long du bas Maroni, les réfugiés surinamiens gonflent la population de Saint-Laurent. Mais Cayenne regroupe 55 % du total avec les deux communes attenantes de Remire – Montjoly et de Matoury. Kourou profite du C.S.G., tandis que la moitié orientale du pays, sans route, stagne et subit la pression brésilienne.

3. Une économie écrasée par les services

■ Une longue série d'échecs pour un potentiel encore inexploité

La forêt guyanaise s'étend sur 73 millions d'hectares dont seuls 150 000 font l'objet de permis d'exploitation, surtout concentrés au sud de Cayenne et de Saint-Laurent. Cette forêt est coûteuse à exploiter : faible densité des bois utiles et coût élevé des infrastructures. La situation est décevante ; les grands projets industriels des années 70, liés au « Plan vert » et à l'industrie papetière, n'ont jamais vu le jour. Il y eut une forte expansion de 1975 à 1980 : le volume des grumes passa de 30 000 m^3 à 120 000. Ensuite, la concurrence des bois moins chers du Brésil, d'Afrique, ont entraîné un fort déclin. La valorisation artisanale locale vivote

(40 000 m^3 de planches et madriers) de même que la production d'éléments préfabriqués. Le secteur fait vivre 150 entreprises dont la moitié n'a pas de salarié. Le débouché principal demeure le marché local et celui des Antilles françaises.

L'extraction de l'or (500 kg par an) est faite par une quarantaine d'établissements déclarés auxquels s'ajoute un nombre indéterminé d'orpailleurs à la production inconnue et venus surtout du Brésil. Cet or est travaillé sur place par une cinquantaine de joailliers-bijoutiers.

Le secteur du bâtiment et des travaux publics s'appuie sur une conjoncture favorable : pénurie de logement et grands travaux d'infrastructures. Des 1 200 firmes, plus des deux tiers n'ont pas de salarié. Les gros chantiers sont attribués aux filiales locales d'entreprises métropolitaines qui recrutent une main-d'œuvre immigrée bon marché. Ils sont en voie d'achèvement.

La dépendance énergétique reste forte. Les hydrocarbures raffinés sont importés de Trinidad et du Vénézuela tant comme combustible que pour fournir en carburants un parc automobile en plein essor. La construction du barrage de Petit-Saut sur la Sinnamary marque un tournant. Il retient 3,5 milliards de m^3 (lac de 300 km^3) derrière un barrage de 750 m de long sur 35 m de haut qui produira 390 GWh par an, soit presque le double de la consommation actuelle. Mais il doit avant tout alimenter le C.S.G.

L'agriculture guyanaise occupe officiellement moins de 15 000 hectares avec 2 250 exploitations dont la moitié n'atteignent pas 1 hectare et 160 dépassent les 10 hectares. Cette agriculture nourricière se partage entre herbages (6 600 ha) médiocres, en vergers (1 000 ha) et terres arables dont plus de 1 100 ha en maraîchage. Dans la région de Mana (Nord-Ouest), la riziculture irriguée fournit plus de 15 000 t de riz vendu sur place et en Guadeloupe. La Guyane doit acheter à l'extérieur les deux tiers de ses besoins en viandes. Les productions végétales valent quatre fois plus que leurs équivalents animales. L'ensemble progresse mais très lentement, avec de fortes subventions, dans un territoire qui manque plus de bras que de terre, situation rarissime en Caraïbe.

La pêche constitue la principale exportation guyanaise : deux tiers du total ! C'est d'abord une pêche industrielle longtemps dominée par des armements américains qui, de nos jours, se réduisent à une vingtaine de bateaux sur une flotte de plus de 70 à majorité française. Ils pêchent des crevettes dans les riches eaux du plateau continental que des ateliers de congélation à Larivot, près de Cayenne, exportent vers la France et surtout les Etats-Unis (plus de 3 000 tonnes). La pêche artisanale arme près de 200 pirogues dont les prises sont en partie exportées vers les Antilles françaises.

■ L'enclave du C.S.G. (Centre spatial guyanais) : envie, recours et craintes

Guyane et C.S.G. sont souvent associés pour qui ne connaît ce pays que de l'extérieur. Cette assimilation irrite parfois l'opinion guyanaise. En 1964, Kourou n'était qu'un médiocre embarcadère aux 400 habitants regroupés autour d'une modeste église. Le C.N.E.S. (Centre national d'études spatiales) acheta 90 000 hectares de savanes arborées et de mangrove et fit construire une ville capable d'accueillir 8 000 personnes. L'échec du programme Europa en 1972 mit le C.S.G. en hibernation ; la ville perdit la moitié de ses habitants et accueillit quelques centaines de légionnaires. Le succès du programme Ariane en fait désormais une ville de plus de 12 000 âmes qui est en train de doubler sa capacité. Avec la construction du troisième pas de tir (ELA 3), le C.S.G. vient de subir une profonde mutation nécessitant 5 milliards de francs d'investissements. ELA 3 est destiné à la future fusée Ariane 5, pour qui l'on construit une usine à propergol et les vastes installations nécessaires au montage sur place des fusées. Plus de 80 vols ont été effectués, pour le compte d'Arianespace qui produit, commercialise et loue le programme Ariane pour l'Agence spatiale européenne (E.S.A.). Arianespace détient actuellement en commande 40 satellites à lancer pour un montant de 18 milliards de francs, soit la moitié du marché mondial. Le C.S.G. comptait beaucoup sur la future navette spatiale européenne HERMES. Mais ce projet coûteux semble repoussé, si ce n'est abandonné, depuis les perspectives de collaboration spatiale russo-américaine. Afin de diminuer les distorsions entre ces perspectives et la réalité guyanaise hors C.S.G., et pour mieux formaliser les retombées sur la Guyane de tels investissements, un plan de 1,2 milliard de francs a été élaboré par les pouvoirs publics. L'essentiel se fixe sur l'axe Dégrad des Cannes (port) – Rochambeau (aéroport) – Kourou – Sinnamary et ne fait que renforcer les déséquilibres régionaux.

■ L'extraversion d'un ancien cul-de-sac équinoxial

La Guyane est longtemps restée mal desservie. La situation a changé. Désormais, **les liaisons aériennes** sont directes avec Paris (3 vols Air-France en B747 par semaine et 1 vol B747 tout cargo). Les liens avec les Antilles françaises ont été renforcés : 10 vols hebdomadaires. Chaque semaine, Cayenne est reliée quatre fois à Belém et trois fois à Miami. La compagnie locale, Air Guyane, gère un réseau domestique qui s'apparente plus à un service public qu'à une entreprise commerciale. L'aéroport de Rochambeau (250 000 passagers par an) est surtout animé par les flux vers Paris et les Antilles. Le fret aérien est en plein essor.

Au plan maritime, la situation est analogue, les liaisons directes se sont substituées au transbordement par les Antilles. Depuis 1991, trois navires C.G.M. polyvalents (500 EVP de capacité) bimensuels viennent de la façade atlantique et du Nord de l'Europe ; s'y ajoutent des services de Méditerranée (bimensuel pour Chargeurs-Delmas, mensuel pour Marfret). Les besoins du C.S.G. en nombreux colis lourds font apparaître la nécessité d'agrandir le port du Dégrad des Cannes qui reçoit par an plus de 400 000 t de fret dont 85 % aux entrées.

Ce déséquilibre se retrouve dans la **balance commerciale** ; ses taux de couverture oscillent entre 12 et 15 %. La France fournit 60 % des besoins devant l'U.E. (12 %), Trinidad (10 %), les Etats-Unis et le Japon. Les clients sont la métropole (40 %), les Antilles françaises (25 %), les Etats-Unis (22 %) et le Japon (11 %).

Les désillusions récentes sur certains projets à long terme du C.S.G. ne font que renforcer les craintes de la Guyane sur son avenir. L'entité Antilles et Guyane sert plus d'en-tête qu'elle ne révèle une véritable synergie entre les trois D.F.A. C'est pourtant de Cayenne, en avril 1990, que l'Etat français a défini, pour la première fois, la large marge d'initiative qu'il octroyait à ses D.F.A. dans la conduite de leur politique d'insertion caribéenne. Récemment, le Premier ministre a confirmé cette politique. La Guyane va-t-elle en profiter pour mieux affirmer sa continentalité au sein du tryptique territorial français d'Amérique ? Ses proches voisins sont encore difficilement fréquentables. L'un reste très agité (Surinam), l'autre s'appauvrit depuis vingt ans (Guyana). Quant à l'immense et encombrant Brésil, il cherche à régulariser des rapports parfois difficiles que certains justifient par l'infiltration mal supportée de ses orpailleurs en Guyane. De ces trois espaces, en effet, arrivent des chasseurs d'Eldorado, étiquette que la Guyane ne tient pas à ajouter à la longue histoire de ses déboires. Quant à la nouvelle donne européenne, elle laisse la Guyane méfiante, si ce n'est inquiète.

3.   SAINT-PIERRE ET MIQUELON

L'archipel de Saint-Pierre et Miquelon se compose de huit petites îles et îlots, situées à quelques kilomètres de la côte méridionale de l'île canadienne de Terre-Neuve, à l'entrée de l'embouchure du Saint-Laurent, par 47° de latitude Nord et 56°20 de longitude Ouest. Les trois îles principales sont Saint-Pierre (25 km^2), Miquelon (10 km^2) et Langlade (91 km^2) reliées entre elles par un tombolo sableux de 12 km. Allongé sur 50 km du nord au sud, l'ensemble est constitué de roches volcaniques (Saint-Pierre et Miquelon) et de roches anciennes (Langlade) reposant sur un vaste plateau continental. La nature est sévère : croupes dénudées dominant des éboulis et des étangs surcreusés par l'érosion glaciaire. L'altitude ne dépasse pas 240 m (Grande Montagne à Miquelon). L'arbre est très rare, à la fois par la rigueur du climat mais encore plus par l'action anthropique. A la même latitude que Nantes, l'archipel subit un climat froid (moyenne annuelle 5 à 6 °), moins toutefois que celui de son voisin canadien. L'influence marine pondère celle des masses d'air continental pour offrir des moyennes de – 3° en hiver et de + 16° en été. Il pleut et neige abondamment (1 400 mm), les bourrasques de vent sont fréquentes et les brumes obsédantes (120 jours par an), faisant de ces îles un haut lieu tragique de naufrage.

Après sa découverte en 1520 par le portugais J. Faguendez, l'archipel fut fréquenté par des pêcheurs basques, bretons et normands, avant que Jacques Cartier n'en prenne possession en 1536 au nom du roi de France. Les bateaux faisaient relâche dans la baie abritée de Saint-Pierre. Le premier établissement permanent fut établi en 1604 par des pêcheurs avant tout basques. Tout au long du XVIIIe siècle, l'archipel subit les contrecoups des luttes franco-anglaises. Il changea de maître, fut pillé et ses habitants déportés par les Anglais. Les traités de 1814-1815 le rendirent, dépeuplé, à la France. Peu à peu, il se repeupla et devint un centre actif de pêche à la morue, près des célèbres bancs de Terre-Neuve du début du XXe siècle, la population dépassait 6 800 habitants et à Saint-Pierre relâchaient des milliers de pêcheurs. L'archipel profita largement ensuite de la période de la prohibition aux Etats-Unis. En 1941, l'archipel rejoignit la France Libre. Il devint territoire d'Outre Mer en 1946, puis département avant d'obtenir le statut de collectivité territoriale le 11 juin 1985. Un conseil général de 19 membres élus le dirige, assisté d'un Préfet, commissaire de la République. Un député et un sénateur représentent le territoire au Parlement français.

L'archipel compte actuellement 6 500 habitants concentrés avant tout à Saint-Pierre, le chef-lieu. Trois ressources les font vivre : la pêche, le tourisme et les transferts de France. La première est très menacée par le long conflit avec le Canada, à propos des droits de pêche dans les eaux très riches de Terre-Neuve, baignée par les eaux de courants froid et chaud (Labrador et Gulf Stream). La pêche, principalement celle à la morue, a toujours nourri l'archipel. Or les prises ont fortement baissé de plus de 23 000 tonnes en 1986 à 7 400 t en 1991. L'usine de transformation de Saint-Pierre et la flotte de chalutiers modernes et de modestes doris, basée dans l'archipel sont en danger depuis la remise en question en 1988 de l'accord sur la pêche passé avec le Canada en 1972. Au milieu de 1992, les nouvelles négociations se sont achevées au détriment de l'archipel ; celles sur le droit de pêche attribué à l'archipel : 8 700 km^2, 20 % de ce que demandait la France ; cela s'apparente plus à un large et profond chenal de navigation qu'à une zone de richesse halieutique. La situation risque ainsi de devenir désespérée pour la principale source d'emplois, la plus importante exportation (filets de poisson, surtout vers les Etats-Unis) et la base de l'identité des habitants de l'archipel.

Les visiteurs ne dépassent guère 20 000 ; ce sont avant tout des continentaux (Américains, Canadiens) qui viennent en voisins, l'été, acheter des produits français détaxés. L'accès reste assez difficile : lent par bateau (à partir de Terre-Neuve ou de Nouvelle-Ecosse) et rendu aléatoire par le climat au plan aérien.

Par son statut, l'archipel permet de recevoir des transferts de la métropole qui lui procurent près de la moitié de son P.I.B. L'Etat et les collectivités territoriales fournissent le tiers des emplois. Le niveau de vie local s'apparente à celui des Domiens, soit les deux tiers du niveau de vie métropolitain.

Né de l'exploitation de la mer et d'une volonté farouche de rester français dans son environnement anglo-saxon, Saint-Pierre et Miquelon risque d'être victime d'une époque globalisatrice qui marginalise les exceptions.

BIBLIOGRAPHIE

Sur l'Outre-Mer français

BOUGÈRE (J.), CHARDON (J.P.), LEFEVRE (D.) et VIGNERON (E.). *La France du lointain,* Paris, Documentation française, Document photo n° 7 012, août 1992.

BURAC (M.), CHAPUIS (O.), HUETZ DE LEMPS (A.) et VANNEY (J.P.). *Contribution française à la connaissance géographique des Antilles et de l'Atlantique au Sud des Açores,* Bordeaux, Coll. « Iles et archipels » n° 15, CEGET/CRET, 236 p.

Iles et tourisme, Bordeaux, Coll. « Iles et archipels » n° 10, chap. 2, p. 72-105.

La France d'Outre-Mer, Paris, Larousse, Coll. « Découvrir la France », 1974, 160 p.

MATHIEU (J.L.). *Les DOM-TOM,* Paris, P.U.F., 1988, 270 p.

Sur les Antilles et la Guyane

Atlas de la Martinique, Bordeaux, CEGET/ C.N.R.S., 1977.

Atlas de la Guyane, Bordeaux, CEGET/ ORSTOM, 1979.

Atlas de la Guadeloupe, Bordeaux, CEGET/ C.N.R.S., 1982.

Antilles-Guyane, Historiens-Géographes, n° 335, fév.-mars 1992.

BENOIST (J.). *L'archipel inachevé. Culture et société aux Antilles françaises,* Publ. Université de Montréal, Coll. Recherches caraïbes, 1972, 354 p.

BONNIOL (J.L.). *Terre de Haut des Saintes. Contraintes insulaires et particularisme ethnique dans la Caraïbe,* Paris, Ed. caribéennes, 1980, 376 p.

DOMENACH (H.) et PICOUET (M.). *La dimension migratoire des Antilles,* Paris, Economica, Coll. Caraïbe-Amérique latine, 1992, 254 p.

DOUMENGE (F.) et MONNIER (Y.). *Les Antilles françaises,* Paris, P.U.F., Que sais-je ?, n° 516, 2e éd., 1993, 128 p.

GIACOTTINO (J.C.). *Les Guyanes,* Paris, P.U.F., Que sais-je ?, 1984.

LASSERRE (G.). *La Guadeloupe,* Bordeaux, Union française d'impression, 1961, vol. 1 : 448 p., vol. 2 : 687 p.

Les Antilles, Paris, Seuil, Coll. Autrement série Monde, 1989, 230 p.

MONNIER (Y.). *Saint-Martin. L'immuable et le changeant.* Etude de la partie française de Saint-Martin, Bordeaux, Coll. « Iles et archipels », CEGET/CRET, n° 1, 126 p.

PAGNEY (P.). *Le climat des Antilles,* Paris, I.H.E.A.L., 1966, tome 1 : 377 p., tome 2 : Atlas 304 fig.

SINGARAVELOU. *Les Indiens de la Guadeloupe,* Bordeaux, 1975, 240 p.

CHAPITRE

13

LES TERRITOIRES FRANÇAIS
DU PACIFIQUE

Emmanuel Vigneron

Les Territoires français du Pacifique font-ils partie des « régions françaises », objet de cet ouvrage ? La réponse, ou plutôt les réponses, sont fonction du sens que l'on donne à ce mot de région si courant en géographie et si polysémique pourtant.

1. UNE RÉGION... DES RÉGIONS

1. Une région ?

Au sens le plus classique, celui d'étendue de pays possédant des caractères communs, les Territoires français du Pacifique constituent une région différenciée et individualisée de l'espace français. Région insulaire, éloignée, dépendante, périphérique. Là s'arrête toutefois les caractères communs car les trois Territoires qui composent l'ensemble – Polynésie française, Wallis et Futuna, Nouvelle-Calédonie – sont fortement différents les uns des autres et, au moins tout autant, différenciés de l'intérieur. Au vrai, au sens classique du mot, les Territoires français du Pacifique ne constituent une région de la France que vus de très loin. De si loin que l'on oublie que des milliers de kilomètres les séparent les uns des autres : 4 614 km séparent Papeete de Nouméa et 2 422 km de Wallis, tandis que la distance entre cette dernière et Nouméa est de 2 464 km !

Au sens géographique commun, celui d'entités d'échelle moyenne, il ne saurait, en conséquence de telles échelles, être question de région. Surtout si l'on entend par là une région naturelle. Entre le vieux et tabulaire « Caillou » et la petite et élevée île volcanique de Tahiti il n'y a pas de point commun, d'autant que ces Territoires appartiennent à des « régions » biogéographiques différentes. Si l'on entend par région l'étendue tributaire d'une ville, les Territoires français du Pacifique ne forment pas non plus une région. Sauf à admettre qu'il

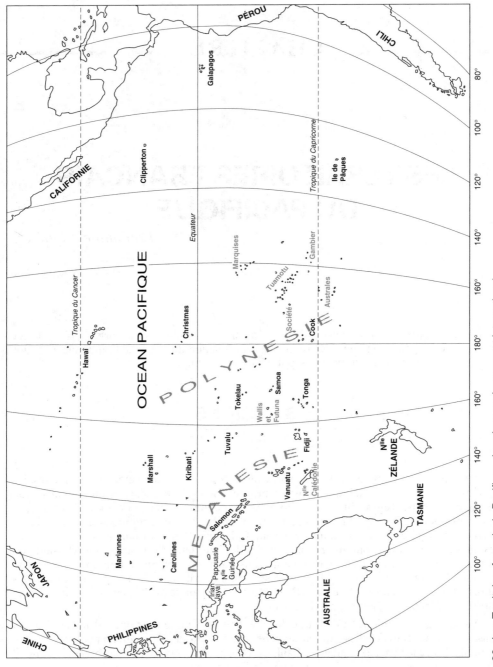

Figure 36. Les Territoires français du Pacifique dans leur environnement international

La France dans ses régions

n'est en France qu'une région polarisée autour de Paris, ce qui peut être soutenu et l'a déjà été. Mais, dans le Pacifique français, il est bien au moins deux villes, qui font figure de capitales régionales, Nouméa et Papeete, et donc au moins deux régions : la Mélanésie et la Polynésie.

Au sens moderne du mot, celui d'une circonscription administrative, chacun sait bien que les Territoires français du Pacifique ne forment pas une région. C'est un trait commun avec les DOM de l'Océan indien et de l'Amérique, où des départements forment, comme on le sait, des régions mono-départementales. Il se complique ici par le fait que les Territoires français du Pacifique ne sont pas des départements et ne sauraient donc être des régions. La complexité s'augmente à observer que l'un de ces territoires, la Nouvelle-Calédonie, comporte des régions, définies comme telles par la loi, après avoir comporté des provinces avant le statut né des Accords de Matignon.

Et pourtant, les Territoires français du Pacifique forment bien une région, au moins dans l'esprit de leurs habitants et de leurs dirigeants... mais c'est un peu par opposition à l'esprit centralisateur, puisque cette appartenance régionale se définit avec d'autres qui ne sont pas français mais océaniens et passe par l'appartenance à des organismes dits « régionaux » mais qui sont en fait internationaux, comme la Commission du Pacifique Sud !

Pour toutes ces raisons, et d'autres encore que nous évoquerons ci-après, les Territoires français du Pacifique ne sauraient être considérés comme l'une des régions françaises. Quelle est alors leur place dans cet ouvrage ? Peut-être ont-ils, du fait de l'exacerbation des caractères de périphérie qui sont ceux de toutes les régions françaises vis-à-vis de Paris, le mérite des traits accusés ? L'ultra-périphérie française n'est peut-être pas, de ce point de vue, sans enseignement pour les périphéries métropolitaines.

Ainsi, pour résumer ce débat, les trois TOM du Pacifique Sud, Nouvelle-Calédonie, Polynésie française, Wallis et Futuna, n'ont en commun que d'être situés dans la zone intertropicale de l'Océan Pacifique, ce qui ne saurait fonder une communauté régionale. Ils présentent des caractéristiques économiques, sociales, politiques et culturelles très différenciées et ils ne partagent réellement qu'une soumission à l'environnement international, que ce soit dans leurs relations institutionnelles, financières et économiques avec la métropole ou avec les autres puissances régionales (U.S.A., Japon, Australie, Nouvelle-Zélande) autant pour leur approvisionnement et l'écoulement de leurs productions que pour le développement de leur activité touristique.

Toutefois, comme l'indique le tableau ci-dessous, les trois TOM du Pacifique Sud tirent une certaine identité de leur état de développement et de leur niveau de vie qui tranchent sur la situation qui prévaut, en moyenne, dans les vingt-et-un Etats et Territoires insulaires de la région.

Les TOM du Pacifique Sud et leurs voisins : l'identité par la différence

TOM du Pacifique Sud	Superf. terrestre km²	Superf. Z.E.E. 1 000 km²	E. de vie à la naiss. v. 1990	Tx mort. infantile v. 1990	% < 14 ans 1990	Taux de croiss. démo. % annuel 1980-90	Dépense de santé par hab. 1988 (US$)
Nouvelle-Calédonie	16 890	1 740	66	23	32,6	2,09	67
Polynésie française	4 000	5 030	67	18	36	2,97	209
Wallis et Futuna	255	300	62	49	41,9	2,43	67
Moyenne des TOM du Pacifique Sud	**7 048**	**2 357**	**66**	**22**	**35**	**2,27**	**140**
Moyenne Etats et Territoires du Pacifique Sud	4 362	1 281	62	37	39	2,52	71

TOM du Pacifique Sud	% pop. urbaine 1990	Pop. active tertiaire 1985	PNB/hab. US$ 1990	Dépenses gouvern. par hab. 1991 US$	Aide étran-gère/hab. 1990 US$	Taux de couv. Imp/Exp. 1990	Nbre de visiteurs 1991
Nouvelle-Calédonie	57	59	5 958	3 067	1 502	53	83 524
Polynésie française	59	71	8 860	3 269	1 309	5	120 938
Wallis et Futuna	7	6	1 400	≃ 2 000	≃ 1 400	0	
Moyenne des TOM du Pacifique Sud	**56**	**63**				**22**	**≃ 100 000**
Moyenne Etats et Terri-toires du Pacifique Sud	39	44	2 705	≃ 1 000	≃ 400	33	74 702

2. Des géographies régionales ?

Les différentes approches dont ont déjà fait l'objet les Territoires français du Pacifique témoignent de cette exacerbation des caractères périphériques : éloignement, dépendance, identité culturelle, faible développement… Littéraires, elles sont majoritairement exotiques et consistent, de fait, en des « descriptions des mœurs et coutumes des indigènes » qui finalement nous en disent plus sur ceux qui les écrivent que sur ceux qu'ils sont censés présenter. Géographiques, ces études sont en fait largement économiques ou géopolitiques. Celles-ci comme celles-là, en dressant l'inventaire des avantages et des inconvénients ou, ce qui revient au même, des contraintes et des potentiels, ont insisté sur la dépendance des Territoires vis-à-vis de la Métropole et sur l'état de sujétion consentie de leurs habitants au « Pouvoir Central ». Finalement, si le mot de « danseuses » n'est pas toujours prononcé, il est souvent question de « confettis de l'empire » qui bénéficieraient de façon éhontée de la solidarité républicaine.

De telles analyses conduisent finalement bien plus à un état des lieux, du reste tronqué[*], qu'à une véritable analyse géographique. Elles n'apportent rien aux habitants de ces îles qui savent parfaitement leur situation économique, parce qu'ils la vivent et qu'on la leur rappelle sans cesse, non plus qu'elles n'apportent d'embryon de solution aux problèmes qui sont les leurs, sinon – implicitement et peut-être inconsciemment – l'idée qu'il serait bienvenu d'en finir avec la dépendance par… l'indépendance.

Le propos géographique se mue ainsi en discours économique puis politique et, ce faisant, perd de sa spécificité. Et pourtant, ces Territoires politiques sont bien des territoires géographiques issus d'une humanisation progressive de l'espace. Longtemps avant que des navigateurs européens n'entreprennent de croiser dans leurs parages, des hommes peuplaient déjà ces territoires et l'on aurait tort de soumettre l'espace qu'ils ont produit à la seule grille de lecture de leur appartenance récente à l'ensemble national. Il ne faut pas oublier que la Nouvelle-Calédonie n'est française que depuis 1853, Tahiti et les Marquises que depuis 1877, Les Iles sous le Vent depuis 1897, les îles Australes depuis 1900 seulement, et que si Wallis et

---

[*] Sur ce sujet, très récemment, un économiste, Bernard Porine, vient d'ailleurs de développer l'idée que « l'échange » n'est pas si inégal que l'examen des comptes économiques semble l'indiquer. De fait, si l'on essaye de chiffrer la partie « invisible » des échanges, « sécurité nationale », « rayonnement culturel et politique », « l'échange inégal » est au profit de la métropole. La thèse est convaincante et, au moins, évite bien des propos de comptoir cf. B. PORINE, *Le développement par la rente : une spécialisation internationale logique et viable à long terme pour les économies micro-insulaires.* Paris, Journal de la Société des Océanistes, n°1-1993.

Futuna sont sous protectorat français à partir de 1887, ce sont encore des royaumes. On ne saurait oublier non plus que l'accession au statut de citoyen de la République française de leurs habitants ne date que de l'après Deuxième Guerre mondiale et fut comme un remerciement de leur contribution à la France Libre.

Au-delà des images et des choses simples que chacun sait, ou croit savoir, de ces territoires, mais qui sont en réalité fortement teintées de mythes, les Territoires français du Pacifique manifestent une réelle complexité spatiale. La tâche du géographe est d'en démêler l'écheveau. Une telle entreprise pourrait bien montrer que l'environnement naturel et le genre de vie des habitants de ces îles constituent leur seule vraie richesse (pour l'instant au moins, et si l'on y veille, la seule immarcescible). Toutes les autres « richesses », celles de la mer, les mines, l'agriculture sont éphémères ou putatives. C'est, quand même, il faut bien le reconnaître, la leçon qu'il faut tirer des échecs accumulés depuis les années 1930 par les innombrables « plans de développement » de ces îles. Plus gravement, nombreux sont ceux de ces plans qui, croyant bien faire, ont conduit à une dégradation de l'environnement et à une profonde acculturation. D'autant que ces deux seules vraies « richesses » des Territoires français du Pacifique, les Hommes et la Nature[*], sont ici entrées récemment en conflit. Les sociétés humaines des Territoires français du Pacifique sont, dans leur ensemble, pluri-ethniques, pluri-culturelles, jeunes et ouvertes sur l'extérieur. Les hommes et les femmes qui les composent sont, depuis le Capitaine Cook mais à juste titre, réputés – c'est un fait – pour leur empathie à l'égard de l'étranger. Mais ces sociétés sont aussi, depuis peu, rongées par le cancer incontrôlé[**] de la croissance démographique. Elle menace directement, du fait de l'augmentation mécanique de la charge humaine, l'environnement aussi bien terrestre qu'océanique et pourrait mettre en cause les relations entre les hommes. D'autant que ce cancer est aggravé par une maladie chronique pernicieuse : le très bas niveau de formation moyen des citoyens.

2. L'ESPACE : DES CENTRES ET DES PÉRIPHÉRIES

1. Isolement et éloignement

■ Aucune terre française réellement peuplée n'est aussi éloignée

du centre qui les commande, Paris, que ne le sont les Territoires français du Pacifique. Au surplus, ces terres sont aussi parmi celles qui sont les plus éloignées de tous les continents et de leurs capitales régionales, même si Nouméa apparaît ici relativement proche de Sydney ou d'Auckland.

Distances (km) entre les principales villes des Territoires français du Pacifique, Paris et quelques grandes villes du Pacifique

	Auckland	Honolulu	Los Angeles	Paris	Santiago	Sydney	Tokyo
Mata'utu – Wallis et Futuna	2 874	4 203	7 779	16 088	10 158	4 321	7 495
Papeete – Polynésie française	4 096	4 408	6 616	15 699	7 932	6 120	9 487
Nouméa – Nouvelle-Calédonie	1 814	6 194	10 114	16 732	11 350	1 971	7 023

---

* A l'appui de ce propos on reconnaîtra que les images positives que l'on se fait de ces îles en sont exclusivement composées.
** Au sens littéral, puisque la Loi sur l'IVG de 1976 ne s'applique pas dans les Territoires français du Pacifique et que le « contrôle des naissances » y est peu assuré.

■ L'éloignement de cette partie du monde que constituent les trois Territoires français du Pacifique est manifeste dans tous les domaines. Ceci est particulièrement vrai du **domaine biogéographique**. On compte environ 8 000 espèces de mollusques dans les eaux de l'Indonésie, mais seulement 2 000 en Nouvelle-Calédonie et 1 000 en Polynésie française. Localement, si l'on a pu dénombrer plus de 600 espèces végétales dans les îles hautes de l'Archipel de la Société, les atolls des Tuamotu n'en comptent qu'une centaine. On dénombre aussi plus de 5 000 espèces végétales en Guinée contre 3 500 en Nouvelle-Calédonie et 1 000 en Polynésie française. On n'a jusqu'à présent observé que 625 espèces d'insectes à Tahiti tandis que l'on en connaît plus de 50 000 en Australie. Les comparaisons valent quels que soient les ordres envisagés.

■ Le **peuplement humain** se ressent également de cet éloignement et de cet isolement. Il est récent et quantitativement faible. Si la Mélanésie est peuplée depuis « au moins » 5 000 ans, Wallis et Futuna ne le sont que depuis au plus 3 000 ans, les Iles de la Société et les Marquises depuis 2 000 ans, et le peuplement des Australes et des Tuamotu-Gambier ne semble pas remonter au-delà du dixième siècle de notre ère. Longtemps, la population de chacun des trois territoires est restée faible. La Nouvelle-Calédonie, lorsqu'elle fut colonisée au milieu du XIXe siècle, devait compter entre 30 000 et 40 000 habitants ; elle était peuplée de 68 000 habitants en 1956. Elle est aujourd'hui peuplée de 180 000 habitants. La population des différentes îles qui composent l'actuelle Polynésie française peut être estimée à 200 000 habitants à la fin du XVIIIe siècle. Elle était inférieure à 30 000 au début de ce siècle, elle s'élevait à 75 000 en 1956. Elle peut être estimée à 220 000 hab. au 1er janvier 1997. L'histoire démographique de Wallis et Futuna est moins connue. Ces îles sont aujourd'hui peuplées de 13 705 habitants (dernier recensement d'octobre 1990) auxquels il convient d'ajouter plus de 14 000 personnes vivant en Nouvelle-Calédonie. Au début du siècle, les deux îles ne comptaient sans doute guère plus de 6 500 habitants après en avoir compté sans doute beaucoup plus à la fin du XVIIIe siècle.

■ Quoiqu'il en soit, ces chiffres permettent de souligner l'une des conséquences de la périphérie, de l'isolement et de l'éloignement qui frappe aussi bien les hommes que le milieu naturel : la **fragilité des écosystèmes insulaires**. Les îles ne présentent pas de gradients de transition avec le monde environnant. Les discontinuités sont nettes, les arrière-pays assurant un effet tampon sont absents. Si bien que les changements surviennent brutalement, créant des stades d'évolution bien tranchés.

■ **Les sociétés insulaires offrent une grande résistance aux changements.** Pour mieux se protéger sans doute de leurs effets brutaux, elles mettent en avant leur « spécificité locale » et vivent fort mal qu'on les regarde comme de simples parties d'un tout. Par contagion auprès de chercheurs si soucieux de « coller au terrain » qu'ils finissent par s'y identifier, ceci a très souvent conduit la recherche à y être purement inductive et monographique. Ceci entraîne paradoxalement que lorsqu'un élément nouveau parvient à vaincre la résistance, il provoque des bouleversements majeurs. Au reste, ces processus de changement ne sont pas nécessairement d'origine externe et peuvent provenir de l'intérieur même des îles. Le sentiment de sa propre spécificité insulaire est en effet si fortement vécu qu'il s'affirme souvent contre une île voisine, un district voisin. Et ceci explique sans doute l'existence anachronique de ces micro-états insulaires, eux-mêmes divisés en multiples chefferies et factions rivales, aujourd'hui relayées par des jeux politiques qu'il est bien difficile de comprendre[*].

---

[*] En Polynésie française, les journaux se font l'écho perpétuel de ces bruissements de palais où les alliances se nouent et se dénouent de façon parfois surprenante. A Wallis et Futuna, le jeu politique est le fait de quatre groupes d'acteurs : les chefs coutumiers, le clergé catholique, l'administrateur de l'Etat et les élus. Enfin, chacun sait que l'histoire et la vie politique de la Nouvelle-Calédonie sont, pour le moins, complexes.

2. Localement, l'isolement et l'éloignement se trouvent aggravés par l'éparpillement des terres émergées

■ Le tout petit territoire de **Wallis et Futuna** (255 km^2) est composé de 14 îles et îlots répartis en deux groupes distants de 225 km : le groupe des îles Wallis au nord et le groupe des îles Hoorn au sud. Seules les deux îles d'Uvéa (150 km^2), au nord, et de Futuna (64 km^2), au sud, sont peuplées, respectivement de 8 973 hab. et 4 732 hab. en 1990.

■ Les 16 890 km^2 de la Grande-Terre calédonienne ne doivent pas faire oublier que, aux termes de la loi, « Le **Territoire de la Nouvelle-Calédonie** et dépendances comprend : La Nouvelle-Calédonie ou Grande Terre, l'île des Pins, l'archipel des Belep, Huon et Surprise, les îles Chesterfield et les récifs Bellone, les îles Loyauté (Maré, Lifou, Tiga et Ouvéa), l'île Walpole, les îles Beautemps-Beaupré et de l'Astrolabe, les îles Matthew et Fearn ou Hunter, ainsi que les îlots proches du littoral. » Au total, cette trentaine d'îles et îlots totalisant une superficie émergée d'environ 19 100 km^2, répartis sur une ZEE de 1 740 000 km^2, s'étirent sur 1 500 km d'est en ouest et sur 800 km en latitude.

■ **La Polynésie française** maîtrise un espace maritime de 5 millions de km^2 compris entre 7° et 28° de latitude sud et 131° et 156° de longitude ouest. Tahiti est à 1 400 km des îles Marquises au nord-est, à 1 650 km de Mangareva à l'est et à 1 300 km de Rapa au sud, îles les plus marginales. Mais les 118 îles que compte la Polynésie française sont pour la plupart de très petites dimensions. Les terres émergées ne totalisent que 3 673 km^2, moins de 0,1 % de la zone économique des 200 miles nautiques, et encore, sont-elles, pour la plupart, inhabitées car trop pentues ou trop au ras de l'eau ! A elle seule Tahiti, la plus grande île, avec 1 043 km^2, représente près du tiers de la superficie totale de la Polynésie française. La superficie moyenne des autres îles n'est donc que de 22,5 km^2 ! Au surplus fort inégalement répartie selon les types d'îles et les archipels. Au total on compte 82 atolls et 36 îles hautes répartis en 4 archipels :

– Au centre du dispositif, **l'archipel de la Société** est composé des cinq îles du Vent et des neuf îles Sous-le-Vent s'étirant sur plus de 700 km du sud-est au nord-ouest. C'est l'archipel le plus varié. Les îles sont en général des îles hautes, volcans érodés aux silhouettes puissantes entourés d'une barrière corallienne isolant de magnifiques lagons comme à Tahiti, Moorea, Bora-Bora ou Huahine. A ces îles s'opposent quelques atolls, surtout au nord-ouest, à la faveur d'un basculement du socle.

– Plus au nord, et à l'est, **l'archipel des Tuamotu** regroupe 78 atolls éparpillés sur 2 300 km du nord-ouest au sud-est ne totalisant pas 1 000 km^2 de terres émergées. Nulle monotonie pourtant sur ces langues de corail. Les atolls sont parfois ouverts. Une ou plusieurs passes, du côté sous le vent, assurent les échanges entre le lagon et l'océan. D'autres lagons, plus nombreux, ceux des atolls fermés, n'ont pas de communication avec l'océan, sinon au moyen de quelques chenaux peu profonds : les *hoa*. Certains atolls sont très grands, comme Rangiroa de forme ovale qui, dans son plus grand axe, atteint 80 km de longueur, d'autres très petits n'excèdent pas quelques kilomètres et l'on note une variété de formes qui n'a pas fini de surprendre ni d'interroger[*].

– Au sud-est de l'archipel des Tuamotu, **l'archipel des Gambier** regroupe une dizaine d'îles et îlots, enfermés dans un seul très vaste lagon, et 8 petits atolls qui lui sont rattachés.

---

[*] Cf. BONVALLOT (J.), LABOUTE (P.), ROUGERIE (F.), VIGNERON (E.), et coll. *Atolls des Tuamotu*, Paris, ORSTOM, 1994.

– **L'archipel des Marquises** compte 12 îles, dont 7 de très petite taille. Pas de récif barrière, pas de plaines, des silhouettes décharnées.

– Au sud et au sud-est, enfin, **les cinq îles Australes** sont aussi différentes. Elles sont petites et peu élevées, soumises aux influences océaniques australes ; seule la lointaine Rapa, plus tourmentée, a un relief accusé.

Il découle de cette disposition interne des Territoires français du Pacifique l'existence de périphéries de la périphérie... Localement, les îles principales et les villes qu'elles abritent font figure de centre sans rapport avec leurs effectifs de population. Vis-à-vis de l'ensemble des Territoires, Uvéa et la ville de Mata'utu, la Grande Terre et Nouméa, Tahiti et le Grand Papeete font figure de centre chacun à leur échelle. On en vient même, dans le langage courant, à désigner la Polynésie française par l'appellation « Tahiti et ses îles » et il y a longtemps que la Nouvelle-Calédonie passe pour le « Caillou ». Cette situation liée à la disposition des terres est aggravée par un phénomène croissant de concentration de la population sur les plus grandes îles. En fait, ceci répond parfaitement à un modèle ancien de développement insulaire assez systématiquement réalisé dans les archipels du Pacifique sud : « abandon des îles lointaines, concentration sur les grandes terres »[*].

3. Le cas de la Polynésie française, récemment étudié[**], mérite d'être détaillé

Sur 118 îles composant le Territoire, 67 seulement sont habitées de façon permanente et, de surcroît, à 78 %, par des groupes humains de moins de 1 000 personnes. D'un archipel à l'autre les écarts de densité sont très importants : de 7 hab./km^2 aux Marquises à 103 aux Iles du Vent.

Ce qui est vrai de l'inégale répartition du peuplement à l'échelle des archipels l'est aussi en leur sein. Les îles Marquises et, plus encore, les Tuamotu-Gambier se signalent par une forte proportion d'îles inhabitées ou très peu peuplées. Les îles Australes présentent un meilleur éventail des catégories de densité avec une tendance vers le haut de l'échelle. Les Iles Sous-le-Vent se singularisent par une bipartition très nette ; certaines îles étant très nettement sous-peuplées, les autres étant plus peuplées que la moyenne polynésienne. Enfin les Iles du Vent, constituées de cinq îles de tailles très différentes, présentent toutes les classes de densités.

Au centre – l'archipel de la Société et singulièrement Tahiti – s'opposent donc des périphéries aux situations contrastées. Aux îles Marquises relativement grandes et peu densément peuplées s'opposent les petites îles Australes dont les densités, à l'exception de la lointaine Rapa, sont comparables à celles des îles de la Société. Enfin, des faibles densités moyennes des Tuamotu-Gambier émergent çà et là des densités légèrement plus élevées comme dans certaines îles du nord et du nord-est de l'archipel : Manihi, Takapoto, Tepoto, Tatakoto, Pukarua, Reao, voire fortes comme dans la commune de Tureia (114 h./km^2) où se situe l'atoll de Mururoa, base nucléaire du C.E.P. (Centre d'Expérimentation du Pacifique).

A l'intérieur des îles c'est une règle partout vérifiée que les hommes n'occupent plus les montagnes et se concentrent en quelques points des littoraux. Les raisons de ce type de localisation apparaissent clairement dans le cas des atolls où la concentration de la population est poussée à l'extrême, la majorité des îles habitées ne comptant qu'un seul village localisé à la passe ou à un point de débarquement des navires. Le cas de Tahiti requiert une attention particulière en raison de son échelle relative. Sur 220 kilomètres linéaires de littoral, 180

---

* DOUMENGE (F.). 1966 *L'homme dans le Pacifique sud*. Paris, Publications de la Société des Océanistes.
** VIGNERON (E.). *Hommes et santé en Polynésie française*, essai de Géographie humaine.

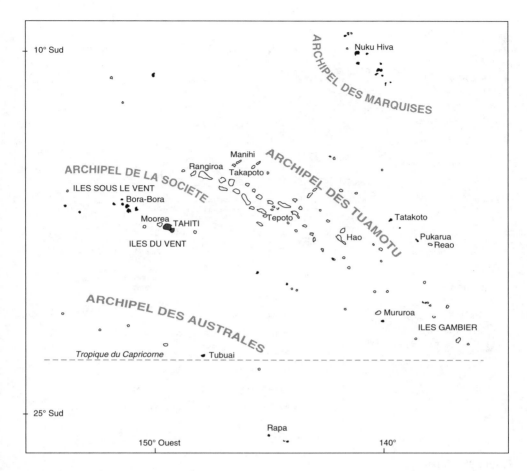

Figure 37. La Polynésie française

offrent des densités inférieures à 1 000 hab./km^2, tandis qu'au nord-ouest de l'île, l'habitat est très dense et les hommes nombreux. Les constructions débordent du cadre de la plaine littorale et occupent les premières pentes de la montagne jusqu'à des altitudes assez élevées. Dans toutes les communes de la zone urbaine, de Mahina à Paea, les densités sont fortes.

De la répartition des hommes au moment de la découverte européenne, peu de témoignages nous sont parvenus. Ils suggèrent qu'aux Tuamotu et aux îles Australes, un niveau de peuplement comparable aux effectifs contemporains avait été atteint et que sur les îles plus grandes, aux Marquises et peut-être même à Tahiti, les hommes étaient en plus grand nombre qu'aujourd'hui avec, semble-t-il, une large dispersion de l'habitat. Au milieu du XXe siècle la situation est radicalement différente. Elle se caractérise par l'abandon des îles lointaines et la concentration de la population sur les grandes terres. Ce modèle se trouve renforcé par l'implantation du Centre d'Expérimentations du Pacifique (C.E.P.) à Tahiti en 1962. Il est lié à la substitution forcée d'un modèle colonial, importé, d'économie de marché, à un système autochtone, adapté au milieu local, tendu vers l'auto-suffisance économique. Au plan géographique, ce modèle se caractérise par une organisation volontariste et au besoin

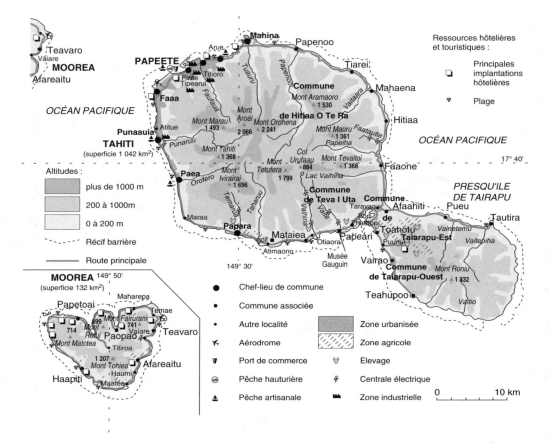

Figure 38. Tahiti

D'après une carte de l'Institut d'Emission d'Outre-Mer.

coercitive de l'espace. A Tahiti comme dans les îles périphériques cette organisation partit du littoral où s'établirent missionnaires, militaires et colons et avec eux les centres, même réduits, du nouvel ordre spirituel, administratif et économique.

Le phénomène de centre, jusqu'alors limité, s'accuse, en 1963, avec l'installation du C.E.P. La zone urbaine qui représentait 53 % du poids démographique de Tahiti passe à plus de 80 % dans les années soixante. En valeur absolue elle passe de 13 808 hab. en 1946 à 125 000 hab. en 1996. Ce qui fit Papeete et y attira les individus c'est d'abord la volonté coloniale d'établir là son centre de direction, si limitée qu'ait longtemps été cette volonté aux faibles besoins de l'économie de traite et de l'exercice du pouvoir. L'étalement, la diffusion du centre de part et d'autre du port et la constitution d'une banlieue qui s'étire aujourd'hui sur 40 km de long constituent le trait le plus remarquable de l'actuelle répartition des hommes en Polynésie française.

Ainsi l'une des meilleures images géographiques que l'on peut se faire des Territoires français du Pacifique – et sans doute la plus déterminante pour la compréhension de leurs problèmes – requiert l'emploi du modèle spatial de centre et de périphérie. Il permet d'exprimer avec force la réalité d'une série de « territoires gigognes » dont l'état périphérique de plus en plus accentué constitue le frein majeur au développement et qui, au quotidien, représente d'énormes handicaps. Dans ce contexte, on comprend mieux que les « richesses » de ces territoires apparaissent presque toujours comme des promesses incertaines.

3. VRAIES ET FAUSSES RICHESSES DES TERRITOIRES FRANÇAIS DU PACIFIQUE

Au plan apparemment le plus objectif, les Territoires français du Pacifique sont riches et même très riches relativement à leurs voisins et même au reste du monde. Avec des P.I.B./hab. de l'ordre* de 14 à 16 000 US$ (1990-1992) la Polynésie et la Nouvelle-Calédonie se classent aux deuxième et troisième rangs des 21 Etats et Territoires insulaires du Pacifique Sud (derrière la petite île phosphatière de Nauru) et parmi les vingt « pays » les plus riches du monde. Le P.I.B./hab. des îles Wallis et Futuna, qui peut être estimé à 1 400 US$, situe ce territoire dans le groupe des « pays relativement pauvres » mais n'est pas un indicateur très pertinent dans la mesure où l'essentiel de l'activité économique de ces îles ne passe pas par des circuits monétarisés mais s'exerce dans le cadre coutumier de l'échange et du don.

1. L'aide extérieure

L'économie des trois territoires bénéficie largement du montant des dépenses gouvernementales et de l'aide étrangère apportée. La Polynésie française, la Nouvelle-Calédonie et Wallis et Futuna se placent respectivement aux 2e, 6e et 8e rangs pour ce qui concerne les dépenses gouvernementales par habitant. Si l'on inclut dans l'aide « étrangère », l'aide de la métropole (ce que justifie le statut d'autonomie et à l'instar de ce que l'on fait, dans les comptes internationaux, pour les Etats-Unis et leurs territoires associés) les trois territoires français du Pacifique sud sont parmi les « pays » les plus aidés de la planète**, plus en ce qui concerne la Polynésie française et Wallis et Futuna que la Nouvelle-Calédonie.

Ces observations suggèrent que la première « richesse » des territoires français du Pacifique provient de la rente de leur situation de dépendance à l'égard de l'Etat. On ne saurait oublier que le niveau de cette rente fut hier, avant les années 60 en gros, beaucoup plus faible et avant-hier inexistante. Qu'en sera-t-il demain ? Pour l'heure, il en résulte des économies très extraverties caractérisées par un déficit structurel des échanges, une formation du P.I.B. à laquelle ne concourent que très peu les secteurs réellement productifs (exception faite du nickel calédonien) et les transferts de l'Etat et une structure de l'emploi dominée par le secteur tertiaire et particulièrement par l'emploi public et para-public.

2. La Nouvelle-Calédonie – Le nickel

Ces chiffres le montrent, les « richesses », au sens où l'on entend conventionnellement ce mot, des territoires français du Pacifique sont quasi inexistantes. Seul fait exception le nickel calédonien. Mais il présente, lui aussi, tous les caractères d'une activité cyclique et dépendant totalement de l'extérieur. Au surplus, son exploitation n'est pas sans compromettre l'environnement des îles.

---

* Le P.I.B. est dans ces territoires un indicateur qui varie fortement d'une année sur l'autre en raison des cours très variables de leurs productions.
** Ce qui, compte tenu de leur appartenance à la République française, ne saurait choquer en soi… pas plus que l'on s'interroge sur le « coût » de la solidarité nationale vis-à-vis de tel ou tel département français.

La Grande Terre calédonienne porte les stigmates spectaculaires d'une atteinte majeure à l'environnement des îles du Pacifique. Le Nickel, la « grande affaire » de la colonisation du territoire, présente tous les traits typiques d'une exploitation minière intense et mal contrôlée entreprise dans le cadre peu contraignant de l'économie coloniale. Comme en Afrique, en Asie du Sud-Est ou en Amérique latine, l'exploitation à ciel ouvert est la règle.

Le minerai de nickel est exploité à la base d'un manteau d'altérites d'une trentaine de mètres d'épaisseur. L'apparition d'engins de terrassements de plus en plus puissants a permis l'exploitation en grand des gisements au prix d'une dégradation spectaculaire de la végétation naturelle et d'une pollution importante de l'environnement. Les 110 millions de tonnes de minerais produits en 110 ans sur la Grande Terre ont nécessité la mobilisation d'un volume de stériles compris entre 220 et 280 millions de tonnes. Le décapage de la couche superficielle stérile a nivelé les crêtes de nombreux massifs. Progressant par front de taille en gradins géants de 5 à 8 m de hauteur, l'exploitation rejette en arrière ses déblais. Ceux-ci sont mobilisés par le ruissellement et se propagent jusqu'au niveau de base.

Il s'ensuit un engorgement des cours d'eau, des phénomènes d'inondations des plaines littorales et une turbidité des eaux lagonaire. La flore et la faune aquatiques sont ainsi directement menacées par l'exploitation minière. Que restera-t-il de l'un des plus beaux lagons du monde lorsque l'exploitation minière cessera ? Cette interrogation a conduit l'industrie minière à se préoccuper d'avantage de la conservation et de la restauration de sites mais celles-ci viennent grever le coût de production d'un minerai qui tire tout son intérêt commercial de la rentabilité de son exploitation.

Les bons résultats économiques enregistrés par la Nouvelle-Calédonie ces dernières années sont dus à l'exportation de nickel dont la Nouvelle-Calédonie détient 20 % des réserves mondiales : le nickel représente en valeur 90 % des exportations du Territoire. C'est ainsi que l'on note des variations interannuelles très importantes du taux de couverture des importations par les exportations en relation directe avec le cours du nickel : 45 % en 1987, 103 % en 1988, 85 % en 1989, 53 % en 1990, 44 % en 1992. La Nouvelle-Calédonie vit ainsi au rythme des variations des cours internationaux.

La production annuelle de minerai est de l'ordre de 100 000 tonnes de métal contenu sur une production mondiale de quelque 950 000 tonnes. En 1994, les cours sont en baisse depuis plus de trois ans en raison de la mévente des aciers inoxydables.

Les minerais extraits des mines de l'est et du sud de la Grande Terre sont transportés à Nouméa où s'impose la pièce maîtresse de l'économie néo-calédonienne : l'usine de la Société Le Nickel (S.L.N.) à Doniambo. Elle occupe le fond de la grande rade de Nouméa et estompe les causes anciennes de la création d'une ville en ce site magnifique.

Relativement au nickel, **les autres productions ne représentent que très peu de choses**. Agriculture et élevage ne parviennent pas à couvrir les besoins locaux : dans ce pays de grands espaces, 38 % de la viande consommée est importée. De même, quoique les 3/4 du Territoire soient forestiers, les importations de bois représentent 83 % de la demande. Parallèlement, les nouvelles filières sont loin de pouvoir remettre en cause cette dépendance. Avec seulement 50 tonnes exportées, la production de viande de cerf est tout à fait marginale par rapport à celle de pays d'Europe centrale dont les coûts de vente sont du reste deux fois inférieurs. L'aquaculture trouve en Nouvelle-Calédonie des sites côtiers favorables. La production de crevettes a atteint 691 tonnes en 1994... chiffre que l'on doit comparer aux 165 000 t annuelles de la Chine et aux 90 000 t de l'Indonésie. Avec ces pays, la Nouvelle-Calédonie ne peut être concurrentielle, d'autant que les coûts de production sont supérieurs au cours de vente sur le marché mondial ! De plus, un phénomène généralisé de surmortalité en bassin se manifeste depuis 1993.

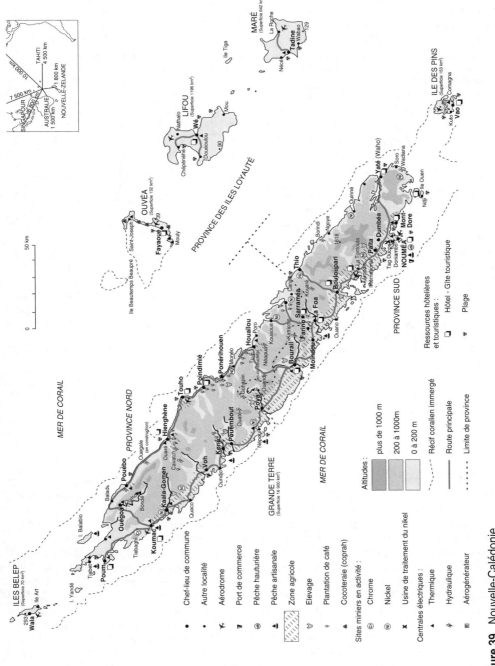

Figure 39. Nouvelle-Calédonie
D'après carte de l'Institut d'Emission d'Outre-mer.

Les Territoires français du Pacifique

Quelques données macro-économiques des Territoires français du Pacifique

	Polynésie française		Nouvelle-Calédonie		Wallis et Futuna*
Echanges					
Importations (1992, milliards F.C.P.)	86		89		11
Exportations** (1992, milliards F.C.P.)	5		39		≠ 0
Taux de couverture export./import.		*6 %*		*44 %*	
Produit intérieur brut					
P.I.B. (milliards F.C.P., 1989)	290		253,5		≠ 2
dont Agric. + mines + ind.	39		81,4		≠ 0
%		*14*		*32*	
dont B.T.P. et transports	39		23		0,4
%		*14*		*9*	
dont commerce et services	126		92		?
%		*43*		*36*	
dont salaires des administr.	86		55		?
%		*30*		*22*	
Emploi					
% emploi secteur primaire	11,8		14,3		≠ 0
% emploi secteur secondaire	17,7		19,5		14,7
% emploi secteur tertiaire	70,5		66,2		85,3
dont % services non marchands	36,4		32,8		58,3

Sources : ITSTAT, Comptes économiques de Polynésie française ; ITSEE, Comptes économiques de Nouvelle-Calédonie ; Rapports annuels de l'Institut d'Emission d'Outre-Mer.
* En raison de l'absence de Comptes économiques publiés, les données concernant Wallis et Futuna sont sujettes à discussion.
** Non compris les réexportations de matériels militaires.

3. La Polynésie française

■ Activités, cycles

Plus encore qu'en Nouvelle-Calédonie l'économie y a été et reste dominée par des cycles aussi prometteurs qu'éphémères. Au cycle du **porc salé** qui inaugura l'économie coloniale à la fin du XVIIIe siècle se superposa celui de la **baleine** dans la première moitié du XIXe siècle. Vinrent le temps de la **nacre** et celui du **coprah**. La grande affaire fut, de 1908 à 1964, l'exploitation des **phosphates** de l'atoll soulevé de Makatea. La cessation de l'activité passa presqu'inaperçue en raison de l'installation du **Centre d'Expérimentation du Pacifique**. On lui doit le plus spectaculaire boom que connut jamais le Territoire. En 1960, le P.I.B. par habitant était de l'ordre de 50 000 F C.F.P., il est aujourd'hui de plus de 1 500 000 F C.F.P. (100 C.F.P. = 5,5 FF) soit une multiplication par 30 quand, dans le même temps, le coût de la vie l'a été par 8. Mais en 1960, le taux de couverture des importations par les exportations était de 83 % tandis qu'en 1994 il n'est que de 15 % (réexportations militaires exclues), il est vrai après avoir chuté à 3 % à la fin des années 80. L'évolution de l'économie polynésienne au cours des trente dernières années sous l'influence directe de l'installation du C.E.P. peut se résumer ainsi : croissance exceptionnelle mais tout artificielle, dépendance accrue vis-à-vis du

La France dans ses régions

monde extérieur, substitution d'une économie de services à une économie coloniale traditionnelle et aussi inégalités régionales aggravées, la modernité et le boom économique profitant surtout à la zone urbanisée de Tahiti.

L'annonce de l'arrêt des essais nucléaires par la France à Mururoa a plongé la Polynésie dans l'incertitude du lendemain. Localement, l'initiative a été prise de tracer les voies du progrès économique et social sur cette nouvelle base et de dresser l'inventaire des « richesses » disponibles à exploiter. C'est ainsi que la **perle noire**, qui représente la première exportation en valeur du Territoire, fait l'objet de beaucoup d'espoirs. Face au déclin et au marasme des activités économiques traditionnelles de production, la perliculture est apparue depuis 15 ans comme une véritable bouée de sauvetage, autant aux habitants des atolls qu'aux pouvoirs publics. La nacre des Tuamotu fut l'objet d'une exploitation très intense au XIXe siècle et au début du XXe siècle, ce qui provoqua la raréfaction des stocks naturels. Il était exceptionnel que les nacres secrètent des perles noires. Ce n'est qu'à la fin des années soixante que commencèrent aux Tuamotu les premiers essais de perliculture. Dès lors, son histoire s'apparente à une véritable ruée vers l'or. Une première ferme voit le jour à Manihi en 1968 bientôt suivie d'une autre à Takapoto. Au début des années 80 on compte 13 coopératives réparties dans 10 îles occupant 300 personnes ; en 1992, 731 concessions maritimes ont été accordées à plus de 100 coopératives et associations familiales totalisant plus de 2 000 emplois. Tous les chiffres témoignent de ce boom spectaculaire : en 1972, 1 563 grammes de perles furent exportées, 30 kg en 1980, 206 kg en 1985, 600 kg en 1990, 1 138 kg en 1992 et 2 902 kg en 1994 ! Depuis 1980, la perle noire est devenue la première exportation en valeur de la Polynésie et la première source de recettes extérieures pour le territoire. Au total cela ne représente toutefois que 13,5 % de la valeur des importations du Territoire en 1994.

Comme toute ruée vers l'or, celle-ci peut être passagère. Les stocks naturels de nacre sont aujourd'hui presque totalement épuisés et les nacres sont soumises depuis quelques années à une très forte mortalité qui pourrait être la conséquence d'une anthropisation trop grande des lagons. La mortalité moyenne des nacres greffées est passée de 34 % en 1985 à 63 % en 1988 ! Par ailleurs, la progression en volume des perles s'est accompagnée d'une baisse en valeur. A la crise financière du principal acheteur, le Japon, s'ajoute en effet la survenue d'autres concurrents des Mers du Sud et déjà, de fait, une relative surproduction, d'autant que les Etats-Unis et l'Europe sont de moins en moins demandeurs. Déjà les prix ont considérablement chuté : le prix moyen de la perle est en 1992 de 40 % inférieur à son cours de 1990 ! et depuis on enregistre des distorsions continues des prix.

Il en va de même des autres ressources de la mer, de l'agriculture et de l'élevage. En dépit des multiples efforts accomplis et des discours prospectifs, la Polynésie française, comme la Nouvelle-Calédonie, s'avère totalement incapable de se nourrir. La pêche stagne, les pêcheurs japonais ont dénoncé les accords qui les liaient à la France en raison notamment de la faiblesse des captures. Localement, on débarque à Tahiti, bon an mal an, 4 000 t de poissons. Ce chiffre équivaut à 50 grammes de poissons par habitant et par jour, y compris les arêtes ! chiffre que l'on peut au mieux doubler en y ajoutant les estimations les plus larges de la pêche lagonaire autoconsommée. Même en doublant ou en quadruplant l'effort de pêche, on est loin de l'autosuffisance alimentaire. D'autant qu'il a été démontré que la ZEE polynésienne était pour l'essentiel un immense désert marin. Le calcul est tout aussi instructif pour la culture de la pomme de terre sur laquelle on a fondé beaucoup d'espoirs... et de discours. 643 tonnes ont été produites en 1994, soit 2,8 kg par habitant... et par an ! Il en va ainsi de la quasi-totalité des productions animales et végétales.

■ **Une vaste zone urbaine sur l'île principale de Tahiti** (fig. 38, p. 298)

En relation directe avec le C.E.P. s'est constituée, au cours des trente dernières années, une vaste zone urbaine sur l'île principale de Tahiti où sont venus s'accumuler 75 % de la population du Territoire. La zone urbaine de Tahiti s'étire désormais sur 40 km de littoral et regroupe plus de 120 000 habitants aujourd'hui contre 35 000 en 1962. Au cours des années 1960-1970, la répartition de la population urbaine traduisait encore une opposition simple entre un centre – Papeete – et une périphérie peu peuplée – les communes environnantes passant progressivement au milieu rural. Au cours des 20 dernières années, la ville s'est élargie d'abord aux communes voisines de Pirae et de Faaa, qui apparaissent aujourd'hui comme véritablement urbaines, puis aux communes plus lointaines de Arue et Mahina à l'est et de Punaauia à l'ouest qui sont devenues des banlieues résidentielles. Au-delà, le passage au monde rural est brutal au nord-est, où les densités communales chutent de plus de 200 à 20 hab./km^2, et plus progressif au sud-ouest. Cette croissance s'est effectuée au détriment de l'environnement. Les pentes ont été dévorées par les lotissements et sont aujourd'hui le siège de ravinements importants. Quant au lagon, il est devenu l'exutoire de tous les déchets et il est aujourd'hui interdit de se baigner dans la rade de Papeete.

■ **L'évolution démographique de la Polynésie** est désormais bien connue. Elle est, peu ou prou, surtout en ce qui concerne le mouvement naturel, comparable à celle des deux autres territoires. Elle mérite pour cela d'être un peu examinée en détail.

Au cours des cinquante dernières années, l'effectif de la population de la Polynésie française a quadruplé, passant de moins de 53 000 habitants à la Libération à près de 213 000 au début de 1994, ce qui correspond à un taux d'accroissement annuel voisin de 4 %. Le taux d'accroissement naturel, supérieur à 35 ‰ au début des années 60 est passé en dessous de 30 ‰ dans les années 70 et se situe aujourd'hui encore au-dessus de 20 ‰. Contrairement à certaines idées reçues concernant les milieux insulaires, les migrations n'ont guère joué dans l'accroissement global de la population. Le solde des mouvements migratoires internationaux est resté très faible, le taux de natalité est passé de 45 ‰ à 25-27 ‰ au début des années 90 et c'est essentiellement la baisse de la mortalité qui peut expliquer l'explosion démographique du Territoire.

Le taux brut de natalité est comparable à la moyenne mondiale qui se situe à 28 ‰. Au cours de cette même période, le taux brut de mortalité a atteint un niveau relativement faible, moins de 5,3 ‰, la moyenne mondiale se situant à 10 ‰. Cette situation est cause d'un fort excédent naturel (près de 4 500 habitants en plus chaque année, indépendamment de toute immigration) qui se manifeste par un taux d'accroissement naturel supérieur à 2 % l'an qui situe la Polynésie française au niveau des pays les plus mals lotis et constitue un handicap majeur pour son avenir.

Quelles que soient les hypothèses de projection que l'on peut retenir, il apparaît donc, compte tenu de l'évolution des indicateurs du mouvement naturel, que la population de la Polynésie française à l'aube du troisième millénaire, c'est-à-dire dans moins de 6 ans, se situera au niveau de 230 000 habitants contre 60 000 au milieu du XXe siècle ! En 2025, le Territoire pourrait compter 400 000 habitants, ceci en intégrant une hypothèse de migration nulle, sur la base du résultat du mouvement migratoire au cours des 30 dernières années. C'est dire la difficulté qu'il y a et qu'il y aura à suivre et plus encore à prévoir le progrès économique, social et culturel sans accepter de favoriser, voire de créer, des inégalités entre les Polynésiens.

4. **Le tourisme** est une activité qui nécessite investissements et opiniâtreté. Peut-être parce qu'il s'avère au cours des ans qu'il ne peut pas faire l'objet de profits rapides et sans efforts, le tourisme ne semble pas intéresser les hommes des Territoires français du Pacifique. L'essentiel de l'offre y est le fait des grandes chaînes hôtelières internationales et le transport des passagers est, pour l'essentiel, effectué par les compagnies aériennes leaders dans le Pacifique. Ceci explique peut-être cela. Quoiqu'il en soit, le tourisme, que l'on croirait

volontiers inventé tout exprès pour ces « îles paradisiaques »[*], ne parvient pas à s'imposer : éloignement, tarifs aériens élevés, rapport qualité/prix insuffisant des services hôteliers et touristiques, réalités locales qui ne coïncident pas toujours avec l'image paradisiaque promue à l'extérieur. Depuis 1986, la tendance est à la baisse en Polynésie française, même si l'on note depuis 1992 une bonne croissance avec 166 000 touristes en 1994, et la Nouvelle-Calédonie ne se relève pas de la période troublée 1984-1986. Dans l'ensemble, sur les vingt dernières années, la croissance apparaît très modérée. Quant aux îles Wallis et Futuna, elles ne constituent pas des destinations touristiques.

5. Finalement, la seule vraie richesse des Territoires français du Pacifique réside, à notre point de vue, **dans le cadre de vie et dans le genre de vie des habitants de ces Territoires**[**]. L'un et l'autre sont à l'origine du mythe des « Mers du Sud » duquel tout a découlé. L'un et l'autre ont été bien inventoriés et décrits dans leur composition et leurs dynamiques[***]. Cependant, en conséquence des cycles d'exploitation économique dont ont été à la fois bénéficiaires et victimes ces territoires, le milieu « naturel » est aujourd'hui déjà totalement dégradé, et les sociétés fortement acculturées.

Le cadre de vie et le genre de vie des habitants des Territoires français du Pacifique demeurent, en l'état, les atouts majeurs de la partie qui va se jouer dans les années à venir. L'éloignement, l'isolement, l'insularité peuvent même ainsi devenir des atouts. Le tourisme peut certainement être développé en dépit de l'éloignement des marchés émetteurs pour autant que sur place les touristes ne seront pas déçus. On peut aussi songer, et l'on songe déjà, à l'installation de retraités et à l'implantation d'entreprises du quaternaire. De plus en plus de voix s'élèvent en ce sens. Cela suppose une redéfinition des fondements économiques. Cela suppose aussi que cesse de planer au-dessus de ces cieux toujours bleus la menace de l'explosion démographique.

En Polynésie française près de 4 personnes sur 10 (36 %) avaient moins de 15 ans au dernier recensement du 6 septembre 1988, près d'une personne sur 2 (47 %) avait moins de 20 ans, et moins d'un habitant sur 6 (15 %) dépassait l'âge de 40 ans. Quant aux personnes âgées de plus de 60 ans, elles ne représentaient que 5 % de la population totale et celles de plus de 70 ans que moins de 1 %. Combien parmi elles seront demain exclues du bien-être ?

La réponse dépend, en partie au moins, du contrôle de la démographie et concerne aussi bien la Polynésie française que les deux autres Territoires français du Pacifique. Au rythme actuel de croissance démographique (± 2 % pour les deux Territoires) la Nouvelle-Calédonie, qui compte à peu près 183 000 habitants au début de 1994, sera peuplée en l'an 2000 de 203 000 hab. et les îles Wallis et Futuna, déjà surpeuplés puisque plus de la moitié de leurs ressortissants vivent en Nouvelle-Calédonie (sans doute plus de 15 000 « expatriés » pour un peu moins de 15 000 résidents) compteront 17 000 habitants. En 2025, soit dans une

---

[*] Alors que les mers du Sud ne représentent qu'une part infime des destinations touristiques du monde, les catalogues des agences de voyage se parent très souvent d'une image de Bora-Bora ou d'une plage de Moorea !

[**] Les « Propositions de la Délégation Polynésienne » au Pacte de Progrès économique, social et culturel de la Polynésie française le reconnaissent ainsi : « l'environnement naturel et le cadre de vie constituent aujourd'hui encore la richesse majeure de la Polynésie française. » Cette reconnaissance est nouvelle de la part des Polynésiens et encore peu entamée chez les Calédoniens. Elle constitue pourtant à notre sens une observation fondamentale pouvant initier le progrès dans toutes ses composantes.

[***] Pour cet aspect des choses, nous renvoyons évidemment aux deux ouvrages majeurs sur la question : les atlas récents de Nouvelle-Calédonie et de la Polynésie française.

génération seulement, la Nouvelle-Calédonie et Wallis et Futuna pourraient compter respectivement 350 000 et 30 000 habitants. Pour ignorer, ou négliger cette menace, les Territoires français du Pacifique, qui disposent pourtant de toutes les ressources (c'est-à-dire celles de la créativité) pour se développer, pourraient bien voir leur ciel bleu se couvrir de nuages lourds de menaces autrement plus dramatiques à court terme. Les émeutes de ces dernières années ont eu, entre autres causes, celle de la désespérance d'une population jeune en quête d'emploi. Le nombre de ces jeunes ne cessera pas de croître avant longtemps.

BIBLIOGRAPHIE

Introduction à la problématique des DOM-TOM

MATHIEU (J.L.). *Les DOM-TOM.* Paris, Presses Universitaires de France, collection Politique d'aujourd'hui, 1988, 269 p.

ANTHEAUME (B.), BONNEMAISON (J.). *Atlas des îles et Etats du Pacifique Sud.* Montpellier, GIP Reclus/PUBLISUD, 1988.

Orientation cartographique

Une première approche de chacun des TOM du Pacifique pourra s'appuyer sur les magnifiques cartes topographiques réalisées par l'IGN et en particulier celles de : archipel de la Société 1/100 000e n° 513, Nouvelle-Calédonie 1/500 000e n° 514 auxquelles on pourra ajouter celles des séries Orange au 1/50 000e et Bleue au 1/25 000e pour Wallis et Futuna.

Illustration photographique

CHRISTIAN (E.), VIGNERON (E.). *Tahiti vu du ciel.* Editions du Pacifique-Times Ed., Singapour, 1991, 128 p.

HOSKEN (M.), DUPON (J.F.). *Nouvelle-Calédonie vue du ciel.* Editions du Pacifique-Times Ed., Singapour, 1984, 128 p.

VIGNERON (E.), CHARDON (J.-P.), LEFEVRE (D.), *La France du lointain.* Paris, La Documentation Française/La Documentation Photographique, 1992.

LABOUTE (P.), VIGNERON (E.) et coll. *Diaposcopie d'un atoll*, Paris, ORSTOM/ Audiovisuel, 1987.

BONVALLOT (J.), LABOUTE (P.), ROUGERIE (F.), VIGNERON (E.), *Atolls des Tuamotu.* Paris, ORSTOM, 1994.

Données statistiques :

L'essentiel de la documentation statistique se trouve dans les rapports annuels de l'Institut d'émission d'Outre-Mer ainsi que dans les publications des Instituts territoriaux de la Statistique, ITSTAT à Papeete et ITSEE à Nouméa, qui publient chaque année des « Tableaux de l'économie » comparables aux TER de l'INSEE en France.

Synthèses :

– L'approche la plus complète est désormais possible avec l'Atlas de Nouvelle-Calédonie, 1981 et celui de Polynésie française, 1994, (réalisé sous la direction scientifique de J.F. Dupon, J. Bonvallot et E. Vigneron), édités par l'ORSTOM.

– On consultera aussi :

MATHIEU (J.-L.). *La Nouvelle Calédonie*, Paris, PUF, Col. Que sais-je ? n° 2515, 1989.

VIGNERON (E.). *La Polynésie française*, Paris, PUF, col. Que sais-je ?, n° 3041, 1995.

VIGNERON (E.). *Hommes et Santé en Polynésie française*, essai de Géographie humaine. Thèse de Doctorat de géographie (dir. Pr. H. Picheral), Montpellier, février 1991, 490 p.

VIGNERON (E.). *Les populations du Pacifique*, n° spécial d'Espaces, Populations, Sociétés n° 1994/2.

CHAPITRE

14

RÉUNION – MAYOTTE – TAAF

Daniel Lefèvre, Guy Fontaine et André Gamblin

Ce chapitre aurait pu s'appeler : « Les îles françaises de l'océan Indien » si l'on convenait, ce qui serait assez juste, que la terre Adélie est une île.

La plupart de ces lieux sont froids, beaucoup d'entre eux ont un intérêt économique faible voire inexistant ; la plupart sont minuscules et inhabités de façon permanente ; mais ils peuvent avoir une importance scientifique ou stratégique.

Par contre, deux îles, tropicales, La Réunion et Mayotte, ont de très fortes densités de population et de nombreux autres points communs. L'un d'entre eux et non des moindres étant les liens très étroits avec la métropole lointaine et la faiblesse de ces liens avec les autres pays de l'océan Indien.

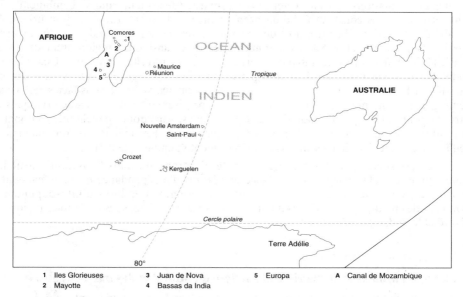

| 1 | Iles Glorieuses | 3 | Juan de Nova | 5 | Europa | A | Canal de Mozambique |
| 2 | Mayotte | 4 | Bassas da India | | | | |

Figure 40. L'océan Indien

RÉUNION

Daniel Lefèvre

La région monodépartementale de la Réunion, située dans le sud-ouest de l'océan Indien par 21° de latitude sud et 55° de longitude est, fait partie de l'archipel des Mascareignes qui comprend par ailleurs les îles Maurice et Rodrigues. Cette île tropicale, exiguë (2 512 km^2 et 207 km de tour), montagneuse et volcanique (le point le plus élevé étant le Piton des Neiges qui culmine à 3 069 m) est fortement peuplée : sa population est estimée au 1er janvier 1997 à 675 700 habitants soit 270 habitants au km^2.

L'analyse de l'organisation de cet espace insulaire met en évidence de nombreuses disparités régionales : domination des « bas » sur les « hauts », macrocéphalie de la « capitale » insulaire Saint-Denis et déséquilibres entre le Nord et le Sud. Ces inégalités résultent de plusieurs facteurs : héritage colonial, atouts et contraintes du milieu naturel et effets de la politique de départementalisation décidée en 1946.

1. L'ORGANISATION DE L'ESPACE : LES FORTES DISPARITÉS RÉGIONALES

L'étude de la répartition géographique des variables pertinentes de l'espace (peuplement, activités et circulation) met en évidence des disparités sectorielles qui se combinent pour former trois régions constitutives d'un premier niveau d'organisation : région urbanisée, tertiairisée et sucrière du littoral et des basses pentes, région rurale des pentes externes supérieures de l'Ouest et du Sud à économie agricole de transition et région rurale des Hauts de l'intérieur à économie agricole ouverte sur le marché insulaire. Ces régions s'individualisent par le primat de leur organisation. Cette homogénéité relative n'exclut pas pour autant la constitution en leur sein de faciès régionaux, voire de sous-faciès régionaux. L'émergence de nombreux « micro espaces » est précisément une des caractéristiques de notre île pourtant exiguë. L'étude de ces « pays » n'est sans doute pas de mise ici, mais il convient de souligner cet aspect de la structure spatiale que les aménageurs sont unanimes à prendre en compte dans leurs schémas d'aménagement volontaire de l'espace.

Ces unités socio-spatiales s'intègrent en se hiérarchisant dans l'ensemble insulaire. L'intégration se réalise par la mise en place de réseaux d'indépendance que commandent la métropole (Saint-Denis) et les autres centres régionaux. Ces liens d'interdépendance entraînent des relations dialectiques qui donnent naissance à deux sous-ensembles régionaux, le Nord et le Sud, d'inégale importance.

1. La dichotomie « Hauts et Bas »

■ La région urbanisée, tertiairisée et sucrière du littoral et des basses pentes

La région du littoral et des basses pentes dont les limites en altitude sont comprises entre 400 et 650 m selon les zones, rassemble la majeure partie de la population de l'île (85 %), tout

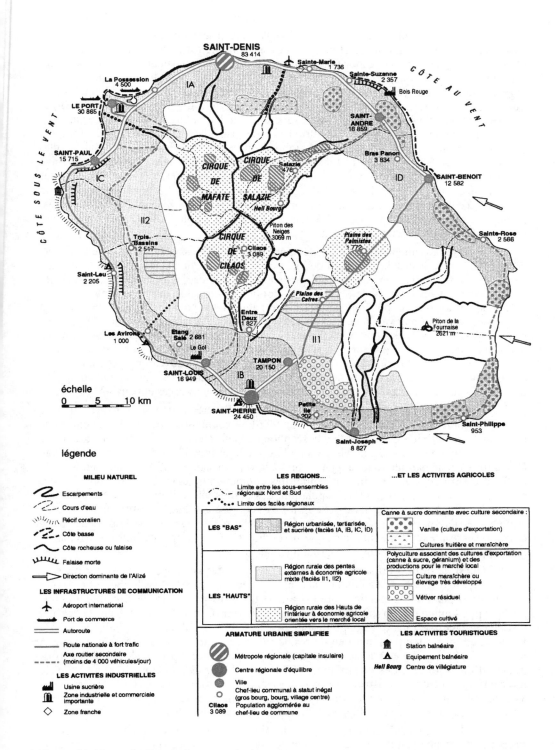

Figure 41. L'organisation de l'espace réunionnais

en ne s'étendant que sur un peu plus du tiers de la superficie. Sa population multiraciale est généralement à dominante noire et métisse, et comprend de fortes proportions de ceux des groupes ethniques qui sont minoritaires au sein de l'ensemble insulaire (Indo-musulmans, Chinois, Métropolitains). Une telle structure est en rapport avec le développement de l'urbanisation et de l'économie sucrière. La région accueille en effet les neuf agglomérations qui peuvent avoir le statut de ville en raison du niveau de leur indice synthétique d'urbanisation et constituent ainsi la partie supérieure de l'armature urbaine (voir figure 41). Ces agglomérations sont situées sur le littoral stricto sensu à l'exception de celle du Tampon. Leur population à laquelle il convient d'ajouter celle de la zone balnéaire de Saint-Gilles regroupe près de 50 % de la population de l'île. Cette forte urbanisation, qu'accompagne une importante rurbanisation, explique que les activités non agricoles soient devenues dominantes, alors même que la région constitue l'essentiel de l'espace sucrier dont le monopole économique et social est ainsi remis en cause. L'inégal niveau d'urbanisation est pour une large part à l'origine de la différenciation en faciès régionaux hiérarchisés qui sont présentés ici selon leur rang décroissant.

Le faciès urbain du **Nord-Ouest** prend appui sur Saint-Denis. Cette métropole régionale de 122 000 habitants installée au nord de l'île possède des fonctions éminemment tertiaires : 85 % des actifs ayant un emploi travaillent dans le commerce, les transports et surtout les services. Saint-Denis ne possède toutefois pas l'outil indispensable que représente dans une économie extravertie, un port de commerce international. Ce port artificiel est installé à La Pointe des Galets, à une vingtaine de kilomètres de la capitale, à laquelle il est relié par une route à quatre voies construite au pied d'une falaise instable, et qui représente un véritable défi lancé par l'homme à la nature. La ville portuaire (35 000 habitants), qui possède les plus importantes zones industrielles de l'île, s'est remarquablement développée et transformée depuis une quinzaine d'années : la ceinture de bidonvilles a fait place à un habitat composite de collectifs verticaux et horizontaux où se mêlent les classes moyennes et pauvres.

Le **Sud** s'organise autour de la ville de Saint-Pierre. Cette sous-préfecture de 25 000 habitants (population agglomérée au chef-lieu communal pour tous les centres de l'armature urbaine cités dans le texte à l'exception de Saint-Denis et du port) a su garder une certaine autonomie commerciale vis-à-vis de la capitale et joue le rôle d'un centre régional. Ce centre est relié par une route à quatre voies à la ville du Tampon (20 000 habitants) située à 600 m d'altitude, qui accueille l'essentiel des équipements scolaires de la région et des résidences des classes aisées de la population. Les petites villes littorales de Saint-Louis à l'ouest (17 000 hab.), et de Saint-Joseph à l'est, complètent une armature urbaine bien étoffée. L'arrière-pays saint-pierrois est aussi une riche région agricole où la présence de la canne à sucre n'exclut pas une certaine diversification de la production, à l'origine du développement de petites industries agro-alimentaires.

A l'**Ouest**, le littoral urbanisé, qui a reçu l'essentiel des aménagements touristiques de l'île, est séparé de la zone de culture de la canne à sucre par des étendues herbeuses et sèches peu utilisées par l'homme. Saint-Paul est une petite sous-préfecture de 16 000 habitants quelque peu somnolente en raison de la proximité de Saint-Denis et du Port. Saint-Gilles, qui possède le lagon le plus développé de l'île, est la seule véritable station balnéaire de la Réunion en même temps qu'un lieu de résidence aisée pour la bourgeoisie qui travaille à Saint-Denis. Sur quelques kilomètres, se mêlent des résidences (principales pour les trois-quarts d'entre elles), des équipements hôteliers destinés à accueillir une clientèle internationale et une infrastructure orientée vers un tourisme local et social (Villages-Vacances-Familles, camping, colonies de vacances...). Il en résulte, depuis une dizaine d'années, un spectaculaire développement des activités commerciales.

Le **Nord-Est** apparaît comme le faciès le plus défavorisé. Il demeure un espace où s'accroche la grande plantation sucrière (intégrée ou non), qui s'accompagne de la formation de noyaux de peuplement indien. A la faiblesse du taux d'urbanisation correspond celle des emplois secondaires et tertiaires. Aucune des deux petites villes de Saint-Benoit (12 582 hab.) et de Saint-André (17 000 hab.) ne peut s'ériger en véritable centre régional secondaire.

■ **La région rurale des pentes externes supérieures du Sud et de l'Ouest à économie agricole de transition**

Les hautes pentes externes orientales des deux massifs volcaniques qui constituent l'ossature montagneuse de l'île, massif volcanique éteint du Piton des Neiges à l'ouest et massif actif du Piton de la Fournaise à l'est, n'ont guère été aménagées par l'homme : la forêt succède à la canne à sucre qui monte jusqu'à 400 à 500 m d'altitude. Il n'en est pas de même pour celles de l'ouest et du sud : à partir d'une altitude d'environ 600 m, la culture de la canne à sucre s'intègre, avant de disparaître, dans une polyculture mixte associant des cultures secondaires de plantes à parfum (géranium et vétiver pour l'exportation), des cultures céréalières (maïs), maraîchères, fruitières et des productions d'élevage destinées pour une large part au marché local. Le peuplement, composé de petits exploitants blancs, propriétaires ou (et) colons (métayers), reste sans doute important, mais les densités de population diminuent avec l'altitude. L'armature urbaine est faible : de gros bourgs ruraux s'alignent le plus souvent le long de routes parallèles au rivage. Au total la région regroupe moins de 9 % de la population insulaire.

Tout comme celui du littoral, le système des pentes externes est loin d'être monolithique et de multiples micro-pays s'individualisent du nord-ouest au sud-est. La politique de diversification des cultures et de développement d'un élevage sur prairies naturelles ou artificielles porte pleinement ses fruits dans les Hauts du Tampon où les résidences secondaires s'installent le long de la route de la Plaine des Cafres. La culture du vétiver prend parfois le relais de celle du géranium dans les Hauts de Montvert, Petite île et Saint-Joseph. Les Hauts de l'Ouest qui souffrent de la sécheresse demeurent encore orientés davantage vers ce système traditionnel de polyculture dominé par le géranium, exception faite des Hauts de La Chaloupe Saint-Leu où le développement de l'élevage paraît bien parti.

■ **La région rurale des Hauts de l'intérieur à économie agricole ouverte sur le marché insulaire**

Les Hauts de l'intérieur sont peu peuplés. Environ 15 000 habitants, soit moins de 3 % de la population insulaire, s'accrochent sur les « ilets », plates-formes subhorizontales découpées dans le fond des trois cirques qui occupent l'emplacement de l'immense caldeira du massif du Piton des Neiges, ou sont installés à la Plaine des Palmistes, plateau en forme de cuvette, situé à 1 000 m d'altitude sur le seuil séparant les deux massifs volcaniques.

Cette population composée à 80 % de « petits blancs » pratique une polyculture pour une part encore vivrière. Toutefois la mise en place d'une infrastructure routière de pénétration, sans cesse améliorée, a contribué à rompre l'isolement tout relatif des communautés humaines, en permettant d'intégrer la production agricole à l'économie marchande et en favorisant le développement d'un tourisme de villégiature et d'un tourisme vert. Cependant la faiblesse de l'armature urbaine répond à celle du peuplement, et les emplois non agricoles des actifs résidents, qui ont tendance dans bien des cas à devenir dominants, sont le plus souvent non qualifiés et peuvent être exercés sur le littoral.

Les espaces constitutifs des Hauts de l'intérieur possèdent des caractéristiques qui leur sont propres. Le **Cirque de Salazié** à l'est est le plus peuplé (7 004 hab.), le plus riche sur le plan agricole et le plus ouvert : participant encore à l'économie sucrière, il produit des surplus importants de cultures maraîchères évacués vers le littoral. Hell-bourg, situé à 987 m, est le centre le plus actif. Le **Cirque de Cilaos**, plus sec et où les terres ont été souvent érodées par des défrichements intempestifs, a moins de ressources malgré le développement de certaines productions ou activités de renommée locale : culture des lentilles et de la vigne, broderie artisanale et exploitation de sources thermales. Près de la moitié de la population qui compte

5 850 habitants se regroupe dans le gros bourg de Cilaos, qui a des allures de petite ville et s'anime en période de vacances. Le **Cirque de Mafate** est le seul des trois cirques à être encore enclavé et se dépeuple régulièrement : 500 habitants sont regroupés dans quelques ilets. Enfin, la **Plaine des Palmistes** (2 676 hab.) a pour caractéristique son orientation vers l'élevage et l'emprise qu'exercent sur l'espace les résidences secondaires, qui sont aussi nombreuses que les résidences principales.

Une telle structuration est révélatrice de multiples inégalités entre les unités socio-spatiales : dichotomie « Hauts » et « Bas », macrocéphalie de la capitale dionysienne et disparités au sein de la région dominante. La division régionale laisse apparaître de profonds déséquilibres qui s'établissent au profit de la région littorale et des basses pentes et au détriment de celles des Hauts. Cette forte domination s'accompagne de celle macrocéphalique de la métropole régionale, Saint-Denis, qui agglomère en 1990 20,4 % de la population insulaire, 31,9 % des emplois, 43,6 % des emplois de cadres supérieurs, 73 % des entreprises commerciales d'importation et de gros et 100 % de la population étudiante.

Par ailleurs à l'intérieur de la région dominante subsistent des zones de faiblesse, un Nord-Est à la traîne du développement, « un ventre mou Saint-Leusien » à l'ouest et des périphéries géographiques et économiques au Sud-Est (Saint-Philippe et Sainte-Rose).

2. Les déséquilibres Nord-Sud

■ Les mécanismes d'intégration : les flux et les réseaux

L'étude comparée des effectifs d'actifs résidents et d'actifs ayant un emploi met en évidence que seules trois communes, Saint-Denis, Le Port et Saint-Pierre, ont un solde migratoire positif et constituent des pôles d'emplois attractifs vers lesquels se dirigent les principaux flux migratoires. Onze communes se regroupant dans les parties ouest et est de l'île, et comprenant les communes des hauts de l'intérieur de Salazie et de la Plaine des Palmistes, envoient plus de 30 % de leurs émigrants (seuil retenu pour définir les mouvements pertinents de la population), vers les communes de Saint-Denis et du Port. Les migrations de travail vers la métropole régionale, grande pourvoyeuse d'emplois, résultent de différents facteurs. Une part de plus en plus importante des classes aisées travaillant à Saint-Denis préfère habiter sur la côte Ouest à proximité des plages. Le coût élevé du foncier et du logement à Saint-Denis d'une part et les carences en emplois non agricoles dans le Nord-Est d'autre part, génèrent d'importantes migrations de travail entre cette sous-région et la « capitale » insulaire. La commune de Saint-Pierre commande les migrations de travail qui s'organisent dans le Sud de l'île, de Saint-Louis à Saint-Joseph.

L'analyse des échanges de produits et de services, confirme pleinement les résultats des études de migrations de population. Elle fait apparaître le rôle prépondérant des deux centres régionaux de Saint-Denis et de Saint-Pierre et celui, non négligeable mais inégal, des centres relais que constituent les sept autres villes composant l'armature urbaine réunionnaise : Saint-André et Saint-Benoît au nord-est, Le Port et Saint-Paul à l'ouest-nord-ouest, Saint-Louis, Le Tampon et Saint-Joseph au sud. Les déplacements s'effectuent tout naturellement à partir des espaces ruraux des Hauts et de la région du littoral en direction des centres urbains installés dans cette dernière. Il en résulte une indiscutable intégration des espaces des Hauts dans l'ensemble insulaire, tout particulièrement pour ceux des pentes externes, insérés dans les territoires communaux dont le chef-lieu est installé sur le littoral.

Cette intégration apparaît également au niveau des migrations de loisirs. Le développement du tourisme balnéaire n'a pas fait disparaître, loin s'en faut, les traditionnelles vacances de « changement d'air » en montagne. L'équipement hôtelier de montagne demeure modeste sans être négligeable : 33 % des établissements et 23,3 % des chambres. Enfin de nombreux gîtes ruraux, maillon du tourisme social, sont implantés dans les Hauts. Ces activités produisent des migrations de loisirs du littoral vers la montagne, qui s'effectuent principalement en fonction de la règle de la plus grande proximité géographique.

Au total, l'analyse des flux et des réseaux fait apparaître un partage de l'île en deux sous-ensembles. L'un s'établit au Nord sous la direction de Saint-Denis, la métropole régionale, et s'étend de la commune de Trois-Bassins à l'ouest à celle de Sainte-Rose à l'est sud-est. L'autre se met en place au Sud, autour de Saint-Pierre, centre régional d'équilibre, et englobe les communes allant de Saint-Leu à l'ouest à Saint-Philippe au sud-est. Les centres relais du sous-ensemble nord, Le Port et Saint-Paul au nord-ouest et Saint-André et Saint-Benoît au nord-est, possèdent des aires de rayonnement de taille inversement proportionnelle à leur proximité de la métropole régionale. La domination moins exclusive de Saint-Pierre au sud laisse place à une répartition plus harmonieuse des aires d'influence secondaire des centres relais de Saint-Louis, du Tampon et de Saint-Joseph.

■ **Deux sous-ensembles régionaux inégaux**

La population insulaire se répartit de manière inégale entre les deux sous-ensembles. Le Nord regroupe 61,8 % de la population sur 57 % de l'espace de l'île et rassemble les trois-quarts de la population des neuf centres placés au niveau supérieur de l'armature urbaine. De ce fait, le Nord possède davantage d'activités industrielles (68,4 % des entreprises) et tertiaires, en particulier de niveau supérieur (73,5 % des cadres supérieurs, 75 % des commerces d'importation et de gros et 84 % des établissements financiers et d'assurances). Moins étendu et moins peuplé (38,2 % de la population) le Sud dispose d'un pourcentage plus faible d'actifs ayant un emploi (33 %) et conserve plus d'activités tournées vers l'agriculture (13 % d'actifs du primaire pour 5 % dans le Nord, 52 % de la surface agricole utilisée et de la valeur de la Production Agricole Finale). La part du Sud dans certaines productions destinées au marché local est particulièrement important : 69,2 % de la PAF des légumes, 72,7 % de celle du bétail et 79,4 % de celle du lait.

Ces disparités économiques induisent des disparités sociales : le taux de chômage est de 45,34 % dans le Sud pour seulement 34 % dans le Nord. Toutefois, l'analyse des conditions de vie fait apparaître que l'écart entre les deux sous-ensembles régionaux à tendance à se réduire de 1982 à 1990. Les taux d'équipement des logements principaux prennent souvent des valeurs proches les unes des autres.

Taux d'équipement en %

	Nord	Sud
Réfrigérateur	88,7	87,7
Congélateur	25,7	27,4
Lave-linge	53,2	52,8

2. L'HÉRITAGE HISTORIQUE COLONIAL

1. Le projet colonial originel (1642-1815)

■ La naissance d'une économie de plantation inachevée

Le projet colonial originel répond aux besoins des nations européennes à l'aube des Temps modernes où colonisation rime avec tropical dans la mesure où les terres conquises peuvent offrir des productions agricoles complémentaires de celles des métropoles situées dans la zone tempérée. La Réunion est découverte par les Portugais au début du XVIe siècle, mais sa position n'est valorisée qu'au XVIIe siècle lorsqu'elle devient une étape sur la route des Indes pour les compagnies françaises qui partent à la conquête de l'Asie. L'île devient possession du roi de France en 1642 sous le nom d'île Bourbon et en 1665 la Compagnie des Indes Orientales décide d'en faire une colonie de peuplement et de rapport régie par le pacte colonial et le système de l'exclusif. Il faut toutefois attendre le début du XVIIIe siècle pour qu'un projet cohérent d'aménagement soit élaboré, instaurant une division du travail entre les deux principales îles des Mascareignes. Selon la formule consacrée du gouverneur La Bourdonnais (1735-1745), Bourbon sera « le grenier » et l'Ile-de-France, future île Maurice acquise en 1715, le « Port ». En effet, l'île Bourbon ne disposant guère d'abris naturels, le port de guerre et de commerce international est construit à Port-Louis au nord-ouest de l'Ile-de-France. À Bourbon, le site de Saint-Denis est retenu pour y installer un port de cabotage avec l'île sœur ; décision lourde de conséquence, puisqu'elle devait fixer définitivement la capitale de la Réunion à un endroit où la côte s'est révélée par la suite trop inhospitalière pour que l'on puisse y construire un bon port, ce qui devait priver ainsi cette « capitale » de la fonction portuaire. La condition première de la mise en valeur de l'île est d'assurer son peuplement. Tandis que la terre est distribuée aux colons blancs d'origine française en concessions s'étendant du « battant des lames au sommet des montagnes », la traite des esclaves opérée à partir des côtes d'Afrique orientale et de Madagascar, secondairement de l'Inde, permet d'obtenir une main-d'œuvre abondante et à bon marché nécessaire à la mise en valeur de l'île. Cette mise en valeur est laborieuse et aucune culture d'exportation ne parvient vraiment à s'imposer : la production de café, culture de base, oscille selon les années entre 3 000 et 4 000 tonnes et diverses autres cultures spéculatives sont tentées (poivre, girofle, etc.). L'aménagement progresse le long du littoral mais est limité en altitude.

■ Les contraintes externes et internes, le poids du milieu naturel

Un tel bilan s'explique par des données externes (concurrence d'autres îles tropicales pour la production de café, blocus de l'île par les Britanniques) et internes. L'île doit produire des vivres pour nourrir ses habitants, et ceux de l'île voisine, et ravitailler les navires. Elle manque de cadres et de moyens financiers. Le milieu naturel qualifié « d'Eden tropical » au climat particulièrement salubre par les premiers voyageurs et colons va se révéler être contraignant. La contrainte essentielle vient d'un relief tourmenté. Vue d'avion, l'île a l'allure d'un bicorne : 40 % de la superficie sont situés au-dessus de 1 000 mètres. Elle est composée de deux massifs volcaniques : le massif du Piton des Neiges au nord-ouest qui a émergé il y a quelque 3 millions d'années et le massif du Piton de la Fournaise au sud-est, d'origine plus récente (350 000 années) et encore en activité. Les plaines littorales sont peu étendues. Les pentes externes du massif du Piton des Neiges qui couvre les deux-cinquièmes de l'île sont hachées par quelque 350 ravines et rivières : les plus puissantes d'entre elles creusent des gorges impressionnantes dont les flancs verticaux n'ont rien à envier aux « remparts » des cirques qui peuvent atteindre 1 000 m de dénivelé. Ce relief montagneux, somptueux mais rude, constitue un obstacle pour l'alizé de l'est-sud-est, facteur essentiel d'un climat qui compte deux saisons : une chaude et pluvieuse de novembre à avril (été austral), et l'autre, plus sèche et relativement plus fraîche, de mai à octobre (hiver austral). Il résulte de la disposition du relief et de l'orientation des alizés une opposition entre le versant au vent plus humide (3 401 mm d'eau en moyenne par an à Saint-Benoît sur le littoral et plus de 6 000 mm dans les hauts de Sainte-Rose et de Takamaka et le versant sous le vent plus sec (le minimum s'établissant à 600 mm d'eau par an en moyenne à Saint-Gilles). Le relief montagneux provoque bien entendu un étagement en zones biogéographiques et, dans l'ensemble, l'île offre une gamme étendue de micro-espaces naturels. Mais les colons essayent un peu de tout et un peu partout en fonction de la conjoncture, processus propre à toute colonisation pionnière et responsable de bien des échecs. Les cyclones tropicaux ont leur part de responsabilité dans ces échecs mais leur rôle doit toutefois être relativisé car ils contribuent pour une part importante aux volumes annuels de précipitations et les périodes de longue sécheresse sont tout autant contraignantes.

2. La transformation en « Île à sucre »

■ Emergence et prospérité de l'économie sucrière (1815-1860)

Le traité franco-britannique de 1815, qui concrétise une redistribution des cartes entre les deux puissances, va être l'occasion de redéfinir le projet colonial. Le fait essentiel est que l'île, appelée Réunion en 1848, va devenir une « île à sucre ». L'implantation de cette culture s'explique par des facteurs socio-économiques externes mais aussi écologiques. D'une part, l'augmentation des besoins en sucre de la France survient à un moment où cette puissance perd avec l'île de Saint-Dominique une de ses principales colonies productrices. D'autre part, la plante, qui n'épuise pas les sols de manière excessive, résiste bien aux cyclones. Ses exigences climatiques font que la culture est théoriquement exclue des zones sous le vent où le total annuel moyen des précipitations est inférieur à un mètre d'eau, des zones au vent trop humides et des régions d'altitude supérieure à 1 200 mètres où le gel peut faire son apparition. La canne pousse mal au-dessus de 500 mètres dans la région au vent, et de 800 à 1 000 mètres dans celle sous le vent. Elle peut toutefois se fixer dans ces zones lorsque la conjoncture économique est favorable et en raison de la simplicité des opérations culturales. Par ailleurs les rendements en canne sont plus élevés dans la zone au vent plus humide et ceux en sucre sont plus importants dans la zone sous le vent plus sèche.

Le développement de la culture de la canne s'accompagne d'une transformation des modes de production et des rapports sociaux correspondants. La production sucrière exige l'apport d'une main-d'œuvre et de capitaux importants. L'abolition de l'esclavage décrétée définitivement en 1848 oblige les colons blancs à faire venir sur les exploitations des immigrés « engagés » dont les Indiens tamouls vont constituer les principaux contingents, sans que le courant d'immigration à partir de l'Afrique orientale et de Madagascar soit tari pour autant. L'immigration a deux conséquences importantes sur la population de l'île : d'une part, cette dernière augmente rapidement, passant de 63 400 habitants en 1815 à 179 189 en 1860 ; d'autre part, elle continue à se diversifier sur le plan ethnique. Par ailleurs, le système élimine les petits propriétaires blancs qui s'étaient multipliés depuis la fin du XVIIIe siècle et qui, n'ayant pas les moyens de se payer des engagés et ne voulant pas travailler sur les plantations à côté des esclaves affranchis, vont aller s'installer dans les cirques de l'intérieur où les terres ne sont pas encore attribuées, pour s'y livrer à une misérable polyculture vivrière.

■ La crise et le difficile redressement (1860-1946)

La période de prospérité de l'économie sucrière est de courte durée : la crise survient dans les années 1860. Cette crise a des causes multiples dont la principale cause est la baisse du cours du sucre due à une surproduction consécutive au développement en métropole de la culture de la betterave à sucre et aux grandes quantités lancées sur le marché mondial par les îles des Caraïbes. A cela s'ajoutent d'autres facteurs : attaque de la plante par les maladies et les insectes, cyclones dévastateurs, épidémies introduites par les engagés (choléra et malaria) qui vont faire de grands ravages dans la main-d'œuvre. Ces facteurs se conjuguent pour faire de 1863 une année particulièrement noire : apparition du « Borer » ou poux blanc, violent cyclone et épidémie de choléra. La production diminue : elle ne remontera que dans les années qui précèdent la Seconde Guerre mondiale mais sans atteindre le niveau record (74 000 t) de 1860.

La solution à la crise est recherchée : d'une part, dans la mise en place de nouvelles structures de production capitaliste qui se caractérisent par une concentration verticale et horizontale des moyens de production au profit de sept sociétés sucrières, et, d'autre part, dans le développement de nouvelles cultures d'exportation : vanille et plantes à parfum. La première de ces cultures s'implante complémentairement à celle de la canne dans les régions littorales les plus humides. En revanche les plantes à parfum (géranium et vétiver) vont être à l'origine de la mise en valeur par les « petits blancs » des pentes externes sous le vent. Le colonat partiaire, métayage aux deux-tiers, est le mode de faire-valoir le plus utilisé sur ces terres qui constituent bien souvent la partie supérieure de concessions dont la base est sur le littoral. La crise marque également le coup d'arrêt de l'immigration des engagés que ne compensent pas les arrivées de quelques milliers d'Indiens musulmans et de Chinois qui vont se fixer dans l'île comme commerçants et constituer des minorités dynamiques : désormais la population n'augmente plus que lentement, au gré d'une démographie naturelle où une forte mortalité compense une natalité élevée.

La politique d'assimilation coloniale trouve ses limites dans l'obligation faite à la colonie de rapporter à la métropole plus qu'elle ne lui coûte. L'île présente en 1946 tous les signes du sous-développement : sous-équipement, surpopulation (225 000 hab.) en dépit d'un état sanitaire défectueux, et économie agricole sucrière d'exportation (46 % de la population travaille dans le secteur primaire), dépendante de la métropole. Une oligarchie de grands propriétaires blancs occupe une position dominante dans une société bipolaire de plantation où la masse de la population de « couleur » et de « petits blancs » est plongée dans la misère. La déculturation et l'acculturation des immigrés venus d'Europe, d'Afrique et d'Asie a produit une subculture coloniale dont un des attributs est la formation d'une langue, le créole.

3. LES EFFETS DE LA DÉPARTEMENTALISATION : VERS UNE SOCIÉTÉ ET UNE ÉCONOMIE PSEUDOINDUSTRIELLES DOMINÉES PAR LES SERVICES

1. Équipement, croissance et amélioration du niveau de vie

La départementalisation de 1946 a pour finalité de sortir l'île de son sous-développement en l'intégrant à l'ensemble national. Cette intégration doit permettre la mise en place de structures d'encadrement comparables à celles de l'hexagone et provoquer un développement d'activités économiques diversifiées. Le premier objectif est plus facile à réaliser puisqu'il dépend essentiellement des financements publics. Les institutions, la législation, les organismes d'Etat ou parapublics métropolitains sont progressivement implantés dans l'île, assortis de règlements particuliers pour tenir compte des spécificités locales. L'effort financier consenti par l'Etat français est continu et considérable. Les transferts publics, auxquels s'ajoutent les subventions de l'Union Européenne, s'élèvent à 13 milliards de francs en 1991 (53 % pour l'aide sociale) et représentent actuellement plus de 43 % de la Production intérieure brute locale. Ces financements publics ont favorisé la mise en place d'une infrastructure administrative, économique (routes, port, aéroport, téléphone), sociale et culturelle de bonne qualité. Sans doute le retard sur l'hexagone est-il loin d'être comblé, mais dans certains domaines, comme la santé, les équipements sont au moins comparables à ceux des régions de l'hexagone les moins bien dotées. La production, y compris le PIB marchand, augmente plus vite que la population et la consommation. Le PIB par habitant (54 431 francs en 1994) ne représente sans doute que 43 % de celui de la métropole mais est nettement supérieur à ceux des îles du sud-ouest de l'océan Indien : le double des Seychelles, le triple de Maurice et 44 fois celui de Madagascar.

2. Les graves problèmes économiques et sociaux

■ L'insuffisance des activités de productions

Toutefois les points noirs sont nombreux. La nature des mécanismes de fonctionnement du système économique et social place l'île dans une situation de transition. Une économie et une société pseudo-industrielles où dominent les services se sont substituées à une économie et une société de plantation où la canne à sucre, dont les produits alimentent encore 65 % des exportations, régnait en maître. Il n'est donc pas étonnant de constater que le secteur tertiaire agglomère 80 % de la population active occupée (1994), 76 % du PIB local (1986) et 68 % de la valeur ajoutée marchande (1992) : son développement paraît excessif au regard de la faiblesse relative des deux autres secteurs d'activités. Après bien des hésitations le tourisme semble se développer. L'île a accueilli 304 000 visiteurs en 1995, soit un touriste pour 2 habitants, dont 82 % viennent de métropole et 31 % ont séjourné dans les hôtels.

La politique industrielle mise en place à partir de 1971 et soutenue en 1986 par les lois de défiscalisation, comporte tout un arsenal de mesures d'incitations fiscales et d'aides à la production, mais les contraintes internes (marché étroit, coût de production élevé, matières premières insuffisantes) et externes (éloignement des marchés et des matières premières, concurrence des pays voisins ACP) sont difficiles à surmonter. Le tissu industriel réunionnais, à l'exception de la filière sucrière et du BTP, est constitué de petites et moyennes entreprises industrielles, et d'entreprises artisanales. L'activité principale des PMI est l'agro-alimentaire (36 % des entreprises et 41,2 % des effectifs). Cette activité est à mettre en rapport avec la diversification des activités agricoles. La politique agricole a pour objectif, d'une part, le maintien des cultures d'exportation traditionnelles (canne à sucre, géranium, vétiver et vanille), et, d'autre part, le développement des productions destinées au marché local. Les cultures d'exportations couvrent encore 54 % de la S.A.U., dont 52,7 % pour la canne à sucre. Malgré les plans de modernisation de l'économie sucrière, la production de sucre obtenue dans trois usines oscille entre 250 000 tonnes et 170 000 tonnes, n'atteignant pas le quota de 300 000 tonnes accordé par l'Union européenne. Les cultures secondaires d'exportation, géranium, vétiver, vanille, pour la production desquelles la Réunion se classait au tout premier rang mondial tant pour la qualité que pour la quantité, ne bénéficient pas de prix garantis. Ces productions varient au gré des cours mondiaux et d'aléas climatiques mal surmontés par une petite paysannerie démunie de moyens financiers et de connaissances techniques. Certaines cultures comme le vétiver risquent de disparaître à plus ou moins court terme. Les cultures pour le marché local (légumes-fruits-produits d'élevage) contribuent aujourd'hui pour plus de 78 % à la production agricole finale en 1994. La politique de diversification des cultures est donc entrée dans les faits mais est freinée par les carences constatées au niveau de la commercialisation en dépit de la création de coopératives et de « SICA ». Le taux d'auto-approvisionnement varie entre 50 et 70 % selon les produits pour les cultures vivrières et fruitières et tombe à 28 p. 100 pour les viandes bovines. Cette mutation dans l'orientation de la production s'est accompagnée d'une évolution de la structure des exploitations. Depuis 1966, la réforme foncière, réalisée par la SAFER, a assuré la rétrocession de l'équivalent de la moitié de la S.A.U. de 1990. Ce remodelage des exploitations s'est traduit par une diminution des micro-exploitations (les exploitations de moins de 2 ha représentent 56 % des exploitations et couvrent 11,4 % de la S.A.U. en 1989) et des exploitations de 50 ha et plus (0,43 % des exploitations et 22 % de la surface), et par un recul du colonage (17 % des S.A.U.) forme de métayage peu stimulante. La petite taille des exploitations est sans doute bien adaptée à certaines productions (maraîchage et arboriculture) mais convient mal au secteur des cultures industrielles comme la canne où l'on passe progressivement à une « agriculture sociale » à coup d'aides et de subventions. Cette solution peut paraître raisonnable au regard de la montée du chômage mais le secteur primaire qui fournit la quasi-totalité des exportations (7 % des importations) n'agglomère plus aujourd'hui que 7,6 % de la population active et 5,5 % de la valeur ajoutée marchande.

■ La dramatique montée du chômage

Les problèmes sociaux sont de loin les plus préoccupants. Les disparité de revenus entre l'île et la métropole s'atténuent : le SMIC local a été aligné sur celui de la France continentale au 1er janvier 1996 et la proportion de salariés dont la rémunération est inférieure au SMIC tombe à 11,4 % en 1992. Par contre, les inégalités à l'intérieur de la société insulaire restent importantes. Les salaires de la fonction publique sont 1,5 fois plus élevés que dans l'hexagone, ce qui a d'ailleurs des effets positifs d'entraînement sur le développement du commerce, des transports et de la construction.

Plus inquiétant encore est la montée du chômage dont le taux atteint en 1993 35,2 % de la population active. Le rythme de croissance des emplois qui a été pourtant soutenu de 1982 à 1990 (2,5 % par an contre 1,3 % pour la période de 1974-82, soit en moyenne 3 500 emplois par an) ne peut satisfaire que la moitié de la demande. Par ailleurs le Revenu minimum d'insertion (R.M.I.) a été généreusement accordé à la Réunion qui regroupe plus de la moitié des « Rmistes » d'outre-mer et reçoit 10 % du budget national du R.M.I. alors qu'elle ne représente que 1 % de la population de la métropole et des DOM. Un ménage sur trois compte un allocataire du R.M.I.

Le chômage frappe, bien entendu, de plein fouet les jeunes : 36 % des chômeurs ont moins de 25 ans. Une telle évolution n'est pas due à l'aggravation de la situation économique. Les experts s'accordent à souligner la bonne performance de l'économie réunionnaise au cours de la dernière décennie et jusqu'en 1993. La montée du chômage est directement liée à

Indicateurs statistiques

Population	1946	241 667	1995	653 400	
Natalité ‰	1952	51,2	1995	19,8	
ISF	1952	7	1994	2,3	
Mortalité ‰	1952	18,1	1995	5,3	
Mortalité infantile ‰	1952	157,9	1993	6,9	
Age % (1990)	– 15 ans :	29,6	15-59 ans :	61,8	60 et + : 8,6
Solde migratoire	1974-82	– 33 481	1982-90	+ 3 000	
Secteur d'activité %	Pop. 1946	Pop. 1994	VAM* 1992		
Primaire	46,5	5,1	4,8		
Secondaire	17,9	15,1	27,5		
Tertiaire	35,6	79,8	67,7		

Indicateurs économiques et sociaux   PIB / hab. FF (1994) 54 431
Taux de chômage % (1995)   Transferts publics (% du PIB 1992) = 43
38,9 (au sens du RGP) 31,4 (au sens du BIT)
Sucre (1993-95) ; Canne (1000 t) : 1 725,3 ; Sucre (1000 t) : 185,1

Production agricole (valeur %) 1994	Plantes industrielles pour exportation	dont C à sucre	Productions marché local
	22,4	20,1	77,6

Santé. Densité pour 1000 habitants (1993) médecins : 168, chirurgiens-dentistes : 45, pharmaciens : 38, lits d'hôpitaux : 4,7.
Taux d'équipement des ménages % 1990 : réfrigérateurs : 86,5. Lave linge : 40,4. Téléviseurs : 82,2. Voitures : 42.
Commerce extérieur : Taux de couverture importations par exportations % (1995) : 7,7.

* VAM = Valeur ajoutée marchande.
Source : INSEE – Calcul INSEE et D. Lefèvre.

l'explosion démographique. La population a été multipliée par 2,8 en cinquante ans. C'est dire l'importance de l'enjeu démographique qui ne semble pas toujours avoir été bien perçu par les politiques. L'application d'une politique sanitaire efficace et l'amélioration du niveau de vie ont eu d'importantes conséquences démographiques. Dans un premier temps, de 1946 à 1966, l'abaissement rapide de la mortalité (de 22,1 ‰ à 10,6 ‰), et l'augmentation puis le maintien d'une natalité élevée qui passe de 40 ‰ en 1946 à 51,3 ‰ en 1952 pour se situer à 41,4 ‰ en 1966 ont produit un accroissement naturel supérieur à 3 % par an. A partir de 1967, l'île entre dans la deuxième phase de sa transition démographique : la natalité diminue nettement tandis que la mortalité recule lentement. En 1982, le taux de natalité est de 23,1 ‰ et le taux de mortalité de 5,9 ‰ ; ce qui produit un accroissement naturel de 17,2 ‰ encore relativement important. La politique d'émigration qui a fixé quelque 150 000 Réunionnais dans la métropole se conjugue avec cette baisse de l'accroissement naturel pour ralentir la progression de la population insulaire. Cependant de 1982 à 1992 la deuxième phase de la transition démographique marque le pas. Le taux brut de natalité décroit lentement (19,8 ‰ en 1995) tandis que la mortalité stagne (5,3 ‰ en 1995). Il faut voir dans cette situation l'interaction de plusieurs facteurs : effets mécaniques du « baby-boom » des années 1950-1965, affaiblissement de la mobilité entre l'île et la métropole (notamment en raison de l'abandon par la gauche française arrivée au pouvoir en 1981, de la politique officielle d'émigration rendue aujourd'hui difficile par la situation économique en métropole), ralentissement de la baisse de la fécondité (l'indice synthétique de fécondité est sans doute passé de 6,07 en 1987 à 2,8 en 1982 mais diminue beaucoup plus lentement depuis une quinzaine d'années pour atteindre 2,35 en 1994), effets psychologiques de l'insuffisance des revenus et de l'accroissement du chômage, contradiction entre l'économique et le social (la politique dite d'égalité sociale aboutissant à étendre un système d'allocations conçu en métropole pour favoriser la natalité).

CONCLUSION : LES TROIS DÉFIS

Faute d'avoir su freiner sa croissance démographique, la Réunion ne tire pas pleinement profit de ses efforts de développement, tout en restant à la merci de graves tensions sociales. Sa jeunesse est particulièrement sensible à la crise identitaire que traverse une société pluriethnique composée de descendants d'Européens, d'Indiens, d'Africains et connaissant un métissage croissant. Cette société est donc tiraillée entre plusieurs cultures communautaires et créoles, dont certaines ont été trop longtemps méprisées. Il n'est pas étonnant dans un tel contexte que se produisent, dans les quartiers les plus pauvres des villes, des flambées de violence comme celles de février 1991. Les effets de la solidarité nationale sont sans doute des garde-fous empêchant une explosion sociale généralisée. Cependant la gravité de la situation a conduit les autorités responsables, toutes tendances confondues, à proposer un plan de développement devant permettre la création d'activités de production en favorisant tout particulièrement le secteur de l'exportation.

Les revendications globales du droit au travail et à la dignité s'accompagnent de contestations régionalistes en rapport avec les disparités qui ont été étudiées dans la première partie du chapitre. Ces inégalités loin d'être de simples constructions abstraites correspondent à un vécu des populations. La condescendance parfois affichée à l'égard des petits blancs des Hauts, l'affirmation d'une identité sudiste sont sans doute exploitées par les politiques mais sont bien l'expression de sensibilités régionales exacerbées par les carences en matières d'aménagement du territoire. L'application du Schéma d'Aménagement Régional (SAR) qui prend en compte la protection de l'environnement naturel, devrait pouvoir contribuer à réduire ces inégalités spatiales.

Enfin les liens privilégiés avec la métropole ne doivent pas occulter la nécessaire intégration de la Réunion dans son proche environnement insulaire. La politique de coopération régionale menée depuis une dizaine d'années avec Madagascar, Maurice, les Comores et les Seychelles, institutionnalisée par la Commission de l'océan Indien, se heurte à de nombreux obstacles mais est toutefois facilitée par le poids de la francophonie dans ces états.

MAYOTTE

Guy Fontaine

Avec Anjouan, Mohéli, Grande Comore, Mayotte fait partie de l'Archipel des Comores, au nord du Canal de Mozambique, entre l'Afrique et Madagascar, à mi distance entre Équateur et Tropique du Capricorne. La fracture politique fait que depuis 1975 date à laquelle les Comores sont devenues indépendantes, Mayotte refuse d'être « la quatrième patte » de la République Islamique. Depuis 1976, elle est donc Collectivité Territoriale de la République Française, statut hybride, ni DOM, ni TOM, avec une forme quasi départementale (représentant du gouvernement, conseil général...) mais où les lois ne s'appliquent que sur mention expresse. Depuis 1986 elle vit une « départementalisation de fait », situation qui conforte les élus à réclamer cette forme définitive de statut, à leurs yeux seul garant d'un avenir serein.

Sur cet espace de 375 km^2 le défi est permanent. Réalité géographique contraignante, société islamique et de groupe à économie encore largement traditionnelle subissant le choc d'une nouvelle organisation économique et sociale, dilemme politique, défi de développement sont les problématiques d'une société et espace entre tradition et modernité.

1. Défi de l'espace

Isolement, exiguïté, relief accidenté, variantes climatiques sont les éléments qui contribuent, ensemble, à faire que l'île souffre de nombreux handicaps. Mayotte c'est en fait deux îles principales : Grande Terre à silhouette d'hippocampe aux altitudes faibles mais que l'exiguïté divise en de nombreux bassins versants limitant les accès aux côtes et à quelques rares axes intérieurs, Petite Terre adossée à la barrière de corail réunie au célèbre Rocher de Dzaoudzi par un tombolo double. Parce qu'enclavée, l'histoire des échanges l'avait « condamnée », Mayotte a peu de rapports avec les économies voisines de l'océan Indien, est ignorée des instances de coopération régionale et malgré les efforts en équipements de transports maîtrise mal les distances, ce qui constitue l'un des puissants freins à son développement. De plus l'environnement naturel, notamment la pluviométrie intense d'octobre à mars avec la mousson et quelques cyclones, pèse lourdement sur les mouvements internes, primordiaux dans cette société où les liens familiaux sont étendus.

2. Défi démographique

À sa prise de possession en 1841 Mayotte comptait 3 000 habitants, mais seulement 800 en 1904, preuve de l'échec de cette modeste colonie. Depuis la situation s'est totalement inversée. La population a triplé de 1900 à 1966 et, surtout, est passée de 32 700 à 75 000 entre 1966 et 1985 et 95 000 en 1991 soit un taux de croissance de près de 6 % l'an, l'un des plus importants de notre planète. Cette explosion démographique est imputable aux 2/3 à l'excédent de naissances, résultat de l'amélioration des conditions de santé, de la jeunesse de la population – 60 % de moins de 20 ans – et du type de société. L'autre tiers vient de

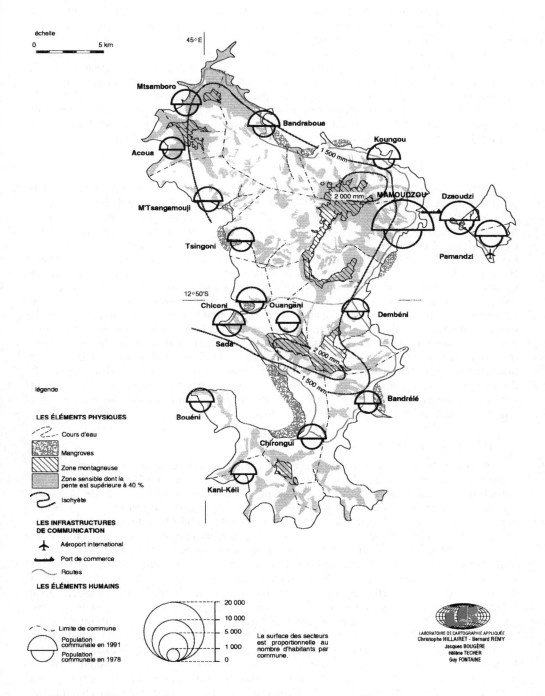

Figure 42. Mayotte.

l'immigration comorienne – dont près de 10 000 clandestins – car Mayotte constitue, malgré sa situation délicate, un pôle d'attraction pour les populations des autres îles confrontées à une situation économique et politique moins favorable et moins stable. Cela explique d'ailleurs la constante pression des élus pour une lutte contre l'immigration « sauvage ». Ces éléments pèsent de plus en plus lourd dans la mise en place des projets de développement. Dans les quinze ans à venir l'île aura doublé sa population, verra s'accentuer la progression des zones d'habitat mais aussi de cultures ce qui accentuera le phénomène, déjà fort avancé, de la déforestation, de l'érosion des sols, de l'envasement du lagon. Le rapport des hommes à l'espace ne cesse de se dégrader : moins de 100 habitant/km^2 en 58, plus de 250 en 91, plus de 400 en 2000. Ce défi démographique pose ainsi toute une série de situations alarmantes pour cette jeune collectivité dont notamment celles de l'enseignement, de la formation et des emplois (200 emplois créés par an pour 2 500 nouveaux arrivés sur le marché).

3. Défi de société

Se prolonge ici l'histoire de peuples différents qui se heurtèrent à certains moments, mais aussi s'influencèrent, s'infléchirent : peuple « Mahorais » – 90 % de la population – lui même fruit de différents processus d'acculturation et d'assimilation intégrant Arabes, Bantous, Malgaches unis dans une communauté de vie, de religion – à 90 % islamique – de mode de vie et de culture, Européens « mzoungous », Créoles, Indiens. Cette société marquée par l'omniprésence de l'Islam, ciment d'une société riche en clivages, aux structures traditionnelles encore fortes, est une société paysanne aux liens étroits reposant sur les groupes familiaux élargis. Si les dix dernières années ont vu un gonflement des centres urbanisés – Mamoudzou, le chef lieu regroupe plus de 20 % de l'ensemble avec 24 000 habitants, Mayotte reste, et pour longtemps encore, un monde de villages. Parce qu'il est à la fois communauté morale, unité de possession foncière et de décision, le village occupe une place prioritaire dans la société et culture mahoraises. Le défi est donc ici, et de plus en plus, la percussion, par le progrès « occidental », de la société traditionnelle. Efficace en persuation, apportant équipements nouveaux, amélioration des conditions de santé, d'enseignement, il construit une société de consommation basée sur la seule valeur individuelle menaçant en cela les fondements de l'organisation traditionnelle mais n'ayant aucune certitude de créer des solidarités nouvelles et plus sûres.

4. Défi du développement

En un quinzaine d'années Mayotte est entrée dans une phase de développement rapide. L'engagement financier de l'État Français s'accélérant à partir de 1987 a déclenché un « dynamisme économique ». De 1977 à 1992 la masse monétaire est ainsi passée de 14 à 1 080 MF, les importations de 25 à 463 MF, les exportations – plantes à parfums notamment – seulement de 9 à 14 MF, le parc automobile de 227 à 5 000 unités. Mais le pari est redoutable car il faut concilier efficacité économique et justice sociale, culture traditionnelle et modernité. La priorité est encore la satisfaction des besoins fondamentaux notamment alimentaires aussi l'agriculture, autour de la trilogie autoconsommation (riz, cultures vivrières), cultures de rente (Ylang-Ylang, coprah, vanille), pâturages, demeure-t-elle le pivot de l'économie traditionnelle. La monétarisation, même si elle s'accélère, reste encore faible. L'activité productrice repose sur un secteur monératisé mais minoritaire (administrations, travaux publics, commerce…). Les dépenses de l'État et de la Collectivité « fabriquent » des emplois et revenus directs mais qui ne concernent qu'une frange de la population. Agriculture, pêche et élevage restent ainsi les incontournables tandis que le « miroir tertiaire » attire de plus en plus, l'administratif représentant déjà 45 % des salariés. Ainsi malgré les efforts faits, la mise en place de plans de développement, l'île reste dans l'indigence dans de nombreux domaines vitaux rendant urgent la mise en niveau économique, sociale et culturelle car la demande des populations se fait de plus en plus pressante.

Conclusion

Mayotte peut « se vanter » d'être à la fois « île oubliée » et « île authentique » (slogan d'un tourisme encore embryonnaire). Comme bon nombre de pays en mal développement, elle doit faire face à une démographie galopante, une crise du monde rural, une faible voire inexistante industrialisation, des échanges limités. Ces handicaps, elle le doit d'avantage à des faits historiques et économiques qu'à son insularité. Il est donc évident que Mayotte ne peut seule assurer sa survie, l'accroissement de la solidarité nationale est une nécessité absolue.

TERRES AUSTRALES ET ANTARCTIQUES FRANÇAISES (TAAF)

André Gamblin

Les TAAF sont un TOM depuis 1955. Dépourvues d'habitat permanent, elles sont administrées directement depuis Paris.

Voir figure 40, page 303.

1. Les terres australes

Elles comprennent les îles Nouvelle-Amsterdam et Saint-Paul, les îles Crozet et les îles Kerguelen. Ilots basaltiques de l'océan Indien, entre 38 et 50° de latitude sud, près ou proches des quarantièmes rugissants ; végétation de type toundra ; pas de résidents permanents ; les eaux sont poissonneuses. Certaines servent de base scientifique et elles occupent une position stratégique sur les routes d'Europe en Asie ou en Australie.

■ **Nouvelle-Amsterdam et Saint-Paul** sont situées à 38° de latitude ; les températures vont de 5 à 22 °C ; elles sont officiellement françaises depuis 1893. La Nouvelle-Amsterdam, 54 km^2, est un volcan qui culmine à 881 m ; éléphants de mer, otaries, manchots, oiseaux ; une station météo. Saint-Paul, un volcan de 7,2 km^2 dont le caldeira est envahie par la mer. On y pêche la langouste ; plusieurs tentatives d'installations ont échoué.

■ **Les îles Crozet :** par 46° de latitude Sud, 300 km2, possessions françaises depuis 1772. On y a chassé phoques et baleines ; une base de recherche ; oiseaux de mer, parc national.

■ **Les îles Kerguelen,** au nombre de 300, couvrent environ 7 000 km^2, entre 48 et 50° de lat. S. La plus grande, la Grande Terre, a 140 km de long, 6 000 km^2 ; au nord-est, une côte à fjords très découpée ; à l'ouest, un glacier de plateau : Cook ; elle culmine à 1 960 m au mont Ross. Moyenne de l'été : 7,4 °C, de l'hiver : 2,6 °C ; des vents d'ouest, presque continuels, très violents. Découverte par Yves Kerguelen de Trémarec, en 1772 ; possession française depuis 1893. A côté des phoques, des oiseaux de mer et des manchots, des moutons, des rennes, des lapins et des rats ; on y a fait des essais manqués d'élevage du mouton. Base pour les chasseurs de phoques et d'otaries. Une station météo permanente à Port-aux-Français. La zone de pêche est exploitée par des bateaux ex-soviétiques. Depuis 1987, certains navires français peuvent être immatriculés aux Kerguelen, pavillon bis, avec des charges sociales plus faibles.

2. La terre Adélie

Un morceau du continent antarctique de 280 000 km^2, au sud de l'Australie ; 300 km de côtes à quelque 2 500 km du pôle. L'altitude au pôle est de 3 000 m. Elle fut découverte par Dumont d'Urville en 1840 ; la souveraineté française fut décrétée en 1938 ; elle est très limitée par le Traité de l'Antarctique de 1959. La calotte glaciaire recouvre presque tout ; les températures varient entre – 5 et – 60 °C avec des vents violents, incessants, du sud-est. La base scientifique permanente Dumont d'Urville est installée sur l'île des Pétrels de l'archipel de la Pointe-Géologie ; une base non permanente est située à 320 km à l'intérieur.

3. Autres possessions

■ Les terres éparses

On désigne ainsi de petites îles autour de Madagascar. A l'est, Tromelin : 1 km^2 ; à l'ouest, dans le Canal de Mozambique, l'Archipel des Glorieuses (10 km^2), Juan de Nova (moins de 10 km^2), Bassas da India, un atoll et Europa (30 km^2). Elles sont rattachées administrativement au préfet de la Réunion ; elles sont visitées par des scientifiques ou des militaires.

■ Clipperton

Dans le Pacifique, à 1 300 km du Mexique. Un anneau corallien de quelque 3 km de diamètre, de quelques dizaines de mètres d'altitude, entourant un lagon fermé. La France en a pris possession en 1858. En 1907, le Mexique le revendiqua et y exploita le guano ; la cour de La Haye a reconnu la France, en 1931, après épuisement du gisement de guano. Clipperton a servi de base à l'aviation des Etats-Unis pendant la Seconde Guerre mondiale.

BIBLIOGRAPHIE

ALLIBERT (C.). Mayotte plaque tournante et mcirocosme de l'Océan Indien Occidental, son histoire avant 1841, Paris, Ed. Anthropos, 1984.

DEFOS DU RAU (J.). *L'île de la Réunion, Etude de géographie humaine*, Bordeaux, 1960, 715 p.

DUPON (J.-F.). *Contraintes insulaires et fait colonial aux Mascareignes, Seychelles*, Librairie Champion, 1977, 1620 p.

FONTAINE (G.). Mayotte, Paris, Ed. Karthala, 1995.

Institut d'émission des départements d'Outre-Mer (I.E.D.O.M.), Réunion, Paris, Rapport annuel, 214 p. en 1992.

LEFÈVRE (D.). *L'organisation de l'espace à Maurice et à la Réunion. Etude de géographie comparée*, Nice, 1986, 4511 p. ronéotées.

LEFÈVRE (D.). *La Réunion*, Encyclopaedia Universalis, Paris, 1988.

SALESSE (Y.). Mayotte, l'illusion de la France, Paris, L'Harmattan, 1995.

SCHERER (A.). *La Réunion*, Paris, PUF, Que sais-je ?, n° 1846, 3e édit., 1990, 128 p.

Université de la Réunion-CEA-CERIGO : Actes du Colloque Mayotte, St-Denis 1992.

VERIN (P.). Les Comores, Paris Karthala, 1994.

VIGNERON (E.), CHARDON (J.-P.), LEFÈVRE (D.), BOUGÈRE (J.). *La France du lointain*, Paris, Documentation photographique, n° 7012, août 1992.

TABLE DES FIGURES

INDEX

Mise en page : STDI

COMPOGRAVURE
IMPRESSION, RELIURE
IMPRIMERIE CHIRAT
42540 ST-JUST-LA-PENDUE
JANVIER 1998
DÉPÔT LÉGAL 1998 N° 4831
N° D'ÉDITEUR : 1644

IMPRIMÉ EN FRANCE